THE HOUSE OF
ROTHSCHILD

罗斯柴尔德家族（下）

[英] 尼尔·弗格森◎著
何正云◎译

中信出版集团 | 北京

图书在版编目（CIP）数据

罗斯柴尔德家族（下）/（英）弗格森著；何正云译. —北京：中信出版社，2012.6（2024.5 重印）
书名原文：The House of Rothschild
ISBN 978-7-5086-3287-2

I. 罗… II. ①弗… ②何… III. ①金融－经济史－世界 ②金融家－家族－史料－世界 IV. ①F835.09 ②K835.160.9

中国版本图书馆CIP数据核字（2012）第049534号

罗斯柴尔德家族（下）
LUOSICHAI'ERDE JIAZU（XIA）

著　　者：[英] 尼尔 · 弗格森
译　　者：何正云
出版发行：中信出版集团股份有限公司（北京市朝阳区东三环北路27号嘉铭中心　邮编　100020）
承 印 者：北京通州皇家印刷厂
开　　本：787mm × 1092mm　1/16　　**印　　张**：23　　**字　　数**：430千字
版　　次：2012年6月第2版　　**印　　次**：2024年5月第18 次印刷
京权图字：01–2008–3954
书　　号：ISBN 978–7–5086–3287–2 /F · 2594
定　　价：69.00元

THE HOUSE OF ROTHSCHILD

目录

第一章

德意志、共和国、国债（1870~1873年）

THE HOUSE OF ROTHSCHILD

我希望现在这个世界至少应该意识到德国是什么。

迈耶·卡尔·冯·罗斯柴尔德

1870年9月1日

我还想补充的是法国国债是一种随时都能找到买主的债券……

阿方斯·德·罗斯柴尔德

1870年8月22日

1870~1871 年的普法战争，从表面上看对于罗斯柴尔德家族来说是一场灾难。罗斯柴尔德家族的各个银行第一次发现自己在一场他们无力阻止的欧洲大战中身处直接对立的两个阵营中。在莫瑞兹 · 戈尔德施密特儿子的自传中，他回忆起了安塞尔姆在 1870 年时歇斯底里地狂喊："我无法接受这场一触即发的战争！我没有办法接受，就算要花费我成千上万古尔登——我也不允许！"但是，战争还是爆发了。甚至在普鲁士军队潮水般涌向法国首都的时候，巴黎的合伙人还是选择留在拉菲特大街"坚守自己的岗位"：尽管早就意识到法国准备得不够充分，而且波拿巴政权对挑起战争负有责任，阿方斯和居斯塔夫还是站在自己祖国一边。他们通过向法国提供战争借款，尽自己的能力提供金融支持，而且还试图应用他们在伦敦的影响力来推进法国外交目标的实现。至少两名年轻的法国罗斯柴尔德家族成员——他们的兄弟埃德蒙和纳特的儿子詹姆斯 · 爱德华在机动保安队中服役。普鲁士军队对费里耶尔的占领促进了这种认同。俾斯麦和威廉一世在 1870 年 9 月的到来似乎毫不留情地预示着一个新时代的到来，在这个时代里，罗斯柴尔德的金融势力必须在普鲁士的"铁血统治"面前低头。

与此同时，迈耶 · 卡尔在法兰克福更加毫不掩饰地把自己看成是节节胜利一方的普鲁士人，而且还不仅仅是普鲁士，甚至是法国战败后出现的新日耳曼德意志。这里还有一个非常有说服力的标志，普鲁士国王在凡尔赛宫的镜厅宣布加冕为"威廉皇帝"前夕，迈耶 · 卡尔被选为由北德联邦国民议会派出的向国王"表达忠心"的议会代表团成员。然而，迈耶 · 卡尔没有留下来参加加冕典礼活动——没有罗斯柴尔德成员出现在安东·冯·维尔纳描述这个伟大时刻的作品《日耳曼帝国宣告成立》中欢呼的士兵和盛装的官员中。而且由于同样的道理，罗斯柴尔德家族似乎被新的而且喜欢炫耀武力的德意志给矮化了。

然而，或许法国战败中最令人感到震惊的地方——除了它战败的速度——是它被征服的速度。在1870年的某一个时间，似乎波拿巴政权的崩溃可能会让法国——或者说是巴黎——陷入与1792年和1848年曾经出现过的类似的革命泥沼之中。像甘姆贝塔这样的共和党人想通过发动群众来延长战争的那些徒劳努力似乎损害了“资产阶级”所有的物质成果。1871年1月最终达成的和平条款被榨走的不仅有领土——失去了阿尔萨斯和洛林——还有金融——50亿法郎的赔款。所有这些都把第三共和国变成了19世纪的魏玛共和国。反过来，经济的快速复苏使得法国提前还清了赔款，因此在1873年结束了德国对法国北方领土的占领。在同一年，维也纳和柏林的股票市场崩盘，使所有中欧国家陷入了经济衰退，让人们开始对俾斯麦体系内部的稳定性产生了怀疑。在这一次金融报复中，罗斯柴尔德家族起到了决定性的作用。结果是，他们在巴黎，而且在整个欧洲的势力似乎不仅没有被削弱，反而得到了进一步的增强。

毫无疑问的是，罗斯柴尔德家族的情报体系在西班牙王朝的问题上遭到了彻底的失败。他们非常清楚马德里的国会考虑的候选人之一是霍亨索伦-西格玛林根王族的利奥波德。但是他们没有认真领会俾斯麦对候选人的支持程度所暗含的重要意义，他其实早在2月份的时候就已经做出了决定。我们知道俾斯麦并没有把他的决定透露给布雷希罗德，使得他的这位个人银行顾问一直到7月5日都还相信“政治领域不会制造不安”。有意思的是，他似乎还是给了罗斯柴尔德家族一点儿暗示。按照4月5日给纽考特的一封信上所写的，“老俾”告诉迈耶·卡尔说：“来自西班牙的消息非常糟糕，而且那个国家的金融状况非常奇怪。”但是，如果这是对西班牙渐行渐近的经济危机的一个加密警告的话，迈耶·卡尔并没有能够把它破译出来。

同样，阿方斯也没有能够领会到格拉蒙特公爵在5月份时被任命为法国外交部长的这项任命所蕴涵的重要意义。格拉蒙特对事实上存在着的法—奥联盟的坚定信心使得他更加放心大胆地甘冒各种外交风险，而且冒险的程度远远超过他的前任，而他的前任在考虑处理与普鲁士的任何关系时，总是把英国的支持作为最基本的前提条件。但是，当阿方斯听到了对格拉蒙特的任命后，他评论道：“从任何方面看，我们都应该为此感动高兴，因为这个部门的领导中应该有一位经验丰富的人，他应该足够聪明，不会一天老想着通过一些花架子尽力去为自己赢得名声。”几乎没有比这个评价更加错误的人物评价了，尽管事实是，公爵的儿子之后娶了一位罗斯柴尔德（迈耶·卡尔的女儿玛格瑞塔），使人们总是联想到他可能已经是这个家族的朋友的这种可能性。7月2日，迈耶·卡尔见到了法国驻柏林大使伯尼特迪，当时他正（与通常所见的那帮政治家和银行家一起）离开柏林到威尔巴德去乘船。迈耶·卡尔向纽考特报告说，他“很高兴能够在伟大的首都经过紧张的工作后偷点儿闲。他的精神状态似乎很好，并且说所有一切都十分有序，和平已经得到了保证”。

不仅是罗斯柴尔德家族对和平充满信心：英国外交部的副部长在7月12日迎接新任外交部部长格兰威尔爵士时，给他报告说，“在他的长期经历中从来没有遇到过对外事务中能有如此长的平静期。”但是迈耶·卡尔7月2日的信中给我们提供了非常有价值的线索，让我们具体了解了银行家们为什么对西班牙危机一点预感都没有。原因不只是正好处于休假期间，因为他还是每天都按时报送消息，而且与巴林兄弟银行一样，罗斯柴尔德家族法兰克福银行的“精神状态非常好”。在普鲁士地产信贷银行——这是法国与普鲁士经济合作的标志性项目——启动的前夕，迈耶·卡尔最为关心的是怎么样能够“确保万无一失”。到7月17日他才开始关注“西班牙这个麻烦”，而且就算此时，他仍信心满满地认为“不会出现对和平的严重干扰”。早期的伦敦金融城悲观主义者，比如亨利·拉斐尔在这种时候卖出债券似乎犯了人们常规的错误。然而，不为罗斯柴尔德家族所知的是，法国和普鲁士两国政府都已经处于一个下不来台的很严重的外交困境中，只有撕破脸刀兵相见才能够解围。

毫无疑问，俾斯麦决心坚决支持霍亨索伦的候选人，就算激怒法国也在所不惜。早在7月8日他就说过：“要动员全军进攻法国。”至少部分原因是他看到了对外政策的危机可以被用做化解内部的经济问题，与用普鲁士的方式对德国进行统一后引发的问题交织在一起所形成死结一种手段。例如，他在7月10日承认“从政治上看，进攻法国对解决我们目前的困境很有益处”。俾斯麦的困难是解决利奥波德的父亲卡尔·安顿的犹豫不决，而且，更重要的是威廉一世不愿意就此事与法国发生争执。事实上，利奥波德在4月22日已经回绝了他的候选资格，只是在经过一番艰难的劝说之后，俾斯麦才扭转了局势。然而，又一个更大的困难出现了，当时一名马德里的译电员错误地翻译了西班牙使节所转达的利奥波德的承诺，这意味着议员们不用继续在议会里进行对利奥波德的选举，而是提前结束了会议，这个失误又引起了没有预料到的延误。

这是一场各种问题相互交织在一起的战争：当他们于7月9日在巴德埃姆斯会面时，威廉明确地对伯尼特迪说，如果利奥波德再一次退出，他也不会反对，但是，后者给巴黎的电报中充满抚慰语气的那一部分却因为传送过程中的天气干扰而无法译读。当伯尼特迪第二天再次返回来纠缠威廉的时候，他仍然获得了觐见的机会。尽管威廉拒绝了利奥波德退出的要求，但是他也当场表示这只是霍亨索伦·西格玛林根王族家族内部的事务，他通知了他在伦敦的大使魏特尔，向格拉蒙特表达了普鲁士的和平意愿。7月12日，卡尔·安顿宣布他的儿子最后决定不参与竞选。在他们次日于疗养花园室外举行的会议上，威廉认真地向伯尼特迪宣布："很好，这是一个好消息，它解决了我们所有的问题。"那天下午他更进一步告诉大使，他"以同意他参与竞争的时候同样的感觉和同样的程度"批准了利奥波德的退出，也就是"完整而且没有任何保留"。

当所有一切在埃姆斯发生的时候，俾斯麦从某种程度上说并"没有在这个轨道上"，尽管他已经在某种程度上为德国的报纸做好了安排。一直到7月13日他才重新获得了对这个事件的控制权，当时他从埃姆斯接到了那封关于威廉与伯尼特迪会面情况要点的电报。俾斯麦改写这封用于公开发表的电报时正确地阐述了国王的观点，他不能承诺"永远都不再同意"重新提出的霍亨索伦候选资格，但是给人的印象似乎是因为法国的要求已经冒犯了他，因而威廉随后拒绝会见伯尼特迪。这当然不是原文的意思，而是算计用来羞辱格拉蒙特的。俾斯麦继续采用修改后的电报来作为反法宣传运动的基础，引导了国内以及国外的舆论。

因此，俾斯麦使普鲁士的政策比他表面上的主子所期望的还要具有攻击性。然而，对战争的谴责不能只贴在普鲁士的门上。法国从1869年3月起就表示了他们对霍亨索伦候选人的反对意见，但相关的消息于7月2~3日在巴黎传开之后，马上得到的反应就是战争渲染。居斯塔夫总结了法国的态度，说市场是"冷静的"，但是：

> 你无法想象今天早上这个新闻在公众和政府中所造成的影响，他们要不惜一切代价来阻止王子被命名为西班牙国王，而且为了防止这种情况的出现，人们不惜与普鲁士一战。这里大家都在说这也是皇帝的意见，再也找不到一个比这更好的机会来用一个大家都关注的事情作为借口发动战争的了。

相应地，7月6日，法国政府批准了一个由格拉蒙特起草的火药味十足的声明，并在立法院进行了宣读。正如居斯塔夫所看到的，格拉蒙特的"暴力型的"语言是政府立场的真实反映：只有"国王坚决地否决"霍亨索伦候选资格这样的语言才可能让他们觉得满意，而且，如果利奥波德打算接受王冠，就会被认为是"宣战"。他重复到，"在这里，人们已经完全做好了战争准备，而且人们认为再也不会有更好的让人拥护的理由来进行战争。"当居斯塔夫看到法国总理奥利维耶时，奥利维耶警告他法国将会采用"一切手段"来制止这个人的候选资格，"甚至战争，而且在目前的这种形势下，战争的热情不会低于1789年的时候"。"皇帝将会得到他所想要的，"居斯塔夫预言道，“他想要的就是由议会投票宣布的战争。”

法国朝这个方向上迈出的关键一步是格拉蒙特在 7 月 12 日提出的坚决的主张——此时，利奥波德已经退出——伯尼特迪毫无道理地要求威廉“保证他不会再一次批准这个候选资格。”这种要求永远也不可能得到满足，因为威廉不可能给出这样的保证，而格拉蒙特一而再、再而三固执地要求伯尼特迪去做这样的尝试，意图很明显是想要激怒柏林，就像是要求给拿破仑三世写一封道歉信一样。以这样莽撞的方式，格拉蒙特不仅对于威廉对伯尼特迪最后抚慰的话语没有感到满意，甚至还抓住埃姆斯的电报作为战争口实，而且在 7 月 14 日下午获得了批准进行法国的战争动员，尽管没在拿破仑三世再一次捡起他惯用的解决所有外交难题的办法——召开议会会议之前。但是为时已晚，7 月 15 日，奥利维耶和格拉蒙特向内阁提交了埃姆斯事件的说明，这份文件采用了与俾斯麦同样的歪曲事实手法，之后，法国向普鲁士宣战。一直到这个消息传到了柏林，威廉才同意在普鲁士进行动员。“法国决定进行一场论战。”迈耶 · 卡尔最后总结道。人们很难不同意，就算这是一场论战，也深受俾斯麦欢迎，而对法国而言是致命的。按照居斯塔夫的说法，法国的看法是“如果我们不得不进行一场战争，如果战争无法避免，那么现在开战要比 6 个月后更有利”。

事实上，法国不仅比普鲁士表现得更加好斗，而且其实就是侵略者，正因为如此，英国决定了自己不干预的立场。与 1867 年的卢森堡危机一样，罗斯柴尔德家族成为了伦敦与可能的交战方之间进行沟通的渠道。7 月 15 日，拿破仑三世要求阿方斯给格莱德斯通传递一个信息，要求在保证霍亨索伦退出候选方面获得他的支持。纳蒂在 7 月 6 日一早到格莱德斯通位于查尔顿住宅区的家里把这个消息传递给了他，而且正好碰到他正准备离家到温莎去拜见女王，因此与他共同驱车去了火车站。按照莫雷的说法，“格莱德斯通先生沉默了一会儿，然后说他不同意这个候选资格，但是他不会安排干预西班牙人民选择自己君主的自由”。这个结果有时候被认为打碎了法国罗斯柴尔德家族的希望，但是这似乎更像是他们想要听到的。一个冷淡的反应可能正是所需要的，如果想要越来越莽撞的格拉蒙特有所节制的话。居斯塔夫希望英格兰“维护和平”，这就意味着在对普鲁士施压的同时也要对法国施压。“我们听说你们的政府对我们的政府施加了很大的压力，他们想让我们接受一个妥协。”他在 7 月 11 日写道，“但是与此同时，很不幸的是公众的情绪和国会都已经被点燃了。”因此，当霍亨索伦在 7 月 12 日退出候选竞争的时候，罗斯柴尔德家族巴黎银行给伦敦发出了另一份电报，充满乐观地说道：“法国满意了。”格莱德斯通在当天很晚的时候看到了这份文件。紧接着，格兰威尔给驻巴黎的大使莱翁斯发了电报，说法国事实上应该“很满意地而且是终结性地接受利奥波德王子退出候选名单”。

英国的压力对法国产生了一些效果：当莱翁斯发出这个信息的时候，勒波奥夫将军要求所有预备役军人聚集的命令被部长会议否决，而且决定不把格拉蒙特所要求的不重新提出候选人选的保证看成是最后通牒。从这点上说，罗斯柴尔德的非正式调停表面上看再一次对维护和平作出了贡献。“半小时之后，”居斯塔夫听到威廉在7月12日对利奥波德退出的无保留批准之后说，“宣战的命令可能就要发出，尽管这可能与皇帝的想法不符，他想发动战争，但是他应该对这个回应感到满意。因此，和平已经达成，或者说是战争已被推迟，因为我不再相信在这种情况之下，两国之间的关系还可以维持得很好。”迈耶·卡尔的缓和更是没有保留：“看起来似乎所有事情都安排得很令人满意，而欧洲战争的可怕灾难已经免除。我们为此感谢上帝……”第二天的幻灭感觉是不可言喻的，而且他们都不怀疑应该去谴责谁。就是这一天，战争爆发了，居斯塔夫提出了这种可能，认为法国可能会重新提出它以前的对比利时的计划。这次法国事件在伦敦成了最不讲信用的例子。

危机的经济后果往往被历史学家所忽略，但是值得我们给予关注；因为这对我们解释英国的不干预有着很大的帮助。在战争的第一个月，德国和法国的金融市场受影响的程度基本上是一样的。巴黎的情况不妙：霍亨索伦候选身份的消息一传出，国债的价格马上开始下滑，从6月4日的74.83跌到了7月9日的71.25，战争爆发后更是大跌至67.05。但是这些数据与柏林和法兰克福的数据略有不同，在这些地方新发行的4.5%票面利率的普鲁士债券从93.5暴跌至77.3——如果说有差异的话，就是德国的危机在战争爆发的时候更加严重。尽管蒸发掉的流动性足以把两边的很多银行拖入困境，罗斯柴尔德家族却基本没有什么麻烦。罗斯柴尔德家族法兰西银行除了俄罗斯所欠的那笔巨款（3 500万法郎）外，相对来说似乎很少有出现问题的债务，而法兰克福银行基本上可以说什么问题也没有。尽管迈耶·卡尔错过了一个俾斯麦特有的暗示，但是他还是“及时提高了警惕”。随着法国首次在斯匹切尔伦和弗罗希威勒受挫的消息慢慢得到证实，崩溃的当然是法国市场，而德国市场则重振了信心。相反，英国市场在整个过程中几乎没有受到任何影响：在1870年5月至8月间，最大跌幅是3.6%。这与1866年时的情况正好相反，当时奥匈帝国和普鲁士战争期间正好与伦敦的一场严重的金融危机契合，这一点很值得关注。（在1870年所出现的情况似乎是法国的资本从冲突出现的早期就开始流向伦敦——最有说服力的一个指标——因为尽管有政府的花言巧语，但是巴黎早就弥漫着悲观的情绪。）另一个不能说没有意义的例证是格莱德斯通在7月18日的时候以90的价格购买了价值2 500英镑的永续公债：这是一个个人的，而且有事实根据的对英国不干涉政策所投出的信心票。

英国罗斯柴尔德家族因此以一种比对1866年事件更为中立的态度来看待发生在

欧洲大陆上的事件。在1866年的时候，普鲁士的表现似乎更接近于坏蛋角色。当在法国在色当被击败的消息传来的时候，这里确实存在着同情法国的情绪，而且由于阿方斯的妻子莉奥诺拉身处伦敦，使这种情绪得到了进一步的加强；此外，或许还有列昂内尔要求提供普鲁士人残暴行径的详细情况，以及后来他在海外为法国伤兵和战俘的募捐善款转款中所起的作用。而且，在色当之前，罗斯柴尔德家族伦敦银行为法国战争准备所做的事情也比为普鲁士做的多：法国在英国购买饼干和咸肉时是由罗斯柴尔德家族伦敦银行进行的融资，尽管政府票据的贴现比优惠条件要略差。另外，纽考特起初同意认购法国的各种战争贷款，而且如果需要，可以通过法兰西银行提供黄金，但是这些允诺最终没有采用，因为法国政府通过在国内出售短期国库券的方式为第一阶段的战争进行了融资。然而，到8月末政府提出了常规的战争贷款时，罗斯柴尔德家族伦敦银行的兴趣已经大为减弱。当国防政府1870年秋寻求在伦敦筹集1 000万英镑的时候，它不得不面对的是一个很小的美国公司J · S · 摩根公司。

相反，迈耶 · 卡尔提供的普鲁士战争债券虽然在战争初期受到了冷遇，但是到10月份的时候，罗斯柴尔德家族伦敦银行却提出了认购100万塔勒的谈判。在接下来的时间里，汉森曼被派到伦敦去安排一项价值5 100万塔勒的5年期国库券的发行；债券的短期安排是一个准备向法国要求战争赔款的信号，虽然不一定说明赔偿的幅度。迈耶 · 卡尔为罗斯柴尔德家族参与这个行动找到了一个很有说服力的理由：

> 罗斯柴尔德家族法兰克福银行的地位目前并不乐观，因为政府有权期望得到我们的支持，而且一定不要忘记，如果我们不帮助他们，就是把这个工作留给了其他人。另一方面，我们也不是要做一些事让你感到不快，或者说是把你置于一个对不起我们的巴黎朋友的位置。因此，我希望如果汉森曼来拜访你，你能友好地接见他，并且告诉他你希望我怎么做……如果我们失去了这个向政府表明我们的作用的机会，其他人就会跳起来抢走这个机会，并让我们靠边站，特别是我将不得不吞下这个苦果……如果说关键的问题不是要从英国获得资金，我就不会用所有这些琐事来麻烦你，而得到你关于怎样来尽力调和我们银行的利益与政府的意见和要求。我承认，如果斯罗德控制了普鲁士的业务，我会感到非常遗憾，我敢说，斯罗德所代表的是艾兰格尔以及他们那个圈子里的所有人，因为我完全有一切的理由相信所有对（北德联邦）债券有兴趣的其他普鲁士银行都会参与到他的阵营，并对把我们挤出局的这个主意拍手称快。

罗斯柴尔德家族伦敦银行对公开参与到新贷款中颇感踌躇，但是介绍了汉森曼与伦敦市银行进行接触，迈耶 · 卡尔因此也利用海外贸易银行作为他参与的前导。

纽考特也帮助海外贸易银行充实了它的白银储备——这是这项贷款的主要目的之一。

这些金融方面的原因部分地解释了为什么英国不愿意按法国罗斯柴尔德家族的愿望来进行调停的原因。从战争伊始，阿方斯和居斯塔夫就敦促政府应该进行干预，来更早获得和平，希望他们与堂兄弟们能够一起再次成为进行和平沟通的渠道。但是，能促进这样一次干预的唯一的事件应该是法国的取胜，这会使比利时受到极大的威胁，一旦这种可能性消失，格莱德斯通以及他的部长们就会满足于让事情按共有的路径发展。其他可能存在的危险——俄罗斯和奥匈帝国也会开始渲染一场“大规模战争”——实际上从来都是唬人的：戈尔查科夫和贝斯特坚持他们的不干预政策（早在1869年9月就已经达成），并相继在7月13日和20日宣布了他们的中立立场。甚至迪斯雷利对格莱德斯通似的不作为的批评也只起到了反作用，他没有看到抵御“德国革命”的真正理由。如果说是为拯救拿破仑三世，他不是刚把小说《罗泰尔》敬献给了奥尔良分子德奥梅勒公爵？最让阿方斯恶心的是《时报》——其编辑德莱恩与列昂内尔的友谊是众所周知的——在战争初期的时候表现出了强硬的反法立场。具体说来，报纸公布的伯尼特迪1866年提交给俾斯麦的协定草本似乎证实了法国对比利时另有所图的传闻。在1870年10月，格莱德斯通自己在《爱丁堡评论》上发表了一篇匿名的文章，文章中他宣布“新的国家关系准则……公开谴责了法国的侵略行径”。当《时报》在同月改变了它的语调，为防止阿尔萨斯和洛林被吞并而要求进行干预时，有一些人相信罗斯柴尔德将会采取行动。但是事实上，罗斯柴尔德为英国调停的任何努力最终都将注定一事无成。认为战争可能会持续经年，而且不会产生什么大的影响的假设或许也从另一方面鼓励了伦敦采取坐山观虎斗的政策。

对于身处欧洲大陆的罗斯柴尔德家族来说，中立从来就不是一种可选的立场。迈耶·卡尔毫不迟疑地对最初的普鲁士战争贷款认购了100万塔勒；当这次公开认购只募集到政府拟筹集的1.2亿塔勒的一半时——德国在战争早期也充满疑虑的另一个表现——他已经做好了准备参加汉森曼领导的再认购2 070万塔勒的辛迪加（其中，罗斯柴尔德家族法兰克福银行认购了300万）。普鲁士的胜利传到法兰克福时，卡尔无法掩饰自己俾斯麦式荣耀的喜悦。“我认为巴黎人可能被吓坏了，”他在弗罗希威勒胜利之后高兴地写道，“特别是他们几乎没有想到德国人居然可以这么轻松地打败他们。这里以及整个德国都充满了热情，而且不需要我说，你也可以想象得到每个人都是兴高采烈。”“我一点都不怀疑，”一周之后他又写道，“德国军队将会大获全胜，一个持久的和平将会到来。与此同时，这里会有很多生意，而且每个人都认为我们将会迎来伟大的人生。”

由于传来的战事消息越来越好，他的语气也变得越来越尖刻。“我认为法国人没有成功的机会，”他在8月27日宣称，“他们将会知道与德国民族，而且是与100万德国男人叫板的结果是什么。”与绝大多数德国人一样，色当传来的消息使他欣喜异常，并急切地增持他手里的政府债券。“一点儿都用不着怀疑，”他在11月23日宣称，“（德国）政府将在未来欧洲的交响乐团里坐在首席小提琴的位置上”，“德国的强大和团结能够为世界和平作出比所有国家都大的贡献。”确实是，他和他的家族对于冲突中的人力成本并没有抱任何幻想：他出生于英国的妻子路易丝以及他们的孩子，在他们为伤兵们建立的医院里“日夜”工作。他对普鲁士理由的正义性没有任何的怀疑，尽管他抱怨过旅途的劳累，但他对能够应邀与其他议员们一起到“凡尔赛宫向德国皇帝表示庆贺”感到无上荣光。

对自己祖国的认同在巴黎却是另一番遭遇。詹姆斯的儿子们与他们的父亲不一样，他们是法国公民，而且在他们的爱国情结中表现得更加谨小慎微。举个例子，在7月19日，阿方斯辞去了北德联邦驻法国的总领事职务。他们在8月份的战争贷款中认购了至少5 000万法郎。从战争伊始，他和居斯塔夫就表达了“首战必定对法国军队有利”这样的期望。开始这只是因为他们相信这会促成英国的外交调停；但是，随着战争的进程，反普鲁士的感情开始产生出冷静的爱国情绪。在费迪南德到达巴黎的时候，他发现他的堂兄弟们“非常激动，而且对普鲁士、俾斯麦和罗斯柴尔德家族法兰克福银行表达了极大的愤慨”。“在他们的观点和感情中，他们都是极端热忱的法国爱国分子，”他这样向伦敦报告，“加上教皇的天主教狂热。”埃德蒙以及纳特的儿子詹姆斯·爱德华，正如我们上面已经提到过的，在机动保安部队里服役；阿方斯在普鲁士人进攻的前夜也去参与守卫巴黎城墙；内森·詹姆斯，可能参与了11月30日巴黎南部的那次流产的特罗希“突围”。8月6日，梅里美听说“一名罗斯柴尔德”在8月份“带着他的行囊，肩背长棍面包，乘坐北方铁路公司的三等车厢离开巴黎，而他的银行持有这个铁路公司2 000万的股份”。尽管确实有安塞尔姆在色当战役前夕返回维也纳，以及詹姆斯·爱德华的兄弟阿瑟在1870年年末的时候在布鲁塞尔的事实，但是上述说法仍然无法洗脱恶意谣传的痕迹。真实的情况是，罗斯柴尔德家族成员每个人都尽忠职守，并且在危机中不惜牺牲自己的生命，根本不像很多有钱的巴黎人那样贪生怕死。

对那些身处法国的人来说，他们面临的最大困难是从战争初期他们就看到了战败的明显迹象。战争爆发的时候，安塞尔姆碰巧就在巴黎，他对他的观点毫不隐瞒：“法国人充满了热情，但是普鲁士人有更高效的军事组织，而且后者的军队在人数上也处于绝对优势。”阿方斯也很悲观。“酒杯已经斟满，”他在7月20日宣称，“很不幸我们必须喝了它，而这杯酒非常苦涩。”在罗斯柴尔德家族眼里，法国做错事情的早期迹象在于政府对战争引起的经济后果的反应。法兰西银行暂停黄金兑换以及严控货币离开巴黎的做法让阿方斯非常生气，因为他更倾向于依靠贴现率的手段进行调节。8 月 4 日，大约价值 200 万法郎的白银被警察查扣，他们认为这是准备走私逃离法国。而事实上，这是罗斯柴尔德家族银行代表政府运到比利时用于交换黄金的。到 12 日，法兰西银行已经在政府的强制下暂停了兑换，而在此之后又对汇票进行了延期：在这些措施推出之后阿方斯没有辞去他在法兰西银行董事职位的唯一原因，根据他自己的说法，就是这可能会被看成“战争期间开小差的行为”。更让人警醒的事情是一名“高级军方人物”要求将他的一个装满债券的小包裹送到罗斯柴尔德家族伦敦银行进行保管。按照阿方斯的评论，“站在他的角度给出的这个说法，就像你可以想见的，唤醒了我们内心的怀疑，因此我们决定学着他的样子……”三天后，他们开始这样做了。8 月 11 日，詹姆斯·爱德华将他收藏的珍本书籍和画作送了出去。随着危机的深化，债券被送到罗斯柴尔德在布鲁塞尔的代理兰伯特处。在色当战役当天，根据布雷希罗德的建议，罗斯柴尔德家族巴黎银行卖出了它所持有的科罗尼—明登铁路的股份，获得了可观的利润。

限制资本外流的措施是最让阿方斯担心的。从非常早的时期——前线战事出现转折的消息传来之前——他和他的兄弟们就担心战争可能在巴黎激发出一场革命。早在 7 月 19 日，居斯塔夫就想到了；一周之后，他的兄弟详细计划了当“左翼”在巴黎上演夺权闹剧时要采取的“拼死搏斗”战役的步骤。到那个时候，他仍然对政府能够控制住局面充满了信心。但是到了 8 月份的第一周，他觉得政府在尽力与资本外逃作斗争的过程中，自己也开始自暴自弃，任由自己“倒进革命的泥沼。曾经是贵族的那些人成为了嫌疑犯，今天成为嫌疑犯的却是生意人”。“危险来自于内部，而不是来自于普鲁士。”他在 8 月 3 日忧心忡忡地写道，“这里（巴黎）我们没有军队，而且如果运气不好的话，我们得遭受一些转折，谁也不知道平民会引发多么过分的愤怒情绪。”财政部长似乎无法抵御“某些内阁成员相信将回到法国共和时期的倾向”。如果不能很快传来战争胜利的消息，阿方斯在 8 月 6 日警告说，“革命党就会赢得先手”。仅 3 天后，革命似乎不再只是一种可能性，而是在没有军事胜利的情况下随时可能发生的事。当立法院的会议上不只是要求奥利维耶辞职，而且要求皇帝退位的时候，皇帝却正疯狂地在查伦斯试图动员一支新的军队。按照阿方斯的看法，帝国的没落现在已经是“一个既成的事实”。

这种对于革命的先见之明其实很容易解释。对于罗斯柴尔德家族（就像对于梅特涅一样）来说，现代历史上最重要的教训就是一场法国革命可能引发一场欧洲战争；反过来说，与法国有关的一场战争也会导致法国的革命。这种恐惧自从 1815 年以来就一直反反复复影响着罗斯柴尔德家族的决策，但是也一直没有完全应验过。在1830年和1848年的时候，就曾出现过没有战争的革命。在1855年和1859年，又出现过没有革命的战争。在1870年，历史最终契合了罗斯柴尔德模型。事实上，这可能就是罗斯柴尔德家族能从1870~1871年的危机中全身而退的原因。

与此同时，在阿方斯来说，他心怀着一种真切的渴望，希望通过一场有限的共和革命来推翻波拿巴的统治，对于这一点，他的父母曾经一直持怀疑的态度，而他自己在最终的自由化期间曾经旗帜鲜明地表明了态度。阿方斯在8月13日给伦敦的信中指出，他已经与比较温和的共和派领导人——“那一类在目前的局势下可以被推出来对事件的发展产生影响的人”取得了联系，而且他们已经向他保证会尽力恢复社会的秩序。至少，新成立的政府中的一位成员克里缪克斯是一名罗斯柴尔德家族的老伙计，而且阿方斯很快就向他的堂兄弟们确认了新政权的良好愿望。“按照共和政府所宣布的，”他在9月4日这样报告，“群众的愤怒将会缓和，因此街头不会再出现严重的无序状态。”阿方斯强烈地反对波拿巴复辟或者摄政（这种情况俾斯麦可能不会反对）的任何可能性。我们得承认，有一些证据表明，他和居斯塔夫可能会欢迎一位君主复辟，也许是波旁或者奥尔良王朝。但是在紧随军事失败后出现的危机中，他们毫不迟疑地拥抱着共和体制，尽管私下里他们希望这只是一个过渡政权。

俾斯麦在费里耶尔

法国罗斯柴尔德家族在法国战败中遭受的最具标志的痛苦无疑就是位于费里耶尔的酒庄和园林被占领，这是一个阿方斯在色当战役之前就以惶恐的心情所预见到的噩梦。9月14日，在向巴黎进军开始一周之后，噩梦降临了。

就是在费里耶尔，新组建的法国政府向和平迈出了尝试性但没有成功的一步；还是在费里耶尔，俾斯麦和莫尔特克对于今后的战略发生了公开的争吵。这里隐藏着重要的历史价值。然而，对费里耶尔的占领还可以看到另外一层意义：普鲁士国王和他的容克总理“嘲弄”了这个酒庄。这个酒庄是罗斯柴尔德家族最为奢华的象征，因此也代表了犹太人的财富。在史丹看来，德国人的“野蛮”行径是一种带有恐吓性质的反犹太主义宣言。难点在于怎样认定按当时的标准看，占领者的行为到底有多么不正当。

第一批到达的普鲁士人，按照管家贝格曼后来给阿方斯的妻子莉奥诺拉写的报告上说的，是冯·尤普林和戈登两位将军以及他们各自的随员。这些人与罗斯柴尔德家族家里的雇员之间的关系开始的时候很不融洽。在9月17日，戈登将军命令男仆领班安排15人的晚宴。因此当涌入了32名客人的时候，食物自然无法满足（尽管喝光了65瓶酒），因此戈登将军把其中一名仆人锁在马厩里作为惩戒。第二天早上，戈登离开了，到19日威廉一世抵达，随员中有俾斯麦、总参谋长莫尔特克、战争部长卢恩，和很多其他的高级官员，以及大约3 000名军人。（其他住在那里的人包括巴登大公和梅克伦博格斯特瑞利兹大公。）对于这些未请自来的客人来说，起码他们当中的一部分人在费里耶尔的感觉就是大开了眼界。对于庄园那门特摩尔式的外观以及奇异的内部装修，给人的感觉就像是进入了"仙境，美不胜收"。然而，由于这出自于一名犹太人——卢恩称呼他们为"犹太王"——之手，使他们在钦羡之余又带有蔑视。大写的字母JR——詹姆斯·德·罗斯柴尔德开头的两个字母反复出现在装饰华丽的墙上和天花板上，他们把这两个字母以一种矫揉造作的幽默翻译成"犹太之王"。

俾斯麦或许心怀对詹姆斯在1866年破坏了他的计划所产生的不满，对于现在这样一种局面，他自己或许也不怀好意地在心里窃喜。"我正坐在老罗斯柴尔德和他的家人的一幅画像下面，"他于9月21日在詹姆斯曾经的起居室里给他的妻子写信，"形形色色的谈判者都扯着我的衣角，活像是那些围在市场交易员周围的犹太人"——这是一个很有意义的画面选择。威胁要殴打一名仆人的是俾斯麦，因为此人拒绝从罗斯柴尔德的酒窖里拿酒给他。还是俾斯麦，他出去到庄园里打野鸡，并嚷嚷着给他的枪太小，弹夹里的子弹太少，没过足瘾。或许还是俾斯麦安排德国媒体抱怨罗斯柴尔德家族待客不太友好。之后，在被问到是否准备跟共和政权进行和平谈判的时候，俾斯麦阴险地回应道，他认可的"不仅是共和政府，还包括，如果你们想要的话，一个甘姆贝塔王朝……事实上，什么王朝都可以，无论是布雷希罗德还是罗斯柴尔德"。

从另一方面看，俾斯麦感情上的仇恨并没有得到他的皇家主子的认同。有人听到威廉在参观费里耶尔时这样评论道："像我们这样的人干不出这样的杰作来，只有罗斯柴尔德才能达到这样的水平。"为了不冒犯这个家族，他特别命令不得征用这里的地产，猎场和酒窖不得乱动。正如贝格曼所报道的："国王在这里逗留期间过得很好，他拥有自己的厨房和厨子，这里必须提供所需的一切，猎物、水果和鲜花；他付给了酒庄中的伙计2 000法郎。"他还"对所用的物品细心照料并留下了书面声明，确保在他离开之后，庄园内不会遗失什么东西"，另外还留下了75名士兵来守卫它。毫无疑问，这里肯定存在着某些违反这些自律的皇家训令的行为。"士兵们在塔法雷特（庄园的一部分）宿营，"贝格曼抱怨道，

> 在所有的池塘里垂钓，但这对他们来说还不够，因此他们决定某天晚上打

开水闸，以便第二天上午能找到大量搁浅的鱼。当我接到这个报信的时候，我带了几个人过去，而且锁匠也过来关好了门。但是就在这个时候，有骑兵到这里来饮马，令他们非常失望的是水居然没有了！士兵们认为是我放干了水，于是把我拽去见将军。

等国王于10月5日离开后，好几座房子和酒窖均惨遭“洗劫”，而且毯子和被子被征用到附近的野战医院。1871年1月1日，贝格曼哀叹道：

牧场里再也找不到牲口，我们没有了煤炭，（尽管）我们还有一些烧柴。外围猎场的野物已经被普鲁士人和偷猎者捕杀光了；内部庭院则为普鲁士人留了下来，司令官派人在夜间进行巡逻；野鸡和鲜花都很好地保留下来了，猎场的守护人员在普鲁士人到达的当晚就被解除了武装……我们的钱柜里没有留下什么钱，我们用面包券支付费用，农场被改做兵营……总体来说，他们对费里耶尔还是满怀着敬意，目前在庄园里住着25名官员，他们拥有由酒庄支付工资的专用厨师，但是我们很难让他们满意。最终，对不动产和村舍的征用费用大约在20万~25万法郎……酒庄现在确实是肮脏不堪。

然而，我们对这名年迈的留守人员这封亲笔信的重要性也不应该过分夸大。普鲁士军队在费里耶尔一直待到了1871年8月。很自然的，法国罗斯柴尔德家族很希望找到占领军的错误。当安东尼在9月1日参观酒庄，“去看看普鲁士人都做了什么，当可怜的男爵仓皇离开后，留下的东西现在是否还是原模原样”时，他看到的让他很高兴，也很吃惊。按照他的描述：

没有一点儿损坏的样子，不论是房屋、园子还是树木，园子里的野鸡跟以前一样多——鹌鹑比以前更多了，而且所有的鸟儿都在——花园里什么都没被损坏，因此说，国王的命令得到了执行——他们甚至把带到凡尔赛去的马车全都送了回来，他们喝光了一个酒窖里所有的酒——其他的也被喝光了……他们带走了一些小东西，这不值一提，例如俾斯麦带走250只羊。当然，地毯被弄坏了一些……但是如果你想想几乎所有的普鲁士大军都曾经从这里经过……我认为这已经很不错了。应该感谢陛下，让他们保持了肃静……对于费里耶尔就这些了——战争没有损坏这里的什么东西，社会主义者也没拿到什么东西，没有人被伤害。他们能有这么幸运，真的应该感谢上帝。

就算考虑到安东尼对法国亲戚那些耸人听闻的说法表现出明显的不耐烦，安东尼的描述也推翻了日耳曼人掠夺成性的观点。居斯塔夫自己也承认，当他在同一个月的稍晚时候参观这个酒庄时，这处财产“所具有的良好状态与当时所能期望的一样好”。

反思一下，认为普鲁士人沉湎于掠夺与抢劫的这些说法可能起源于俾斯麦在费里耶尔提出的和谈条件所形成的印象。法国人认为这些条件过分苛刻，他们因此倾向于把德国军队想成是残暴的掠夺者，在所有经过的地方的所作所为无不如此。罗斯柴尔德家族在和平谈判过程中的作用是如此重要，因此不可避免地把法国的命运与费里耶尔联系在了一起，并且显然把加在后者身上的负担过分夸大了。

我们已经看到了阿方斯和居斯塔夫非常迅速地接受了在色当战败之后需要一个温和的共和政权的看法，与此同时也表达了他们对在巴黎出现全面的雅各宾党人革命危险的忧虑。当人们阅读他们在1870年和1871年写给伦敦的那些信的时候，一定要时刻牢记，他们的初衷是希望尽快促成英国的干预，结束战争，建立适度的和平。因此，在某种程度上说，针对这种山雨欲来的革命所发出的警报具有外交方面的考量。正如阿方斯在8月8日给伦敦的信中所写：“如果欧洲不希望法国变成无政府主义的温床，就应该做好准备，出手进行严厉的干预，不要在第一次大型战役之后浪费时间。”5天后，他坚持说英国有效的和平努力同时也是一个新的法兰西共和国政治稳定的先决条件。甚至在很早以前，阿方斯就对有可能被接受的和平模式有着清晰的认识，他参与的程度是如此之深，以至于人们已经很难将他的观点与那些缓和的共和派领导人的观点区别开来。事实上，阿方斯就这个话题写给伦敦的第一封信的日期，比帝国崩溃的日期还要早几周。8月13日，在一份明显是打算向格莱德斯通传递共和派意见的措辞严谨的概要中，他提出了假设法国战败，一个新的共和政权可能会愿意接受的条件：

> 任何肢解法国的企图都会遭到誓死的抵制，对于普鲁士提出的那种性质的主张肯定会遭遇拼死的抵抗。尽管战争赔偿可能是令人难以接受的条件，但是具有影响力的这些势力应该按照这种思路来发挥作用……因为如果我们被击败了，很显然就有必要在一定程度上遵守战败的规则。然而，这仍然需要其他大国做好尽快进行干预的准备，并且马上进行调停，否则，任何时间上的损失都将是对愤怒情绪的火上加油，以及对调停结果的更大程度的妥协。因此，付出一些钱财的结果有可能会被接受，但是不可能再有其他的了。

他在9月4日重复了这个内容，这一天色当大败的消息传到了巴黎：

> 他们会毫不犹豫地签订和平协议，无论上面的条件是多么苛刻、多么丢人，

只要用钱可以摆平就行。但是，涉及领土割让的和平协议，谁也没有胆量签。你会对我们说，在目前这种我们不得不面对的局势下，法国不可能保卫自己了，因为我们既没有更多的军队，也没有军火。这说得没错，但是公众的情绪如此激动，因此，这个国家就算是让自己沉沦下去，直至粉身碎骨，也不会在领土问题上让步。这就可能意味着法国的毁灭，因此，我相信对于外国列强的利益来说，为防止出现如此致命的后果，他们有足够的理由不让欧洲的均衡被普鲁士彻底打破。干预的时机已经成熟了，所采取的任何行动都必须非常及时而又积极主动。

尤里斯·法武9月6日著名的“寸土不让”的声明因此在伦敦显得波澜不惊。阿方斯就在声明发表的当天见到了法武，而且再一次表达了他的看法：“除了领土割让，什么样的牺牲都可以做出……因为领土割让是任何一个政府都不可能去面对的事情……我十分确定目前的政府只有一种想法：讲和。但是，从欧洲的利益出发，应该进行干预，以保证这个和平不是昙花一现。”稍后，居斯塔夫对法武采用的这些策略很是不满，他把这些失误归咎于特罗希将军；然而，从罗斯柴尔德家族自己的往来通信中，明显地表明居斯塔夫的兄弟在这些问题上起了很大的作用，而且他认为法武的声明“有价值而且有头脑”。事实上，从阿方斯的信件上判断，1870年9月的对外政策是由他和法武共同制定的。比如，在11日他给纽考特的信中包含有威胁和承诺的语句，目的是为了确保英国的调停，很难让人相信这些说法全部都是由政府授权的：

为了整个欧洲的利益……使和平得以实现，而且不把法国抛入无政府的那种占领状态，从长治久安的角度上说，这就成为了一种必然，因为这个事件将不可避免地导致最严重的复杂局势出现，甚至可能导致普鲁士失去它的胜利为它赢得的正面结果。这不是危言耸听，而是目前局势的真实状况。没有谁敢签一份涉及领土割让的和平协议，而且普鲁士还需要来亲自管理这个国家，这可不是一件容易的事情，因为在法国还没有被占领的所有城市中，都有革命运动……请一定记住这里的人为了得到和平准备接受所有的条件——除了土地割让——战争赔偿、部分的船舰，甚至是法国的殖民地，甚至可以包括卢森堡。

阿方斯很正确地预见到了德国人既要地，也要钱。早在8月15日，迈耶·卡尔就向伦敦转达了法兰克福交易所里的气氛：“我敢说法国将要失去它的老日耳曼省份，它的舰队的大部分，除此之外，还必须支付大笔的钱财——这是大家一致的想法。”几天之后，他又补充说：“这个斗争是全国性的，而且德国军队取得的伟大胜利表明我们可以要求我们所希望的所有东西。你根本无法想象这里以及整个德国所酝酿的热情是什么样的，而且法国人将面对的耻辱必须是惩戒性的，只有这样才可能满足公众舆论的要求。现在什么东西都在上涨，德国的贷款有了7%的升水，而且毫无疑问随后还会更高，因为法国人必须为所有的东西埋单。”他还有些含糊地预测道：“德国人会很认真地考虑提出来的条件，以确保长期的和平。”到了8月26日，他提供了更多的细节：

> 法国人蒙羞是使我们不再受更多的战争困扰的唯一途径，而且我不怀疑法国必须放弃阿尔萨斯和洛林、舰队的大部分以及至少1亿标准银币来作为战争捐助。斯特拉斯堡和麦兹必须成为联邦的要塞，这是大众的意见，而且老俾肯定要充分地利用它。

迈耶·卡尔也从民族主义和战略地位方面证明了吞并阿尔萨斯—洛林的正当性：“有一种愚蠢的想法认为德意志民族会放弃斗争，只是眼睁睁地看着那些过去被强占掉的老日耳曼省份而不是把它们拿回来……”

法国新政府希望英国可以出手干预，让德国人意识到，根据上面已经谈到的理由，他们的要求是不现实的。“我们已经收到了你的来信，”阿方斯在9月6日有些落寞地给纽考特回信，“我们非常遗憾地看到英国并不准备干预。”尽管这样，他也并没有马上放弃改变英国立场的希望：他还是保持与英国大使莱翁斯爵士的定期沟通，并且很明显地参与了梯也尔的外交努力，启程赴伦敦和圣彼得堡寻求支持。对从格莱德斯通处得到更多同情的希望也并非一点都不现实，他强烈反对对法国领土的单方面吞并，而且私下里认为把卢森堡转给普鲁士是“一个非常富有想象力的主意”。然而，他被罗斯柴尔德关于这个问题的信深深地刺了一下，这些信似乎曲解了他对这个问题的支持，而且（更要命的）是做了“关于比利时利益的非常冷酷的假设”。事实上，到9月底，格莱德斯通开始怀疑罗斯柴尔德家族对转给他的情报“做了手脚”。

当俄罗斯人抓住了这次危机中显现出来的重提黑海中立问题的机会的时候，所有有效调停的可能性都只好放下了。在这个时点上，阿方斯不再给政府提供国债的贴现，而是把他手上还有的现金转成法兰西银行的汇票，并汇寄到伦敦以保安全。随着普鲁士军队离巴黎越来越近，又看不到马上休战的任何迹象，这使罗斯柴尔德家族开始像伟大传统所要求的那样变得低调。他总结道：“不需要我来说，这种极端的情况对于我们来讲是最难受的，但是政府在一个公告里告诉我们说我们已经准备好了与巴黎城共存亡，不过前景并不妙。”9月17日，就在法武得到了在费里耶尔拜会俾斯麦的机会的前一天，莱翁斯提前给居斯塔夫发出了关于德国态度的警告。俾斯麦告诉过他“他并不缺钱，他们的钱用不完，他们真正想要的是麦兹和斯特拉斯堡……如果这个要求得不到满足，那么很可能他（俾斯麦）就要进入巴黎，切断我们所有的商业联系，让整座城市陷入火海刀山之中，使整座城市一片死寂”。“这种情况是非常可能的。”这是居斯塔夫在他认为是给伦敦的最后一封信中最后的评论，“再见了，我亲爱的兄弟们、大使们，包括莱翁斯爵士，今晚正在一点点地流逝，我们之后的生活将变得令人难以预料——前途非常渺茫。”法武在18日的拜会因此只是证实了罗斯柴尔德家族早已经完全清楚了的事实。尽管法武为能保留斯特拉斯堡和阿尔萨斯已经开出了500万法郎的价码。俾斯麦的回应让人如此无法忘怀：“钱的事我们稍后再谈，首先我们想先决定我们德国的边防并得到切实的保证。”

信息的交流过程并没有完全中断。偶尔，信件可以用气球送过封锁线，之后再用电报转发给伦敦，但是围城期间，进入巴黎的信就非常困难。比如在12月10日，阿方斯接到了一封他的堂兄弟们在10月21日写给他的信；一直到了1871年的2月3日，随着纽考特的信使带着一个大篮子的到来，正常的通信才重新恢复。然而，基于所有那些打算以及目的，巴黎人就这样悲惨地被与世隔绝了4个月，甚至在1月28日停战后，通信也一直不很稳定，这种局面持续到了6月份。由于在普鲁士人围城期间，他们停止了信函的往来，我们对他们的经历知之甚少，但是我们有理由猜想他们至少遭受了寒冷、饥饿和恐惧这些留守在被围困的城市里的人通常都将经历到的生活。当来自伦敦的食品包裹在2月份抵达的时候，阿方斯和他的亲属“面对着寄给我们的这些好东西，高兴得像孩子一样”。再一次，俾斯麦很高兴地听到了罗斯柴尔德家族的精神受到了打击，心里充满了那种报复所带来的快感。1月30日，在一份拖了很久的停战协定终于签下来的两天之后，他纵情享受着更多反罗斯柴尔德家族的笑话。当听说有一位罗斯柴尔德打算离开巴黎的时候，俾斯麦建议把他当做法国狙击手抓起来。“那么，布雷希罗德就会忙不迭地跑过来，代表整个罗斯柴尔德家族来求情。”俾斯麦的堂兄弟这样宣称，“然后我们把两人都送去巴黎。”俾斯麦冷笑道：“在那里，他们可以加入觅食狗的行列。”(暗指被限制在城里的那些只得到糟糕食物的人。)

“解决问题的关键”：赔款

一个基础性的问题出现了，而且这是一个历史学家已经问过很多遍的问题。关于几乎是正好半个世纪之后在同一个地方形成的和平条款，当时谈判桌的两边所坐的代表正好反过来，德国是被打败的大国。这个问题就是：这些和平条款过分苛刻了吗？另一个经常提出来的关于1919年和平谈判的问题是，通过继续的战争来抵制这些条款，甚至是冒着引发国内革命和内战的危险也在所不惜，这样的做法是对还是错？这个悖论是领土要求——割让阿尔萨斯和洛林——有没有道理：奥地利在1859~1860年和1866年之间的两次战败之后都最终丧失了领土。然而，现在的这种要求却让法国人觉得无法接受。相反，赔款要求似乎明显过于苛刻，然而，法国人从一开始却好像更愿意接受这种方式。从很多方面看，甘姆贝塔乘坐热气球飞出巴黎去进行他的“全民总动员”是完全徒劳的，尽管新组建的军队确实给普鲁士占领军造成了意外的伤亡，但是他们根本没有找到真正打败普鲁士人的任何机会。因此，推迟和平从内部稳定的角度来说所付出的代价也是高昂的，而且对于修改普鲁士人提出的条款也没起到任何作用。

然而，与1919年后的魏玛共和国的经历相比较，这是一次很有启发意义的事件，具体表现在四个方面。第一，军事抵抗方面一次徒劳的尝试可以打消，或者说至少可以削弱由极左组织在色当战役之后新提出的“背后捅刀子”理论。截至1871年，没有人会怀疑法国“在战场上”被打败了；要是没有对共和党人胆怯的指责，作为反对派的右翼各派组织就无法团结。第二，巴黎逐渐沦落到无政府状态以及1871年夏天对巴黎公社的镇压，应该对在后面几代人中禁止雅各宾主义、布朗基主义、蒲鲁东主义和马克思主义产生了很大的影响：缓和的共和党人通过他们对极左派的共同抵制团结到了一起，而魏玛德国却没有出现这种情况；第三，1870年后法国的大部分地区一直被普鲁士军队占领，这给温和的共和党人提供了一个尽快支付赔款的动机，而在20世纪20年代的德国没有这种情况存在；法国是在对方违约后曾经试图占领德国的领土，而不是在赔款之前。

最后，而且最关键的是，1870年之后，赔款支付可以依赖于由罗斯柴尔德的各家银行领导的欧洲资本市场全心全意的支持。在19世纪70年代初期，法国为自己的战败付出了巨额的资金——颇具讽刺意味的是这笔钱远比他们战前愿意为备战支出的多得多。金融市场通过预付所需的资金，以最快捷的方式而且相对较低的成本汇出赔款：很简单，这是20世纪最大的金融活动，而且基本上可以说是罗斯柴尔德家族的伟大成就。相反，德国在20世纪20年代初期的时候，一开始就逃避赔款的支付，而且在此期间不仅造成自己恶性的通货膨胀，甚至还为了对付外国债权人让本国的货币大规模贬值。市场对此做出的反应是不再相信德国政府，而且后续的以长期小额方式赔付的努力也遭到了惨败。第三共和国存在了70年，魏玛共和国还不满14年。差异的关键原因可能就在1871年的和平之中。

当然，人们不应该对两个案例中的差异视而不见。1870年的战争很短暂，生命财产的损失与1914~1918年的战争完全不可同日而语。因此，法国在开始支付赔款的时候，其支付额在国内债务中所占的水平较低，而且财务和货币方面所面临的问题的严重性要小很多。尽管如此，支付德国战争赔款仍然是近代最漂亮的一次伟大的金融实践。在1871年6月到1873年9月，法国赔付给德国49.93亿法郎，大约占第一年国内生产总值的8%，第二年的13%。这些数据应该放在当时的国内债务水平的大背景下来看（这比1815年的水平要高出很多）。以在GDP中所占的百分比来衡量，法国公共债务在1869年已经达到了44%，这是战前的水平；而在1871年是59%，这时大部分的战争赔款还没有支付。所以，1871年总的外债和内债负担接近GDP总额的80%。这大约是德国在1921年负担的总债务规模的一半（此时总赔款额在延误许久之后终于确定了下来）。从另一方面说，德国在20世纪20年代的赔款进度拟延续数十年，使德国在整个20世纪20年代的债务和赔款分摊的年平均水平不超过GDP的3%。因此，法国连续两年赔付超过GDP的10%是一个很令人惊异的成就。更令人惊异的是，汇兑过程中的汇率损失和国内通胀的影响达到了最低的水平。对于怎样做到这种水平，值得我们很好地去认识研究。

罗斯柴尔德家族早在1870年8月即开始考虑法国赔款的问题。正如我们看到的，迈耶·卡尔提出了1亿英镑（25亿法郎）这样一个数字作为可能的赔款总额。在11月，安塞尔姆就在着手考虑怎样支付这么一笔巨款。他对列昂内尔建议，按照1815年的先例，得考虑新发5%票面利率的国债，设想由罗斯柴尔德家族来做巴林银行当时所做的事情，作为把钱从巴黎汇到波兰的中介角色。这种方式遭到了列昂内尔的反对，他的理由是这样做的条件并不成熟，尽管已经证明了有一定的可行性。按照俾斯麦的说法，法武在两人9月份会面的时候提到了50亿法郎的数字，尽管这是打算作为保留阿尔萨斯-洛林的条件。当德国人坚持领土割让的时候，谈判再一次停止，而战火重燃。一直到1871年2月之后，关于赔偿问题的工作才又重新展开。

从一开始，德国的银行家就认为他们政府的战利品中应该包括他们对收取赔款的控制。布雷希罗德（与产业家汉高·冯·多纳斯马克一起）在被召集到凡尔赛为俾斯麦出谋划策的时候，以为自己在这方面比其他的竞争对手领先了一步。在此行之后，他提出了个方案，想诱使罗斯柴尔德家族巴黎银行在柏林市场上募集法国贷款。不用说，迈耶·卡尔反对与布雷希罗德搅在一起，他坚称任何的交易都应该与汉森曼和海外贸易银行一起共同处理。然而，阿方斯似乎从很早期的时候就已经下定了决心，要尽可能把所有的德国银行家——甚至包括他在法兰克福和维也纳的堂兄弟们——全部都排斥在外。他的计划是分别在巴黎和伦敦组建两个以罗斯柴尔德家族为首的辛迪加，前者包括所有历史悠久的私人银行（所谓的高级银行），但是不包括股份合作制银行；后者只由N·M·罗斯柴尔德公司和巴林银行两家组成。这种考虑有双重重要性：这种组成的目的是为了在被解读为爱国的基础上惩罚德国银行，同时也是为了代表“老”银行对那些在法国和英国的股份合作制竞争者给予打击。至此，那些私人银行间早期的恩怨早已经被淡忘了——特别是罗斯柴尔德和巴林之间可以追溯到第一次法国赔款过程中的融资与汇兑竞争中的那些是是非非。

第一轮争斗出现在对德国占领军在2月份时要求巴黎市赔付的2亿法郎的争夺中。在早期的时候，法国和德国两边都显得高度紧张。如果德国人愿意接受法兰西银行本票，事情就变得很直截了当了：法兰西银行很容易就可以预付2.1亿法郎给临时市政专员们（必须得说一下，其中一人是勒翁·塞耶）。但是，由于担心法国货币会贬值，德国坚持要银币。这让阿方斯觉得不可理喻，他甚至认为德国人只是在为结束谈判直接进军巴黎找一个借口。最后，尽管与伦敦的通信仍然时断时续，非常困难，阿方斯最终还是拿出了一个妥协方案：5 000万用法兰西银行本票马上支付，5 000万尽可能用金币或银币尽快支付，余下的在伦敦和柏林用商业票据支付。这项安排由以罗斯柴尔德银行为主的法国私人银行辛迪加担保，在罗斯柴尔德家族伦敦银行的协助下实施。购买来交给德国方面的大多数票据（一亿中的6 300万）事实上是短期（一周或者两周）内在伦敦到期的票据，阿方斯交给布雷希罗德的价值200万塔勒的令人眼花缭乱的票据是个例外。这是阿方斯打算以伦敦而不是柏林来作为整个赔款程序的节点的第一个信号。事实上，阿方斯在2月21~22日匆忙访问了纽考特，讨论怎样为未来可能要支付的更大规模国家赔款重复这个流程。正如他所期望的，买入如此多的“伦敦”，使法郎对英镑出现了微小的下跌，尽管按照协议规定，德国不会受这样的贬值影响（但是对于银行来说，巴黎市政当局同意一个固定的利率）。同时，他也预见到了如果德国人试图在伦敦一次性地把这些票据换成黄金的话，可能产生的问题。

巴黎赔款还只能算是餐前的“开胃菜”，最终会提出来的全部赔款仍然需要做出决策。这个事情很不简单。在凡尔赛进行讨价还价的数字范围在30亿~80亿法郎之间；“乖戾的”俾斯麦自己开始时向梯也尔提出的金额是60亿，这让梯也尔——“像被疯狗咬了一样”抬腿就跑——宣称是“一种侮辱”。俾斯麦把金额降到了50亿之后，法国方面仍然觉得“要价过高”。然而，更折磨法国谈判者的是俾斯麦信誓旦旦地保证，说布雷希罗德和汉高已经“设计出了一种方案，通过他们的这个方案，表面上看起来是如此沉重的这次纳贡，将会在你们都没有感觉到的时候就支付完毕了”。正如法武曾经很苦涩地说过的，这两名德国金融家“尽了他们最大的努力，向我们证明他们是多么想用我们数十亿的财富来实施一项庞大的工程”。就是为了阻止他们的这个计划，梯也尔才会要求阿方斯从伦敦返回，在谈判中表达巴黎和伦敦的两家罗斯柴尔德银行的意见。2月25日，在双方明显陷入了僵局之后，阿方斯被召集到凡尔赛。他到达的当天晚上，受到了德国总理不怀好意的冷淡的接待。

如果俾斯麦希望这位作为法兰克福犹太人儿子的罗斯柴尔德做出公断的话，那么他会很失望。可以肯定的是，阿方斯说服了“怒火中烧的”梯也尔和法武不会“中断谈判，做出投身到欧洲军队中”的决定。但是，当德国的代表们向他提出首次年付款15亿法郎，一半为金银币，另一半为票据的方案后，他“宣布他没有工夫来讨论这些（技术性的）问题，因为法国谈判者连和谈最基本的原则都没有同意”。经过一个小时的一般性讨论之后，俾斯麦出现了，“他沉着脸，还面带怒容，询问我们已经达成一致的那些问题。我回答道，我还不可能去考虑那些问题，因为两国政府还没有就基本的原则达成一致。我感觉俾斯麦好像要生吞了我；他怒吼道，‘但是在那种情况下，和平根本没有可能’”。

阿方斯回来后跟梯也尔和法武讨论了下一步的工作，但是俾斯麦“不久，又出现了，带来了这样的建议：在一年之内支付10亿，余下的3年付清”。此时已经是晚上的10点钟了，也是阿方斯返回巴黎的时间。正如在他次日一早匆忙赶就的一封信里所回忆的，最后的讨论变得“特别脚踏实地，而俾斯麦差点说出‘如果战争重起，他会发动最强烈的猛攻，这种攻势是空前绝后的’这样的话”。甚至布雷希罗德都承认，自己被俾斯麦“蛮横无理以及国际级的粗暴”给吓坏了。以前有人以这种方式对一名罗斯柴尔德家族的人讲过这样的话吗？阿方斯以巧妙的掩饰，把他所处的位置总结为“很困难”：

> 从政治表象上看，他们确实想让我进行调解，以便达成一个金融组合的核心架构，而这个金融组合看起来破坏性是惊人的……没有必要组织一帮银行家来直接干预政治问题，这会把谈判中的所有耻辱加在他们的头上，这方面的道德责任是不应该由他们来承担的。

从某种方面讲，俾斯麦的恐吓起了作用。第二天，正如阿方斯所预计的，梯也尔和法武同意了50亿法郎的数目。准确地说，在2月26日同意的条款的基础上，法国欠德国50亿法郎，利息为5%，减去法国铁路在阿尔萨斯和洛林的价值，但是不包括巴黎赔款以及已经征收的其他占领费用。付款进度很紧：5亿必须在最终和平协定签署（5月10日）后的第一个月支付；到1871年底10亿；然后，1872年5月支付5亿，在后续的3年内的每年3月支付10亿。这些条款让阿方斯感觉是“灾难性的”而且是“耻辱的”：50亿！他惊呼道，是一个“天文数字”，而且“基本上不可能在3年内付清”。就像凯恩斯在1919年时的反应，他情绪很激动地反复争辩支付所要求数额的可能性。开始，他认为甚至20亿都是“荒谬的”，尽管他后来准备规划25亿。像凯恩斯一样，阿方斯很机警地警告说，过度的赔款不仅会让战败国陷入紧急混乱的泥沼，而且还会危害整体的欧洲经济——实现如此巨额、没有收益的汇兑的难度，会搅乱整个国际金融市场。但是与凯恩斯不同的是，阿方斯没能说服任何人。当法国政府勉强同意接受和平条款的时候，在赔款支付上没有出现严重的有意违约的情况，这点与柏林在20世纪20年代时的做法截然不同。事实上，在警告他的英国堂兄弟们赔付50亿法郎根本不可能的那几天里，阿方斯已经开始努力准备头期付款转账的基础条件了。

对阿方斯从绝望转向行动的最好的解释是，他事实上已经在凡尔赛赢得了对方重要的让步，尽管付出了承受俾斯麦的愤怒所带来的冲击的代价。保留了贝尔福特要塞是其中的成果之一。更为重要的是，他已经发现了比预定的时限提前还款而获得付款折扣的可能性。如果这种想法最终证明是可行的，德国从在法国东北的占领区撤军的进程也会大大加快。最为重要的是，阿方斯确定，尽管德国固定了赔款的总额，并为赔款设定了时限，但是双方同意——在一定的限制范围内——法国有权自己自由组织付款。正如他在凡尔赛给梯也尔所做的解释，布雷希罗德和汉高想要“把一个大型的金融行动与和平协定的签署联系在一起”。阿方斯的意见是：

> 两国政府应该就应付赔款的规模和应该支付的时间达成一致，但是法国政府应该为自己保留根据自己认为合适的方式进行付款的绝对权利。因为不这样的话，可能导致具体的利益和普遍的利益相互混淆，而且无论从什么角度看都会导致最令人失望的后果。

有其父必有其子，这是罗斯柴尔德家族最为经典的印记。或许正是这一点说服了梯也尔在次日早晨放弃了对50亿法郎这一数字的反对。更为重要的是，这确保了罗斯柴尔德家族而不是德国银行家们对赔款融资活动的控制。

如果要赔付完成而且结束德国的占领，至少必须回答六个技术层面上的问题。第一，要想在采用巴黎支付的这种方式又不至于对法国汇率产生有害的影响，支付时间应该多长？第二，而且与第一个问题紧密相关的问题是，法兰西银行在战争期间停止了白银和黄金的兑换，现在是否应该准备返回双金属本位制？从色当战役以来，法国政府一直严重依赖于从法兰西银行进行短期借款来满足短期国库券的融资需求。很明显，初期对德国的赔付也许应该采用同样的方式来融资。但是如果更多的货币发行还是依靠国库券的话，正如阿方斯曾经反复警告的，就会把风险“蔓延到纸币领域”，就像把法郎兑换成柏林所接受的货币的要求会导致汇率的风险一样。很自然的，紧随其后的第三个问题是：为了以一种不至于产生通货膨胀的方式筹集赔款（以及政府支出）所需的资金，而在法国，特别是在国外市场发行国债，最快需要多长时间才能完成？第四，是否可能通过征收新的税种同时控制政府内部的开支来满足新产生的债务的需要？这种情况又提出了所有可能的新税种的形式问题：法国是否应该亦步亦趋地学英国引进所得税，或者是转而对原材料课以关税，抑或股票交易本身也以新的证券交易印花税的方式承担一些战败的成本？最后，对那些最大、最常见的私人资本集中的行业——各家铁路公司，怎么处理？可否把它们的资产和收益以某种方式利用起来，或者说对它们征税，还是用他们作为对德国债务的担保？

这些问题对于一个战败的政府来说，回答起来是极端困难的。站在政府金融顾问的角度看，罗斯柴尔德家族与政府之间的纠葛非常复杂和暧昧。能够控制这次巨额赔付转款可以预期有高额利润，但是如果没能获得成功，结果可能就适得其反；或者说如果获得成功，其代价可能是对罗斯柴尔德自己的财产进行征税。最为严重的情况是，与向柏林支付如此巨额款项相关联本身就是一个巨大的风险。那些在 20 世纪 20 年代参与到“履约”行为中的犹太银行家和政治家为此付出了高昂的代价。很不寻常的是，我们事后可以知道，阿方斯在 19 世纪 70 年代所扮演的类似角色在他当时的时代，几乎没有受到什么批评（虽然我们后面将会看到，到 19 世纪 80 年代的时候，风向变了）。

再也找不出比巴黎市政当局在 1871 年 3 月和 5 月倒台更能说明所面临的困难有多艰巨的例子了，正好在那个时候，赔款进程进入到赔付款项中的首批赔付正在紧锣密鼓地安排之中。尽管阿方斯反复向他的堂兄弟们保证，绝大多数法国人具有保守倾向——这种观点在 2 月 8 日的国民议会选举中由于君主制支持者的胜出而得到了支持，但是来自首都的“赤色分子”的危险从阴魂不散的“红色”奥加斯特 · 布兰其和其他人随着帝国的崩溃，纷纷从藏身之处和监狱中走出来的时候，开始变得越来越真实。他们在发动军事起义后，两次领导着“暴徒”攻入市政厅：一次在 1870 年 10 月 31 日，另一次在 1 月 19 日。到了 3 月份，为再次上演 1848 年闹剧的舞台似乎已经搭好，甚至连角色都是一样的，有由梯也尔和格雷维领导的温和的共和党人和激进的“左翼”，出席了由路易斯 · 布兰科、德勒希武兹和勒德鲁–洛林主持的大会。3 月 18 日，当梯也尔试图解散国民卫队——在战争时期大力扩张而且政治化了——的时候，历史适时地重演了，尽管是以悲剧，而不是闹剧的方式。由于政府军队严重超编，他们选择与民众为友。为了不至招致更多的麻烦，梯也尔决定将他的军队全部撤往凡尔赛，把巴黎留给国民卫队中央委员会来掌控。

3 月 26 日，选出了新的自治政府之后，公社——这个名字不由让人想起 1792

年——不久就落入布兰科分子和雅各宾分子的掌握之中。战斗在4月初爆发，而且另外一次全方位的围城行动不久就再次进入实施阶段。从那些破碎的历史手稿中可以发现，公社在5月1日成立了公共安全委员会，恢复了过去各种各样的做法，开始把一个又一个人投入监狱。然而，这一次，革命者不是恐怖的制造者，而是恐怖的受害者。在结束于5月28日的流血周期间，大约两万人死于非命，其中半数是被捕的公社社员，他们被迫列队站在临时“刑场”上，随着军队指挥官的口令被射杀。

对于法国罗斯柴尔德家族来说，公社的出现被证明是在整个1815~1940年期间出现过的对他们财产最具威胁的事件，如果说还不至于威胁到生命的话。3月26日，阿方斯通知居斯塔夫离开巴黎去凡尔赛，但是他自己却仍然打算留在拉斐特大街。然而，4月1日，在他去看过他的兄弟后返程的路上，火车司机警告他，公社已经通知切断与凡尔赛的交通，而且他将要乘坐的火车是入城的最后一班车。他随即下车返回了凡尔赛。这是一个明智的决定，如果他继续回到市中心，他可能就会被当成人质处死，而且毫无悬念，肯定会在19世纪最残酷的街头战斗中被抓获。非常万幸的是罗斯柴尔德家族的办公室和住宅侥幸逃脱了被烧毁的厄运；让阿方斯松了一口气的是火车北站也没有遭到太严重的损坏，不像法兰西银行和财政部那么惨不忍睹。当阿尔弗雷德在6月下旬到访巴黎的时候，他还满心欢喜地这样报告道：

> 房子上到处都是累累弹痕，但是只有吸烟室顶上的天花板被敲掉了一个角，而革命留下的唯一纪念是一把流氓当时准备用来给房子刷什么东西的刷子，以及这些流氓被以各种姿势永久定格下来的各种兴高采烈的照片。

尽管如此，费迪南德还是对这场危机给其堂兄弟的身体状况所造成的影响感到非常震惊：当他8月在巴黎碰到阿方斯和居斯塔夫的时候，他发现他们看上去满脸都是“痛苦的绿黄”，这次会面是在惊慌失措的状态下偷偷摸摸进行的。

从赔款支付的角度说，巴黎陷入内战是一个挫折，使金融活动几乎都停滞了。不过，这也有补偿。巴黎发生的事件可以被看成是对所有国家政府的一种威胁，并对“迦太基式的和平是一种不明智的和平”这种说法提供了更有力的证据。另外，一旦在正规军中重整了军纪，政府就有机会“摆脱那帮为非作歹的人，那些一直威胁着社会、但是实质上胆小如鼠的垃圾”——为“法国和全世界清除所有的垃圾”。很显然，阿方斯也对这些造成流血周最根源的巴黎的“危险阶级”充满了深深的憎恶。

还应该再加上另外的一条好处：公社的失败巩固了梯也尔作为总统的地位。但是，这真的能带来什么好处吗？19世纪70年代早期的一个不解之谜是梯也尔和罗斯柴尔德家族之间关系的性质。初期的时候，阿方斯把梯也尔看成是“我们的朋友”，似乎也很高兴把他看成是“局势的主导者”；而且还可以完全肯定地说，在“巴黎保卫战”期间以及战争结束之后的那段时间，他坚定地站在梯也尔和温和的共和派的后面，成为了他们的坚强后盾。对于阿方斯来说，梯也尔似乎是能够调和倾向共和的巴黎与那些支持君主政体的外省之间矛盾的唯一人选。“我们的朋友”是罗斯柴尔德，这是没有带任何感情内涵的委婉说法。真实的情况是，阿方斯对梯也尔所持的保留态度不久就重新露出了端倪。不管怎么说，梯也尔在路易斯·菲利普的那个时代与阿方斯的父亲关系处得并不好；而且很显然，这位老人让罗斯柴尔德的孩子们感觉并不舒服，或许也就是因为这个问题。“跟他谈话真的很困难，”在他们的一次会面之后，阿方斯这样抱怨道，“特别是对我这样很小就认识他的人来说。”阿方斯对梯也尔只是有一点害怕吗？阿尔弗雷德注意到他“非常害怕拜访这位领导着伟大共和国的小总统”。最常见的情况是，阿方斯通过批评梯也尔的独裁倾向（特别是针对法兰西银行）或者是他对政治上的两面派手腕的热衷，清楚地表达了他的这种不满情绪。“一位尽管有庞大的身躯，但是总能从我们的手里逃脱的普罗特斯①”是他给出的奇特的结论。早在1871年，阿方斯就预言道，如果梯也尔要倒台，最有可能接替他的就是德奥梅勒公爵，这也就意味着转向了奥尔良派复辟的道路。

无论如何，梯也尔拥有一种没有被罗斯柴尔德家族所低估的素质：他在1871~1873年的复杂局面下在所有问题中优先抓住了金融。“最为关键的是，”阿方斯在6月初告诉梯也尔，“政治局势必须明了，而且对目前的情况而言，它必须完全从属于金融问题。”后来发生的情况证明梯也尔接受了这个观点。尽管自己拥有傲人的资历，但他总体上说对于金融问题还是比较尊重阿方斯的意见。而且尽管对手银行不断试图挑战罗斯柴尔德的地位，但他从来没有真正动摇过在赔款支付过程中需要罗斯柴尔德家族出面领导的观点。这反过来可以解释，用他自己告诉甘姆贝塔的话说，当他的地位在1872年末似乎受到威胁的时候，阿方斯竭力保护梯也尔位于权力的核心。按照当时的一份报道：

> 阿方斯告诉甘姆贝塔，他喜欢梯也尔先生，但是梯也尔却一直很不公平地斥责他为敌人。在整整一年中，他都拒绝接见他。梯也尔说：“推翻我的是罗斯柴尔德。”“他也是这样对我说的，”甘姆贝塔打断阿方斯的话说。“千真万确！”阿方斯很激愤地说，“很显然，我对大部分的代表具有某种影响力，而且我努力使他的在位时间比在没有我帮助的情况下延长了6个月。我告诉我在国会的朋

① 希腊神话中能任意改变自己外形的海神。——译者注

友们说，‘不要赶梯也尔下台、否则可能会是国家的悲剧……至少等那笔巨额贷款的工作结束之后，因为在这上面寄托着法国的信用和财富’。我根本就没说什么其他的话。”

无论两人之间如何猜忌，但他们还是被利益的纽带紧紧地联系在了一起。

其他银行是否可以同样完美地处理好赔款的支付——或许甚至成本更低？这确实很难说。3%票面利率的国债50~53的价格在1871年上半年看起来似乎是低估了。布雷希罗德肯定不是看到从这个“大型行动中”获取暴利机会的唯一的欧洲银行家，因为可以赚取的不只是佣金，而且还有资本收益——如果可以在如此低价上稳稳地吃进国债的话。按照自1815年以来国债作为一种投资产品的走势情况看，巨大的上涨似乎是不可避免的。他和其他德国银行家在5月的时候就蜂拥进入巴黎，试图能在这个行动中分得一杯羹。法兰西银行也试图击败罗斯柴尔德银行，同时还面临来自J·S·摩根的竞争，因为J·S·摩根还是在1870年冒着巨大风险给法国提供战争贷款的银行。

然而，没有任何一个竞争对手能够在作为一个发行银行所拥有的国际网络方面与罗斯柴尔德比肩：正如里昂信贷银行的马扎莱特所说的，“罗斯柴尔德无与伦比的欧洲关系以及他的资本源泉的强大实力，为其提供了绝对是独一无二的地位。”这是关键所在。为了从发行中筹集到足够数量的硬通货，梯也尔和法国财政部长奥古斯丁·坡耶尔–科蒂埃希望在法国以外的地方出售尽可能多的国债，而最理想的地方就是在伦敦。阿方斯不仅可以合法地使自己代表巴黎的高级银行表态，还可以代表纽考特表态，这最终成为了他的王牌。他向伦敦汇报道：“我一点儿都不怀疑，我们的意见将会对（财政）部长正在考虑的最终的决策产生巨大影响，而且我们的态度必须受到你必要的影响。”“部长不再把他的想法告诉除我们之外的任何人。”他稍后又补充道，“而且我可以非常肯定地向你们保证，由你们负责在英国的全部工作。”阿方斯还建议在德国的国债发行由罗斯柴尔德法兰克福银行处理，而不是交由布雷希罗德和汉森曼，“特别是，在我看来，政府要直接通过德国银行来进行认购似乎会有些困难，原因是罗斯柴尔德的银行拥有了一个世界银行的名称。”对于罗斯柴尔德银行的竞争对手们的抱怨就没有什么值得大惊小怪的了：按照马扎莱特所说的，阿方斯已经成为了“所有即将要形成的金融组合的轴心，根本不可能再有可以与他的项目比肩的业务”。

因此，随着政府把这些业务交给罗斯柴尔德家族，剩下的所有需要解决的问题就是运作的机制问题。阿方斯1871年6月的信中提供的或许是现有的了解进行此类谈判的最好的途径。问题的焦点很多：发行的时间（在7月2日选举之前还是之后）；发行的数量（20亿法郎还是更多），在法国、英国以及其他市场的相应比例；债券的应付利息以及偿还期，发行的价格（所讨论的数字范围从80~85），认购的付款时间表（每月分几期），银行的准确定位（它们应该按实际价格购买债券还是认购全部发行债券中的一部分或者是全部），佣金、回扣以及其他费用的规模，支付给国外认购人的利息的汇率（是否需要与未来法郎的贬值挂钩）。

在经过对这些问题数天的讨价还价之后，终于有了结果：对5%票面利率的价值26亿法郎债券的认购于6月26日开盘，发行价格82.5，扣除认购的费用后，实际的价格大约为79.5。对英国利息支付的汇率固定在25.3法郎兑1英镑。由罗斯柴尔德银行领军的伦敦和巴黎的两个辛迪加正式认购的只是总发行中的1.06亿，作为回报，他们为此获得票面价值2%的佣金（2 120万法郎），因此，他们认购的实际价格大约为77.5（阿方斯算出来为77.7）。不得不承认，这是一个皆大欢喜的结果。从技术上看，这些辛迪加认购的不是发行的头10亿（按照柏林银行业者所期望的），而是第二个10亿。如果发行不成功，他们手上留有大量国债的机会因此会很高。从另一方面看，如果发行得太好，公众买了大头，银行业者就只能满足于它们的佣金收入，柏林人认为这“断然不可接受”。然而，法国政府与罗斯柴尔德家族银行达成了一个口头的秘密协定，允许他们可以持有部分或者全部他们所认购的国债。罗斯柴尔德家族所占的份额因而达到了4.105亿法郎——超过认购总额的1/3，或者说是总发行量的16%。因此，用简单的算术就可以算得出他们所挣的利润——光佣金就值800万法郎，这种算法还忽略了所涉及的巨额资本收益。如果罗斯柴尔德家族伦敦和巴黎银行持有所有他们按77.7买入的债券，然后在下一波市场高峰的1871年11月卖出(97.1)，他们可以赚大约8 000万法郎（也就是300万英镑）。

很典型的反应是，阿方斯认为这比他们应该赚到的要少得多。事实证明不可能达到罗斯柴尔德家族完全垄断的情况。不仅是法国的股份合作制银行想方设法要分得一小部分，而且除伦敦和巴黎以外的其他市场事实上都已经“完全开放”，因此，布鲁塞尔的经纪人早在正式认购开始前就已经开始非正式地交易了。“我承认这确实是一团乱麻。”阿方斯抱怨道，他对毫无经验的坡耶尔-科蒂埃的评价一直都不高，“但我向你保证，这不是我们的错误，要想防止这种局面出现，我们就得自己变身为财政部长。”然而，在几天之内，当整批贷款的成功已经是显而易见的时候，这样的抱怨就开始消失了。首先，认购的数字据说是发行量的两倍，到7月20日阿方斯的估计是8倍。还不仅如此，连法国的股份合作制银行都被挤出去了。当巴黎在此之后不久又通过罗斯柴尔德银行募集贷款的时候，它们又再次遭遇了败绩。正如里昂信贷银行的马扎莱特所抱怨的：

> 自从战争以来，所有外包事务中罗斯柴尔德银行以及由它主导的高级银行集团取得了垄断的地位……就是罗斯柴尔德和他的朋友们，在法兰西银行的支持下，向巴黎市政当局提供了他们用于支付战争捐的2亿法郎借款；而该集团为自己争取了发行20亿债券的机会，作为一种鼓励，通过信用的建立就能够在最后的时候赚来罗斯柴尔德辛迪加为自己渔利的2 000万佣金中的大部分……现在，下一笔给巴黎的贷款又公布了，条件是同样的……

由于阿方斯现是法兰西银行中重要的理事之一，而且罗斯柴尔德家族的“长期亲密朋友”塞耶现在是塞纳河地区的行政长官，股份合作制银行发现自己成了政治歧视的牺牲品。在8月5日，他们因此签署了一个协议，几乎就可以将此看成是一个反罗斯柴尔德联盟。正如马扎莱特所说，股份合作制银行故意诬蔑罗斯柴尔德的爱国热忱，它们团结起来，“以法国组织”的形式对此提出了自己的主张。

将德国银行排除在行动之外的目的也得以实现——尽管很难说有多大程度上是因为沟通不畅、柏林胆小或者是巴黎恶意的预谋所造成的结果。值得注意的是这种排斥不仅针对布雷希罗德、汉森曼和奥本海姆，同时也针对罗斯柴尔德家族在法兰克福和维也纳的银行。安塞尔姆申请了多达3 100万法郎的新国债，而商工银行申请了4 700万，但是，当这些申请送达巴黎的时候，认购已经结束了。迈耶·卡尔仅只得到了200万法郎的认购。这种情况已经不是第一次发生，划分欧洲资本市场的红线正在打破罗斯柴尔德各银行间的传统合作关系，基本上只剩下英—法轴心还算保持完整。这种情况没有引起阿方斯的重视是显而易见的。“我不后悔，”他以有点儿固执己见的自鸣得意的语气说，“这能够向这些先生们表明，尽管我们是出于好意，但在我们安排一项交易的时候，没有他们我们也能做，就像没有那些错失了赚取丰厚利润的柏林代表参与，我们也能做一样。”尽管罗斯柴尔德家族英国和法兰西银行大获全胜，首批梯也尔国债还是标志着罗斯柴尔德家族作为一股团结的泛欧洲势力进一步走向瓦解的开始。

这当然还只是个开始：怎样把国债发行筹集来的钱转给德国政府仍然是一个问题。最常见的方式是政府在伦敦购买银行票据——当时最流行的流动性金融工具——然后把它们递交给柏林。这与第一批18亿法郎中的1/3所采用的方式一样，但是让阿方斯不太满意的是，这种方式已经证明不可能建立起自己对法国政府购买票据的垄断模式。然而，德国人现在也开始来找麻烦了，他们坚持要黄金或者是德国塔勒的票据而不是这种时间相对较长的英镑票据。与通常的情况一样，布雷希罗德试图通过把他的“朋友”的意见转达给巴黎方面来增加显示自己重要性的砝码，但是阿方斯不为所动。“这些先生们也许是伟大的（战争）胜利者，”他刻薄地评论道，“但他们肯定是比较蹩脚的金融家。他们想锁定我们汇给他们的钱，又不为支付提供任何的便利。”转款的难题在1871年的最后一个月引发了一场不大不小的货币危机，因为碰巧碰到了农业歉收（因此，法国需要进口粮食），交易所里投机气氛严重，另外还面临着有关税收政策的首次严重争论。为了保证自己的储备，法兰西银行不得不发行新的小面额钞票，并向政府施压，要求减少其发债的规模。这些做法在交易所催生了泡沫：债券价格在11月迅速拉高到顶点，但是在1872年的上半年下跌了大约5个百分点（见图1.1）。所有这些产生了一个后果，对1872年5月应付柏林的款项的讨论不得不推迟到新年的时候。

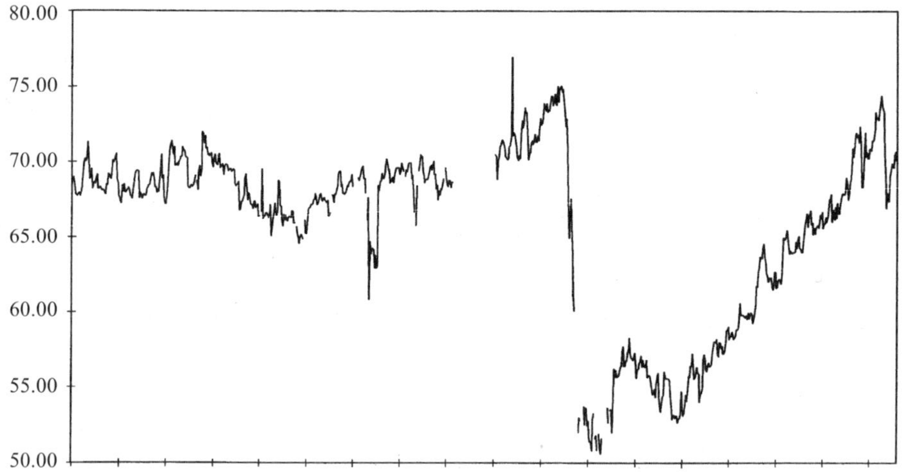

图1.1　法国3%票面利率国债周收盘价，1860~1877年

资料来源：《经济学人》

法国政府的困难给罗斯柴尔德的对手们提供了一个新的招徕生意的机遇。这次挑战由法兰西银行挑头，作为德国利益的急先锋（阿方斯这样怀疑），而“德国利益”主要以汉高·冯·多纳斯马克为代表。“法国巴黎银行”的董事苏贝然在1871年夏季的票据纷争中占据了比阿方斯更为有利的位置，而且对于5月份到期的3亿法郎债券的问题，也迫使阿方斯不得不做出让步：经过几番角力之后，他和其他的私人银行家们确保了总额的一半，另外的一半留给了那些股份合作制银行。这还只是争夺对剩余30亿待付款项控制权的残酷竞争的一个预演。布雷希罗德再次步步紧逼，当坡耶尔-科蒂埃访问柏林的时候，布雷希罗德与他建立了联系。他采用那些或多或少显得浮躁的小把戏来纠缠阿方斯，而根本的目的是想确保他在接下来的大动作中能占有一个更大的份额：他提出应该在巴黎建立一个新的法—德股份合作制银行来处理后面的贷款；30亿应该用法国铁路的股份来做担保（换句话说，就是法国铁路股东要把这些换成国债，把法国铁路网的控制权拱手交给柏林）。就像汉高·冯·多纳斯马克的彩票型贷款的建议一样，所有这些德国计划绝对偏离了问题的本源：法国本土爱国热情突然高涨——一种想尽快结束德国占领的急躁情绪——使得形势急转直下，好像又要再次重复1871年的国债行动。唯一的问题是巴黎和伦敦的罗斯柴尔德银行是否还能够在新的发行过程中重复他们早期发行时那种让人叫绝的控制能力。

首先，从法国政局的动荡和由于1872年春天发生的事件对法德关系造成了轻微损害这样的现实出发，阿方斯对于是否还有提前还清30亿的可能性持怀疑态度。然而，到了6月底，对法国巴黎银行集团可能会抢跑业务的担心刺激他采取了行动。不可避免的是，政府在第二轮的时候不可能会像第一次时那么大方。为了确保能够重复上次认购的体系，银行必须答应向政府提供7亿法郎的硬通货。按照阿方斯的说法，这只有在"为了平衡更高的佣金"时才有必要。发行的价格也提高了——给公众的价格是84.5，而给认购者的实际净价是80.5。而且，股份合作制银行将成功取得较大参与份额的可能性也将无法回避。然而，阿方斯再一次拿到了最后的胜利结果。由于在上一年，总数35亿法郎中只有10亿是有担保的：在这10亿中，罗斯柴尔德集团（也就是巴黎和伦敦罗斯柴尔德银行、巴林银行以及其他高级银行企业）占了64.3%，只留了近1/3的份额给股份合作制银行，这个比例也用在了7亿法郎的国外借款上。两家罗斯柴尔德银行单独承担了有担保的那10亿中的2.82亿，以及7亿短期借款中的1.975亿——每种情况下均占总额的28%。

尽管1872年和1873年转账赔付中的大部分金额都是用塔勒票据支付，德国的银行仍然没有起到什么大的作用。布雷希罗德甚至亲自跑到巴黎，与他所认为的汉森曼垄断德国市场的最邪恶的阴谋进行了斗争，但是没有取得什么实质性的效果：全部加起来，德国的认购只是300万法郎。而对于迈耶·卡尔来说，他所能做的也只是抱怨："我们什么都不知道，只能荣幸地看着我们的巴黎朋友发来的写着为大局考虑这样的长句而没有任何实际内容的信件。"而那些身处其间的幸运儿，又一次获得了巨额的利润。佣金是有担保的那10亿金额的1.5%（1 500万），以及2 500万来自于7亿法郎兑换汇率的收益，这意味着罗斯柴尔德两家银行享有1 120万法郎。这些还不包括由于国债快速上涨，远高于买入价格的那部分资本收益。我们似乎有理由相信，罗斯柴尔德银行资金在投入认购的同时，可能也投入到了发行之中。

如果贷款失败，迈耶·卡尔显然不会有什么遗憾；事实上，正如阿方斯已经预见到的，这次担保甚至比上一年度更显得多余，尽管他被超额认购的程度所震惊：认购率超过了8倍。这使他觉得"很荒谬"，而且在短期看，这种看法似乎也被证实了。

1872 年晚期汇兑困难再次压制了汇率，而国债创了战后的新低。这一次，德国政府对导致困难产生的以票据在汉堡到期的方式支付提出了异议。然而，7 月份的过度认购反映出的情况并不是市场对国债中期走势的真实预期：在 1872 年 12 月（81.5）到 1877 年 3 月（107.88）这 4 年零 3 个月的过程中，5%利率国债持续上涨了超过 25 个百分点，上一次见到这个价格是在帝国倒台的前夕。

再也找不出比 1870~1871 年的危机更能说明法国金融和政治实力没有相关性更好的例子了。我们一定会问：如果法国可以如此迅速地通过在仅仅两年的时间内赔付价值 50 亿法郎的赔款来“赢得和平”，那它为什么就不能赢得战争呢？为什么法国人更愿意在事后为失败埋单，而不愿意在战争爆发前为胜利的机会出钱呢？唯一符合逻辑的结论就是，波拿巴政府应该在 19 世纪 60 年代末期发行 50 亿法郎的国债来扩充军备，他们应该从经济的角度来考虑这样的做法，但是他们无法做到，原因就在于他们自己的政治经验不足。

借与贷

因此，他们的利益转给了胜利者。但是胜利者拿着这些利益会怎么做呢？在赔款转款的最初期，阿方斯就已经表达了对获得战争赔款一方的金融能力的怀疑。“柏林市场现在是一种惊恐的状态。”他在 1872 年声称，“那么，我们支付过去的这 50 亿去哪里了呢？俗话说得好，不义之财不生利。”1873 年夏季横扫中部欧洲金融市场的危机似乎为他提供了例证。“我们的 50 亿让他们付出了沉重的代价。”他在那年 9 月有些释然地说。

在政治分离的另一边，迈耶 · 卡尔也对“大繁荣”的可持续性表示了怀疑，这种繁荣在色当战役之后又以一种新的力量重新爆发出来。具体来说，他被如雨后春笋般出现在德国大地的新的股份合作制银行搅得心烦意乱。当然，他反对这股潮流有他自己的利益考虑。“所有的这些银行，”他在 1871 年 1 月的时候抱怨道，“在获得了投资的机会，趾高气扬地成为贷款的唯一银行，而把我们推向一旁的时候，高兴得有点过头了。”另一方面，他正确地认清了经济过热的表征，尽管他并不真的清楚过热的根源在哪里。“对于这些新的银行股份的过度投机，”他在 1871 年 10 月报告道，“一直是人们谈话中的主要话题，而且没有人明白，吸走了大量资金的所有新推出的这些垃圾项目所表现出来的疯狂特性。”“开办新银行的狂热和地产信贷银行正在变成一个常见的公害。”他在一个月后又补充道，“而且将毫无疑问地以一个大灾难收场，因为没有人知道所有这些组织会怎么用他们所募集来的那些股民的钱。”到 1872 年 5 月，迈耶·卡尔明确地预言了“一次货币危机很可能爆发，原因是已经发行的所有这些垃圾股份，以及这些溢价，而且已经可以很明确地看出来了”。

另一方面，新的德意志帝国的大量业务远远抵消了不断增加的竞争所带来的烦恼。甚至当新的德意志帝国在1871年1月正式宣告成立的时候，迈耶·卡尔还在为给威腾姆伯格的一份贷款奔忙，尽管这一次他输给了“艾兰格尔以及所有他的那些垃圾银行”。当巴登在同年重返资本市场后，他获得了更多的成功，而且还为莱提斯本的市政当局安排了一项小额的贷款。另外，莫尼黑躲开了他。所有这一切直截了当地说，就是罗斯柴尔德家族过去对德国南方的金融控制已经成为了过去。因此，对于迈耶·卡尔来说，发展他与汉森曼企业的联系，并通过他与日新月异的柏林市场联系起来，就成为了性命攸关的问题，他用维多利亚式的夸张这样跟他的英国堂兄弟们说道：

> 比布雷希罗德这样徒有虚名而且野心勃勃、只会追逐个人名利，并且一切以自利为原则而不考虑我们的利益的人好千百倍的我们银行的伟大朋友……汉森曼先生对我是如此诚挚，他不会做任何直接或间接损害我们利益的事，这你们完全可以放心……除非你能与他保持友好互谅的关系，否则你根本不可能在这里与政府做任何业务，因为他特别受重视，而且他的影响力正在急剧提升。我因此只能重复我经常说的那些话，如果我们想做得聪明一点，我们应该与汉森曼先生建立最好的关系，而且我完全有理由相信他不会背着我做任何事情，但是我希望我们伦敦和巴黎的银行能同样与他相处好。

就是通过汉森曼，迈耶·卡尔才参与到了很多盈利不菲的铁路项目中，包括科罗尼—明登铁路。“我敢肯定你们会得到意想不到的满足。”他这样向纽考特报告道，显然说明在这个业务中拥有股份，“而且，想一想老查理并不像他看起来那么蠢。”——法兰克福合伙人开始感觉到了他金融地位的逐步下降——他能参与到南方德国铁路项目似乎也与汉森曼有关系。情况似乎是，在19世纪70年代早期，迈耶·卡尔越来越多地围绕着贴现公司进行工作，而且当伦敦和巴黎又一次表现出对他的忽视时，这种倾向就更加明显。

如果假定法国赔款与把德国金融带入1873年的停顿的崩溃之间有直接的联系，可能会显得过火。但是无论如何，5月8日~9日间危机首先开始于维也纳，而不是柏林。然而，毫无疑问的是，在赔款支付期间的德国财政和货币政策根本没有注意战后的“疯狂”。“我在上院看到了财政部长，”迈耶·卡尔在1872年3月写道，“而且他问我我是否用钱，因为他的钱太多，他都不知道用它做什么。”这是一个可以原谅的夸张：如果我们接受战争花费了德国2.2亿塔勒的说法，这事实上以赔款的形式产生了13亿塔勒（50亿法郎）的预算盈余。德国政府的花钱方式在很多方面对股票市场的繁荣增加了动力。经过批准，1.2亿塔勒放入了朱丽叶大厦的“战争保险柜”，以备下次战争之需——效果与限制货币的政策所能达到的一样。但是德国人花了大约6 000万在那些主要位于新帝国首都柏林的恢宏的建筑项目上，剩下的大多用于减少德意志帝国成员邦和北方德国联邦的债务上。这些都为已经充满泡沫的经济增加了额外的流动性。

由此产生的一个相关的困难是德国货币安排的不确定性。在1871年的新德意志帝国内部，存在着至少7种硬币体系，大多是以白银为基础的。然而自由派的银行家，像挑起了1870年之后的货币争论的路德维希 · 邦博格，支持的是采用一种合并的以黄金为基础的新德国币制体系，他有这种倾向的部分原因是由于白银的价格相对于黄金来说在下跌。最早在1871年10月，第一次朝这个方向的法律程序迈出了一步，但是一直到1873年7月，《制币法》才得以通过。到了1875年3月，中央银行——德意志银行才建立起来，管理新的货币。 到了这个时候，泡沫的生长已经有了很长的时间。现存的统计资料显示，1871~1873年，货币的供应增长了大约50%，而价格的通胀程度与此类似。1873年的崩盘吞没了那些收益，而且把千千万万的公司推入了破产的深渊。

这是对在凡尔赛时表现出的傲慢的报复吗？起码艾尔封瑟是这样认为的。然而，1873年的金融危机以及后续出现的所谓的“大萧条”——一直持续到19世纪90年代的初级产品价格下跌——并没有解决法国的战略性弱点的问题。早在1874年1月，也就是在最后一批德国军队撤出法国领土后仅4个月，梯也尔的继任者德卡泽斯公爵就谴责德国在谋划一场针对法国的战争。次年，俾斯麦在德国报界的代言人问道：“看到战争了吗？”这造成了法国市场恐慌。

这个警告最后被证明是虚惊一场；也许，俾斯麦从来没有打算把战争的战鼓敲到国内政治以外的范围。然而，对于罗斯柴尔德家族来说，最为关键的是迪斯雷利和戈尔查科夫搁置对中亚在欧洲和平中的利益争议的决定。至少，迪斯雷利是这样呈现给他们的。“昨天晚上，”夏洛特这样告诉她的儿子，“迪斯雷利过来短暂地拜访了你的父亲，而且告诉你父亲他在维护大陆和平的谈判中取得了巨大成功。”这位总理看上去又沉湎于他所习惯的夸张之中。当然，1870~1871年，他与格莱德斯通之间在个人作为方面的差异，无法逃过列昂内尔的注意。这两年之间的是是非非暴露了两个问题：大国之间的纷争，尽管对他们的家族关系有伤害，但是对他们的银行来说却带来了不菲的获利机会；国际稳定的关键不在巴黎，也不在柏林，而在伦敦。

第二章

“高加索皇族”

THE HOUSE OF ROTHSCHILD

我很惊诧地发现，罗斯柴尔德家族在这个方面非常像一个皇族——具体说来，就是他们之间整天争吵不休，但是一旦与世界为敌的时候又团结为一体。

查尔斯·德尔克爵士

1879年3月

托马斯 · 曼恩 1901 年的小说《巴丁布鲁克斯》描写了一个商业同业公会家族及其企业的兴衰，在小说中，人们发现从第三代身上可以看到衰败的迹象，而到第四代则是必败无疑了。作者肯定是想用这个模式来写罗斯柴尔德家族 1878 年以后的历史。由于迈耶 · A · 罗斯柴尔德的孙辈们都已经过世，因此领导权传递到了第四代的身上，而这代人似乎缺乏那种曾经使这个家族发展繁荣的企业家精神的驱动力以及金融智慧。新的受教育机会使他们远离了他们的生意。社会地位向传统贵族身份转化的过程把他们的生活重心从城市转移到了乡下，这种转移不仅是物质上的，而且也是情感上的。"生意领域中一个崭新的时代已然开启。"阿方斯在 1865 年曾经热情洋溢地给他的堂兄弟们写信，"只有那些受过高等教育的年青一代才有能力把握这个瞬息万变的时代。因此，年青一代将担负起领导这个新时代的伟大金融活动的责任。"但是，这年青一代留给同时代人的印象却只是对他们的前辈亦步亦趋的跟随者。

证据纷纷证明这种说法。纳特（1870 年）、安塞尔姆（1874 年）、迈耶（1874 年）、安东尼和列昂内尔（1879 年）相继辞世，只留下了他们在法兰克福和巴黎的比较年轻的堂兄弟作为第三代的代表。在詹姆斯的儿子中，阿方斯到他在 1905 年辞世为止，一直是法国金融界令人敬畏的大人物，而他的弟弟居斯塔夫则一直是他的得力助手，但是萨洛蒙 · 詹姆斯在年仅 29 岁时就离开了人世，而德 · 埃德蒙在生意中的作用非常有限。卡尔的儿子中，阿道夫在 1863 年中退出了生意，而迈耶 · 卡尔的健康状况自 19 世纪 70 年代晚期开始就已经在走下坡路，当他于 1886 年去世后，法兰克福银行的最后岁月交到了他那信仰虔诚而又没有商业野心的兄弟威廉 · 卡尔的手上。

就在第三代的这些成员晚年和病痛期间，他们仍然活跃在生意领域，严守着父亲那辈人的工作道德观。纳特在1870年2月去世之前很多年就已经被看成是废人：他的仆人一直惊异于他是怎样“与常人根本无法忍受的病痛战斗了18年的”。然而，就在他辞世前的几个小时，“他与阿方斯谈起了美国股票以及俄罗斯贷款，还有……就在他离开前的几秒钟，他告诉他的仆人一早给他带杯茶进来，因为他希望听到别人给他读报”。安东尼也总是首先被人认为是一个银行家，尽管他总是生活在政治表现更加活跃的兄长的阴影里。他总是一成不变地用“有什么新消息”这样的问题来跟朋友和亲属打招呼——这可是一个真正银行家的问候方式。

在列昂内尔事业中的大部分时间里，他遭受了非常严重的风湿性痛风的折磨（比较科学的现代称呼应该是关节炎），有时候严重到在下院辩论有关犹太人解放的议题时，甚至要靠别人把他抬到会场去。“在20多年的时间里，”《时报》观察到，“他依靠轮椅在他的住处从一个房间到另一个房间，或者使用一把专门的座椅从他的马车进到办公室。”报纸同时也记录道，“一直到他临死前的最后一个工作日，他都一直是业务的主心骨，而且在数量级上没有任何人可以与之相比。”另外，“对于业务的指导依靠的主要还是他的睿智和勤勉”。当然，该报退休的编辑德莱恩是该家族的亲密朋友，因此，对于讣告作者的热情或许应该给予宽容。尽管如此，他对列昂内尔的作用和能力的评价应该是很有见地的，而且他领导之下的罗斯柴尔德家族伦敦银行所取得的业绩可以证实一点：

> 一项主要依靠遍布世界各地脆弱的而且总是在不断变化之中的货币市场来操作的业务……需要……在对汇率变化所产生的影响进行判断时有一种直觉的本能，这种能力或许是遗传的，而不能像其他的大多数形式的能力那样可以通过学习获得。但这其实只是一种计算的能力，而且这种能力的素质要远高于其拟定用途所需要的素质。所有的这一切当然必须依赖从世界各地所获取的信息，以及在获得这些信息后形成的一种恰当的预测；要做到这一点，需要的不只是人类通常的知识，还有几乎全世界不同国家和不同民族所具有的各种独特的知识。这些也还不足以在纯粹的商业交换问题上施展判别的能力。在所有比较大型的货币交易的计划中，对于政治前途的判断是最关键的内容，而要做到这一点，就必须对整个世界的公共事务和政治任务的特点非常熟悉。列昂内尔·德·罗斯柴尔德男爵所拥有的所有这些素质都应该算是达到了非常杰出的程度，这些素质综合起来所呈现的不仅在于他是银行中一个成功的经理，还在于他是在社会和政治领域都非常重要的人物。没有任何事情能够把他的注意力

从他对企业日常营运的关注中引开，而且几乎在他生命的最后一刻，他的手里还握着所有这些错综复杂的利益。他在日常的管理活动中是如此面面俱到，再一次把他的银行的财富基础提高了一个台阶。

迪斯雷利在把列昂内尔称做是“我所知的最有能力的人之一”的时候，没有任何夸张的理由。列昂内尔同时也是最富有的人之一：当他去世的时候，他留下了270万英镑（给了他的妻子和孩子们差不多15 000英镑），还没算匹克迪利和加奈斯贝里的房产，以及这一时期世界上最庞大的私人艺术品收藏。那些不喜欢列昂内尔的人也证实了他对业务的投入程度。去世前一天，他把经纪人爱德华·瓦格招到匹克迪利148号他的病床前，告诉他：“我刚看了我的半月报，你在累加的时候犯了一个错误。”在30多年后，那些把他说成是贪婪者的影射他的特性的故事仍然还在流传：金融家霍拉斯·法古阿不怀好意地（而且可能并没有什么根据）告诉赫尔伯特·阿斯奎斯说：“老犹太人总是习惯在他纽考特办公室的桌子上放一个小盒子，里面藏着他的珠宝，在处理工作的间隙总是把它们拿出来进行把玩。”

第三代中的老大是安塞尔姆，他的身上也有了很多这样的特点——特别是他的苦行生活，这在马克斯·韦伯的眼里是他的资本累积的主要原因（尽管他认为其本源是加尔文主义）。他热衷于阅读，是一位艺术品收藏方面的爱好者，也是专家（他的藏品多摆放在位于雷恩加色一座特别建造的美术馆里），而且他还是一名热心的戏剧观众，在剧场里有自己的包厢；但是除此之外，他的生活非常俭朴，只在他父亲留给他的维也纳宫殿里占用了两个房间，而且腾出了位于希勒斯多夫的城堡，反而更喜欢这块土地上的一所小茅草屋似的房子。在那里他几乎不请客。正如赫尔曼·戈尔德施密特回忆的：“他过的是一个新移民和守财奴所过的日子。他反对任何对外炫耀财富的行为，外出乘坐的只是轻便马车，从不使用他自己专用的4匹马拉的大车。”他是如此谦恭和节俭，甚至不愿意给自己画幅肖像。在他婚后的日子里，他和妻子没有住在一起（主要的原因似乎是她不喜欢住在维也纳）；不过与他的父亲不同，他总是很谨慎地避免在奥地利出现性方面的丑闻，在访问伦敦和巴黎时，坚决不与任何的风流韵事沾边。（他唯一的不良嗜好就是鼻烟。）他在他的儿子们眼里就像一名超人，有着无穷的力量。1868年夏天在法国和荷兰搜猎古董的时候，费迪南德回忆道：“他习惯在早上6点钟起床，然后一直不停地走，一直走到黄昏，拽着两位不幸的人（他的秘书和他的男仆）一路购物，一路观光。我希望他把他的体质传给了他的儿子们。”他把对银行进行管理的大量工作委托给了戈尔德施密特——安塞尔姆尽可能不与办公室里的其他雇员直接面对面，他说法语来拉开他与他们之间的距离——但他一直是老板，而且是很严格的老板。当他发火的时候，他会把手里的笔扔出屋子，并吐口水。尽管深受疱疹的痛苦折磨，他还是一直在生意中坚持到了最后一刻。

为了保持安塞尔姆的老式风格，他要求把他“以最简单的方式”葬在法兰克福。“葬礼准备得如此潦草，就像是一名犹太穷人的葬礼一样。”《时报》这样报道，“遗体用一辆普通的小马车从火车站运过来……由于葬礼的时间一直秘而不宣，参加仪式的人非常少。”然而，他可是一位在遗嘱里留下了金额超过 5 000 万塔勒的人，这个金额，正如俾斯麦很不负责任地指出的那样，是耶稣会资产的两倍。这与詹姆斯和列昂内尔的葬礼几乎没有任何可比性，他们的葬礼在新建成的威尔斯登公墓举行，有大批族人、罗斯柴尔德银行的代理人和经纪人、国会议员（包括威廉姆 · 哈科特和汤姆森 · 汉克）以及很多犹太组织的代表出席。

第四代

对于第三代很难被取代的这种现象，一开始人们会觉得奇怪。无论怎么说，在高生育的年代里，第四代从人数上来说肯定远远超过第三代，而且人们甚至有理由期待在这一代中的 44 个孩子里找出足够的能力超群的商业人才来。对与他们同时代的那些人来说，光听听罗斯柴尔德家族的人口数量，就足以让他们难以忘怀。在 1859 年，龚古尔吃惊地发现，大约有 74 位罗斯柴尔德在居斯塔夫与赛西莉 · 安斯帕希的婚礼后参加了晚宴。而迪斯雷利则发出了那句著名的宣言：“再也不能有更多的罗斯柴尔德了。”难道这不是不言而喻的事实吗？

尽管在我们看来很荒唐，但到第三代的时候发现女儿过剩，生儿子很困难：这种忧虑并不是完全不可理喻，因为第四代孩子中的男女比例为 17 ∶ 27。另外，至少 5 个男孩子在婴儿期就告夭折。那不勒斯和法兰克福银行关闭的原因中，部分就是因为卡尔的儿子中没有自己的男性继承人，前者关闭于 1863 年，后者关闭于 1901 年。

不可避免的，留存下来的这些男孩子的身上更加难以见到他们家族的财富长期赖以增长的那些工作和算计的精神特质。事实上，就连他们的母亲对拟掌管罗斯柴尔德家族伦敦银行的三位年轻人的评价都不高。夏洛特用她那惯用的令人难以接受的率直在 1840 年初写道，纳蒂“是一个消瘦、长相难看的孩子。但是，这无关紧要，他是个男孩，而且得到了他父亲和整个家族的热烈欢迎。我对他的喜爱从来不曾超过对他的那些姐妹的喜爱，而且对他的照顾也没有达到他本应得到的那么好的程度。”到他 9 岁的时候，她认定他“缺乏诚恳和率直。他很内向而且腼腆，不够大方；事实上，他是我所有孩子里唯一一个只是为了囤积而喜欢钱的孩子……他是一个天生就懒惰的孩子”。在随后的6年中，情况有些改善——他似乎爱上了学习——但是“他仍然很腼腆”，夏洛特还率直地做出了结论：“他不会是一个聪明的孩子，但会是一名受过良好教育，而且非常有教养的人。”

追随着他的迈耶叔叔的脚步，纳蒂在1859年10月进入剑桥去念伦理学（伦理哲学、政治经济、现代历史、普通法理学和英国法律），而且似乎学得非常轻松。但是在对普通学生二年级的所谓“鬼门关”考试中还是遭遇了一些困难，问题主要出在必修的数学和神学原理上。在写给父母的信中他透露，他大量的时间花在骑马狩猎、业余剧社和参加学生会的辩论上（似曾相识的故事），尽管与家族的其他人不同，他几乎没有对艺术和建筑表现出任何兴趣。如果说还有什么能吸引他的注意力的，那就是政治了：从幼年开始，他就显然非常喜欢与他神通广大的父亲讨论政治新闻。

尽管这种情况说明他可以成为一名很有希望的下院议员，但是人们还是有理由质疑他对一个充满挑战的金融事业，所做的准备并不充分。特别是纳蒂缺乏数学天赋的事实似乎可以推翻《时报》所认为的金融计算的能力是遗传的这种说法。他的父母对他的期望值更高，这可以从他为自己喜欢狩猎和业余剧社所做的辩护中推断出来：

> 我已经总结了我自己的经验，为了在这里能过得顺利，绝对需要每天花费至少两个小时来做高强度的运动。因此，如果我不去参加狩猎，我也必须得以同样的方式去做一些其他的事情……戏剧社是占用了一些时间，但是，我发现如果我除了功课以外不做其他任何事情，我也不可能再多看哪怕是一页书，而且这只会损害我的健康，把这里的生活变成了一种诅咒和折磨……我来这里时并没有做过认真的准备，因此不要期望我还能做得更多。如果我一直远离同学，他们将会对我报以更大的期望，其结果只能是到期末时以失败告终，而他们会把我看成一个更傻的大傻瓜。

纳蒂最终闯过了考试的鬼门关，但是尽管经过了三一学院院长威廉姆·休厄尔和荷森神学教授约瑟夫·莱特福特（后来的德汉姆大主教）的强化“辅导”和鼓励，他似乎还是不足以确保获得学位，并且在1862年的米迦勒节结束后没有参加毕业考试就离开了剑桥。在被选入文学协会（1860年）之后，他又相继进入了下院，成为代表艾勒斯贝利的议员（1865年），当上了白金汉郡义勇骑兵队的军官，并且继承了他叔叔的男爵爵位（1876年）。纳蒂的前途似乎注定是走政治道路而不是金融。因此，当他在下院委员会作证，首次赢得金融城的满堂喝彩时，夏洛特明显觉得很意外。

人们也许会问，为什么夏洛特和列昂内尔如此不顾一切地期望他们的儿子们能在学术上获得成就。尽管阿方斯对“大学教育”十分执著，人们也找不出任何理由来解释剑桥的一个学位能在金融城里获得什么优势。从另一方面说，金融城里的银行家中受过公立学校、牛津或者剑桥教育的人士的比例在整个19世纪中出现了显著上升。夏洛特敦促里奥“在每天的学习时间里腾出一两个小时来做英文练习……因为这将使你能够在纽考特实际的日常生活中去起草合同，针对重要的金融交易发表声明，给那些大报提供通稿，这些事情确实不应该再由文书来做了。”但是，有人怀疑，她真正的目标不只是让里奥为“纽考特的实际业务生活”做准备，而且是要给他这种她自己未能得到而又一直期盼的传统教育——而且通过这样做，给罗斯柴尔德家族的荣誉室里增加一座奖杯。一个学位，就像下院里的一个席位，对于罗斯柴尔德家族这样的金融家庭来说，没有任何实际功能性的价值，但确实是在他们完善与异教徒精英社交较量的运动中的一个胜利。“大学里的学位，”夏洛特在1865年给他的小儿子讲课时这样说，“是一个人出众能力的证明；就算这些学历不能证明它的获得者具备了很好的天赋和杰出的才能，起码也证明了他为获取知识进行了艰苦卓绝的努力，因此也证明了他有坚定的信念、活力、刻苦以及坚持不懈，而所有这些，都是可贵的品质。”两年之后，她在回信中再次重申了这个主题：

在大学里取得的荣誉就是进入世界主流舆论领域的一张通行证、一封介绍信——在你自己的家族里、在生意场上、在社会上、在下院、在国内和国际、在社会的各个阶层——一个在剑桥或者是牛津获得了学位的人都会被人们所看好，而且这种良好的声誉对你整个生命过程中的每一次努力都是非常有实际意义的促进。

她和列昂内尔在里奥借了一些钱给一位朋友的时候都非常愤怒，因为这是剑桥一直所致力消灭的一种行为，他们认为这是对社会本源的背叛：

我总是觉得你应该具备这点常识，从来没有想到你会如此愚蠢，竟然会借500英镑给一个在这个世界上几乎一无所有的蠢货。这种做法对于所有借钱出去的个人来说都非常危险——而对一个叫罗斯柴尔德的人来说，风险就会更大——事实上，我没有正确地表达我的意思：我们家族的任何人、任何成员，无论是伟大还是卑微，都绝对不能有如此荒谬的想法，一丁点儿都不可以。钱财上的借贷肯定会把朋友变成敌人。没有人会想到要把钱还给一个罗斯柴尔德家族的人，反而会在拿到钱后就远远地避开债主，而且很可能是永远地避开——因此我们会牺牲掉很大的金额，而没有起到任何作用，也不会得到任何的快乐。在我整个一生当中，从来没有借出过哪怕6便士——如果需要赠与，那就做；如果申请人觉得接受5镑或者10镑很荣幸，就给他；如果他能还这笔钱，就把它捐给慈善组织。在我的一生当中，我都秉承着这种信念——而且感谢上帝，至今没有犯过让我后悔的莽撞错误……

又及，你为什么不能把自己关起来……远离所有那些游手好闲、懒惰成性、一无是处的年轻人呢？他们只会污染剑桥，并且偷走你宝贵的时间、良好的愿望以及青春的活力。

但是，学术荣誉还是远离了这一代人。通过努力，纳蒂没有在剑桥丢脸；他的弟弟们却要稍逊一些。夏洛特可能有些着急地认为阿尔弗雷德“应该去剑桥，并且在那里让他自己脱颖而出”。但是仅仅一年之后（1861~1862年），他就病退，而且再也没有回去。他们做了很多努力，把阿尔弗雷德带入慈善及政治领域：在安东尼的监督下，他在1867年寒冷的冬季坐上了金融城“济难”委员会主席的位置。“我希望而且相信你的兄弟会参加，”这位满心焦虑的母亲这样写道，“这对于让阿尔弗雷德熟悉这种公共会议会有很大帮助，而且，经过一些时日的磨砺，他或许还会产生重新考虑进入议会的想法，但在目前的情况下进议会似乎还不适合他的胃口。”在1868年，他成为了被选入英格兰银行董事会的第一位犹太人，这是又一个他由于家族背景而非自己的能力所获得的职务。但是他在发挥自己职位影响力方面很显然失败了，他根本无法与阿方斯作为法兰西银行理事所发挥的作用相比。阿尔弗雷德的生活是那种世纪末的唯美主义者的生活，曾经还有些颓废以及暧昧的淫秽，正如马克斯·彼尔波姆的漫画所描绘的。医生们在讨论阿尔弗雷德先生需不需要在上床睡觉前再吃第二块果仁糖——抓住了前面的那一个特质（参见图2.1）。阿尔弗雷德预言似的名言在某种程度上也说明了同样的问题——当一位英格兰银行董事（影射安塞尔姆的遗嘱）“认为在50年内，《时报》将会宣布你的兄弟已经留下了整个白金汉郡时，‘你错了’是对他非常不合时宜的说法的回答——‘相信我，我会留下更多，

图2.1　佚名，《老奶奶的99岁大寿》，（大约1848年）
资料来源：富西斯，《犹太人讽刺画》，第146页

我会留下世界’”。

说起来，利奥波德（里奥）带来的是一个更大的失望，主要是因为列昂内尔和夏洛特把他们最后残存的对学术成功的希望全部寄托在了他的身上。尽管说——或许是因为——在他的整个剑桥生涯中都伴随着父母无休止的劝告和责难的轰炸，里奥还是不得不推迟了他的“鬼门关”考试，不能通过的原因是他的基督教理论知识不足，而且在期末考试中得到了一个末等的成绩。他的母亲担心他会被“看成最无知、最没有思想、最卑微的人”，而且她告诉他听到她的朋友马修·阿诺德说“他不相信你会是一个读书的料，因为你说过要去新市场，而他认为你的这种想法很让人遗憾，因为你对他而言似乎应该更有作为。我向你保证我没有任何夸张——阿诺德先生在赛道上往返了三次”。列昂内尔与夏洛特一样希望看到他位列“一等而且遥遥领先”。不久之后列昂内尔有些苦涩地评论道：“你的考官说你是瞎蒙的好手，这种说法是十分正确的。”人们很难不对里奥和他的兄弟们表达同情。“尊敬的爸爸不想再看到你们笔下的任何所谓的新闻。”1866 年，一封具有典型意义的信从家里发出了：

> 但是他希望知道你们怎么安排你们的时间，几点钟你们与你们最爱的枕头告别；什么时候吃早餐，描绘一下早餐的桌子以及这最早一顿饭的内容；你们花几个小时在严肃认真的学习上，在预习以及功课上的时间分配；希腊语和拉丁语课上你们正在阅读谁的作品；闲暇时间中你们花了多少在现代诗歌和历史等的这些轻松阅读上，然后又花了多少时间在更轻松的文学阅读上，比如传奇故事和小说；对于法语和英语，你们做了多少练习。

所有的大学老师都知道这一类型的父母压力会造成多大的逆反。如果说里奥喜欢与塞瑞尔·弗劳尔这一类的“游手好闲、懒惰成性、一无是处的年轻人”虚度光阴的话，部分原因就是父母喋喋不休的说教所产生的逆反。更觉绝望的夏洛特敦促他“学点什么——绘画、油画、音乐、语言”——因为他的兴趣不在这些方面，而是主要放在了赛马上。最后，这一辈“英国”罗斯柴尔德人中唯一获得一个大学学位（在法律领域）的是纳特的儿子詹姆斯·爱德华，他成长于法国，在法国受教育。但是，不能说他是高等教育的成功样板。他是一名狂热的书籍收藏者，收集了大量的珍本书籍，而且偏执地排斥有哪怕一点点瑕疵的书籍。据说，他在 1881 年仅 36 岁的时候自杀身亡，他或许是第一位患有人格机能障碍、喜欢收集珍稀物品的罗斯柴尔德人。

当然，里奥对赛马的痴迷是有先例的。他的叔叔安东尼在年轻的时候也喜欢赛马，而且他的叔叔迈耶也是一个狂热的马迷。事实上，在 19 世纪 60 年代的时候，对于迈耶，曾经有这么一种说法，说他“如此出神和自得其乐，以至于他的同伴和侄子……用稍显柔和的声音跟他说话，他都听不到”。在1871年的“男爵之年”，他的马匹在五场“传统”赛事中赢了四场：德比、欧克斯、千枚金币以及圣勒格尔。8年之后，里奥成为了德比胜利者的马主，当时，他那匹名不见经传的马“贝维斯爵士”击败了罗斯伯里伯爵的威斯康蒂，使后者仅获得了第三（尽管里奥使用了“艾克顿先生”的假名掩盖了自己真实的身份）。他在1896年用圣弗拉斯奎恩差点再一次成德比胜利者（他的马排在了威尔士王子的佩西蒙之后），在1904年，他的圣阿蒙特实现了梦想，再次问鼎。因而，这应该算是一个坚持不懈的标志，而不是玩物丧志的标志。他仅在一个单独的赛季就可以赢得多达46 766英镑奖金的事实，甚至可以看成是那种传统的聪明才智的标志。与此同时，体育逐渐成为了金融城内部生活方式的一个组成部分——股票交易十一队与里奥自己的十一队在1880年举行了一场板球赛，见证了维多利亚时代后期社团组织间往来关系的经典例子。另一件新奇的事例是里奥对汽车的热情，汽车在当时是超级富豪们的世纪末玩具。另外还有一些新的奢侈玩意，比如将像圣弗拉斯奎恩这样的赛马由法博格用银做一个模型（另外再用青铜做12个复制品送给朋友）。

安塞尔姆的儿子们也有类似的倾向。老大内桑尼尔（1836年出生）在布罗涅恩上学，但是与他的父亲关系很紧张，他父亲认为他挥霍无度而且非常缺乏金融能力。费迪南德（1839年出生）对家族的生意表现得更加冷淡，他更喜欢待在英国，而英国是他母亲和妻子出生和生长的地方。他对自己缺乏最重要的罗斯柴尔德品格一事毫不避讳。“这是一件奇怪的事情。”他在1872年时非常绝望地写道，“无论什么时候，只要我卖出股票，它肯定上涨；而一旦我买入，不管什么股票，它总是下跌。”剩下的就是萨洛蒙·阿尔伯特（1844年出生），家族中一般称呼他为“萨尔博特”。阿尔伯特在波恩和布罗涅恩上学的时候，“精力充沛、坚忍不拔，全心全意而且非常成功”。但是，当他的父亲在1866年生病的时候，感觉似乎“对未经分割的维也纳银行的职责（前途）表现出了过度的渴望、过度的惊慌甚至极度的恐惧”。当安塞尔姆最终在8年之后去世时，他把他部分的不动产和艺术品收藏留给了内桑尼尔和费迪南德，而把他在家族合伙生意中的股份给了阿尔伯特，阿尔伯特认为自己“没有受到善待”。最终，阿尔伯特不得不被迫进入生意领域，感觉颇有些勉为其难。

在巴黎，詹姆斯于1868年辞世后，掌权的当然是第三代，而不是第四代。然而，就连这里似乎也出现了衰败的迹象。部分问题是詹姆斯曾经是一位如此专横的父亲。费多这样评论说，詹姆斯“从来没有将他大权中哪怕是最细小的部分分给他的孩子或者是他的雇员”。“他的儿子们是多么顺从啊。”他以嘲讽的语气故作惊奇地说。等级多么森严！多么令人尊敬！如果不征询他们父亲的意见，他们不会允许自己哪怕是对最微不足道的交易签字确认——那带着犹太神秘意义的签字规范着这个银行。无论你对他们提出的问题有多琐碎，你会听到那些40岁左右的人说“问爸爸”，而他们几乎与他们的父亲同样富有经验。龚古尔也注意到了同样的问题。

老大阿方斯——他在父亲去世那年是41岁——似乎是对父亲的专横跋扈抵制得最厉害的一位，再一次表明第三代所生的孩子里还是老大最可能继承或吸收那些来自犹太大街的精神实质。阿方斯在波旁学院接受的教育，对艺术（和邮票收藏）充满着热情，但是他从来没有让这些兴趣干扰过他严肃的银行业务。1866年3月，在一次宴会后，有朋友问他“这么富有了为什么还要像黑奴一样地拼死拼活去挣更多的钱”。“噢！”他回答道，“你不知道，当大批的基督徒拜倒在你脚下时的那种感觉所带给你的乐趣。”像列昂内尔和安塞尔姆一样，他很喜欢节俭的生活：1891年，他被人发现准备乘火车从尼斯到蒙特卡罗（他在这里的生意“做得很小”），正是他的这些普通举止使他显得更加不同寻常：“他坐在长凳上等着火车，与其他普通旅客别无二致，独自抽着雪茄。虽然被列车长像贼一样地盯着，而列车长其实是随时准备在他表现出要上车的迹象时为他打开包厢的门。”居斯塔夫身上也有很多老罗斯柴尔德人的精神。正如梅里美1867年在尼斯与他和他的妻子一起吃过饭后用挖苦的语气所评论的：“他似乎有很多信仰，而且对于钱的认识与他的房子里的其他人 一样。”当他稍后听说居斯塔夫很冲动地前往尼斯时，他确信他肯定以高于他承租的价格转租了他在尼斯的别墅。

一直在奋斗的是詹姆斯那些年纪较小的儿子们。龚古尔在1862年观察到萨洛蒙 · 詹姆斯（1835年出生）是怎样被他父亲专横对待的。在交易所损失了100万法郎后：

> 他从他百万富翁的父亲那里接到了这封信：“萨洛蒙 · 罗斯柴尔德先生将到费里耶尔去待一晚上，在那里他将会接受与他有关的教导。”第二天，他接到了让他起身前往法兰克福的命令。他在那里的账房待了两年；之后他相信他的惩罚结束了；他给他的父亲写信后，收到的回信是“萨洛蒙先生的工作还没有结束”。而且收到的给他的新指令是在美国干几年。

这是一种带有讽刺意味但是又基于现实的说法，正如詹姆斯1861年8月给他的那几个年纪较长的儿子们信中所说的。他给这些儿子每人10万法郎的皮埃蒙特新债券，他明确地命令萨洛蒙不得“变现，这种念头根本就不准有，因为我希望不惜一切代价避免他有机会去与经纪人交流，或者再一次与公开市场接触……我不想允许任何投机的想法再次进入他的大脑里”。他永远丧失了以股东的身份进入合伙人的可能性。

仅仅是3年之后，萨洛蒙去世了——他是被杀死的，龚古尔听到的说法是："凶手是交易所里来自投机的压力——一名罗斯柴尔德家族的人死于金钱的压力！"多么不可思议啊，使他突发心力衰竭的似乎应该是一匹马，而不应该是交易所。正如夏洛特所说的：

> 可怜的萨洛蒙无法控制那种激动的情绪，这使他的心脏和循环系统一直无法平复。上个星期天，他还参加了赛马，回到家后非常疲倦，因为他一直在驯服一匹兴奋的马，这匹马差点把他的两条胳膊扯了下来。半夜的时候，他惊醒过来，浑身冷汗，并且出现了呼吸困难的情况；他冲到窗子前大口呼吸新鲜空气——这种不适他挺过去了。我相信他支撑到了星期三，这次致命的病魔抓住了他。从一开始，医生们就宣布没有任何希望了，因为这位可怜的病人开始咯血，而且他心脏的悸动是最让人束手无策的事情。他的意识一直很清醒，一直到他生命的最后几秒前，而且似乎并没有意识到他的身体状况。

最小的儿子埃德蒙（生于1845年）的遭遇要稍好些；但是一直到了1864年，他的大哥都把他当成是"一个孩子，在随后的5年或6年里都不应该进入公司里"。埃德蒙德是一个勤奋的年轻人，他通过了学士课程，成绩"不仅是令人满意的，而且是优异的"（这很让夏洛特嫉妒和懊恼），而且获得了允许他游览埃及的奖励——这是他整个一生当中对中东都充满了兴趣的开始。

新一代似乎开始颓废，部分原因是罗斯柴尔德家族拥有了惊人的人口数量，而其中只需要很小一部分进入合伙企业工作，但是他们所有人都有条件像个王子一样生活。除了其他所有可能存在的问题之外，这种情况意味着将出现大量的建筑工程。正像我们已经看到的，购买乡下的地产并建设乡村别墅在整个19世纪70年代80年代中期延续了数十年。因此，纳蒂和他的妻子爱玛对待他们在都灵的房子的态度，从本质上来说，也就没有什么新鲜的了。事实上，列昂内尔为他刚结婚的儿子在都灵所买的房子，在很多方面代表了老一辈追求的延续。这所房子与费迪南德的瓦德斯顿和阿尔弗雷德的霍尔顿——这是在这一时期购买或者建盖的其他英国房产——一样，它对于与它同时期的人来说，似乎只是代表了对家族王国领地在艾勒斯贝利山谷及其周边地区的增加。整个家族存在着在接受这些房子前要对现有建筑进行改造的习惯，纳蒂也无法免俗：在建筑师乔治·德威（George Devey）的帮助下，他把一所精致的阮氏风格的房子变成了一所冷漠刻板的维多利亚式的雄伟建筑。里奥对艾斯科特也做了类似的处理，艾斯科特是他从他的叔叔迈耶手里买下的，他也用了同一家公司，按照仿都铎风格对房子进行了改造。纳蒂和里奥两人也按照这种风格建造了新的田园别墅，提供给客人和在这些房地产里工作的雇员居住。事实上，纳蒂曾经尝试在都灵建立一种家长式的“福利社会”。

在地产方面的这些罗斯柴尔德投资要能算得上是新投资的话，只能表现在数量方面，而不是在质量方面。在这期间，法国罗斯柴尔德家族至少购置了 8 座新的乡村豪宅，有的是通过翻新，有的则是从草图开始新兴，包括埃德蒙的S型山庄德阿曼尼维利耶斯，这座山庄由朗莱斯和艾米尔 · 乌尔曼在 19 世纪 80 年代按盎格鲁–诺尔曼乡村风格建造。在奥地利，内桑尼尔买了两处新的乡村地产：一处在雷城垴，由建筑师阿曼德–路易斯 · 宝格和艾米利欧 · 皮欧联手建造的色彩斑斓的山庄佩尼罗伯；另一处在沃斯罗附近的恩泽斯菲尔德，是他从格拉夫 · 肖恩伯格处购得。他的兄弟阿尔伯特也买下了朗高，这是一处位于下奥地利的地产。而他们的姐妹艾丽斯建了两座房子：在瓦德斯顿的艾斯罗普和在法国南部伽塞的一座别墅。最后，在 19 世纪 80 年代晚期，法兰克福罗斯柴尔德家族的其他成员威廉 · 卡尔和汉娜 · 马蒂尔德在陶纳斯丘陵地区的科尼格斯坦建造了一座别墅，建筑师请的也是宝格和皮欧。另外，至少还有 7 座位于城区的新房子。或许还应该说的是在 1884 年，在犹太街已经拆除之后对罗斯柴尔德祖屋“扎姆–格伦恩–罗斯柴尔德”的重建：罗斯柴尔德家族有意识地想要把它保留下来，作为一种对他们犹太本源的纪念。与过去的情况一样，建筑的风格和设计师在家族内部流动，根本没有国家边界的考虑。在第三代和第四代中存在真正的不同，或许可能是相比较于 19 世纪 50 年代的英国风，在 19 世纪 70 年代和 80 年代对法国建筑师和建筑风格的偏好，这种趋势以德斯泰勒给费迪南德和阿尔伯特两人设计的作品最具代表性。

同样，更多的罗斯柴尔德人也意味着更多的艺术品收藏。事实上，前面几代人或许购买了很多的藏品，而且积累了可观的数量；但是通过在他们继承者之间进行的分配，引发了他们每个人都想买到更多藏品的动机。这无疑就进入了这样一个时期——此时的罗斯柴尔德家族成为了世界上最大的艺术品买家，因而 19 世纪 80 年代把他们所关注的艺术家和流派在主流艺术品市场上的价格推到了一个意想不到的高度。布罗涅汉姆、雷科特和芳汀的拍卖市场上到处都看得到罗斯柴尔德购买的大手笔，这使得很多人深感不安，其中包括女王美术馆的管理人詹姆斯 · 罗宾逊爵士——尽管夏洛特自己都一直认为应该把马尔博罗的藏品替国家买下来。这段时期对艺术品的疯狂也有它疯狂可笑的一面。1870 年，费迪南德用 6 800 英镑买下了乔治 · 德 · 基斯的一个用波纹装饰的盾牌，而同一件东西在 28 年前仅值 250 英镑。1878 年，埃德蒙花了金额在 24 000~30 000 英镑的一笔钱买下了一个为路易十五的情人杜 · 巴瑞夫人设计的塞夫勒瓷马桶，而当时她只花了 3 200 英镑。两年后，迈耶·卡尔给纽伦堡的梅克尔家族支付了32 000英镑，购买了由纽伦堡银匠温泽尔·杰姆尼泽尔在1550年时制作的一只局部镀金的珐琅酒杯，成为了当时最为昂贵的艺术品。然而，到1911年，当他出售大量的银器藏品的时候，在所有89件中，只有14件的价格超过了1 500英镑。费迪南德和居斯塔夫两人在1884年的芳汀拍卖会上花了超过7 000英镑购买了两只椭圆形的珐琅彩盘子，另外，费迪南德和阿方斯每人花了不少于25万英镑，在马尔博罗公爵的藏品中购买了三件（据推测）鲁本斯的作品。这是历史上首次出现画作的价格卖出了20 000英镑以上的高价。15年之后，埃德蒙德走得甚至更远，他花了48 000英镑购买了德·查塞尔公爵那张滑稽可笑的装饰华丽的办公桌（这张桌子早先的主人中包括了塔勒格朗和梅特涅）。甚至连纳蒂——他素有对艺术品没有兴趣的名声——都无法抗拒这种诱惑，也为他从父亲那里继承下来的18世纪英国艺术品藏品中增加了新的收藏。1886年，他支付了大约20 000英镑，在第二届杜德勒伯爵藏品拍卖会上拍到了雷诺兹的《在悲剧与喜剧间的加利克》。里奥也给他从父母那里继承下来的36幅画中添加了新的成员，尽管他的兴趣更为折中一些，范围从鲍切尔到斯达布斯，从弗朗兹·斯奈德斯到霍伽斯。

这期间能算得上是质的创新变化的，是新一代的某些成员——具体来说就是阿尔弗雷德、内桑尼尔和费迪南德——对他们的乡村豪宅、花园和艺术品收藏的那种关注。说起来，阿尔弗雷德在霍尔顿的房子由威廉姆·罗杰斯按照法国17世纪的风格设计（建造工作在1882~1888年完成），看起来并不比门特摩尔更显壮观；事实上，其主墙还更矮些。能给到访者留下印象的是那些新奇的玩意，比如私人马戏场、保龄球道、溜冰滑道、室内游泳池和印度亭子，简直让人觉得有些匪夷所思。阿尔弗雷德的油画与艺术品收藏也并不比他父亲的更让人赞叹。荷兰大师作品、18世纪的英国和法国油画、塞夫勒瓷器、法国家具、银器——这些都没有超出上一辈的收藏范围。尽管他总共购买了160幅新作（而他继承的是38幅），这些画作也都体现了其父所偏爱的那些不同的主题（格鲁兹、隆姆尼、雷诺兹、赓斯博罗、克耶普）。真正的不同是阿尔弗雷德对18世纪法国作品的明显偏好。他确实发行了一套装订和插图都非常精美的两卷本新藏品目录，还收集了大量的塞夫勒瓷器（包括60只花瓶和其他的物品以及6套餐具），或许也包括了他对女性肖像的热衷。阿尔弗雷德并不是表现出对音乐有兴趣的罗斯柴尔德第一人（他谱写了6首钢琴曲，以“玫瑰之蜜”为题献给迈耶·卡尔的几个女儿），但是他肯定是指挥自己乐队的第一人。老一辈的罗斯柴尔德人并非对表演作秀要刻意表示出有多么清高，但是很难想象他们中谁会装扮得像马戏团的节目主持人，头戴着高帽子，身着绿色长礼服，手上戴着淡紫色的手套，挥着一支镶有钻石的黄杨木指挥棒。毫不奇怪，有些客人会厌恶这种“令人生厌的丑态、过分的卖弄！纸醉金迷的腐臭扑面而来……满目尽是惨不忍睹的粗俗”。阿尔格农·维丝特爵士是格莱德斯通的秘书，他把这种情况鄙视为“一种夸张的浮华噩梦，以及没有任何意义的放错地方的富丽堂皇”。他的继任者爱德华·汉密尔顿对此深表赞同。他评论说：“这些装饰做得太过火了，人们放眼看去，总是避不开镶金的或者是黄金的色彩。”戴维·林德赛对此表现出了更多的鄙视，他回忆道：“阿尔弗雷德浑身都是财富的霉点。”

费迪南德位于瓦德斯顿的房子由德斯泰勒以一种混合了文艺复兴和18世纪法国元素的风格进行设计，这所房子的建造非常不容易，因为建筑选址处土质为沙土，而且这种地形排水非常困难。但是最后的结果却非常成功，有人甚至认为它是罗斯柴尔德家族的房子里最为成功的。该房拥有（现在仍在使用）非常漂亮的花园、50个温室，以及很多工人。当他的妹妹艾丽斯在1898年继承了瓦德斯顿的时候，光是花园每年就要花去7 500英镑来维护，还要再花10 000英镑来维护其他的地方，包括农场和奶牛场。在内部，有令人目不暇给的收藏品，包括克耶普、德·胡希以及特尔·波尔希等荷兰大师的作品，还有隆姆尼、雷诺兹、和赓斯博罗（对于这些作品，费迪南德花了很大的工夫去使他们变得更加时尚）等英国大师的画作。

然而，瓦德斯顿——一座位于白金汉郡最深处的鲁瓦酒庄，也并不招所有的人喜欢。格莱德斯通的女儿玛丽在参观的时候就觉得“过度的华丽和奢华让人感觉到压抑”。自由党参议员、政治家理查德·豪登曾经担任罗斯柴尔德的法律顾问很多年，他也嘲笑费迪南德盛情的矫揉造作。他在1898年宣称：“我确实喜欢这种表面的奢华。”“当早上躺在床上时，我会觉得得到了极大的满足，一名仆人会轻轻地走进房间询问我是要喝茶、咖啡、巧克力还是可可。这种特权与我在所有那些尊贵的朋友的家里所享受到的一样；但是，只有在瓦德斯顿，在我说我要茶的时候，男仆还会问我是喜欢锡兰茶、中国红茶还是阿萨姆茶。”戴维·林德赛评论时说，“费迪南德男爵的双手总是因为过敏而发痒”：

> 在他满心猜忌、小心翼翼地照顾他的客人的喜好的同时，他又时常会很急切地走来走去。我没有能够看出他的那些无价的画作给了他真正的快乐。他付出25 000英镑得到的钟、30 000英镑得到的书桌，他的雕像、瓷器以及那些无与伦比的珠宝、珐琅等物件（他称之为“小玩意”）——所有这一切能带给他的满足微乎其微；而我觉得他只有在向他的朋友展示这些藏品时，才能从中得到一些乐趣。就算是在这时候，人们也能看到他对那些无知的或者是不恰当的评论是怎样断然地给予批驳……在花园和灌木林中，他才得到了真正的快乐……

只有当置身于灌木林和兰花中间的时候，费迪南德男爵神经质的双手才会变得自然起来。

费迪南德常常给另一位关系亲密的朋友罗斯伯里伯爵写的神经质的信中，也给人留下了类似的印象。就算按照当时的标准看，这种关系也应该饱受指责，尽管费迪南德那种满腔的热情似乎并没有得到完全的回应。当他在1878年对罗斯伯里表白的时候，他把自己的个性做了很好的总结："尽管我住在金碧辉煌的大理石房间里，但我其实是一个孤独的、饱受痛苦的，有时甚至是非常可怜的人。"另一位朋友爱德华·汉密尔顿在费迪南德1898年去世后写下了一篇充满矛盾的笔记，很值得我们来大段引用一下：

> 他是近些年我看望得最多的人，也是给予我最大、最多、始终如一的关怀的人。他总是在瓦德斯顿给我留着一个房间，在他的游艇里给我留着一间舱室……尽管他不可避免地在年轻的时候会为自己的无知支付学费，但我相信与几乎所有的收藏者比较起来，他的受骗经历并不多。他的感觉就算有时候出点问题，也只会在他给别人挑选礼物的时候……他并不像家族里的其他成员那样，因为他不愿意与财富分手……而且一直担心陷入窘境……他的举止并不十分得体，通常还会表现得很无礼。他经常会得罪别人或者被别人得罪；但是，从本质上说他是一个善良的人，而且对朋友很忠诚。没有谁比他更能始终如一地和朋友如此相处……而且给予最衷心的欢迎。独自生活了这么多年后，而且是这么多年要什么有什么的生活之后，他习惯了一种很自私的方式，这其实也不会让人觉得惊讶。一个被宠坏的孩子长成了一个被宠坏的人……他最主要的性格或许是他冲动和浮躁的特质。他总是行色匆匆。他不是吃饭而是吞饭，他不是走路而是跑路……他不会等任何人或者任何事……他的身上总是有很多奇怪的矛盾。他总是对自己非常的担心，为最不起眼的焦躁派人去找医生，但是他常常不听从医生的意见。他把最小心地照顾自己作为了一种原则，但他又经常鲁莽行事。他总是为自己的民族和家族而感到自豪，而且很喜欢谈论他的祖先，仿佛他的祖先是世界上最杰出，而且血统最高贵的……我怀疑他是否真的有过什么幸福的生活。

这不仅为我们了解费迪南德的性格特征提供了很好的素材，同时也让我们能更加全面地认清家族成员之间和政治精英之间关系的实质。

与阿尔弗雷德和费迪南德一样，内桑尼尔把自己的主要精力也都奉献给了各种类型的豪宅、艺术以及他自己敏锐的鉴赏力。他建于特雷贤纳姆伽塞的文艺复兴风格的名为“大厅”的房子是最伟大的罗斯柴尔德城镇豪宅之一。按照有些人的说法，他在项目开始的时候就花光了所有的钱，不得不向他的父亲借了100万古尔登。（但是这并没有阻止他稍后又花了数十万古尔登从那不勒斯进口玫瑰花。）房屋的内部几乎整个是法国风格（其中的一个由雕刻家弗朗索瓦—安东尼·佐尔格负责设计装潢的接待间特别华丽），而艺术藏品也是类似的混杂型：格鲁兹、雷诺兹、伦勃朗和凡·戴克的画作以及数不胜数的与玛丽—安托妮特有关的家具物品——一句话，整个是“罗斯柴尔德喜好”的大集合。与阿尔弗雷德一样，内桑尼尔拥有自己的乐队；与费迪南德一样，他花费了大量的精力在他的花园上，特别是由宝格和皮欧以及让·吉雷特在1884年为他建造的公园和暖房。而且，我们可以肯定，内桑尼尔拥有特别敏感的灵魂。由于患有抑郁症，他的失眠情况非常严重。事实上，按照赫尔曼·戈尔德施密特的说法，就是由于要找一处适合他睡觉的地方，他才买下了雷城堝和恩泽斯菲尔德两处地产，尽管后面这个地方他只住了一个晚上。当听说到当地有传染病的说法后，他第二天就乘第一班火车离开了。当乘坐他那艘花了400万古尔登的英国造游艇出海巡游的时候，他也从不驶离海岸太远，因为他总是担心会掉到海里淹死。

在这里，我们并不是想贬低罗斯柴尔德家族的收藏对这个时期艺术品市场的贡献。阿尔弗雷德作为国家美术馆和华莱士收藏馆的理事，把他的鉴赏经验和技巧推广给大众；另外还有费迪南德把他从父亲的夏茨卡姆纳继承来的一些很不寻常的藏品，与他自己收集来的部分藏品一道留给了大英博物馆。阿方斯也为第三共和国的多家博物馆做了大量的公益捐赠。在1885年被选为美术学会会员后，他不仅收集了大量的私人藏品（主要是荷兰的大师级作品），同时也为150家不同的博物馆捐献了大约2 000件作品——包括当代画家比如罗丹的作品。关键的问题在于，对于阿尔弗雷德、费迪南德和内桑尼尔来说，他们的艺术修养已经超越了修行的阶段。这应该是一种奥斯卡·怀尔德的短篇小说《模范的百万富翁·羡慕篇》中所暗示的脱胎换骨。这篇发表于1887年的小说描写了一位穷困潦倒的花花公子给了一位可怜的老乞丐一枚金币，因为一位艺术家朋友正在画他的肖像。这名“乞丐”结果是乔装的“豪斯博格男爵”，“欧洲最富有的人之一……（他）可以在第二天就买下整个伦敦，而且根本不用取他银行账户里的钱……他在每个首都都有房子，吃饭时用的是金盘子”。他还是这位艺术家的赞助人，要求他“把他画成一个乞丐”。（可以想见，男爵对年轻人的慷慨给予了回报，他给了年轻人为娶心上人所需要的10 000英镑。）在这里，罗斯柴尔德的逸事演绎成了经典，“模范的百万富翁”成为了仁慈的艺术赞助人，完全脱离了他的百万财富的起源——尽管想象阿尔弗雷德乔装成乞丐，哪怕就是为了开个玩笑，也是一件有一定难度的事情。

合伙人

然而，所有这些“颓废”的症状对罗斯柴尔德家族的银行业务到底会有多大的实际影响？这个问题仍然找不到答案。这些奇闻逸事般的证据说明了这种情况确实存在。当野心勃勃的年轻的汉堡银行家马克斯·沃尔伯格在19世纪90年代到纽考特去当学徒的时候，阿尔弗雷德曾经很肯定地告诉他：“绅士不会在上午11点以前出现在办公室，也不会在办公室待到下午4点之后。”按照一名在第一次世界大战后加入到银行工作的罗斯柴尔德雇员的说法，里奥每天的日程是早上11点到，下午1点30分去吃中饭，5点回家；阿尔弗雷德一般情况是下午2点到，然后3点30分到4点吃中饭，剩下的时间中基本是在合伙人办公室里的沙发上睡觉。尽管纳蒂工作要努力得多，但是留给人的印象也是没有全心投入。曾经有人问他是否有金融成功的公式，纳蒂习惯性地回答：“是的，通过快捷的卖出。”这种态度有时候被看成是一种过度的风险厌恶的表现。他对罗斯伯里抱怨说，在伦敦的“旺季”结束之后，待在办公室里完全就像是“一个孤独的隐士”。竞争对手以他们前所未有的态度斥责纽考特的这种行为。爱德华·巴林评论道，罗斯柴尔德家族已经变得“如此不可理喻而且懒散，很难保证一项生意在他们的领导下能正常顺利地开展。他们拒绝探索新的领域，而且他们的智慧和能力并不处于很高的水平”。厄内斯特·卡塞尔是一位在19世纪90年代新闯入金融城的活跃分子，他更是对他们表现得不屑一顾。他1901年宣称，这几兄弟是“绝对的废物，而且在智慧方面没有什么过人之处”。

可以肯定，伦敦的罗斯柴尔德家族得到了年轻的汉堡人迈耶·卡尔的大力辅佐，他在19世纪80年代的时候成为了一名心腹员工，而且以“一贯勤勤恳恳”的方式默默地奉献着。迈耶给他妻子的信向我们表明，在合伙人办公室的外面，生意在纽考特仍然以一种快速的节奏继续着。“我从今天一大早起就一直忙个不停。”他在19世纪80年代中期的一封很有代表性的信中这样告诉他的妻子，

> 男爵阁下（纳蒂）叫我跟他到私人餐室与他一起用餐——所以你可以想得到我是怎么工作的……我一整天都特别忙，而且如果我想在星期五晚上休闲一下的话，我还得继续这样忙下去。但是必须这样……我没有太多的东西告诉你，能告诉你的还是那个我几乎握不住笔的老故事，我一整天真是太忙了……像牛

马一般过度劳累。

迈耶是合伙人午餐桌上的常客，但这并不是为了闲聊，而是为了收集信息，午餐还会邀请其他的银行家、其他的兄弟和公务员参加。然而，当他在1890年试图升职到买办（薪水要求每年6 000英镑，有权代表公司和他自己的办事处签署文件）时，被断然拒绝。1897年，他的辞职要求获得了批准。按照金融城里流传着的说法，几兄弟觉得他的“胃口会越来越大”。他离开后便投到了厄内斯特 · 卡塞尔门下。

这种盛气凌人地对待属下的情况愈演愈烈。在1905年，迈耶 · 卡尔听说阿尔弗雷德正“变得让员工前所未有地难以忍受，而且对待那些在公司服务了30多年的人就像对待办公室的杂役一样”。股票经纪人对这种态度也觉得非常恼火。根据赫尔伯特 · 瓦格公司的阿尔弗雷德 · 瓦格的回忆：“与罗斯柴尔德爵士的会面速度快得惊人……他走进来，在他的桌子上放上一块表，明确表示会面只能持续5分钟，或者3分钟，或者甚至更短。”有一次，纳蒂问经纪人弗雷德 · 克瑞普斯力拓股票的价格，得到答案后他说：“你说错了0.25个点。”克瑞普斯很不明智地回答道：“你既然已经知道了，为什么还要问我？”他回忆说，“房间里出现了可怕的沉默。我彻底地绝望了，在令人窒息的沉默中我很快地退了出来。”阿尔弗雷德 · 瓦格在1912年也有类似的经历，当时他去告诉纳蒂他的公司打算退出股票交易：

> 到达纽考特后，我要求单独拜见罗斯柴尔德爵士，因此他到大楼后面的一间小房子里接见我。我把信交给他（信中解释了我们公司退出的原因），我们提出的条件不可能更好了。他坐下来很认真地看完。然后他站起来说，“嗯，你最了解你自己的生意。”然后走出了房间。对两家亲密合作了上百年的公司之间的关系终止没有说一句祝福的话，也没有任何遗憾的表示。

正如我们将要看到的，弗雷德 · 克瑞普斯对纳蒂接见访客时的准皇室做派的评论并不是一点儿不靠谱：“人们在被引入内室去拜见前都在候客室等着，随后被带领着鱼贯而入，就像在白金汉宫一样。”这种事情让那些被接见的人在接见完后都觉得不可思议，有一种时空错乱的感觉，而且觉得这与他们公司在金融领域所具备的金融地位也不相称。

类似的对他们骄傲自大的指责在同一个时期也出现在法国罗斯柴尔德家族的身上。在1875年，里昂信贷银行的亨利 · 吉尔曼评论说，阿方斯把业务问题与“某种尊严搅在了一起，而这种情况对业务的成功没有好处。他自己从不屈尊出来处理问题，而总是等着人们来找他”。帕尔梅德曾经说过，这一时期，罗斯柴尔德家族开始

“走下坡路了”，将他们在法国经济生活中的领先地位让给了像施耐德这样的工业大亨。1914 年公布的一项研究报告表明，尽管罗斯柴尔德的名字继续出现在法国市场上所发行的大额贷款活动中，但是实际上这个时候在新发的债券中所占份额最大的是储蓄银行。罗斯柴尔德银行仍然保持着其“道义”上的影响力——特别是在那些外交因素非常重要的场合，但是罗斯柴尔德巴黎银行真实的金融势力却明显地在下降。

在合伙人中间相互的通信往来中也有证据支持这些观点，比如，对于来自竞争对手的不停的抱怨。“其他的人都已经变成了百万富翁，”迈耶 · 卡尔在 1869 年抱怨道，“而且……公众都在嘲笑我们一直不断的那些愚蠢做法。”“事实是，”他在第二年非常忧郁地继续说道，

> 所有的这些组织（意指那些股份合作制银行）都如此强大，而且赢得了所有人的支持，所以它们不再有求于我们。而且如果我们完全撒手让位给它们的话，他们会非常高兴，因为公众已经不再关心名气，而只是想要利润……那种自以为我们的地位仍然与 30 年前一样的错觉根本毫无用处。除非我们想被完全孤立，否则我们就必须与其他人一起努力，而且我毫不怀疑你们也跟我有同样的想法，因为所有这些银行都在试图寻找一切机会来反对我们，而且为了表示它们与我们一样有实力、一样有影响力，它们根本不会在乎付出什么样的代价……你根本想象不到竞争有多激烈，在所有这些新银行一门心思只想着把我们赶出局的形势下，我们的处境有多艰难。

这不只是大繁荣时期一种暂时性的特征。在 1906 年，纳蒂猛烈地抨击了（不只是出于嫉妒）他过去的学生——在汉堡的沃伯格，“他就像寓言里的青蛙，而且被虚荣给撑得很大，深信自己有能力控制欧洲的整个市场，以及每一个辛迪加中的所有大银行”。同时也会偶然出现自鸣得意的表述。“我同意你的意见，我亲爱的阿尔弗雷德，”阿方斯在 1891 年的时候写道，“既不要太忧虑竞争，也不要威胁财政部长们。我们应该只做那些适合我们，而且条件对我们比较有利的生意。”“我们很高兴继续采用我们传统的简单稳重的方式。”纳蒂在 1906 年（一封批评里昂信贷银行模式的信中）写道，“我们很满意……毋庸置疑，吉尔曼先生是一位很有能力的管理者，在组织建设方面很有一手，但是我们这里非常保守，我们认为他用以做交易业务的那套体系从本质上说是不道德的。”

然而——正如我们将要看到的——这种说法并不是绝对的，罗斯柴尔德的各家银行在 1878 年后的利润和资本（这些数据当然对当时合伙人以外的人是不公开的）方面的表现做得并不都是那么差。事实上，关键数据的持续有效的增长——特别是纳

蒂、阿方斯和阿尔伯特的数据——在某种程度上弥补了阿尔弗雷德、费迪南德和内桑尼尔数据方面的不足。可以肯定，合伙人中存在着不和甚至是争吵。如果要说有问题的话，问题就是这个世界不再适合于一家分别位于伦敦、巴黎、法兰克福和维也纳的跨国私人银行的金融活动模式。不同分行之间的利益冲突一直都是罗斯柴尔德体系的特点；但是从 19 世纪 60 年代开始，这些问题发展得越来越尖锐，而且最终导致的是合伙人体系在 20 世纪早期的解体。尽管在这个过程中，个人因素起到了一定的作用，但主要还是他们无法控制的经济和政治事件影响所导致的结果：欧洲资本市场的割据，1859~1871 年战争的影响，以及英国投资导向，还有法国对外投资都转向了欧洲之外的市场。

对罗斯柴尔德体系的理论探讨仍然时有发生。“由于所有的四家罗斯柴尔德银行都在各自为政，”迈耶 · 卡尔在 1862 年的时候说，“它们真的不需要有什么关联。”阿方斯在次年写道，对于这些新增加的竞争的最好回应，就是“再一次加强我们各家银行之间的关系，把我们所有的力量结合起来，形成一个握紧的拳头。”詹姆斯在 1865 年宣称：“我们必须紧紧地团结在一起，为此每个人都必须手拉手共同前进，让其他人可以确信每部分的业务之间没有任何的区别，而且银行之间应该相互鼓励和支持，让其他人完全了解你的生意情况，每个人都不会试图把所有的好处一个人揽下来。”他的这个想法或许是直接继承于迈耶 · A · 罗斯柴尔德的对合伙制理论的最后阐述，我们可以很容易地引述他死后那些年的账目来肯定这个老系统。一直到 1895 年，这种颂歌都还在不断重复。“每家银行都按自己认为最好的方式去做。”迈耶 · 卡尔写道，“但是另一方面，它们清楚所有的银行都是关联的，因此，没有哪个银行会从事可能损害另外任何一家银行利益的生意。”

然而，现实的操作中并不能保证总是遵守这样的联盟原则。第一个明显的分离标志是阿道夫做出的很显然是单方面退出合伙体系的决定，并且在 1863 年关闭了罗斯柴尔德家族那不勒斯银行，原因是那不勒斯市场已经“丧失了其自身的重要性”。这是一个完全没有先兆的事件，它吓坏了詹姆斯，而且花了好几个月的时间才解决了这个问题。这同时也是一种新的不信任情绪的标志，阿道夫开始的时候要求用 3 个月来查各家银行的账，之后才接受最终的解决方案，他甚至威胁说如果不同意他的方式，他将要开一家新的、独立的银行。他确实这样做了。在 1863 年 9 月 22 日，他放弃了合伙体制，退出了他的 1 593 777 英镑股份——基本上相当于已经清盘的那不勒斯银行的资本金（1 328 025 英镑）。然而，他想在意大利以半独立的方式从事业务活动的努力明显受到了詹姆斯的阻挠。詹姆斯此时公开宣称他是“渣滓”，而且是一个“最浑的浑蛋”；詹姆斯想告诉他“见鬼去吧”，并对儿子们说：“不要给他写信，以免让他沾光。”具体来说，詹姆斯听到他的侄子打算在都灵市场与罗斯柴尔德家族巴黎银行进行竞争时不由得大为光火。在放弃了他的继承权后，阿道夫已经被开除了族籍，尽管詹姆斯为了不让他投向地产信贷银行，在表面上还在安抚这个侄子。最终，阿道夫为了避免这种彻底的决裂，采取了整体地退出生意领域的方式，出售了他在那不勒斯的家庭居所，而且在普雷涅把他的余生都倾注到了他的艺术品收藏上面。

出现麻烦的第二个标志是安塞尔姆管理下的维也纳银行自治程度不断增加，这实际上已经超越了1863年的协议。当阿道夫宣布他退出时，安塞尔姆似乎也在寻求从技术层面上结束维也纳银行对法兰克福银行的从属地位，尽管家族的法律顾问伦格纳姆建议过他不要这样做（从根本上说，这样做存在的问题是安塞尔姆个人在合并后的资本里占有25%，尽管维也纳银行自身相对来说要小很多）。这种不平衡情况的持续存在导致了安塞尔姆和家族其他成员之间的关系不断恶化。到1867年，詹姆斯“认为由于这种奇异的方式，因而这种联合靠不住，这一点我们敬爱的叔叔（安塞尔姆）知道得很清楚”。安塞尔姆觉得应该保护自己，指责巴黎银行只是像对待“代理或者是通讯员”那样来对待自己。为此，他比预定的计划提前两年付清了维也纳银行欠法兰克福银行的应付债务，进一步加深了他与迈耶·卡尔之间的摩擦。这之后伦敦和维也纳之间又在1870年出现了类似的账务分家的情况。

巴黎与其他银行之间的关系也出现了某种程度的恶化，这并不只是因为1870~1871年的政治动乱。1868年2月，纳特觉得有必要警告他在伦敦的兄弟们：“到那天，你们会理解（与其他的情况一样）我们这里可以谈判的商业事务，公众可能会有理由认为我们长期存在的这种同盟关系已经变得相当严峻了。”疏远正在不断扩大的表现是巴黎合伙人变得越来越诡秘。家族间各分支的成员之间继续保持着像过去一样十分准时地访问巴黎的习惯——比如像安东尼和阿尔弗雷德在1867年——但是他们发现自己在办公室里被边缘化了，只是跟随着詹姆斯从一个会场跑到另一个会场，或者是签发一下日常的信件。费迪南德对1871年对于他的接待尤其感到恼火。他告诉列昂内尔：

> 我向您保证我亲爱的叔叔，当您在英国待了一小段时间，而且对“伦敦”家族的热情和亲切以及令人愉快的方式熟悉了之后，巴黎亲戚所表现出来的巨大反差就会让人觉得受到了强烈的打击。只要我向居斯塔夫提出一个问题，他就像有什么重大公司秘密要被我发现一样，似乎被吓得惊慌失措。他的回答总是非常含糊其辞，而且往往是顾左右而言他。

不被信任的感觉会相互传染：对巴黎银行工作方式的批评是非常频繁的。迈耶·卡尔在一封非常典型的写给纽考特的信中抱怨道："在巴黎，他们总是把什么事都抓在手里，特别是那些他们并不懂的事情，这样做的结果往往就是他们自己的管理出问题，而其他人则坐享我们辛勤工作的成果。"不得不承认，这些抱怨部分受到了巴黎银行相应增长的嫉妒情绪的加强。当阿方斯在詹姆斯辞世后编写他的资产负债表时，他很"开心"（而且其他的几家银行也一点都不沮丧）地发现，在过去的5年间，巴黎银行取得了"超过400万英镑的收益"。从另一方面看，它给了人们了解罗斯柴尔德内部会计工作的一个机会，这甚至让法国合伙人自己都觉得大为惊异。

冲突——与不断恶化的法国—普鲁士关系一样严重——的这些源泉解释了迈耶·卡尔后来所做出的决定的原因——不要"给他任何的事情做"，这里指的是他的巴黎堂兄弟。当费里耶尔被普鲁士人占领，而拉菲特大街又被社会主义者占领着的时候，对他的这种幸灾乐祸并不存在任何误解。他在1871年大发雷霆说："如果巴黎银行要坚持不理会我所说的，他们迟早将面对这样做所带来的恶果，或许现在都已经太晚了！"阿方斯站在自己的角度，觉得在尽力维护家族团结，反对其他银行分裂倾向的人就是他。而且他禁不住偶尔要对迈耶·卡尔的相对糟糕的金融业绩挖苦一下。他在1882年很刻薄地写道："我很了解我亲爱的堂兄弟们把责任都推给别的银行的习惯。""对于他们无与伦比的能力所能给出的最好的证据，应该是交出一份更好的资产负债表来。"关键的问题是，到19世纪70年代末期，四家银行之间的合作并不比每一家银行与其当地的同盟者多多少。

所有这一切均增加了对合伙协议进行修改的难度，而由于老合伙人的辞世，又使得修改变得非常必要。到詹姆斯在1868年去世时，合伙人之间的关系已经非常僵，使阿方斯都想躲避举行家族高峰会议来修改合伙合同的责任，因为他担心针锋相对的交流在"某些分歧特别大的家族成员面对面时会出现失控的状况"。"难道迈耶·卡尔和安塞尔姆不会相互拉扯对方的头发？"甚至在合伙人最终于1869年8月碰面之前，口水战就已经开始，而且在纳特死后一年，阿方斯再次想避开"编写一份新的资产负债表"。这一次，他成功了：一直到1874年，新协议的谈判才启动，而且从此之后，这类事情都是通过邮件来解决，不再采用传统的家族峰会的方式。尽管如此，刻薄的语言仍然时有发生。纳蒂在与阿尔伯特就费迪南德的遗嘱进行过争吵后，对阿方斯抱怨道："如果他在维也纳所执行的政策与他对待故去的亲人的手段类似，我能说的唯一的事情就是，我很惊诧于维也纳怎么会对犹太人这么宽容。"

1874年后的合伙协议有3个显著的特征。首先，按照阿道夫所设定的先例，各合伙人开始从合伙制企业里抽取巨额资金，而不只是靠利息生活。这种情况第一次大规模出现是在1869年，明显是在伦敦合伙人的提议下出现的，当时对每家银行提走

50 万英镑的提议进行了讨论。到 1872 年，这个数字增加到了 70 万英镑，因为（按照阿方斯的说法）“银行的业务是如此之好，减少点资本金根本没有什么影响”。理所当然地，安塞尔姆反对减少维也纳银行的任何资本金。然而，他的去世扫除了主要的障碍，而且 1874~1875 年的新协议允许从 3 550 万联合资本金中提取至少 800 万英镑。列昂内尔去世后的 1879 年新修订的合同再一次重复了这个步骤：这一次提走了 4 700 万英镑，将合并的资本减少到了 2 550 万英镑。当詹姆斯 · 爱德华在 1881 年去世的时候，又提走了 50 万英镑，同年稍晚的时候再次提走了 380 万英镑。1887 年的合同（在迈耶 · 卡尔去世的前一年）提走了 340 万英镑，1888 年的合同又提走了 270 万英镑，1898 年提走 280 万英镑。一年后又提走了 110 万英镑；威廉 · 卡尔去世时取走了 640 万英镑，阿瑟去世取走 200 万英镑，内桑尼尔去世取走 140 万英镑，阿方斯去世取走 450 万英镑。在 1874~1905 年从合伙企业中总共提走了 4 130 万英镑。如果这些钱一直留在生意里，那么它在 1905 年的时候的资本金（3 700 万英镑）至少要翻一番。罗斯柴尔德家族能够支撑如此巨额的减资安排，本身就非常了不起；然而，他们不再把利润投入到家族企业中这一做法更能说明问题。

除了处理过世的合伙人的遗嘱这一明显的需要外，对资本金的正式调整也是维持各个合伙人相互之间的股份相对平衡的需要；然而，现实的结果却不是这样。按照 1863 年合同的条款，股份应该是相同的；詹姆斯拥有 25%，安塞尔姆（作为萨洛蒙的继承人）、内森的儿子们和卡尔的儿子们也是同样的份额。而按照 1879 年合同的条款，詹姆斯的儿子们拥有 31.4%，安塞尔姆的儿子们 22.7%，迈耶 · 卡尔和威廉 · 卡尔 22.3%，列昂内尔的儿子们拥有 15.7%，纳特的儿子 7.9%。由于纳特的儿子是在法国出生成长的，因此他们可能会在出现争议的时候站在巴黎人一边，这使得法国合伙人比其他人获得了更多的支持优势，尽管这并不是绝对的多数。通过继承的奇妙变化从某种程度上改变了这些数据，但是并没有削减罗斯柴尔德家族法国的优势。到 1905 年，法国合伙人拥有了总资本额的 46.8%，不包括亨利的 3.9%；奥地利人为 25.9%；英国人只是 23.4%。然而，这些数据还不足以匹配巴黎银行的巨大规模，它拥有着全部联合资本的 57%，而维也纳是 22%，伦敦是 20%。个人与机构股份之间的差异——也是由于内部通婚和继承所导致的结果——可以通过这个事实来解释，奥地利和英国的罗斯柴尔德家族在巴黎银行中拥有巨额的个人股份。从这个角度说，合伙制确实一直到其终止之前（在 1905 年 10 月~1909 年 7 月）都仍然保存着内部的跨国特征。

其次，在 1874 年之后，有必要明确区分活跃的和“休眠的”合伙人，因为合伙人的数量一直在增加（到 1879 年，总共有 12 名合伙人）。例如，列昂内尔和安东尼坚称纳特在法国出生的儿子詹姆斯 · 爱德华和阿瑟不应该全部继承其父在伦敦银行中作为合伙人的全部行政权力。同时在 1875 年的合同中也明确规定了安塞尔姆的儿子，不论是内桑尼尔还是费迪南德，都将不被允许担任管理职务（一个有意思的事情是，这个合同试图剪掉维也纳银行的羽翼：合同规定阿尔伯特“在没有事先征询其他银行的意见并至少取得其中一家批准的前提下，不得进行任何的重要交易活动”。另一个“休眠的”合伙人是詹姆斯 · 爱德华的儿子亨利）。然而，在主要和次要的合伙人之间没有什么明显的区别：就其股份上来看，阿方斯总是与他的兄弟居斯塔夫和埃德蒙德处于平等的地位；同样，纳蒂、阿尔弗雷德和里奥在合伙地位上待遇也都一样，尽管纳蒂毫无疑问在管理着纽考特。同样的事情也发生在法兰克福，在那里，迈耶 · 卡尔是主要的合伙人，但是他和他的弟弟威廉 · 卡尔到了几乎互相不讲话的程度——他们甚至在两人共用的办公桌中间加了一块隔板，以免在签发书信的时候会相互看见。

最后，还应该解释一下一个表面看起来很矛盾的现象：由于各家罗斯柴尔德银行的合伙关系在实际运作过程中变得越来越松散，因此对这种合伙关系的修订也越来越频繁。这种解释听起来相当乏味：由于遗产税的引入，需要一种更精确的方式来评估每个人在合伙企业里的股份市值，因此，在 1899 年，大家第一次决定以年度为期编制合并的资产负债表。同时可能也有加强一些不严谨也不规范的合伙形式的法律方面的要求。霍尔顿爵士在后来的回忆中说道，大约在 1889 年他怎样“重新安排罗斯柴尔德的合伙体系，因为这个体系中的各种关系已经非常模糊，很有可能出现将整个家族置于某位不诚实的合伙人控制之下的情况”。然而，在其最后的 10 年里，这个合伙制实质上变成了英国—法国轴心，与维也纳的联系几乎终止了。很典型的，由伦敦银行在 1906 年贴现的 2 800 万英镑票据中，有 1 200 万英镑做到了巴黎银行的户头上。另一方面，当维也纳银行在 1908 年发行大额奥地利贷款的时候，纽考特甚至都没有接到过通知。在这样的情况之下，合伙体制在 1905 年没有再更新也就不会让人大惊小怪了。由内森、詹姆斯和萨洛蒙建立的伦敦、巴黎和维也纳银行变成了完全独立的实体的这一天，是罗斯柴尔德家族历史上真正的分水岭，因为就在这一刻，这种最初历史可以上溯到 19 世纪 20 年代的独特的跨国合伙“同盟”体系，终于走到了尽头。早在 1868 年，一名精明的法国记者就已经预见到了合伙制的这样一种破裂会意味着什么。罗奎普兰在回顾这个体系的起源时写道：

> 老迈耶的 5 个儿子在他们中间建立起了某种类型的经济均衡，而且这种均衡与黎塞留所梦想的欧洲均衡有着某些相似之处。这几兄弟所立足的地方中，

没有哪一个地方会为其他的地方做出牺牲，而且各个政府和每个个人对他们的信贷和资本提出的不同要求，使这些放款人的行为受到了限制，因为他们发现自己处于监督之下。这样就出现了通用的协定以及中间道路，用以缓和那些摩擦的起因、调和野心、减少失误……罗斯柴尔德银行……成为了欧洲金融的领导者。如果罗斯柴尔德银行分解成一家法兰西银行、一家英格兰银行、一家奥地利银行、一家那不勒斯银行，那么它的调停影响力就会散失。你们拥有的将只会是又一家全国性银行，你们不会再拥有这样的环球银行机构，一个可以限制和解决不同的欧洲国家之间的竞赛的机构。

然而，尽管我们一再试图用个人方面的原因来解释困扰罗斯柴尔德合伙体系的那些问题，其实结构方面的因素可能更为重要。这个时期，罗斯柴尔德家族维也纳银行和其他银行之间存在的问题的焦点是安塞尔姆愿意与那些对手银行，包括佩雷尔兄弟的下属银行、地产信贷银行，甚至是世仇艾兰格尔“集团”进行合作。这部分原因是其他银行把商工银行看成是维也纳银行的事实上的一个下属机构，而与此同时，安塞尔姆坚决给予否认。类似的冲突还出现在对那些罗斯柴尔德拥有很大但是又不是决定性利益的铁路公司的认识上。事实是，在所有的主要金融市场上，股份合作制机构的发展——而且事实上是与其他私人银行之间的携手——注定了要引发关于忠诚问题的冲突。罗斯柴尔德家族不再像过去那样强盛，他们不再能够不要当地银行的支持来独自承购大型的债券发行。每家银行因此都越来越多地与当地市场上的银行发展了非正式的伙伴关系——在伦敦是巴林，在巴黎是高级银行，在维也纳是商工银行，在德国是贴现公司——而且与这些银行的业务规模很快就超过与其他罗斯柴尔德银行之间的跨境交易金额。大家谴责法兰克福银行变成了汉森曼的“卫星”没错，但是巴黎银行也没有提供足够的生意来让迈耶·卡尔停留在自己的轨道上。

类似的问题还有，依靠领薪的代理人的这种传统体系操作起来也变得越来越困难。正如贝克尔和法尔德在阿姆斯特丹的例子中所说明的，当市场充满了各种机会的时候，你很难要求代理人完完全全地只投身于罗斯柴尔德的生意中；而他们利用自己的账户做的生意越多，也就更像是变成了竞争对手。纳蒂或许会谈到通过“采用……耶稣教会所使用的类似体制”来“取代”代理人，“首先，不让一个人在一个地方待得太久，而且还要派一名听话的犹太人去监视并随时汇报”。但是，不需要否认，老的代理人体系确实显得过时了。迈耶·卡尔对汉森曼的贴现公司的倚赖和对布雷希罗德的敌视也是这种潮流的一部分。

甚至在罗斯柴尔德各家银行的机构中，过去的做法也显得过时了。迈耶·卡尔在1873年时抱怨道：

> 一个职员离开银行后，要不就到另一家银行做经理，要不就用自己的钱创建一家银行。那些拥有巨大野心的犹太人是最坏的雇员。我知道他们只是想要把鼻子伸到四面八方，去掌握尽可能多的资讯，当发现什么适合他们的机会的时候，就会立即走人。根本就没有什么好职员，我告诉你那些都是完完全全的天真幻想……所有的这些新银行都开出了这样的薪水，以至于根本没有人想着努力工作。

从一开始，罗斯柴尔德体系就排除了让有才干的“外人”能升到比“职员”更高的位置上的可能性，以防止任何可能出现的对家族控制权的连续性的挑战。一旦股份合作制银行提供了“向能人开放的事业前景”，要想吸引和留住有能力的员工就变得越来越困难——这也是迈耶·卡尔离开的原因。

同样，法兰克福银行的衰败并不仅仅是因为迈耶·卡尔和威廉·卡尔没有生育出男性继承人。也不应该太过于责备两兄弟没能把业务做得更成功，尽管结果确实很令人失望，而且威廉·卡尔早在1890年就准备参与到经营活动中。还有部分原因是法兰克福作为金融中心的地位与柏林相比在日渐衰落。事实上，其他合伙人在威廉·卡尔去世后都还在谋划开一家“重生的或者新的法兰克福银行”，但是这个计划最终被放弃了，很可能是因为与法兰克福当局的税收争议没有解决。最后的结果是，罗斯柴尔德财富的根本源泉——M·A·冯·罗斯柴尔德公司终于在1901年关闭。可以肯定的是，罗斯柴尔德家族仍然保持在法兰克福的存在。事实上，米娜的丈夫马克斯·戈尔德施密特一直致力于让罗斯柴尔德的名字继续传下去——虽然是添加在名字的后面。尽管“冯·戈尔德施密特·罗斯柴尔德”在第一次世界大战之前是法兰克福城里（而且事实上是整个的德意志）最富有的人，而且尽管家族成员在1911年前10名纳税人中就占了5名，但是他们的资本收益却非常低。成为罗斯柴尔德实力衰落的另一个标志的是，老银行里的大多数员工都去为贴现公司工作了；与此同时，根据威廉·卡尔的遗嘱，由阿姆谢尔和萨洛蒙把他们繁荣的第一次高峰期间建于法尔伽斯的办公大楼变成了犹太人古代文物博物馆。

在这样的背景之下，在19世纪60年代和70年代出现了最后一波罗斯柴尔德内部通婚的浪潮：在已经结婚的第四代中的31名成员中，13名娶的是罗斯柴尔德家族的人。1849~1877年，总共出现了9次这样的婚礼，由安塞尔姆的女儿汉娜·马蒂尔德（在1849年嫁给威廉·卡尔）和朱莉（在1850年嫁给阿道夫）开始，然后是相隔大约10年后詹姆斯的儿子阿方斯（在1857年娶莉奥诺拉）和萨洛蒙·詹姆斯（在1862年娶了迈耶·卡尔的女儿阿德勒）。三年后，安塞尔姆的儿子费迪南德娶列昂内尔的女儿伊夫琳娜的婚礼是罗斯柴尔德同族婚姻中最辉煌的时刻之一。婚礼后在匹克迪利大街148号举行的晚宴有126人出席，包括迪斯雷利、英国海军部部长以及奥地利和法国的大使，而随后的舞会请到了剑桥公爵作为嘉宾。这次婚礼还有一个目的——而且也是被这样认为——就是恢复伦敦和维也纳银行之间的联系（费迪南德的母亲就是列昂内尔的姐姐夏洛特），而且小两口计划将他们的时间在匹克迪利和希勒斯多夫之间进行分配。事实上，安塞尔姆“哀叹了并不存在的镜花水月，他希望他所有的儿子都可以平等地得到这样的风光”。

这场婚姻很显然也是自由恋爱的，尽管费迪南德对于婚礼珠宝的热情某种程度上有点滑稽地超过了对他的新娘的热情。1866年12月，当她的丈夫在奥地利帮助她的父亲应付孔尼格拉兹战役之后的局面时，她由于难产去世了。这是英国罗斯柴尔德家族历史上最悲伤的时刻。“从此以后，我的生活只能用悲伤、痛苦以及苦涩的期待来点缀。”费迪南德告诉里奥，

> 我的生活有太多的缺憾，就是经过多年也无法修复，也没有任何的奇迹可以来缓解。从我很小的孩提时代我们就已经深深地连在一起了。随着年龄增长，我们碰面的机会就更多，我对她的爱也就更加深厚，而且在后来的几年中，她已经深深地扎入到我的心里，我所有的希望、担心、欢乐、柔情——事实上一个男人所拥有的所有情怀都直接或者间接地与她的存在连成了一体。我的未来再也找不到什么慰藉。我唯一的安慰来自于过去，重温那些已经远去的幸福时光，那时她和我在一起，那时我们是如此热烈地分享着幸福。

“彻底被一场无情地降落到一个原本充满着阳光和幸福的家庭里的灾难击毁，这使得他的生活陷入了一片黑暗和凄凉之中。”他没有再婚，但是越来越需要依靠他的妹妹艾丽斯的陪伴，而艾丽斯也一直独身。他给他的亡妻留下了两个感人的纪念：一家以她的名字命名的儿童医院，位于南瓦克的新肯特路；以及一处位于森林之门犹太人公墓中的墓地。

这场悲剧并没有阻止夏洛特在“合适的范围之内”为她的大儿子寻找一个伴侣的努力。一开始，她希望纳蒂“会陷入情网，或者是滑入那种令人愉悦的感觉之中，并且能使准男爵（安东尼）相当地高兴，主动提出许配一位他的女儿给纳蒂”。而当纳蒂表示了对迈耶·卡尔的女儿爱玛的兴趣时，她也是同样高兴，两人于1867年在法兰克福完婚。尽管他们的婚姻对于纳特的儿子詹姆斯·爱德华是一个打击，因为家族里的其他成员早就认定爱玛应该许配给他，而且认为这两个人才是绝配。严谨的纳蒂与苛刻的爱玛相互来讲应该比较适合，而詹姆斯·爱德华在1871年娶了爱玛的

妹妹劳拉·泰蕾兹，这也被认为是一桩好婚事，即使是显得不够浪漫。正如费迪南德说的：“从来没有哪一对夫妻比他们更幸福，他们记账，他们卿卿我我，他们谈论孩子以及房子，似乎以前从来没有其他人结过婚，而且好像他们的亨利是世界上唯一的亨利。（我相信他是一个怪人。）我必须说，我以前从来没有见过比他们更加好笑的小夫妻；如此矮小而且肥胖，就像是矮脚鸡。”

所有这些都证明了这些婚姻并不一定是父母之命，而通常都是建立在感情基础之上的；或许可能是因为家族共同的工作、社交和度假方式限制了可选择的婚姻范围。当夏洛特听说阿尔伯特与阿方斯的女儿贝蒂娜在1875年订婚的时候，她评论道：“没有任何一个初出茅庐的年轻人不被外人传说他想牵到他表妹的手，而且这样的揣测并没有什么特别，因为迄今为止我们已经有了这么多起内部婚姻。”他们在第二年举行了婚礼。很明显，阿尔伯特考虑过的唯一的其他选择是迈耶·卡尔的女儿之一。最后，在1877年，阿方斯最小的弟弟埃德蒙德娶了威廉·卡尔的女儿阿德尔莱德，而之前他曾经向她的堂姐玛格瑞塔求婚遭拒。

然而，到了这个时候，种种迹象表明同族通婚的行为不可能再持续太久。在1874，夏洛特听说“目前，入侵奥地利罗斯柴尔德家族的婚姻领地一点儿用都没有”，尽管没有就此给出任何理由。她在听到玛格瑞塔拒绝嫁给埃德蒙德的消息后，也充满了同情：“或许成为第八任巴黎罗斯柴尔德夫人的想法没有让她高兴。”由于从来没有公开的某种原因，埃德蒙德与阿德尔莱德的婚姻成为了这种纯罗斯柴尔德婚姻的绝唱。

这自然就出现了一个问题：这是否是因为家族开始担心这样的“生育”会出现基因风险？当纳蒂娶爱玛的时候，他实际上娶的是他父亲妹妹与他母亲哥哥所生的女儿。用现代基因学家的观点来看，这样的配对是非常愚蠢的。人们曾试图以基因学的手段来解释第四代和第五代成员中某些人的性格特质。然而，似乎找不出罗斯柴尔德放弃内部通婚的任何医学理由。尽管格雷高尔·门德尔的遗传学研究开始于19世纪60年代，但是一直到21世纪初才开始为人所知，在此期间，“优生学”理论在19世纪80年代开始大行其道，这种理论如果不能算是鼓励在家族内部通婚生育的话，起码是鼓励在人种种族内部的通婚生育。因此，让罗斯柴尔德结束内部婚配不是来自科学的原因，而是家族对待外部社会态度的改变——特别是对社会精英态度的改变。

贵族身份与贵族态度

第四代与他们的父辈之间最大的不同在于很多女性成员嫁给了非犹太人，而没有受到汉娜·迈耶在1839年嫁给亨利·菲茨罗伊时所遭遇到的责难。这些婚姻中的第一件发生在安东尼的女儿安妮和艾略特 · 约克之间，而后者是哈德威克伯爵四世的三儿子，时间是 1873 年。5 年之后，安妮的妹妹康斯坦丝嫁给了塞瑞尔 · 弗劳尔，后来的巴特锡勋是里奥在剑桥时的朋友。然后在 1878 年，迈耶的女儿汉娜嫁给了阿奇博尔德 · 普利姆罗斯，罗斯伯里伯爵五世，当时他已经是自由党内一颗冉冉升起的新星，后来出任外交部长，然后成为格莱德斯通的继任者出任首相（1894~1895 年）。同年，迈耶 · 卡尔的女儿玛格瑞塔嫁给了格拉蒙特公爵阿吉诺尔（前外交部长的儿子）。之后在 1882 年，她最小的妹妹贝莎 · 克拉拉嫁给了瓦格拉姆王子亚历山大 · 贝迪埃，拿破仑的总参谋长的后代。最后，在 1887 年，萨洛蒙 · 詹姆斯的女儿海伦嫁给了荷兰男爵艾蒂安 · 冯 · 乌林 · 德 · 尼维尔特。

这也可以被解读成正统的家族文化（开始时是对犹太教义的坚定信仰）已经开始稀释的迹象。这种观点被当时的很多犹太人所认同。1877 年 10 月的《犹太新闻报》这样写道："每个人的嘴里都在用希伯来语询问着，'如果火焰只能来自松木，那么墙上爬着的牛藤草有什么用处？如果深海巨兽都能钩住，小小鲤鱼又怎能脱身？'"事实上，这 4 个女人中没有谁转信基督教。康斯坦丝在结婚前显然有过这种考虑，因为她曾经说过她"只是人种上是犹太人，但是在宗教上以及所受教育上都不是"。"我的心灵里没有装进一丝一毫的犹太教义，我没有鹤立鸡群的骄傲感觉。"她这样写道，"我的教堂是普世的，有我的众生之父的上帝、我的慈善信念、忍让以及美德。我可以以任何名义拜敬伟大的造物主。"然而，她最后觉得改教"不太可能"，而且是"一个错误"，在她的余生里她仍然徘徊在"基督教的大门之外"。安妮同样一直信仰犹太教，起码名义上是这样。汉娜对家族信仰的忠诚可能要更强一些，尽管她是在教堂里结的婚，而且允许按基督徒的方式来培养她的孩子们，但是她仍然坚持在星期五的晚上点亮蜡烛，参加犹太教堂的活动，在赎罪日斋戒和祷告。尽管她尊重丈夫的苏格兰文化传统，但是她死后还是葬在了威尔斯登的犹太墓地，而不是德尔梅尼。

家族对这些婚姻的认同也不是无条件的。迈耶 · 卡尔在遗嘱里规定如果玛格瑞塔转信基督教，就将她从遗嘱里除名。到 1887 年，萨洛蒙 · 詹姆斯的寡妻阿德勒解除了海伦的继承权，原因就是她嫁给了外族，将她在贝瑞尔大街的房子留给了法国政府的艺术管理局。甚至阿方斯的孙子盖伊总是会被他的父母提醒："最重要的原则是不准娶不是犹太人或者不愿意改信犹太教的女人。"夏洛特在 19 世纪 60 年代的那些信披露了她坚持要求罗斯柴尔德的成员就算不能在家族内部通婚，也应该在同教里通婚的努力。她认为，对于罗斯柴尔德家族的女孩子来说，最理想的配偶应该是"那些出生于好人家的真正的犹太人"。在她认为适合安妮和康斯坦丝的丈夫候选人中——或者说事实上是适合她们的堂妹科勒门汀——最合适的是朱利安 · 戈尔德施密特。当她第一次听说安东尼的女儿们正被非犹太人追求时（下院议员亨利·勒恩诺克斯爵士是几个被点名的人中的一位），夏洛特很肯定“安东尼叔叔在提亲的时候肯定会说‘不行’，”而他们的母亲“也不会说‘同意’”。她认为：“高加索丈夫要比扁鼻子的弗兰克人更优秀，法兰克人是迪斯雷利对那些基督徒中的纨绔子弟的统称。”

到 1866 年末，夏洛特似乎接受了康斯坦丝会选择一位基督徒丈夫的事实。但是，当安妮公开了艾略特·约克的求婚时，他的父亲在来自列昂内尔和纳蒂的强大压力之下就是不予同意。迈耶和他的妻子朱利安娜也表示了反对，然而却遭到了他们的女儿汉娜大胆的而且是讥讽的反击；詹姆斯的寡妻贝蒂也是同样的态度。“我的悲伤真是难以言表。”她很直截了当地写信给安妮的母亲，“但是，这些悲伤还是无法阻止我对你的不幸表示我最大的同情，以及对我亲爱的侄子安东尼爵士的同样的感情。”就在这桩婚事得到了来自纳特的寡妻夏洛特以及安塞尔姆和阿尔弗雷德（代表加奈斯贝里的所有人）的支持后，安东尼终于对他女儿的恳求做了让步。尽管如此，康斯坦丝在完成了登记仪式后回忆道：“爸爸看上去非常伤心。我们都感觉非常害怕，安妮也不例外。”后来发生的事情似乎以某种方式证明了怀疑者的担心：尽管这场婚姻表面上看起来很幸福，约克却在婚后的第 5 年去世了。

第二个在安妮的妹妹康斯坦丝与里奥的朋友塞瑞尔·弗劳尔之间的这种“混合”婚姻也不是很成功。这桩婚事中的问题是“一表人才的”弗劳尔很可能是一名同性恋者，他的女性扮相在剑桥非常有名。公平地讲，执著的康斯坦丝似乎非常满足于嫁给一位当时非常“有前途的”自由党议员（她自己当时是一位禁欲主义者），而且在 1882 年对他的地位上升到巴特锡伯爵的贵族身份也是毋庸置疑地欢迎。但是当他在第二年被格莱德斯通任命为新南威尔士的总督时，康斯坦丝拒绝离开她的母亲（以及自己负责的慈善工作）随他到澳大利亚赴任，因此他不得不推掉了这个任命——他的妻子担心这个决定可能会“毁掉我亲爱的塞瑞尔的大好前程”，并使他们陷入“悲凉的年景”中。

那段时期内的所有这些混合婚姻中最有名的是迈耶的女儿汉娜和罗斯伯里的结合。这桩婚事里也有很多罗斯柴尔德家族反对的证据。尽管从 1876 年起就有结婚的谣传在传，但是他们订婚的消息一直到双亲都已经过世才公布出来；而且没有任何一位男性罗斯柴尔德成员出席这场婚礼，因此由迪斯雷利来送走新娘。而且，这一次也有人认为罗斯伯里对告别单身显得非常不情愿。最为过火的说法是，罗斯伯里是一个厌恶女人的人，他娶一位罗斯柴尔德人的主要目的是出于经济考虑。汉娜在当时是最富有的女继承人之一，不仅继承了门特摩尔和匹克迪利 107 号，还有每年 10 万英镑的收入。这就使她成为了那些野心勃勃的政治家眼里的一块肥肉，尽管事实上（用她堂姐康斯坦丝的话说），她对“那些大事一点兴趣都没有”，而且（用她丈夫的话说）表达自己思想时非常“孩子气”。

还有人声称罗斯伯里隐约有些犹太歧视的倾向。“有天晚上在门特摩尔，”博尔卡瑞斯伯爵戴维·林德赛在很多年后回忆道，“当时汉娜·罗斯柴尔德正在举行家庭聚会，而这次聚会上，她的同胞异乎寻常得多，所有的女士都集中到了主楼梯的下面，准备手持点亮的蜡烛上楼去。罗斯伯里站在离她们很远的地方举起了手——他们都非常疑惑地看着他，然后听到他用一种非常严肃的语调说，‘啊，以色列人，回到你的帐篷去。’”林德赛也听说，“在汉娜死后一周都不到的时候，他就开始削减给犹太人的慈善捐款，而且不久之后就全部取消了”。最后，坤斯贝利侯爵九世声称，罗斯伯里、他的私人秘书德拉姆朗瑞格爵士与同性恋圈子有染，而当时这个圈子中最臭名昭著的成员是奥斯卡·怀尔德。

然而，这种说法根本站不住脚。不管怎么说，罗斯伯里已经在苏格兰拥有了巨大的不动产（德尔梅尼），同时在艾普森拥有一所房子（德丹斯），而且每年收入超过了3万英镑。他比所有人都更有不为钱去结婚的条件。罗斯伯里对汉娜的爱也没有任何的怀疑。在给格莱德斯通的信中，他描绘他的订婚是“我一生中最重要的时刻”。他的日记中有关她的内容很少这一事实，有时候会被解读成缺乏感情的证据，但是，如果他只是把日记当成是他的政治活动的记录，那么那种相反的说法可能更接近实际。1877年与家族成员一起晚宴和午宴的次数证明了这是一次非常积极的求婚，而1878年的日记中婚礼后那一个月的完全空白，说明了汉娜给了他比写日记更好的事情做。博尔卡瑞斯误解了一个简单的玩笑，而坤斯贝利完全应该被作为由诺尔·彭姆贝伦·彼林在第一次世界大战期间提出的疯狂的“性倒错阴谋”理论的先行者而遭谴责。

另外，还有很多证据证明罗斯伯里依靠汉娜提供他自己缺乏的政治“动力”。格兰威尔半真半假地敦促她说：“如果你能让他不松劲，他肯定会在历史上留下自己的辉煌。”而爱德华·汉密尔顿评价她有“很让人侧目的……让其他人努力工作，而且鼓舞他们士气的天生的能力”。温斯顿·丘吉尔也把她描述成“一个非凡的，让他（罗斯伯里）可以依靠的女人……她一直抚慰着，调整着他生命中的各种元素，这些事情他自己永远也不可能再次找出来，因为他不可能再对其他任何人给予完全的信赖。”这些评论增加了下面这种说法的可信度，按照这种说法，汉娜为哈姆弗瑞·沃德的小说《马塞拉》（1894年）和《乔治·特雷萨地爵士》（1909年）中野心勃勃的马塞拉·马克斯威尔提供了原型。丘吉尔认为，汉娜由于长期受伤寒的折磨，最终悲惨而且痛苦地于1890年辞世，这“彻底击毁”了罗斯伯里。这种观点来自于他简练但是明显表露出痛苦的日记。对于他在葬礼上的表现，亨利·彭松彼爵士看到他“一句话都没说，只是尽可能地靠近棺木，直到它被放入到墓室里。罗斯柴尔德爵士把他搀回到教堂，但是他一直低着头……他希望他能向公众表明他能够摆脱这份悲伤，但是在私下里，他彻底崩溃了”。在她死后，罗斯伯里与罗斯柴尔德家族其他成员的关系仍然一直都很亲近。

但是也应该强调，这些混合婚姻中的其他方面也会存在问题。罗斯伯里的母亲克利夫兰公爵夫人强烈反对自己的儿子选择“一位对耶稣没有信仰和愿望的人”作为他的配偶。“如果不做出巨大的牺牲，那么两个不同信仰的人不可能结婚。”她这样告诉她的儿子，“而且——请原谅我多嘴，这种情况会让那些最爱他们的人痛苦和失望……你还必须要承受世界对你的不公平裁决。”在妻子葬礼后的第三天，罗斯伯里悲痛地禀报维多利亚女王：“整个悲剧中还有一件痛苦的意外事件，这就是在死亡的那一刻，信仰的差异自然而然冒了出来，另一种宗教来索要尸体。这是无法避免的，而且我也不抱怨，我妻子的家族已经非常通情达理了。但是再没有什么会比这种情况更让人觉得撕心裂肺了。”

最后，要记住的很重要的一点是，这些婚姻中没有一个是男性的罗斯柴尔德人。由于合伙制中对于资本的继承人以及老迈耶·艾姆耶的宗教遗产方面的要求，他们在结婚时选择的自由非常有限。由于这个原因，真正的问题关系在于阿尔弗雷德和他的情人玛丽（“敏纳”）·维姆布威尔（娘家姓波耶尔）——不仅是一名基督徒，而且还是已婚的女人。尽管他可能已经跟她有了一个私生子（孩子取名艾尔敏娜），我们不清楚阿尔弗雷德是否考虑过婚姻；可以想到的是，在不可避免而且无法逾越的家族反对之下，他放弃了这个想法（尽管另一个可能性是阿尔弗雷德事实上是一名同性恋者）。阿尔弗雷德没有再犯下他的曾祖父认为应该下地狱的错误。当艾尔敏娜嫁给卡纳万伯爵时候，他给了她 50 万英镑的嫁妆（另外替他们处理了 15 万英镑的债务），并且把他 150 万英镑地产中的一定比例给了他们以及他们的孩子（12.5 万英镑以及位于希莫尔地区的房子）。

简单来说，上面所描述的各种“混合”婚姻不应该被看成是家族态度出现巨大转变的证据。然而，在詹姆斯生前，很难想象这种事情会发生。事实是，所有这些婚姻都与另一个贵族家族的结合（在康斯坦丝与塞瑞尔·弗劳尔之间有一点例外，因为后者是在结婚以后才获得的贵族身份），这并不是巧合。人们认为这些与英国及法国精英们的结合所带来的社会利益远远超出了宗教妥协的成本。但是，如果认为这是为了提高社会地位所采用的某种手段，那就大错特错了。从某种程度上说，按照《犹太新闻》的说法，正是罗斯柴尔德家族社会地位的提高，才使得这类婚姻有可能出现：康斯坦丝能遇到塞瑞尔·弗劳尔是因为她的堂兄能到剑桥上学；汉娜遇到罗斯伯里是因为她的父亲是一位有名望的政治家及体育家（据说他们是在新市场由玛丽安娜·迪斯雷利介绍认识的），而且还因为费迪南德与罗斯伯里很熟。正如卡西斯已经证明了的，19 世纪末期金融城里的银行家把女儿嫁给贵族的比例非常高（在他选取的私人银行家的样本里不少于 38%，按全部银行家及银行董事算的话至少 24%）。

在这一时期的罗斯柴尔德家族与贵族之间的关系中存在的问题经常被提及。其中最受关注的问题是，纳蒂在 1885 年被提升为贵族，这代表罗斯柴尔德家族自老迈耶的年代就开始发动的社会认同运动的最后胜利。与此同时，那些认为 19 世纪下半叶出现的“封建化”进程侵蚀资本主义的企业家精神以及自由精神的人，也经常引用这件事来作为例子。现实其实更加复杂。从准男爵到世袭的贵族身份的转变，其根源在于罗斯柴尔德与继任首相以及与皇室成员之间的关系，因为社会地位的提高是作为对参与政治或公共事务的奖励，而且也是皇室眷顾的标志。同时还值得关注的是，对于犹太人在国会下院取得席位权力方面，英国在很多方面落后于其他欧洲大陆国家。

奥地利方面的情况充分说明了所涉及的地位等级的敏感问题。从技术层面看，罗斯柴尔德家族最先是在 1816 年的时候从哈布斯堡皇帝那里获得了上等人的身份——名字中的前缀“冯”以及一个纹章，6 年后又加上了一个“男爵”头衔。然而，一直到 1861 年，才有一位罗斯柴尔德人——安塞尔姆获得了贵族的政治待遇，在帝国议会中获得了席位。而根本性的社会成就——上朝的权利一直到 1887 年 12 月才获得，当时，阿尔伯特和他的妻子被正式宣告成为“国戚”。根据《时报》的报道，这是“第一次在奥地利对信仰犹太教的人授予了这种特权，而这个事件在社会上引起了轰动”。也就是在此之后，罗斯柴尔德家族的成员和奥地利皇族的成员才开始了在奥地利社会上的融合。具体说来，内桑尼尔以一种他父亲和祖父根本无法想象的方式被维也纳的贵族社会所接纳，被威尔泽克公爵这样的大人物用耳熟能详的“杜”来称呼，而且威尔泽克公爵认为他是“一位非常有魅力的绅士，拥有真正高贵的品格”。与梅特涅家族的关系也仍然具有无法估量的社会价值。

按照当时的传言，内桑尼尔与公爵夫人玛丽娅·维斯特拉有染，而后者后来成为了王储鲁道夫的情人。另外，当鲁道夫和玛丽娅双双在 1889 年 1 月自杀于梅野林的皇家猎场行宫时，是内桑尼尔的兄弟，北方公司的董事长阿尔伯特首先收到了关于这场悲剧的电报，并将消息转告了皇宫。这条北德消息的真实性值得怀疑，但毫无疑问的是鲁道夫的母亲伊丽莎白皇后与阿道夫的寡妻朱丽叶的关系一下子好了起来；另外的事实是，当她 1898 年 9 月在日内瓦湖上被一个意大利无政府主义者谋杀的时候，她刚参观完罗斯柴尔德家族在瑞士普雷涅的宅院。当弗兰兹·约瑟夫在 1908 年用一个盛大的招待会庆祝他的钻石婚时，阿尔伯特也在现场——是当时极少数的几个未穿官服的出席者之一。

在德国，也出现类似的提升到贵族身份又进入了社交圈子的情况。迈耶·卡尔，正如我们前面所见，在1867年被选入了上院，而且之后也被看成“国戚”。尽管他总是鄙视布雷希罗德钻营向上爬行为——当后者的爵位始终没有超过他的男爵封号的时候，他站在旁边仍不住地窃笑——但他自己很少不提及自己与普鲁士王室的交往，无论与当时的场合多么不协调。他与妻子在为1870~1871年的法兰克福战争中的伤员建立医院的工作，无疑为他们赢得了皇室的青睐。他在1871年12月激动万分地说：“我刚刚拜会了皇帝陛下，拜会持续整整一个小时，而且我没必要告诉你我们的关系有多亲密，特别是我给皇后陛下的医院做了那些事情之后，陛下比什么都高兴。路易莎也是皇后最喜欢的人，而且殿下也毫不隐瞒她对路易莎所做的一切是多么欣赏……这些对我们事业来说具有最为重要的意义。”皇后似乎表现得特别友善。之后，威廉·卡尔的妻子汉娜·马蒂尔德和维多利亚之间的关系更为亲密，而后者是弗里德里克·恺撒三世的寡妻、维多利亚女王的女儿，她明显沉迷于罗斯柴尔德家族科尼格斯坦宅院的那种朦胧的英式风格。尽管维多利亚的儿子威廉三世让罗斯柴尔德家族的成员产生了很深的疑虑，而且他确实怀有很强烈的反犹太人思想，但他在1888年登基后也没有损害罗斯柴尔德家族的地位。在1903年，威廉·卡尔的女婿马克斯·戈尔德施密特被授予了“冯·戈尔德施密特·罗斯柴尔德男爵”的爵位。

在英国，这个进程的发生是相反的，在罗斯柴尔德家族赢得了皇室的认可，而且与皇室建立起了很亲密的关系之后很多年，他们才能够在贵族院获得一席之地，原因是在1866年，犹太人成为贵族虽然已经扫清了法律上的障碍，但是维多利亚女王一直在现实社会生活中强烈抵制这种做法。早在1856年，罗斯柴尔德家族上朝的问题就已经提上了议事日程，当时维多利亚在一个皇家的画室注意到列昂内尔的女儿莉奥诺拉长得“相当俊俏”。但是真正的社交突破是在1861年的剑桥，当时纳蒂被圣艾尔本斯公爵介绍给了威尔士王子（后来的爱德华七世）。后来，对打猎的共同爱好又让王子结识了阿尔弗雷德和里奥。赛马也起到了类似的作用：当王子1864年在德比“分享他的蛋糕、蛋黄酱和香槟”的时候，迈耶感到非常高兴，1866年也是一样的情况。不久之后，家族的成员就经常被邀请参与宫廷的仪式典礼或者是有皇室参与的贵族聚会。作为回礼，他们也招待皇室的成员，主要是——但不仅仅是——威尔士王子。第二年的3月，王子参与了迈耶在门特摩尔的猎鹿活动，两个月之后，他出席了安东尼家晚宴；1871年，他和亚历山德拉公主出席了列昂内尔家“冗长的宴会”，4年之后王子在迪斯雷利的陪同下在费迪南德家吃了饭。王子还出席了1878年罗斯伯里与罗斯柴尔德的婚礼（王子的叔叔剑桥公爵作陪）以及1881年里奥娶玛丽·佩卢贾的婚礼——这些都是皇室对宗教宽容的重要表态。

除了这些比较正式的场合外，哈尔王子（迪斯雷利这样称呼他）还参加了很多他喜欢的一些休闲活动，比如阿尔弗雷德在他的晚宴上可以请来像内丽·梅尔芭、阿得琳娜·帕蒂这样的歌剧明星以及女演员萨拉·贝恩哈特；家族的另一位在日渐兴盛的“娱乐业”的朋友是自由党人阿瑟·苏利文爵士。费迪南德也知道怎样来取悦这位朝廷的继任者：当王子1898年在瓦德斯顿摔下楼梯弄伤了脚的时候，这个故事上了全国的报纸。作为一名狂热的亲法人士，他也经常是海峡对岸的罗斯柴尔德的座上宾。在1867年夏天，詹姆斯在堡罗涅接待他。他也在5年之后参观了费里耶尔(1888年又重返了那里)，而且还在1895年与阿方斯在康尼斯共进了午宴。在他即位后，这样的接触也没有停止，反而更多了。罗斯柴尔德家族成员成为了爱德华七世国际社交圈中不可或缺的组成部分，这个圈子的其他成员还包括萨逊、铁路金融大亨莫瑞斯·德·赫希、厄内斯特·卡塞尔、霍拉斯·法古阿及其他被爱德华·汉密尔顿认定为“杰出人士”的人员。

然而，如果因此就把罗斯柴尔德家族描绘为敬畏皇室，或者因为这个原因特别急切地想爬到贵族位置上的话，那就全错了。举个例子说，纳蒂开始的时候发现威尔士王子的谈话“非常普通而且非常乏味”。“他狂热地喜欢围猎。”他告诉他的父母，

> 非常喜欢猜谜以及很烈的雪茄，很难想象他是一位最终会成为严谨的继承了其父亲家族那种刻板态度的日耳曼王子。他特别有教养，这当然是他应该具备的品质。如果他随心所欲，那我会非常吃惊地发现他会去赌博，而且当然就不可能去上他现在应该上的法律课。

5年之后，王子也没有改变他的看法，他很枯燥地评论道：“战争、和平以及政治局势并没有占到他用于娱乐的精力的1/2。”他的母亲也有同样的感觉。尽管她认为未来的国王“举止非常迷人亲切……其他任何地方都不可能再找出比他更得体的举止”，但她觉得“遗憾的是他并没有把他的时间花在严肃的追求上，也没有把他的友谊和社交放到那些在政治、艺术、科学或者文学方面杰出的人物身上”。她总结道(当王子在格莱德斯通发表讲话时离开下院会场之后)，他“对严肃的话题没有兴趣”。当王子在罗斯柴尔德的马身上赢得了“大注”时，夏洛特批评道：“当然，在罗斯柴尔德的马上，我肯定宁愿他赢而不愿意他输——但是，未来的国王不应该赌博。”

受到批评的不仅仅是威尔士王子。当夏洛特看了艾丽斯·皮尔夫人借给她的维多利亚女王私人印制的《高地文集》后，她尖刻地评论道：

> 这本文集里看不到一丝一毫的文采，甚至连像点样的文章都找不出来一篇。看完这本集子很让人惊讶，因为很多伟大和杰出的政治家都声称女王聪明非凡……这本集子中值得一提而且真正有意思的是几乎难以置信的简洁，里面一点点跟皇室和君权有关的痕迹都看不出来。陛下以其最为“谦逊”的心智来书写，没有任何一个字会让读者想到作者统治着千千万万的芸芸众生，而太阳在她的领地上永远不会坠落……事实上，就是随便找来的一张报纸都要比它有趣一万倍。

费迪南德和艾丽斯也同意她对女王的评论，以及对“约翰 · 布朗”及其卷发的批评。

这样的态度反映的是他们坚忍不拔的自律精神，这种精神传承于出生在法兰克福犹太区的那一辈人。事实上，由于通过自己的奋斗取得了如此翻天覆地的变化，罗斯柴尔德家族认为自己不只是在经济方面，而且在很多方面都已经远比贵族优越。一件众所周知的事情是，威尔士王子与他的兄弟们的生活开销超出了由内政部提供的补贴，安东尼继承了家族为未来的统治者提供借贷的传统，为他们提供了资助，到 1874 年 8 月，女王吃惊地听说她的大儿子“欠了A · 德 · 罗斯柴尔德爵士大笔的钱”。然而，在此后至他继位的 27 年之久的时间内，罗斯柴尔德家族后来所起到的作用似乎主要是让王子不负债（除了对桑德林汉姆的按揭贷款），而就是这也做了很谨慎的掩饰。

一个不太明显的贵族（如果不算皇室的话）的经济依赖迹象出现了，当时，阿盖尔公爵的一个儿子沃尔特 · 坎贝尔爵士表示希望进入金融城里，作为罗斯柴尔德家族的股票经纪人阿瑟 · 瓦格的秘密雇员，要求的薪水是每年 1 000 英镑。列昂内尔很谨慎地“建议沃尔特爵士到英维莱利去与公爵好好谈谈，因为高傲的贵族或许不会喜欢他的儿子与以色列人共事”。但是夏洛特很高兴，因为坎贝尔与皇室有关系：“瓦格将会高兴得要死，如果这种合作真的能够建立，就可以与路易丝公主殿下的妻弟建立起业务联系。这将是非常不同寻常的事情，如果真的这样，比高加索美女攻入伦敦的时尚界更加不同寻常。”宫廷与金融界的这种联系到 1907 年的时候变得寻常起来，当时里奥提名了一名候选的力拓公司董事“邓彼格伯爵，曾为炮兵上校及前女王侍从官，然后又服务于国王，是一位举止高雅的天主教贵族”。

从他自己的角度看，纳蒂很欢迎这种贵族们妥协的情况。作为一名自由倾向强烈的学生，他对贵族学生在剑桥里享有的那些不劳而获的特权感到非常愤慨。“我现在都想不通，”他曾经这样对自己的父母抱怨，“为什么贵族及他们的儿子可以在 7 个学期后就获得学位，而根本不用通过考试。贵族子弟和普通人子弟应该一视同仁，但是我想，这样的事情永远也不会出现。”一直到 1888 年——在他已经成为罗斯柴尔德爵士后——他还很尖锐地评论“少数贵族人士由于袒露他们对金钱的贪欲和追求，以及经常参与赌博活动，正在伤害着他们的阶级”。罗斯柴尔德家族并不认为他们自己成为了贵族，即使是在他们看起来已经成为了贵族的时候。如果一定要说有什么共同之处的话，那就是他们希望贵族们能更像他们。正如夏洛特所说的，马友伯爵的年轻儿子“在金融界里通过自己的努力、活动和劳动轻松地自食其力，而不用守在西区挨饿”，绝对是一件更好的事情。

了解罗斯柴尔德态度的关键点是，作为欧洲犹太人中与皇室最接近的家族，他们认为自己与皇室是平等的。当夏洛特听说阿尔弗雷德王子打算访问波恩时，阿尔伯特正在那里上学，因此她试图为“高加索皇室天资聪颖的后裔与英格兰王室聪明的后裔之间安排一次会面”。她在数周之后宣布了对于其他犹太人来说“最高不可攀的婚姻”，意思是指与“一位罗斯柴尔德家族成员或者一位皇室成员（暗指她的岳母的家族）通婚……尽管在 19 世纪没有犹太女王和皇后”。按照类似的逻辑，朱莉安娜和汉娜是“以色列和门特摩尔的一位女皇和一位公主”。这样的说法解释了罗斯柴尔德家族与皇室竞争的倾向。具体说来，纳蒂很得意地报告说，当他们在剑桥一起打猎的时候，他自己的马要远比王子的优秀。同样，当费迪南德去白金汉宫，“他认为而且公开宣称没有哪位夫人可以与他的妻子相比——而且那里的设施也不行”；而当在斯泰福德宅院以特别丰盛的晚宴招待大家的时候，也不是皇家风格的，而是罗斯柴尔德风格的。应邀到宫里去吃饭的时候，迈耶声称最后“在所有的东西里都发现了问题”。至少在某一场合，他的弟媳夏洛特曾表示喜欢小型的家庭聚会方式的皇家舞会，但是要尽一切可能避开去皇家休息室，因为她觉得“乏味而且沉闷到了无以复加的程度”。当奥地利皇后在 1876 年访问英格兰的时候，夏洛特固执地坚持在她更喜欢的瓦德斯顿进行接待，而不是在温莎。当时的人们在谈到罗斯柴尔德家族时，总是喜欢用“犹太人之王”这样的短语，而家族内部的通信证据表明，这个赞誉并非不受欢迎。

然而尽管如此——也可能是因为家族的张狂——最终还是无法说服维多利亚提升列昂内尔到贵族院。对于这种提升的流言早在 1863 年就开始流传，但宫廷里有一帮对罗斯柴尔德家族怀有敌意的人，在阿尔伯特王子于 1861 年去世后，他们可以更自由地表达这种敌意。在威尔士王子大婚的那段时间，夏洛特抱怨家族被排除在婚礼嘉宾名单之外。她苦涩地写道：“悉尼爵士尽管从很久以前就吃遍了欧洲大陆所有罗斯柴尔德家族的各种节令的美味，也没有看不起我们的各种晚宴，但就是从不认为我们值得被宣进宫里。当可怜的王子在世的时候，他敬爱的爸爸还向他提过，但是很可能被遗忘或者是遗漏了。现在，也没有人打算去麻烦女王陛下。”宫里的另一个敌人就是斯宾塞爵士，他建议王子和公主不要出席罗斯柴尔德家族的舞会，因为“王子只应该驾临那些社会地位没有任何问题的家庭”。“罗斯柴尔德家族是非常富有的家族，”他补充道，“但他们只是因为财富的缘故，或者是他们生养的第一个女儿很偶然的美貌才获得了他们的地位。”王子的私人秘书弗朗西斯·科诺里爵士也持否定态度，他对于罗斯柴尔德家族与他主子的亲密关系也给出了不合适的说法，而女王的侍从武官阿瑟·哈丁觉得有必要安排俄罗斯皇室参观威斯敏斯特大教堂，作为对罗斯柴尔德“用希伯来黄金打造的金碧辉煌”的晚宴“的更正”。威尔士王子很显然顶住了这些压力。当纳蒂和阿尔弗雷德在1865年出席了一次皇家招待会后，夏洛特用胜利的语调报告：

> 王子非常亲切，与通常的时候一样，满面笑容并与我们一一握手——而他们已经习惯了这样的和善和热情。让他们觉得脸上有光的是他对悉尼爵士的斥责，后者是一位优雅的绅士，却是一位仇恨犹太人的人，他称呼纳蒂为罗希尔先生——“德·罗斯柴尔德先生”是从他的金口里说出来的正确叫法。

另一位在此期间友好的同盟是艾丽夫人，她在1865年邀请纳蒂、阿尔弗雷德、费迪南德和伊夫琳娜参加威尔士王子和公主所举办的精英舞会。

但无论是她还是朝廷未来的继位者，都没有处在可以影响女王的皇家爵位事务的位置。维多利亚还不情愿“将一个封号和荣誉正式授予犹太人”，这个消息早在1867年就由迪斯雷利转告给了罗斯柴尔德家族，尽管应该强调，列昂内尔并不想从迪斯雷利那里接受一个爵位。“我们的朋友（查尔斯·维利耶尔，代表沃尔汉普顿的自由党下院议员）很好地在报告里设计了一段有关我升任贵族的段落。”他在1868年3月给他妻子的信中这样说道，

> 一切如常，自由党想自己把一切都揽下来……他不可能理解——甚至他们所有人都不能——帕默斯顿夫人说的，我不会接受现任政府的任何恩惠。他们所有人都认为迪斯雷利对我们怀有很大的感恩戴德之心——因此最好的办法就是我闭嘴，随他们怎么去想——听到他们的一派胡言我只会觉得很有趣。

这有很准确的预见性，因为迪斯雷利取代格莱德斯通成为了首相后不久，就提出了一份他希望女王提升为贵族的11人名单，而列昂内尔就位列其中。提升他的理由，按照上院自由党领导人格兰威尔伯爵的说法，是罗斯柴尔德家族代表了“这样一个阶层，他们通过他们的财富、聪明才智、他们与文学圈的联系以及在下院众多的席

位产生了巨大影响力。因此，将他们与贵族联系在一起，而不是把他们推向民主阵营，才是明智之举”。但是女王却一个都没有批。格兰威尔不得不满怀遗憾地报告说，女王“对这个议题带有很强的个人情绪”。“给一个犹太人贵族的头衔，”女王告诉他说，“是她根本不会考虑的一件事。”格兰威尔建议格莱德斯通接受失败，不要强行推进这件事：“她会让步，但是会很勉强，而且会有很多的批评意见呈递给她，肯定她的意见，说她比她的政府看得更准，这将使得她在其他的场合变得更加难缠。”格莱德斯通觉得非常苦恼，这似乎是一个矛盾，而且他拒绝重新找一名（基督徒的）“商人”来替换。“罗斯柴尔德的优势是他的地位定位得非常准，而且是完全独立的，”他用他惯常的理性和严谨辩解道，“她的说法空泛乏力。如果照这样的说法，她当初同意解放犹太人的时候就已经错了。”他继续辩解道，列昂内尔现在的地位“非常适合提升，比任何可能提出来的人都更适合提升到那个位置”。把他排除在外就好像是“通过特权恢复了过去存在于法律中的剥夺政治权利的做法，而这种做法是王室和议会都认为应该废止的”。首相想尽了所有的办法——比如授予列昂内尔爱尔兰爵位——但是最终都被迫放弃了。他在 1873 年曾试图重提旧事，但是再次遭到了否决。最终，列昂内尔至死都只是一介平民。

女王是反犹人士吗？她确实承认“她不会放弃反对授予一个犹太教人士贵族身份的立场”。但是，对她种族歧视的指控似乎又没有道理，因为她对迪斯雷利宠信有加，而迪斯雷利又不避讳自己的犹太血统。事实上，她反对的原因从政治层面和社会层面看与宗教层面同等重要。正如她在日记中所记述的：“我将不得不以他的宗教为借口来拒绝，同样重要的原因是他的财富，这些财富事实上大部分均来自金融合同，诸如此类，而这些愚蠢的辉格党人居然想制造出如此众多的贵族来。”她在 1869 年 11 月 1 日给格莱德斯通的信中详细解释了第二个观点，她不认为一个人通过为外国政府提供贷款服务，或者通过股票市场成功投机等方式获得巨额财富，就有资格申请大不列颠的贵族身份。高贵的列昂内尔 · 罗斯柴尔德阁下可以站到公众面前让他们来评价，这似乎对她来说并不是抽掉了一份赌注那么简单，因为这份赌资是规模空前的，这与她所愿意嘉奖的正统贸易风马牛不相及，在这种贸易中，人们从那些需要足够耐心的行业积累财富，而且坚定不移地以崇高的德行去定位财富和影响力——这种人以过去的托马斯 · 丘比特（建筑商），或者乔治 · 斯蒂芬森为代表，他们足以为贵族们的任何门庭增光。

然而，这完全可以被看成是纯粹的托词，因为在这个时候已经有了三位财富源自于银行业的贵族。对于她的反对，一个更为可信的原因可以从格兰威尔对“目前上院与下院的不幸对抗”的暗示中推断出来。上院是反对犹太人进入国会的主要力量，而且只是在 1858 年做出了遮遮掩掩的妥协，同意下院有权修改自己新成员的入职誓言。女王可能担心一旦同意授予列昂内尔贵族身份，可能会导致 19 世纪 50 年代的《宪法》争议再次出现。值得注意的是，格莱德斯通在提出罗马天主教贵族（具体的个人就是约翰 · 艾克顿爵士）的可能性的同时，已经有意识地提出了"犹太人贵族"的可能性。正如格兰威尔在这个事情于 1873 年再次提出的时候所说的，罗斯柴尔德贵族身份的目的"是对天主教贵族的补充"。这才是问题真正的关键所在，而不是说只是对一位忠心耿耿的自由党下院议员所做工作的奖赏。

还值得注意的问题是，在整个这个过程中，罗斯柴尔德家族自己本身并没有出什么力。在很多年以前，列昂内尔就拒绝了准男爵的提议，因为他认为与他的身份不匹配。到 19 世纪 60 年代，他明显根本没有去角逐贵族身份的意愿。"罗斯柴尔德是我所认识的人中最有资格的，"格莱德斯通于 1873 年在波尔莫罗提出这个议题的时候这样评论道，"而且，如果我能得到他的一份备忘录，说明他的父亲在战争期间提供了怎样的金融服务，我认为这件议案的通过将毫无问题。但是，尽管我一直在请求，而且他们也已经答应了 4 年了，我还是没有以任何方式拿到这份材料。"甚至也不能说列昂内尔的儿子在父亲去世后是自己去要求获得贵族身份的；相反，正如我们看到的，他的政治观点正越来越与格莱德斯通不和（他们的争议几乎到了水火不容的程度，以至于阿方斯推测是萨利斯伯利在 1885 年为他争取的贵族身份）。在女王与她的首相的长期争论中，罗斯柴尔德家族处于完全被动的地位。

那么，在 1873 年到 1875 年间发生了什么事，让女王的心里"克服了强烈的踌躇"？按照格莱德斯通的秘书汉密尔顿所关注的，一个罗斯柴尔德家族成员的贵族身份意义的重要性没有变化："它消除了宗教资格审议的最后藩篱。"纳蒂在感谢"第一次对我们这种信仰的人授予贵族身份"代表了"人权及宗教自由的最大胜利"的时候，也回应了类似的情绪；而且，毫无疑问，当他于 1885 年 7 月 9 日戴着帽子，把手放到《希伯来旧约》上宣誓的时候，他再一次重复了他父亲在下院的胜利。格莱德斯通对"真正的无法估量的公共服务"的暗示，可以帮助我们解释女王不再坚持她的反对立场的原因。事实上，格莱德斯通是在暗示内森在拿破仑战争中的作用；但是，正如我们看到的，罗斯柴尔德家族直接而且热情地介入到英国的帝国财政事务可以从 19 世纪 70 年代中期迪斯雷利执政时期算起，而且似乎有充分的理由认为女王不可能没有注意到这些——尽管把这个贵族身份说成是对他们在埃及提供的金融服务的直接奖励可能有点过。正如我们看到的，提升纳蒂到上院甚至有可能是格莱德斯通将对他的对外政策批评日甚的惹麻烦的后排议员"踢到楼上去"的有意安排。

罗斯柴尔德的贵族身份的授予还需要作为更为广泛的社会变革的一部分来看。

其目的（用爱德华·汉密尔顿的说法）是“给上院增加了一点商业的活力”，而且纳蒂的升迁碰巧与爱德华·巴林成为勒维尔斯托克勋爵同时发生。卡西斯也证明了在第一次世界大战前的25年间，金融界的银行家被授予头衔的比例很高，而且几乎有接近1/5的人是在1890年后的这段时期获得的贵族身份。大多数可以继承的贵族身份都是在更早一些的时间获得的。（爱丁顿勋爵、爱尔登海姆勋爵、艾芜贝利勋爵、彼得达尔弗勋爵和希尔林顿勋爵都是在这一时期前后拥有可以继承的贵族身份的。）因此，1885年所授予的这些头衔是金融界贵族身份真正繁荣的一部分。另外，纳蒂不久之后就迎来了大批的其他犹太人终身贵族：望兹维斯勋爵（悉尼·詹姆斯·史丹）、斯威斯林勋爵（塞缪尔·梦特娇）和普瑞布莱特勋爵（亨利·德·沃尔姆斯，他本身是老迈耶的大女儿珍妮特的后人）。

这并不意味着纳蒂的提升一定就受到了像格莱德斯通所预言的“社会广泛的欢迎”。按照汉密尔顿所观察到的，有些人“对罗斯柴尔德的贵族身份嗤之以鼻”。这种世俗的偏见一直持续着，从前面引述的很多对阿尔弗雷德和其他家族成员的负面评论中可以看出当时比较典型的一些说法。然而，对于罗斯柴尔德家族来说，这是一个重塑家族荣耀的时刻。不像绝大多数的商业贵族，纳蒂仍然保持着他的姓，他采用的称呼是“都灵地区的罗斯柴尔德男爵”，这让他的亲戚们很高兴。1885年后，来自皇室的所有歧视似乎都没有了踪影。罗斯柴尔德家族的成员出现在女王的金婚纪念活动等各种场合。1890年5月，女王亲自到瓦德斯顿参观了费迪南德的宅院。事实上，年迈而讲究的“费迪”在他的晚年成了皇室最感兴趣的话题。1891年当他的妹妹艾丽斯在法国南方度假的时候，女王还数次参观了她位于伽塞的别墅。

换句话说，罗斯柴尔德家族在这段时期正式加入到贵族的行列，而且进入到宫廷社会的这些事例，不应该被看成是简单的“封建回潮”，或者是对已经建立起来的欧洲精英价值观的驯服同化。甚至那些把自己藏到金碧辉煌的宫殿及修剪整齐的花园中的第四代，也都继续保持着对他们家族的犹太身份的认同和自豪。费迪南德在这方面就很典型，他“为自己的种族和家族而备感自豪，喜欢谈论他的先辈，似乎他是最嫡系的传人，拥有最纯正的血统”（再一次引用爱德华·汉密尔顿的说法）。他、阿尔弗雷德和内桑尼尔不再艰辛地努力工作，但是在成为“世纪末”的唯美主义者后，他们并没有选择不做犹太人，正如汉娜在嫁给一位苏格兰伯爵后并没有放弃自己的犹太信仰一样。“同化”对于描绘罗斯柴尔德家族对他们自己的地位认识——按照夏洛特用自己的特有的词汇所描述的“高加索皇族”来说是完全错误的用词。在19世纪40年代，乔治·德尔姆威尔评论罗斯柴尔德家族是在萨克森—科堡年代之后，“在欧洲分布得最为广泛的王朝”；而且这两个不断扩张的世界性家族之间的相似性，在随后的几年中越来越多。当阿尔弗雷德 1892 年在布鲁塞尔拜访利奥波德二世的时候，至少他们中有一人把这次会面看成是平等的：“国王只是对我说‘你的家族老是把我给宠坏了’，对于这个说法，我只能回答说，‘请原谅，陛下您的眷顾才是我们家族的荣幸。’这次谈话，简短而又甜蜜。”

先生们，如果你们不支持我们，我们将不得不放逐你们……如果你们支持我们，我们将让你们比你们家族那位老成持重的创始人更加伟大，或者事实上成为他最引以为傲的子孙，这是他做梦都想不到的……我们将会使你们变得高贵，因为我们将从你们的家族产生第一位选举出来的王子。

西奥多·黑泽尔，《对罗斯柴尔德家族委员会的讲话》

1895年

第三章

犹太问题（1874~1885年）

THE HOUSE OF ROTHSCHILD

罗斯柴尔德家族与更为广泛的欧洲犹太人社区的关系，在进入到第四代的时候，总体来说没有发生什么变化。对于前面提到的贵族通婚，我们必须强调那是属于特例事件。大多数罗斯柴尔德家族成员仍然是与其他犹太人通婚。事实上，这一时期真正显著的变化是，婚姻另外一方的那些犹太人不再是罗斯柴尔德家族成员。在第三代，这样的婚姻只有三例，其中的两例事实上还是与女性一脉的表亲。第一例真正的外面的犹太人加入到家族里来的是意大利实业家拉尔蒙多 · 弗兰凯蒂男爵，他在 1858 年娶了安塞尔姆的女儿莎拉 · 路易丝；第二年，赛西莉 · 安斯帕希嫁给了居斯塔夫。贝蒂和她的儿媳妇阿德勒对赛西莉所怀有的憎恶，让我们了解了一个这样的外来者要赢得家族的承认是多么困难的一件事。在 1877 年之后，情况发生了变化，与其他犹太社会精英的婚姻迅速成为了一种常见的事情。在 1878 年，威尔海姆 · 卡尔的女儿米娜嫁给了马克斯 · 戈尔德施密特，她的姐妹是莫里斯 · 德 · 赫希的妻子。同族通婚仍然持续不断的一个例子，是米娜的儿子阿尔伯特在 1910 年娶了埃德蒙的女儿米瑞娅姆——这个时候，他的父亲已经启用了冯 · 戈尔德施密特 · 罗斯柴尔德的名字，而且已经贵族化了。在这一时期与法国罗斯柴尔德家族建立了姻亲关系的另一个家族是阿尔芳：在 1905 年，阿方斯的儿子爱德华娶了吉曼 · 阿尔芳，而在 1909 年，埃德蒙的儿子莫里斯又娶了她的妹妹诺艾米。

这种王朝式的联盟的最好例子出现在罗斯柴尔德家族与萨逊家族之间，萨逊家族在印度和远东地区发家，其中的部分人在这一时期定居到了英格兰。1881 年，在一个有威尔士王子出席的仪式上——这个活动受到了报纸的广泛关注——里奥娶了玛丽·佩卢贾，她是特瑞斯特商人阿奇尔·佩鲁贾的女儿，而他的另一个女儿嫁给了阿瑟·萨逊。另一个与萨逊家族的联系出现在1887年，当时居斯塔夫的女儿艾琳嫁给了爱德华·萨逊爵士，他是阿尔伯特·萨逊的儿子和继承人。然后在1907年，居斯塔夫的儿子罗伯特娶了奈丽·彼尔，新娘子的家族也通过婚姻与萨逊家族搭上了关系。在这一代人中，所有其他人的婚姻都是与具有一定社会地位的富裕的犹太人之间发生的。这些标志着19世纪中叶的排外婚姻彻底结束，并且把罗斯柴尔德家族——尽管仍然起着带头作用——更广泛地融入到了与富裕的犹太人家族建立姑表亲关系的体系内。

因此，罗斯柴尔德仍然保持着值得信赖的犹太传统；事实上，通过这些通婚，他们变得不再拒犹太人社区于千里之外。确实，曾经出现过宗教信仰方面不够坚定的事情，而且还不只是在康斯坦丝的例子里。阿方斯和莉奥诺拉刚出生的儿子勒内由于割礼后发生（丹毒）感染而惨死的悲剧，使夏洛特的灵魂深处受到了强烈的震动。她也吃惊于威尔海姆·卡尔及其家庭遵守饮食戒律的严格。“像他们那样的吃法……”她评论道，“脸色惨白而虚弱，好像根本就什么都没有吃，比那些苦修的人还要糟糕。”当他们长期分离后在法兰克福相遇时，纳蒂认为他的叔叔威尔海姆·卡尔“看起来很像高加索人，就是化妆也达不到这样的效果。他的步态和表情以及说话的方式完全是犹太人的方式，没有任何他自己的特征”。然而，纳蒂自己对祖先宗教的忠诚也是不容置疑的。作为一名大学生，他非常反感帕雷的《基督的圣迹》那门课，认为是“我所看到过的最晦涩的文字的堆砌，因此根本不存在很多人所预言的我会被改变的事情”。里奥也被迫花了很多的时间去上帕雷的课，但是他自己所描述的与他的叔叔安东尼和堂弟阿尔伯特在1869年参加维也纳犹太聚会时所表现出来的热情不会有假。当1877年在贝斯沃特的圣彼得堡区建立新的犹太会堂的时候，奠基的人就是里奥，这与他父亲在7年前修建中央会堂时几乎如出一辙。

和他们之前的祖父与父亲一样，纳蒂与他的兄弟们并不非常关注那些理论细节或者宗教仪式。例如，在1912年，有报告说纳蒂“不认为讨论犹太浴室的形状和大小是一个正统犹太人所必需的”。对于他们来说，宗教的意义在于犹太人社区的组织和功能；而作为罗斯柴尔德家族，他们认为自己应该清楚自己在英格兰犹太人社区的世俗领袖地位。19世纪末，他们在这个位置上所取得的成就是非凡的。纳蒂从1879年起任联合公会总裁至他1915年去世（尽管他很少过问那些日常的事务）。1868~1941年，理事会财政负责人一直由罗斯柴尔德家族成员担任，从未间断过：第一任是费迪南德（1868~1874年），然后是纳蒂（至1879年），再就是里奥（至1917年），最后是列昂内尔。纳蒂同时还是公会联合会的名誉总裁、犹太人免费学校的总裁、英国犹太人协会的副总裁和贫民救济会卫生与法务委员会理事。里奥继任了免费学校的总裁，同时也是犹太穷人临时庇护所的副总裁。罗斯柴尔德同时还影响着《犹太新闻报》，当时由埃希尔 · 迈尔斯所拥有（被犹太复国主义者利奥波德 · 格林伯格在 1907 年收购后，罗斯柴尔德家族的影响力就不复存在了）。在法国，罗斯柴尔德家族修建了几座新的犹太会堂，包括位于维克多大街的一座（1877 年）以及其他由埃德蒙在 1907~1913 年提供资助的三座。相比较而言，维也纳的罗斯柴尔德较少与他们的犹太同胞交往。

可以肯定的是，罗斯柴尔德家族首要关注的并不仅局限于一个单独的社区，他还会关注另外一个或者几个具有相对独特性的社区（除了联合公会，这个组织里也包括了西班牙和葡萄牙籍的犹太人、改良派，以及由东欧移民建立的数量不断增长的东正教组织）。对于挑战纳蒂地位的情况，一个最经常被引用的例子是 1887 年成立的公会联合会，这个组织由贵金属商人兼政治家塞缪尔 · 蒙塔古提出，目的是为那些东正教组织提供庇护。纳蒂曾一度对他所见到的东伦敦的“精神匮乏”而忧虑，而且在联合会成立的时候，他被选为总裁。但是在 1888 年 12 月，在联合公会委员会上就是否接受联合会进入伦敦宰牲理事会（监管屠宰的机构）的问题上产生对抗后，他被迫把这个职位让给了蒙塔古。看起来他所希望实现的似乎是把联合公会的权利置于这些新成立的组织之上，因此，他原本在怀特契佩尔路上建立一个大犹太会堂的计划就与建一个“犹太人汤恩比大厅”联系在了一起。

然而，对于这件事意义的重要性也不应该过分夸大。事实上，纳蒂还保留了名誉总裁的头衔，甚至还主持了联合会 1892 年在新路上的第一个犹太会堂的开幕仪式。确实，他对团结各个不同的犹太组织所报以的期望，在联合公会中的所有理事中，最受蒙塔古的欢迎。在已经在位了很长时间的大拉比内森 · 马卡斯 · 阿德勒于 1890 年去世之后，尽管遭到了阿德勒的儿子和继任者赫尔曼的反对，纳蒂终于还是召集了各个公会的代表大会，他的理由是“时机已经成熟，就算是社区中最底层的人们……也是最正统的教徒，应该邀请社区的其他分支来加入我们，并把我们所有人都团结起来。我不敢说团结到某一个领导人之下，但是应该团结到一个精神领袖之下”。然而，事实证明根本无法把这些正在竭力竞争对不同社区的影响力的各种势力调和起来；1910 年的一次类似的尝试再一次因为同样的原因而告失败。不过纳蒂还是有足够的势力确保对约瑟夫 · 赫尔曼 · 赫兹在 1912 年继承阿德勒作为大拉比的任命能够顺利通过，这主要得益于（有这么一种说法）米尔纳勋爵的大力推荐，尽管更为可能的原因是他看到赫兹更能得到联合会和联合公会对于伦敦东区东正教和同化情况比较严重的伦敦西区的两部分势力的共同认可。

如果纳蒂的影响力在一个基本的宗教问题上都能有如此大的施展空间的话，那么对于与犹太社区有关的那些更偏重于政治方面的问题，纳蒂采用准君王的方式来处理就没有什么好奇怪的了。作为所有犹太家族中最富有家族的继承人，一位在金融界响当当的人物，又是议会议员，而且后来又成为了贵族，而且还是一位可以直接见到当时最高层的政治家的非正式外交官，他根本就找不到任何对手。或许要让不同的犹太人组织认同一个单独的精神“领袖”不大可能，但是很少有人怀疑纳蒂是他们事实上的世俗领袖。

要全面理解这个问题的重要性，有必要先全面认清影响深远——而且令人震惊——的这一时期犹太人在欧洲的地位所引发的问题。当纳蒂成为贵族的时候，阿方斯的反应是意味深长的。“这个消息将会在奥匈帝国和德国引起极大的反响，”他写道，“那些地方的反犹太人气焰仍然相当嚣张。”19 世纪末期出现了很多变化，先前曾经不是连续的而且只是政治上的对犹太人的种族歧视，现在逐步变成了一种看上去更有组织的政治运动。“反犹太主义”这个词形成于这个时期并不是巧合：种族理论研究提出的假说对于犹太人反社会行为的解释，更多是基于他们的基因，而不是他们的宗教。由于随着大众教育的发展和公民权利的更加广泛，政治生活变得更加民主，1877 年以后的时间里出现了大量的反犹太人书刊、演讲和政策（在某些国家，比如俄国）。罗斯柴尔德家族与从东欧和中欧西进的犹太人之间除了共同的宗教信仰之外，几乎没有其他任何相似之处。正如我们已经看到的，他们属于富裕的社会精英，而且已经跨越了那些存在于西欧社会的意识形态领域里的社会障碍。然而，从 19 世纪 20 年代开始，罗斯柴尔德家族就一直是左翼和右翼之间的政治攻击目标，而且无法避免地一再成为“犹太人问题”的人格化代表。这是作为“犹太人之王”的不好的地方。

反犹太主义

20 世纪中叶出现的事件经常会诱使我们夸大 19 世纪晚期出现的反犹太人浪潮的重要性。对国家社会主义的记忆也总是把我们的注意力最先引向德国去寻找反犹太主义的种种证据。当然，那些地方确实存在一些这种类型的问题（奥匈帝国要比德国更严重，在那里，罗斯柴尔德家族的金融影响力日渐衰落）；英国也有很多这方面的迹象，而俄国则是唯一从制度上歧视犹太人的大国。法国虽然是比所有地方都更能让犹太人享有平等权利的国家，但同时也是出版反犹太人书刊最多的国家。

一个并非不重要的事实是，把反犹太主义这个特别有种族主义色彩的词介绍给德国政治家的威尔海尔姆 · 马尔，年轻的时候曾经为威特姆斯坦家族工作过，而这个家族与维也纳罗斯柴尔德家族的关系非常密切。根据一份未公开的备忘录的说法，马尔回忆了他是怎样在1841年被解雇的，尽管他在公司工作得比大多数犹太雇员更努力。他非常痛苦地说道："应该承担经济危机后果的是犹太鬼。"这种看法似乎得到了很多在1873年经济崩溃后面临经济困难的德国人的共鸣。由马尔这样的作家煽动起来的反罗斯柴尔德声浪的一个很好的例子是《法兰克福犹太人与对人民福利的掠夺》，该书于1880年由"日耳曼尼克斯"出版，书名就很说明问题。作者从大家已经非常熟悉的选帝侯的财富故事断章取义的版本入手，书中将德国在大繁荣时期及之后的经济困难与深受罗斯柴尔德家族以及他们豢养的金融与传媒界的走狗鼓励的资本输出（特别是输出到俄国）联系在一起。在人们还没有来得及消化这些指控的时候，黑森-德意志帝国议会代表奥托·波克尔在1890年又提出了一项指控，他认为罗斯柴尔德家族已经用石油把世界市场逼上了绝路——这项指控5年后又在柏林被社会民主党的刊物再次引用（说明这套说辞随时都可以被左翼随意使用)。弗雷德里克·冯·谢尔布1893年的《罗斯柴尔德商号历史》一书进一步把这个观点进行了细化，说罗斯柴尔德家族的巧取豪夺又有了一个新的目标：控制国家贷款，然后是铁路建设，现在他们开始寻求建立全球原材料的垄断。

到1911年，当维尔纳·桑巴特发表带有很强烈的倾向性但很有影响的《犹太人与经济生活》一书的时候，这样的声讨得到了来自知识界的一定程度的认同。对于桑巴特来说，"罗斯柴尔德的名字"所代表的"远远大于使用这个名字的那些公司"，意思是指"所有那些活跃在交易所里的犹太人"：

> 因为只有在他们的帮助下，罗斯柴尔德家族才能够取得这种超级权势的地位——事实上，人们可以公正地说他们是债券市场上唯一的掌控人——这种地位我们已经看着他们拥有了半个世纪。过去有人说，一个财政部长如果疏远了这家世界性的企业，而且拒绝跟它合作的话，那么他就得考虑走人了，其实这种说法一点都不夸张……无论是从数量上考虑还是从质量上考虑，现代的交易所是罗斯柴尔德式的，因此也是犹太人式的。

但是也没有必要就此把反犹太主义的根源确立在这类伪社会学的基础上，犹太人与日耳曼人的人种差异可以很容易地说明问题。马克斯·鲍尔的小册子《俾斯麦与罗斯柴尔德》（1891年）将俾斯麦这位日耳曼人的代表、拥有着农民美德的人，与罗斯柴尔德这个俾斯麦的世界性对立面进行了对比：

> 他生存的原则不是建设性力量的稳定增长，而是大量被分割的资金急速而

令人担忧的聚集……但是（俾斯麦认为）就让犹太人去满足他们贪得无厌的快乐；一旦50亿马克完全付清，那么就该轮到德国人用自己的方式让自己高兴了……俾斯麦的物质和精神的形式所有人都可以看得清清楚楚、实实在在……但是这个世界对于罗斯柴尔德的物质看法是什么样的呢？他们从来都是隐形的，就像绦虫一样永远附在你的身体里，但又无影无踪。罗斯柴尔德家族的“银行”是没有结构的、像寄生虫似的，形式上可以这样也可以那样的，从法兰克福和巴黎再到伦敦，遍布整个地球，就像一团缠在一起的电话线。它既没有结构也没有生命，是一种不在地球上生长的东西，一种不会朝向上帝的东西。俾斯麦的精神像一座歌德似的建筑……这是在我们现在的政治文化中两种完全相互敌对的力量：贪得无厌的犹太人，他们摧毁生命；亲和的德国精神，它创造生命。

在奥匈帝国也有类似的出版物，但是在那里，因为罗斯柴尔德家族仍然是主要的经济力量，因此，与德国的情况不完全一样，反犹太主义更多的是以政治影响的方式出现。在1873年维也纳股票市场崩溃后，卡尔·鲁伊格策划了“基督徒社会”运动，来反对犹太人的金融势力。这次运动出现的一个转折点是鲁伊格在1884年呼吁对罗斯柴尔德拥有的凯萨·费迪南德·北方公司进行国有化，而当时政府正好提出重新延续1836年授予萨罗曼的特许权。鲁伊格提出的要政府“倾听一次人民的声音，而不要只听罗斯柴尔德家族一面之词”的要求，得到了乔治·施尼勒领导的日耳曼人全国理事会的积极响应，而当阿尔伯特由于在奥匈帝国货币改革中所起的作用于1893年被授予铁十字勋章时，更像是往他们的怒火上又浇了一盆油。然而，当鲁伊格在1897年坐上了维也纳市长的宝座时，他马上发现想要抛开罗斯柴尔德家族是多么困难。到19世纪90年代末，保守派批评家像卡尔·克劳斯（他自己本来是犹太人出身）以及社会民主党的报纸《劳动新闻报》，都谴责鲁伊格“与罗斯柴尔德家族交好”，甚至“与犹太人罗斯柴尔德携手工作”。与此同时，通过采用传统的哈布斯堡方式，《犹太人杂志》又批评罗斯柴尔德家族雇用反犹太主义人士多于雇用犹太人！罗斯柴尔德家族的势力依旧，甚至在那些没有把握政治之斧的人中也有足够的影响力。例如，泰罗尔诗人、地质学教授阿道尔夫·皮奇勒在1882年的评论中，说起“罗斯柴尔德”怎样使“奥匈帝国政府债券的奥林匹亚山摇摇欲坠”。他嘲讽地补充道，这完全是“一次庄严的投机”。

但是法国才是反犹太主义最为明确而且最广为泛滥的地区。19世纪80年代出现的如潮水般的反对罗斯柴尔德家族的出版物的那种壮观景象，恐怕在整个19世纪的历史上很难再找出什么可以与之类比，甚至1846年北方铁路事故后出现的大规模的书籍大战所导致的巨大伤害也无法与之比肩。这一次，导致灾难的“事故”是有教会背景的大众联合银行（Union Générale Bank）在1882年的倒闭。大众联合银行刚宣布清盘，它的创始人保罗·尤金·本图克斯就开始指责“犹太金融”及其“狼狈为奸的政府同盟”。这篇指责性的文章由报纸进行了连载，《里昂观察报》宣称是“由来自德国的犹太银行家集体主导的一次阴谋”，是一场“德国犹太人的阴谋”。

说起来也许有些矛盾，参考后来在德雷弗斯守卫者事件中的作用，没有任何一名作家比小说家埃米尔·左拉更适合让这种观点流传于世了。尽管身处第二帝国，他的小说《金钱》——他的鸿篇巨制《卢贡·马卡尔家族》系列的组成部分——很明显受到了大众联合银行倒闭的启发（有部分情节暗指地产信贷银行）。尽管主角甘德尔曼并不是以阿方斯为原型，但毫无疑问的是，无论以谁为原型，有很多方面均取材于阿方斯已故的父亲詹姆斯。这个直白复原的角色有一种怪诞的性格，他缺乏巴尔扎克笔下纽沁根救赎的仁慈（纽沁根是以詹姆斯为原型创作的又一个伟大的文学人物）。对这个问题，我们可以找到的最好的解释是左拉对詹姆斯的了解不如巴尔扎克；在他去世后10年，他的创作仍然在为其他人提供灵感，而事实上，《金钱》的有些段落摘自于费多。书中对早期的甘德尔曼是这样介绍的：

> 银行之王，交易所的主宰，也是世界的主宰……这个人知道所有的秘密，他可以随心所欲让这个市场上涨或是下跌，就像上帝那样翻云覆雨……黄金之王……甘德尔曼是真正的主宰，全能之王，整个巴黎甚至整个世界都敬畏他、服从他……人们已经看到甘德尔曼在巴黎的统治更加稳固，而且他的朝廷受到的尊重远甚于皇帝。

他是一位冷峻、精于算计、整天阴沉着脸（一个编造的特征）、生活严谨的工作狂。相反，萨卡德是一位冲动的一心想跻身金融界的年轻人，他像神职人员一样虔诚，梦想着能够接到巴尔干地区和中东地区的金融大单，让他赚到大钱后能够把耶路撒冷买下来，并在那里重建一个政教合一的政权。为了取得甘德尔曼的支持，他满怀希望地去甘德尔曼“恢弘的公馆里”去拜见他，而这座公馆是甘德尔曼工作并与一大家子人共同生活的地方，跟他一起住在里面的有5个女儿、4个儿子和14个孙子。我们再一次进入了拉斐特大街上那王宫般的房子里，在里面一队队的经纪人依次走到冷漠的银行工作人员面前，银行人员对待他们的态度相当麻木，或者——如果他们胆敢来打搅——满脸不耐烦；在某处，那些艺术品商人使出浑身解数，想把甘德尔曼的注意力从那些外国大使身上引开。在另外一个地方有一个五六岁的男孩突然闯入，骑着扫帚柄、吹着喇叭。这个古怪大堂在萨卡德的眼里活脱脱就是一个甘德尔曼的“世界朝廷”。

萨卡德希望得到甘德尔曼的支持——事实上是渴望能像他一样在交易所里赚到钱。然而，由于他一直认为“犹太人”本应该是“诚实的人，靠自己的汗水生活”，因而他被“无法压抑的仇恨”所击倒：

> 这个不再有自己的祖国、不再有自己的王子的民族，寄生在别人的国家，假装服从当地的法律，但是事实上他们只服从自己那位偷盗、嗜血、仇恨，而且使每个角落都弥漫着残暴的征服和厮杀的上帝……（他）在那里坐等掠夺，吸干所有人的血，牺牲别人的生命养肥自己。

在萨卡德看来，犹太人在金融方面的能力天生就比基督徒优越，而且他预见到——甚至在他进入到甘德尔曼办公室的时候——“犹太人将会征服全人类”。

当甘德尔曼没有任何悬念地回绝了他的计划的时候，萨卡德的憎恶变得非常强烈：“啊，肮脏的犹太人！一定会有人很高兴地用牙啃噬你，就像狗啃骨头，尽管这肯定是非常可怕的，而且也非常难以下咽。”“帝国已经被卖给了犹太人，肮脏的犹太人。”他狂喊道：

> 我们所有的钱注定要落入他们丑陋的手掌。在他们的魔力面前，世界银行除了分崩离析外，不可能有任何其他的作为……他发泄着他那与生俱来的仇恨，反复谴责那些商人和高利贷者。他们在整个世纪都在与其他民族作对，而且从别人的身上吮血……对整个世界的某种方式的征服，这一天注定要到来，他们将用所向披靡的金钱的力量达成……啊！那个甘德尔曼！一个彻头彻尾的普鲁士人…… 他不敢在某天晚上的沙龙上说，如果普鲁士和法国之间爆发战争，那么法国注定是失败的！

最后，当然是甘德尔曼胜利了：世界银行倒闭了，而萨卡德在监狱里了此余生，一觉醒来之后，给他留下的只是一颗破碎的心和一只空空如也的荷包。

没有人会责怪左拉没有做足他的功课（不仅是没有按照实际认真描写詹姆斯的办公室，而且对大众联合银行的兴衰说得也不准确——狂卷教会和贵族的存款、哄抬自己的股价，直至最终导致崩盘），但是左拉从文字上为下面的两种说法增加了可信度：一是大众联合银行是被罗斯柴尔德搞垮的，二是法国罗斯柴尔德是亲德国的。这些说法在第三共和国的法国人中引起的共鸣是很表面化的。盖伊 · 德 · 卡奈斯的《吸血男爵》是一本影响力与《金钱》一样坏的书，它所传递的信息也没有太多的不同。书里的人物若布 · 希穆尔与甘德尔曼一样，也是一个德国籍犹太人，具备金融操控天赋。他是一只“掠食的大鸟”，大发战争横财，然后摇身一变，成了拉孔尼兹男爵，并通过给那些身无分文的男爵夫人提供咨询来换取他们的社会承认。这些老套的故事在本图克斯于1888年发表了自己的自传后流传得更为广泛。尽管本图克斯没有提罗斯柴尔德的名字，但是当他提到“犹太人银行”时，几乎所有人对他指的是谁都心知肚明，他说这家银行“不满足于50年来已经流入它的金库的几十亿元……不满足于对至少9成的欧洲金融事务的垄断”，因而谋划着毁灭大众联合银行。

然而，对法国反犹太人思潮作出最大的个人贡献的，或许是另一位郁郁不得志的人——爱德华·杜鲁蒙特。爱德华·杜鲁蒙特年轻的时候曾经在地产信贷银行工作，并且花了很多年研究并撰写了大量冗杂的长篇大论，目的都在于全面完整地描写犹太人对法国经济和政治生活的统治地位。这本书在1886年首次发行后取得了巨大的成功，后来先后再版了200次，法国犹太人的称谓成为了一个有种族意义的，而且具有反法籍犹太人特点的概念，并逐渐发展成为了一套伪思想体系。“罗斯柴尔德家族尽管腰缠万贯，但看上去总像是卖二手衣服的旧货商人。他们的妻子尽管挂满了来自高尔康德的钻石，但看上去总像是他们家里清扫厕所的女工。”当话题转到珠宝上的时候，甚至连非常老辣的男爵夫人贝蒂都无法掩饰她作为“法兰克福犹太人”的本性。从某些方面看，杜鲁蒙特只是在19世纪40年代那些小册子的基础上进行了补充（当时戴恩维勒是主要的煽动者），因此第一卷的主要内容集中反映的是罗斯柴尔德家族过分的政治权力的观点：对滑铁卢战役结果的投机、他们在北方铁路特许权上获取的巨额利润、他们对更具有公关精神的彼埃尔家族的仇恨。古德绍——一名犹太人——在1848年的时候把他们从破产的边缘上拉了回来，而且在1871年的纵火案中，是在公社里的犹太人保住了罗斯柴尔德家族的财产。共和后的政治家们只是这个故事的延续：甘贝塔与犹太人和共济会有染，莱昂·塞——“犹太王的忠臣”——起到了类似的作用，而喀尹这位最高委员会主席只是北方公司这部犹太人—共济会巨型机器的一个很小的环节。甚至朱利斯·费瑞的衰落都可以归咎于罗斯柴尔德的邪恶影响。最为严重的是，杜鲁蒙特认为大众联合银行事实上是一个精心策划的犹太陷阱，它的目的就是为了掠夺那些牧师们的积蓄。

杜鲁蒙特后来发表的《一位反犹太分子的证言》（1894年）进一步发展了这些恶毒的观点，部分原因是为了解释这场反犹太人运动所产生的有限的政治成果。在这篇文章里，他采用了一种更为伪经验主义的风格，计算出他假定的罗斯柴尔德家族30亿法郎的财富可以换算成多少标准银子，需要多少人才能搬动它，并且比较了罗斯柴尔德家族所拥有的土地的数量与基督徒所拥有的数量；认为如果布朗热分子回避了反犹太主义，我们所能找到的唯一的原因只是因为“罗斯柴尔德为他们的市政选举提供了 20 万法郎，要求的条件是候选人不得采取反犹太人的行动”，而且因为布朗热分子领导人拉盖尔个人得到了 5 万法郎；如果法国经济出现萧条，原因只可能是因为“莱昂 · 塞……把法兰西银行拱手交给了德国犹太人”，允许罗斯柴尔德家族将它的黄金借给了英格兰银行；如果法国被国际社会孤立，只可能是因为罗斯柴尔德家族将埃及让给了英国，并用法国的资金为意大利的军备提供了资助。最后这项缺乏爱国情操的指控在几年之后的《反对法国的犹太人》（1899 年）一书中被再次提起。杜鲁蒙特这样总结道：“罗斯柴尔德神是法国真正的主人——既不是皇帝、不是沙皇、不是国王、不是苏丹，也不是共和国总统……他没有任何权力及优势，他为了自己的私利，废除了所有这些政府势力，废弃了法国的所有资源。”

杜鲁蒙特只是当时那些把火直接引向罗斯柴尔德家族的反犹太写手中最为多产的一个。另一个类似的也是造谣中伤的写手是奥古斯特 · 希拉克（Auguste Chirac），他的《共和群王谱》（1883 年）把那些老掉牙的陈腐故事，比如选帝侯的财富和滑铁卢等与新的关于北方铁路和罗斯柴尔德家族与 1848 年以及 1870~1871 年的几次革命的关系搅和在一起；再一次在争论中引入了种族主义和民族主义的维度——罗斯柴尔德家族不仅是犹太人，同时还是德国人，因此他们急迫地想通过为 1815 年和 1871 年的战争赔款进行融资，进而搞垮法国。希拉克后来的另一本书《1870~1884 年的投机》（1887 年）是一本较为成熟的著作，它试图通过大众联合银行发生危机前后出现的债券价格波动的分析，来解释罗斯柴尔德家族那一段时间的利润情况，在这个过程中，他发现大众联合银行本身就不是一个理性的企业，但是他再一次妥协了，又采用肆无忌惮而且毫无根据的理由，对罗斯柴尔德家族和莱昂 · 塞进行了指责。虽然是肤浅的经验主义之谈，但这事实上是又一次诽谤，他声称这是“金融封建主义的胜利以及对工人阶级的压迫”，而且是由“名叫罗斯柴尔德的国王与一位名叫犹太金融的妓女或者是女仆”联手对共和国进行的控制。这本书里所提出的主要指责内容是罗斯柴尔德家族为了英国的利益参与了破坏法国在埃及的影响力，作为他们通过经济手段“绞杀法国”的历史使命的一部分。表面上看起来毫不起眼的阿方斯事实上是“摩罗克 · 巴尔，也就是所谓的黄金之神，他配合着对欧洲的征服——而且可能是对世界的征服，躲在各种皇室的名字和政治外衣的后面，但是拥有真正的权力，一句话，就是他拿走了所有的利润，又逃避了全部的责任”。

可以想见，这样的诽谤一定伴随着大量充满仇恨的漫画，其中最有名的可能是林德雷的《上帝保护以色列》。在这幅漫画里，阿方斯被描绘成一个虚弱的半睡半醒的巨人，他那爪子一样的手里抓着地球，而且在他的秃头上戴着一顶金牛头一样的皇冠（见图 3.1）。

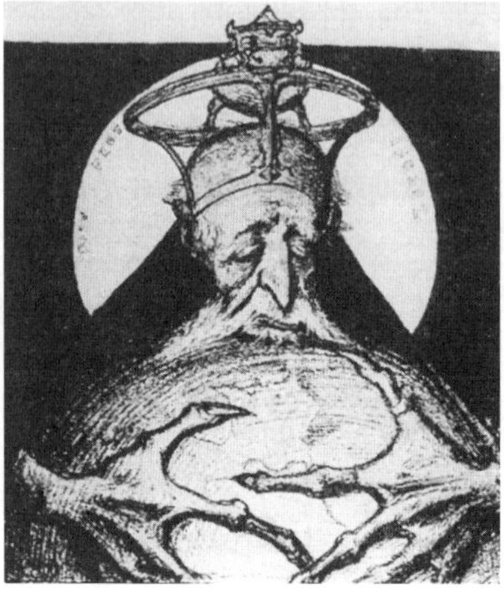

图 3.1 C · 林德雷,《上帝保护以色列》,《Le Reve》(1898 年 4 月)
资料来源：赫丁，《漫画中的罗斯柴尔德家族》，第 55 页，插图 28

具有类似思想的是勒普纳沃的《百万富翁内森 · 迈耶》，这本书勾勒了一个满脸胡子、身体像狼一样爬在滑铁卢战场上堆满尸骨和硬币的床上的罗斯柴尔德形象（见图 3.2）。更为粗俗的是另一幅卡通（可能出自政治左翼之手），把“罗斯柴尔德”描绘成一头巨大肥硕的猪，放在一个车架上，由一群衣裳褴褛的工人用手拉着，并有一个标题——“多肥硕的一头猪啊，他长肥了，而我们却累瘦了”。

从根本上说，像杜鲁蒙特和希拉克这样的阴谋理论家和作家非常关注罗斯柴尔德家族对法国文化和社会的高度渗透。在《法国犹太人》的第二卷中，杜鲁蒙特花了大量笔墨在费里耶尔的酒庄和庭院上。他承认，它们的艺术水准和装潢非同凡响，而让人觉得可悲的就是如此众多的作为法国文化遗产的瑰宝居然被犹太人所搜刮，而他们只会把它们当成“瓦砾一样胡乱堆放”。罗斯柴尔德家族可以购买的也不只是法国的文化遗产。“这个酒庄没有历史，”他评述道，“不会让人回忆过去那些伟大领主的生活方式。”然而，今天的参观者指南上包括了“法国贵族最杰出人物名单”。一位名叫德 · 久因维尔的王子——“身上流淌着路易十四血液的男子”，在一名卑微的“放贷者”面前降下了身段。在罗斯柴尔德的婚礼上，贵族来宾的名单是完整的：“（所有古老的）法国贵族族徽都汇集到一起对金牛顶礼膜拜，并且在整个欧洲面前宣布金钱是现在仅存的唯一王权。”同样的一幕也发生在 1885 年由德 · 萨根公主举办的化装舞会上，“这个可怕的贵族”恬不知耻地与兰博特 · 罗斯柴尔德夫人、艾夫鲁茜夫人以及其他“犹太人”亲密接触。内心深处是浪漫的正统主义者的杜鲁蒙特认为波旁和奥尔良贵族是对他们高卢人种的背叛。这是他在自己的《证言》一书中重点论述的一个主

图 3.2 勒普纳沃,《百万富翁内森 · 迈耶》,《恐怖博物馆》第 42 卷（大约 1900 年）的封面
资料来源：赫丁，《漫画中的罗斯柴尔德家族》，插图 30

题，他沮丧地注意到夏洛特购买了“一座由西蒙·德·蒙特福德创建的修道院”，爱德华被选进了皇家俱乐部，很多如雷贯耳的名字出现在了罗斯柴尔德家族的花园聚会上。希拉克也酸涩地评论罗斯柴尔德家族与法博格·圣·吉尔曼精英之间的关系，他们曾经对詹姆斯和贝蒂非常蔑视，但是现在则作为平等的社会人接受了其后代。

在第三共和国时期，一个有关犹太人经历的奇怪现象，是很高程度的社会同化现象恰巧与非常公开的反犹太主义的言论出现巧合。这不只是局外人——比如像杜鲁蒙特——在皇亲贵族们放弃歧视时的吹毛求疵，大多数与罗斯柴尔德家族有社会接触的人通常也都赞同杜鲁蒙特和希拉克提出的观点。在对待罗斯柴尔德家族的态度上出现的那种几近于精神分裂的特质，可以通过两份在当时发表的重要的资料来说明：龚古尔兄弟的报刊和普劳斯特的《追忆逝水年华》。龚古尔兄弟不仅同意杜鲁蒙特的观点，他们对他还非常了解。在他们1870~1896年这段时间的期刊上，充满了关于罗斯柴尔德家族“犹太”特质的别有用心的奇闻逸事——他们的享乐主义、他们的庸俗，诸如此类。然而龚古尔兄弟自己也非常乐意接受罗斯柴尔德的盛情招待：1874年和1887年与埃德蒙讨论法国雕刻，1885年与奈特的遗孀吃饭，1888年与莉奥诺拉吃饭，1889年与埃德蒙吃饭。这段时期的另一个特点是，在他们对罗斯柴尔德的饭菜大加赞赏的那一年之后，龚古尔兄弟以赞许的态度引用杜鲁蒙特相关观点的情况开始大为减少。在1887年3月与杜鲁蒙特进餐，很高兴地听他把“罗斯柴尔德推到墙上去”的高谈阔论后，又在那年的12月与埃德蒙讨论雕刻；在1889年6月与埃德蒙进过餐后，又在1890年3月与杜鲁蒙特交流反犹太人过程中出现的奇闻逸事，而这距他在5月1日放弃呼吁军队介入反犹太运动仅隔一个月。

在巴黎的沙龙中，犹太人和反犹太人分子通常都混在一起，但是1894年，当供职于法国总参谋部的名叫阿尔弗雷德·德瑞夫斯的犹太军官被指控为德国间谍后，这些沙龙出现了急剧的两极分化，而他因为伪造文件在军事法庭上被控有罪，并被判处在魔鬼岛上终身监禁。阿方斯对于对德瑞夫斯指控的反应一开始觉得非常震惊，担心一旦德瑞夫斯被判有罪，会对反犹太人情绪火上浇油；之后他变得非常愤怒，因为所有的证据都表明德瑞夫斯是被陷害的。按照一位办事员的笔记看，阿方斯“由于对德瑞夫斯的诬告以及法国贵族的麻木不仁而感到非常愤怒”。然而，家族里的其他成员都不太愿意被公开当成是“德瑞夫斯分子”，因而更愿意把这种分歧控制在他们自己的上层社会圈子里。

普劳斯特为这种氛围增加了谈资，德瑞夫斯的同情者所表达出来的同情被德·杰尔曼特斯公爵夫人周围那个非主流圈子里的成员有意识地掩盖了起来。对于普罗克这样一位出生相对低微的犹太人来说，罗斯柴尔德的名字足以让他肃然起敬。

当他意识到他曾经在公爵夫人那里照顾过的那位英国老妇人是“阿方斯·德·罗斯柴尔德男爵夫人”时，他简直惊呆了：

> 那一刻，普罗克的血管里忽然流淌出太多关于财富和威望的想法……他的感觉就像遭到了猛烈的一击，脑子里顿时一片空白，他不知不觉地在这位慈祥的老太太面前叫出声来：“要是我早知道是这样！”这样愚蠢的失声让他连续8个晚上都睡不着觉。

相反，德·杰尔曼特斯王子甚至一眼都不愿看到罗斯柴尔德——事实上，他宁愿让自己的酒庄被大火烧掉半边，也不会向紧邻的罗斯柴尔德家借水泵。实际的情况是他试图掩盖自己德瑞夫斯分子倾向的秘密；而他之所以要把这些掩盖起来，是因为如果被当成德瑞夫斯分子，他要付出不小的社会代价。德·杰尔曼特斯公爵就付出了这种代价，当他参与赛马俱乐部的总裁竞选时遭遇了失败，原因就是他的妻子“是德瑞夫斯分子……接待了罗斯柴尔德家族的人，而且……有时候……会表示对那些有一半德国血统的国际大资本家的支持，而德·杰尔曼特斯公爵本身就是这样的资本家的一个代表”。这让公爵感到很无奈：

> 阿方斯·罗斯柴尔德这些人尽管从来不谈这件令人讨厌的事情，但从他们内心深处来看，与所有的犹太人一样都是德瑞夫斯分子……如果一个法国人去偷盗或者谋杀，我不会仅仅因为他是法国人，就觉得有义务去为他洗脱罪名。但是犹太人从来不承认他们的一位同胞是一名卖国贼，尽管他们对此其实心知肚明，但他们对这种可怕的后果漠不关心（公爵自然而然地想到了这次可恶的选举）。

德瑞夫斯事件也暴露了政治左翼的类似态度。当一位名叫伯纳德·拉扎雷的犹太记者出版了一本支持德瑞夫斯的小册子时，他立即遭到了亚历山大·泽夫斯在《共和先锋》上的反击，说他是“罗斯柴尔德陛下的一名忠实的仰慕者”。

这样的情况在英国也存在。1900年6月，戴维·林德赛在他的日记里记录了他参加“由阿尔弗雷德·罗斯柴尔德和罗斯伯里共同为迎接威尔士王子而在赫特福德庄园举行的盛大聚会”。林德赛宣称：

> 在这座宫殿里的犹太人，数量多得令人难以置信。我曾经认真研究过反犹太人的问题，一直希望制止那种不光彩的运动：但是当遭遇一大堆的伊科海默尔、帕鹏伯格、拉斐尔、萨逊以及这个民族中的其他人的时候，我的感情变得更加理智而且感觉不公，顺便提一句，我对鲁格尔和杜鲁蒙特——约翰·伯恩

斯（工人领袖及未来的自由党内阁部长）所说的“犹太人就是附在我们文明中的绦虫”这样的说法深表同情。

然而，林德赛继续接受去瓦德斯顿和都灵的邀请。金融界的非犹太银行家偶尔也会发出类似的感慨，尽管他们没有办法不与犹太人进行交易。在维多利亚晚期的小说里，有大量有关犹太金融恶棍的生动描写：特罗鲁普的小说《我们现在的生活方式》里粗俗的梅尔摩特不是以罗斯柴尔德为原型写的，但是格拉姆塔尔男爵肯定是不会错的——“伟大的法兰克福百万富翁”略带“一点点外国口音”；在查尔斯·勒维尔的《达文坡特·邓恩》里面的那家在政治上无所不能的“公司”也确定无疑与罗斯柴尔德有关。

英国和法国在反犹太主义上的差异在于，英国似乎更多地给左翼提供了政治上的发泄空间，而给右翼的相对较少。当杜鲁蒙特还是一个屡遭挫折的正统宗教卫道士的时候，那些明确抨击罗斯柴尔德家族的英国作家大多是像约翰·伯恩斯那样的极端民族主义者似的新自由主义者。对这部分内容做了最好说明的是约翰·里夫斯的书《罗斯柴尔德家族：世界的金融统治者》（1887 年），该书给出了一个典型的结论：“罗斯柴尔德家族不属于哪一个固定的国家，他们是世界的……他们不属于哪一个党派，他们时刻准备着获取财富，不管是以朋友还是以敌人为代价。”4 年之后，《工人领袖》宣称：

罗斯柴尔德家族是一群吸血的人，他们是这个世纪以来欧洲所发生的数不胜数的麻烦和灾难的根本原因，而且主要是通过在那些从无过节的国家之间挑动战争来为自己积累大量的财富。无论在欧洲的什么地方出现麻烦，那里马上就会有战争的谣言四处流传，人们的心理就会因为对剧变和灾难的担心而发狂，这个时候，你可以肯定的是，一名长着鹰钩鼻的罗斯柴尔德就会在离骚乱不远的某个地方操纵他的把戏。

或许，这些事情中最吸引人的例子是偏左翼的自由党人J·A·霍布森，他是经典著作《帝国主义：一项研究》（1902 年）的作者。像那个时期很多的激进作家一样，霍布森认为布尔战争是由“一小撮国际金融炒家所引发，他们主要是德国籍的犹太人”，他们“随时都对全球的热点虎视眈眈……他们的收益不是来自于真实的产业成果，甚至也不是来自于其他的产业，而是来自于对相关公司的创立、推广和金融操纵。而且毫无疑问的是，他认为罗斯柴尔德家族是这一小撮人的核心”。确实，在后来的日子里，霍布森的立场脱离了这种在论战中支持更为正统的反对资本主义的反犹太主义阵线。但是，他这种巧言令色的风格成为了爱德华式的激进主义政治语言。我们将会看到，是罗伊德·乔治这位最激进好战的财政部长在为他1909年预算的辩论中，把纳蒂作为目标进行了一场人身攻击，尽管乔治本人在玛尔科尼事件中由于卷入了犹太金融家（伊萨克斯兄弟）的旋涡而遭到了右翼的谴责。

在美洲也存在反罗斯柴尔德主义的现象。自从19世纪30年代以来，罗斯柴尔德家族尽管在美国的经济影响力有限，但一直是政治上的攻击目标。不过与他们在19世纪90年代人民党全盛时期所受到的攻击比起来，他们在内战时期的遭遇简直就不值一提。人民党人从根本上反对美国进入金本位体系，以19世纪80年代的低谷物价格为借口煽动中西部地区农民的不满情绪。然而，他们对“欧洲和美洲的黄金赌徒”以及“国际黄金圈”的批评，不仅有很强烈的反犹太色彩，同时也有反英国的成分，其中相当重要的原因就是罗斯柴尔德家族伦敦银行在协助美国向金本位转型的贷款过程中所起到的重要作用。戈登·克拉克的著作《夏洛克：银行家、债券持有人、贿赂者、阴谋家》声称，在林肯和约翰逊时期的财政部长休·麦卡洛克和詹姆斯·德·罗斯柴尔德之间达成了一个交易：“在罗斯柴尔德和美国财政部之间的这项交易中最可怕的部分，不是金钱的损失（尽管金额高达数亿），而是这个国家把自己的命运交付在英国手上，而英国其实早就已经被英国的犹太人所掌控。”在《科因的金融学校》(1894年）一书中，哈维所描绘的世界被一条巨大的“英国章鱼”所缠绕，章鱼上面所写的名字是“罗斯柴尔德家族”(见图3.3)。在同一作者的小说《两个国家的故事》中，英国人策划的通过停止白银的货币流通功能来“摧毁美国”的主谋，

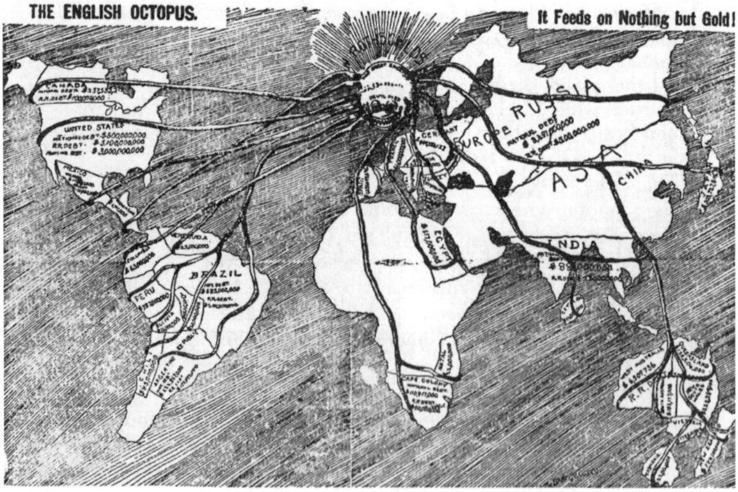

图3.3　哈维，《英国章鱼：它只吃黄金！》(1894年)

资料来源：哈维，《科因的金融学校》，第215页

是一位名叫“罗斯男爵”的银行家。当人民党的运动被民主党所接受的时候，这些指控成为了一堆烫手的山芋。民主党总统候选人威廉姆·詹宁斯·布莱恩不得不对犹太民主党人解释说，在攻击罗斯柴尔德家族的时候，他和人民党领导人并没有攻击一个民族，“我们要攻击的是那些贪得无厌的人，而与他的民族和信仰无关”。

有人可能会问，这种对罗斯柴尔德家族的攻击到底能有多大的伤害，因为他们在那富丽堂皇的宫殿里其实毫发无伤。不过，对罗斯柴尔德家族作为一个犹太资本主义体系的缔造者身份展开的阴谋，无可避免地激发了直接针对罗斯柴尔德家族成员的暴力行动。其中程度最轻的，要算是对纳蒂的儿子沃尔特的野蛮攻击，他在都灵附近打猎的时候被几个失业的工匠从马上拽了下来，而这种类似的“猎犹行动”，他的兄弟查尔斯随后也亲历了一回。严重一些的是当时的两次暗杀未遂事件。在1895年8月，一个邮件炸弹被送到了阿方斯在弗罗伦廷大街的寓所里；由于他不在家，又被转到拉斐特大街，并在那里发生了爆炸，把他的办公室主任炸成了重伤。《时报》这样评论道：“对罗斯柴尔德家族成员的一次无政府主义的暴行并没有引起人们太大的惊讶。在法国与在其他任何地方一样，他们是如此富有，地位又是如此显赫，因而很自然地会成为无政府主义者选择的袭击目标，而且当我们更加深入地考虑到在法国蔓延的那种强烈的反犹太人情绪时，我们感到惊奇的应该是他们怎么居然能幸免了这么长时间。”暗杀的威胁不仅存在于法国。1912年在伦敦，一个名叫威廉姆·特彼特的男子在里奥驱车离开纽考特的时候，用左轮手枪朝他连开了5枪，在他的车子上打了几个洞，并致使一名正在门口执勤的警察重伤。特彼特好像患有精神疾病（里奥显然对他也是手下留情了），不过这次事件也暴露了这个家族当时面对这种袭击时的无助与脆弱，因为新出现的手枪和手雷使暗杀变得比以前简单很多。

家族的回应

因为他们独特的社会地位——处于犹太人社区的相对顶层，而且与欧洲贵族的联系越来越紧密——罗斯柴尔德家族有时在谴责反犹太主义的时候并不只是谴责那些反犹太人的人，同时也谴责其他的犹太人。1875年，迈耶·卡尔告诉俾斯麦：“至于说反犹太主义的思潮，犹太人自己也应该负有责任，对于现在这种混乱局面，完全归咎于他们的傲慢、虚荣和难以言说的无理。”用现代的眼光来看，这似乎是很让人吃惊的说法，它表达了一种对更为广泛意义上的犹太人社区的不忠诚，而这种情况初看起来似乎与罗斯柴尔德家族成为犹太社区的世俗领袖的目标有着不小的冲突。而那名试图暗杀里奥的人（用纳蒂的话说）是“信仰跟我们一样的人”的这个事实，是非常关键的：在这个时期，犹太人内部之间的关系也非常紧张。

对罗斯柴尔德家族给予了很大关注的两大集团是“新富阶层”（那些在罗斯柴尔德家族之后新富起来的犹太人银行家和商人）以及——可能更为重要的——“东方犹太人”（人数更为众多的东欧犹太人，主要但不完全是来自于俄国），其中的250万人是在1881年刺杀亚历山大二世所引发的屠犹运动以及次年颁布新的歧视法律后西迁的。按照过去的标准，格尔森·布雷希罗德被认为特别讨厌，尽管我们有理由认为迈耶·卡尔对布雷希罗德的不满起码有部分是由于他们在业务上不和。

在1880年11月转发的一封有关德国反犹太主义的来自布雷希罗德的信函的时候，纳蒂告诉迪斯雷利：

> 毫无疑问，布雷希罗德本身就是引发犹太人迫害的原因之一，他那么频繁地为德国政府效力，以至于变得那么不知天高地厚，忘了自己其实只是“一颗被用来探路的石子”。
>
> 当然还有很多其他原因……其中之一就是那些处于饥饿状态的波兰籍俄国和罗马尼亚犹太人的涌入。
>
> 犹太人同时还拥有半数的报纸，特别是那些反俄国立场的报纸……我还听说冯·布雷希罗德夫人也相当令人讨厌，而且表现得很傲慢。

按照这些评论的意思，这些新的穷人在引发麻烦方面与那些“新贵”不分伯仲。

罗斯柴尔德对反犹太主义的回应不只是（像杜鲁蒙特所指责的那样）要求警方提高戒备水平，而且对他们的各处宅院设防，尽管发生了上面所说的暗杀企图之后，他们这样的做法也无可厚非。对于怎样才是转移或者减少反犹太人情绪的最佳办法，家族内部长期以来一直存在一种观点。

早在迈耶·卡尔在世的时候，罗斯柴尔德家族就已经开始了慈善捐款，不仅是捐给他们所属的犹太人社区，还捐给非犹太人的“善心组织”，作为赢得社会承认的一种有意识的安排。一些证据表明，第三代的有些成员在他们生命中的最后几十年间有忽略这种传统的倾向。然而，年青一代的罗斯柴尔德家族成员在19世纪80年代和90年代有意识地开始恢复这种做法，尽管在英国对公共服务和金融捐助并重；而且在所有的情况下，在传统的关注健康和教育之外，出现了新的为穷人提供住房的计划。

我们已经看到了费迪南德是怎样在他的妻子伊夫琳娜去世后以她的名义建立了一所医院。他的小舅子纳蒂也是身兼至少3家医院的总裁、爱德华国王七世医疗基金的财务部长和英国红十字会委员会的主席，同时还管理着在他的都灵土地上的被他称为“两级健康服务”的计划。在法兰克福，迈耶·卡尔和路易丝在他们的长女科勒门汀去世后建立了科勒门汀共济女童医院，同时也为城里的公共浴室捐款。最终，他们未出嫁的女儿汉娜·路易丝管理了大量的公共基金，包括迈耶·卡尔·冯·罗斯柴尔德卡罗琳娜姆公共基金，一家专业护牙医疗基金。维也纳的罗斯柴尔德家族也在这些领域做了大量的慈善捐赠：建造了一所综合医院、一座孤儿院、一所盲人学校以及一所聋哑人学校。内桑尼尔留下了巨额的财富，在都柏林和罗森胡格尔为神经衰弱的病患者建立了疗养院，而且他在雷城垴的宅院变身成为了一家医院。而在法国，阿道夫在一名日内瓦的外科医生成功地从一名患者的眼部取出了一块被射进去的金属片后，在巴黎建立了一家眼科医院，而与此同时，亨利在马卡德特大街199号建立了一家诊所。教育也是捐助的重点之一（与在法兰克福为博爱所做的没有什么两样）。除了卡罗琳娜姆基金外，汉娜·路易丝还建立了卡尔·冯·罗斯柴尔德公共图书馆（这家图书馆后来占据了位于乌汶特门凯的罗斯柴尔德宅院）以及以宣传艺术为目的的安塞尔姆·萨罗曼·冯·罗斯柴尔德基金。她的姐妹汉娜·马蒂尔德也是建立于1910年的新法兰克福大学的主要捐赠人。

另外，当时的另一个特点是，提供廉价住房变成了罗斯柴尔德博爱的另一个目标。在19世纪后期，出现了城市化进程提速的情况，其中整个欧洲大陆几百万人离开乡村涌入城市找工作。伦敦、巴黎、维也纳和法兰克福都面临这样的困境，虽然程度略有差异。尽管私人在住房上面的投资很大，但是生活在那个时代的人们无法不注意到那些遍布欧洲 “东区”的“贫民窟”的那种骇人的条件：房主人们都有把尽可能多的人塞进自己房子里的想法，但是几乎没有人想到为他们提供良好的卫生条件（这最起码需要找到让建筑商和地产拥有人共同行动的方法）。罗斯柴尔德对此做出的一个反应，是通过他们自己作为地主的模范作用来建立一个样板。纳蒂、里奥和费迪南德也有意把他们在白金汉郡的地产变成现代家庭式社区的样板，为住户们提供改善后的居所、自来水、会所以及其他设施。但是这些私人福利方面的试验（与同时期那些很大的德国工业康采恩所采用的方法比较类似）在那些罗斯柴尔德家族没有土地的贫民区没有真正的可推广性。

解决城市问题的第一步由巴黎罗斯柴尔德家族在1874年迈出，当时成立了一家名为租房基金（后来的罗斯柴尔德救济基金）的机构，每年拨出10万法郎给巴黎各区的区长，用以帮助那些无力支付房租的贫困家庭。30年后，另一个更大的“致力于改善工人物质生存条件”的基金以1 000万法郎的资本在第11区、第12区和第19区建设工薪阶层能够支付得起的居住区。这样的做法事实上是效法英国罗斯柴尔德的4%工业居住公司的模式，这个模式建立于19世纪80年代。

所有这一切都应该放到家族在犹太社区内以赞助人身份出现的开始做慈善事业

的大背景下来看，尽管其间存在的差异并不总是很容易区分，这一点我们会在后面看到。在欧洲大陆的罗斯柴尔德家族仍在继续建立专门的犹太慈善机构。例如1870年，詹姆斯·爱德华建立了伯克海滨医院，主要治疗骨科疾病。与此同时，埃德蒙重新改造了位于皮克帕斯大街的老犹太医院；除此之外，他和居斯塔夫各建立了一所新的犹太学校。在奥匈帝国，安塞尔姆于1870年在沃尔琳建立了一所犹太人医院。在法兰克福，不屈不挠的慈善家汉娜·马蒂尔德建立了一座犹太儿童之家，为患病的外国犹太人服务的乔金·萨拉·冯·罗斯柴尔德基金会，为犹太妇女服务的老年人之家（位于在热尔地区的罗斯柴尔德家族的老宅），在巴德·诺海姆的犹太妇女之家，同时还有一座为犹太穷人服务的位于巴德索登的疗养院，这是她在科尼格斯坦的夏宫附近的一个水疗城。在伦敦，犹太免费学校依然是最受关注的机构，犹太学院也是(只是受关注的程度稍低)。

然而，东欧犹太人的涌入带来了新的问题，而对于这些问题，那些老机构显得束手无策。不像大多数的非国教教徒，英国犹太人对于对非宗教教育的政府支持的覆盖没有太急迫的要求，原因是他们可以保持自己对宗教教育的公共控制。与此同时，纳蒂以及他的亲属抓住了对课外组织的需求。举个例子说，纳蒂的妻子艾玛为布雷迪街道青少年活动中心提供了年度经费的60%，这个组织于1896年在怀特契佩尔建立，目的是让那些年轻的犹太男孩子不要去干坏事。她的儿子沃尔特为建立于1901年的海耶斯工读学校捐了5 000英镑，该校是为年轻的犹太罪犯所建，这笔钱差不多占了支出总额的1/3。两年后，罗斯柴尔德家族和蒙特费奥家族联合建了一所类似的女子学校，并明确目标为改善处于工人阶级的女孩所受的宗教教育。这些努力所包含的精神实质可以从列昂内尔1905年6月28日在哈奇森工人子弟活动中心开幕仪式上的讲话看出来：

> 我们希望能照看隔壁邻居的年轻人，而且帮助他们在这个世界上健康成长，帮助他们避开那些在大街上所受到的诱惑、那些来自于音乐厅和酒吧的诱惑。我们想慢慢渗透到这些孩子们的雄心中，让他们为自己身为犹太人而自豪，而且也为自己身为英国人而自豪。(欢呼声）我们想要教会他们那种坚韧的如运动员一般的精神。

很难为文化的融合想出一个更加理直气壮的理由。正如纳蒂在1891年对联合公会委员会发表的讲话中所宣称的，“发展犹太社区的第一要务”是“使生活在伦敦东区为数众多的那些外国同胞英国化”。马克斯·彼尔波姆的漫画《泰特艺术馆的一个静谧早晨》暗示了罗斯柴尔德家族在“理解他们的外国同胞方面所遇到的困难”。画中的馆长“正在向一位委托人解释”一幅内容是关于身处一座犹太会堂内的一群东正教拉比的画所蕴涵的“美好精神向往”。那名正在提问的委托人蓄着精心修剪的小胡子，头戴着高帽，手提文明棍，显然是阿尔弗雷德，他看上去似乎并没有被说服（见图3.4）。

图3.4　马克斯 · 彼尔波姆，《泰特艺术馆的一个静谧早晨》，（1907年）

资料来源：鲁本斯，《漫画中的罗斯柴尔德家族》，XXI版

住房问题也期待着新的资助方式。在1884年5月，纳蒂应邀加入了贫民救济卫生委员会的理事会，专门致力于寻求为人口不断增长的居住在伦敦东区的贫穷犹太人佃户提供改善住房条件的方法，而伦敦东区，像斯比特菲尔兹、怀特契佩尔和古德曼斯菲尔兹这些地方，早在出现1888年碎尸者杰克的案件之前，就是臭名昭著的犯罪和卖淫之地。那一年为移民解决住房问题所迈出的第一步是建立了贫困犹太人临时庇护所，这里可以为单身男人提供最长14天的食宿，同时帮助家庭寻找住处。而由纳蒂领导的一家新的东区调查委员会也提出了建造更多永久性住房的建议——“租金在穷人能够负担得起的范围内的设施完备的住房”——主要通过建立以此为目的的住房公司，而这类公司在19世纪60年代得到了大力发展，甚至还得到了理查德 · 克罗斯1875年提出的《技工和劳工住房改善法案》的支持。纳蒂显然是受到了他垂危的母亲对这个事情的鼓励，他曾试图动员其他有钱的犹太人——包括列昂内尔 · 科恩、贵金属经纪人F · D · 莫卡塔、克劳德 · 蒙特费奥和塞缪尔 · 蒙塔古——的共同参与，但是到最后，成立于1885年3月的百分之四产业住房公司的4万英镑股本金中的1/4，还是不得不依靠罗斯柴尔德家族（另外一个主要的赞助者是由罗斯柴尔德支持的犹太人免费学校，这个学校在两年后借了8 000英镑给这个公司）。

百分之四产业住房公司并不是严格意义上的慈善组织，其公开宣称的目标是“用相当于每年所收资本4%的净红利的最少租金，提供尽可能多的住所”，而这种方式推出的公寓所表现出来的“骇人的功利主义”遭到了现代社会历史学家的谴责。然而，这种固定收益与那些纯商业性操作、以地主获取更高额回报为目的的做法之间的差异是巨大的，而且也可以看成是某种类型的补贴：这些公寓相对于它们所取代的那些贫民区毫无疑问是一种改善。在首批认购的消息公布后两个月，纳蒂在弗劳尔和丁街（位于斯比特菲尔中心区的商业街附近）以 7 000 英镑的价格从都市工厂委员会买了一块地。这座 7 层楼的简朴建筑由犹太建筑师N · S · 约瑟夫设计，1887 年 4 月正式建成投入使用，并且以夏洛特的名字命名。建筑内部的户型非常紧凑，可以提供给 228 个家庭使用（住房 477 间）。公司继续在布雷迪街建了一座类似的建筑，而且在弗劳尔和丁街又购入了第二块地，在 1891~1892 年建起了“内桑尼尔公寓”。

当然，如果把所有这一切都单单看成是对于日益高涨的反犹太主义情绪所做出的反应，那就大错特错了：作为犹太人，罗斯柴尔德家族将慈善工作看成是一种宗教义务，而且这种动力又由于维多利亚时代的自由主义风气而得到了进一步加强。我们仅举安东尼的女儿康斯坦丝的例子来说，她是全国女工联合会的总裁、女士行为规范组织全英妇女戒酒协会的行政管理人员、制止虐待儿童协会的活跃的理事，以及内务办公室委任的监狱监督员，这些活动是所有的自由党国会议员的妻子都会很乐意参与的。无论如何，像她的婶娘夏洛特一样，她对这一类的工作也是乐此不疲。她对于犹太人组织的参与也同样积极，甚至更为积极，例如犹太妇女联合会、穷人救济会女士联合访查委员会，以及犹太妇女防范及拯救工作协会（后更名为犹太人保护女童及妇女协会，这个组织的宗旨是拯救“失足妇女”，比如未婚妈妈和半公开的妓女，并防止其他工人阶级的犹太女孩走上同样的道路）。这是夏洛特在 19 世纪 50 年代和 60 年代已经建立起来的一种活动模式，而且这种活动显然给她和康斯坦丝带来了一种与他们的男性亲人从“账房”中或者政治上所获得的成就几乎一样的满足感。艾玛也是一位“身不由己”的慈善家：在 1879 年，她有记录的个人慈善捐赠就不下 400 次，而且还在都灵地区办了 177 件“好事”，包括参与教会女童联合会、青年女子基督教协会以及都灵少年禁酒联合会。

毫无疑问，这些工作存在某种“防御性”的考虑。从某种程度上来说，很重要的一点就是表明可以依靠富有的银行家的自愿捐助来解决某些正在滋生蔓延的社会问题。正如我们将要看到的，这一点非常关键，因为越来越多的在政治上左倾的政治家认为，政府应该对收入和财富的分配进行直接干预；尽管新自由党人在世纪之交的提议比较温和，但是罗斯柴尔德家族与那时期的富人一样，普遍对任何直接税收的增加都表现出强烈的不满——特别是那些动机是针对提高工人阶级的生活水准而提出的税收。罗斯柴尔德的论据是“资本”必须免除税收，以便能够得到积累；只有这样，经济才能增长，也才能期待更多的就业和更高的薪水。作为回报，可以依靠富人在自愿的基础上对保护穷人的切实需要进行捐赠。我们觉得值得在此稍作停顿，来对这个捐赠到底有多大作用进行一个大致的评估。阿方斯的遗嘱提供了一个很好的范例，因为他做了一个很大金额的慈善遗赠，总值大约为63.5万法郎，然而，这只相当于他免税留给他的儿子爱德华的罗斯柴尔德合伙股份（1.35亿法郎）的不到0.5%。当然，这没有考虑阿方斯生前捐给慈善事业的巨额捐款，因此对于他的收入在这方面的支出所占比例的确定，还需要进行更进一步的研究。无论如何，这总是反对高税收的保守派的论据中一个明显的弱点，这种说法认为，总体来说，私人慈善捐款在世纪之交的时候达不到传统的10%的水平。

具体到犹太人慈善事业的情况，当然还存在更进一步的动机：他们意识到应该加速对新近到达的东欧犹太人的“英国化”步伐。当然，不会再有像罗斯柴尔德家族及他们的那些表亲们在18世纪和19世纪初所能得到的那种快速融入当地社会的那些机会。不管怎么说，他们到达英国的时候本身已经相对富裕，而且也受到过良好的教育；而在19世纪到来的东欧犹太人中，绝大多数都是贫穷的工匠。在这个背景下特别令人心惊胆战的时刻是1888年的东区裁缝大罢工。对于纳蒂这样强烈的反社会主义分子，这种在犹太人社区内部爆发的严重的行业纷争让他感觉非常不舒服。他和塞缪尔·蒙塔古两人都急急忙忙站出来进行调停，希望能够在两边弥合分歧，尽管我们很难想象纳蒂对东区工人内部之间的关系能有多少了解。他们的干预反映了犹太精英们对扼杀任何在东区内部冒头的激进思想的迫切要求：在他们的面前已经摆着俄国这个活生生的例子——在那里对犹太人的任何迫害通常都在革命运动中假借着无数被夸大的事实。

批评家们有时候提出来的一种对罗斯柴尔德的善举的批评是，百分之四产业居住公司根本没有促进融合，反而是在鼓励建立新的犹太人隔离区。因此，有人指出在夏洛特·德·罗斯柴尔德大楼里95%的租户是犹太人，但这其实是一种误导。在1890年2月18日的董事会议上，大家一致同意在公司的布雷迪街住宅中，“力争达到基督徒租户对犹太人租户的比例实现33%~40%”。1899年，在公司的东汉姆项目中，预留了建造非犹太人礼拜场所的位置，“以使这个项目不再成为犹太聚居区”。根据1904年的数据统计，尽管夏洛特·德·罗斯柴尔德大楼居住的主要是犹太人家庭，但是位于斯托克纽温顿楼群中的那瓦林诺大厦1/3的租户却都是非犹太人。在1911年，公司的坎贝威尔项目（伊夫琳娜大厦）则根本就没有犹太人。

当然，解决移民引发的问题的另一个办法是停止移民。然而，当限制移民的这种想法首次在19世纪80年代浮出水面的时候，罗斯柴尔德家族以及他们的圈子立即就显得有些手足无措了。用罗斯柴尔德的建筑师N·S·约瑟夫的说法，“那些提出不接收的说法与那些主张驱逐的说法其实本质上并没有什么太大的不同”。当反移民运动的倡导者阿诺德·怀特在1891年写信给纳蒂的时候，他对遭到立法院拒绝（尽管不是没有资格）是这样说的："我同意你的意见，外国人大量涌入，很有可能因为他们缺乏相应的能力和精神上的疾病的原因，使他们成为社会的负担，因此这种情况应该是最不受欢迎的，而且应该避免。我没有理由认为这些人大量来到这里就能够证明法律的公正。"无论如何，在世纪之交，保守党国会议员中认为需要对移民进行控制的人数越来越多，这种情况把纳蒂——已经是一位坚定的党员——置于了一个很艰难的境地。在1900年的选举中，纳蒂在他东区的机构支持两位候选人（代表斯特普尼的威廉姆·艾登·伊万斯·戈登爵士和代表怀特契佩尔的戴维·霍普·基德）的时候，就遭遇了很大的尴尬，因为这两人是限制移民理论的支持者。当肆无忌惮的攻击性竞选言论出现在《犹太新闻》上之后，他觉得有必要去东区的圣乔治地区打压一下工会联盟候选人托马斯·德沃尔。

在伊万斯·戈登的煽动下，移民问题被提到了皇室的一个委员会上，而纳蒂从来没有掩藏自己反对"拒收"的立场。作为这个委员会的成员，他当然是首当其冲被要求去作证的人。这些人中的大多数（包括阿诺德·怀特）特别提到说正是罗斯柴尔德的慈善行为像"磁石"一样吸引了移民，因此，他觉得自己有必要做出回应。纳蒂与委员会里的大多数人意见相左，他的报告提倡的是禁止"不受欢迎"的移民入境或者是将其驱逐，他对"不受欢迎"的移民的定义是：罪犯、心智残疾、传染病患者以及"臭名昭著的坏蛋"。在这份仅有少数人支持的报告中，纳蒂强烈地抗议说，这样的立法"会影响那些确实需要移民而且工作勤恳的人，他们刚到来时的贫穷的处境不应该作为他们没有能力获得自立的评判标准"。对于他来说，最理想的状况就是"在犹太人免费学校接受了初步教育的犹太小孩"在1908年成为了剑桥的数学优等生的案例的情况。"这位年轻的数学家的父亲早年从敖德萨逃了出来。我相信他过去通常都只能在很小的犹太人会堂里祈祷。他现在是一家小型裁缝店的领班，在那里他获得了较高的薪水，并且在一家小型的犹太人儿童学校任教。这样的一个孩子，"他评论道，"应该有可能为俄国作贡献，我希望他在这里也能做得很好。"

他的儿子沃尔特回应了这种观点。他认为："大不列颠应该成为那些在其他国家受到压迫和不公正对待的人的庇护所，只要这些人仍然是正派的，而且勤奋工作。"但是，纳蒂对1904年提出的议案的反对，以及他对自由党在1905年的补选中对迈尔·恩德议案的批评倾注全力的支持，仍然无法阻止法案在那年的年末表决通过。他宣称，这个法案建立了"一个警察干预和监视的讨厌的体系，以及护照管理和专横的武力体系"。然而，他也不同意代表委员会里其他成员所希望的对废除这个法案所进行的诉求，他认为，重新开启的辩论可能会起反作用，因此，他寄希望于政府在实施的时候能够采取比较温和的手段。否则的话，阿诺德·怀特就不会针对《1905外国侨民法案》说“首相及英国内阁……看着罗斯柴尔德家族的脸色更改了他们的政策”。

想让人倾向于接受移民问题还有两种其他的途径。一个是说服俄国政府停止他们对生活在俄国的犹太人所采取的歧视政策。这是大多数俄国犹太人所希望的，他们相信罗斯柴尔德家族凭借其金融杠杆，可以迫使沙皇政府修改他们的做法。事实上，从犹太人难民区里传出来的各种故事，比如《沙皇在罗斯柴尔德的城堡》，使罗斯柴尔德在人们眼里有了超自然的能力，而且人们在文学作品里梦想着他能够教训一下沙皇。由于拥有“所罗门王的御玺戒指”，罗斯柴尔德变成了“一位可以控制各国国家命运的人”，他生活在一个巨大的宫殿里，“那里有数不清的黄金，由巨人战士守卫着”。如果沙皇接受邀请在罗斯柴尔德的城堡中过一夜，他将会看到犹太人的光辉历史。在这样的一个故事里，有着希伯来法宝神话的痕迹。然而，正如我们将会看到的，能就这个问题在圣彼得堡发挥杠杆作用的更多是金钱而不是魔法，但外交因素使得罗斯柴尔德很难做得比争取取消排犹政策更进一步。

另一个可能的做法是让尽可能多的新到达的人继续往前走。这实际上是犹太人社区很多年以来一直在实践的一个做法。在1867年，穷人救济委员会代表“海姆·科恩·哈海梅克”给纽考特写了一封信，说“这位非常值得帮助的”希腊商人遗失了8 000英镑，而且他希望回到希腊，罗斯柴尔德家族给了他100英镑。几乎与此同时，阿尔弗雷德建立了东区移民与救济基金。仅仅在1881~1885年，大约有2 301个家庭在这个计划的资助下返回了东欧。在此期间，纳蒂资助了200个希望离开英国前往加拿大的家庭。1891年，他成了莫里斯·德·赫希在法国建立的犹太人殖民协会的8个创始股东之一，这个协会是一家帮助犹太人从俄国向阿根廷移民的机构；而且他个人提供“4万英镑前往南非的交通费，在那里选择适合进行农耕的土地，而且有优良的出海口。受资助人是在俄国犹太人中精心挑选出来的，家庭数量为400~500个，而且是那些能证明他们在农业生产方面有成功经验并能吃苦耐劳的家庭”。“移民”转口的问题在1905年再度出现，当时来自俄国的移民家庭数量急剧上升。纳蒂在上一年对皇室调查委员会所做的评论指出，他将会支持在某种特定的条件下“转口”移民。

但是，犹太人能否回到在《圣经》中提到的他们起源的地方去呢？罗斯柴尔德家族可能利用他们的财富在圣地上重建耶路撒冷犹太王国的想法早在19世纪30年代的时候就已经出现了，隔离区内也有这种想法：“罗斯柴尔德是否是一位合适的亲王……去重新召集四处散落的以色列人回到上帝对他们允诺过的土地上，继承大卫王的王庭？”然而，尽管这个家族自从大马士革事件后就开始关心中东地区的犹太人，并且持续不断地为生活在耶路撒冷的犹太人的教育和其他机构捐款，但是在很久之后，罗斯柴尔德才开始严肃认真地考虑在巴勒斯坦建立犹太殖民地的可能性。詹姆斯最小的儿子埃德蒙1882年在世界以色列人同盟中央委员会的扎多克·卡恩和迈克尔·艾兰格尔的影响下，也开始对这个想法表示出兴趣。这两个人把他介绍给了塞缪尔·莫希勒维尔，他是一位流浪拉比（当时在俄国），他想把一队犹太农民从白俄罗斯移民到巴勒斯坦去；而且侯赛夫·费恩伯格需要金钱资助已经建立起来的位于迦法以南的“锡安先锋”殖民地（现在的特拉维夫）。当埃德蒙给了费恩伯格25 000法郎在锡安先锋钻井找水的时候，在这个地区的其他居住者也受到了鼓励，都开始向他提出申请，包括居住在卡梅尔山附近的萨马琳（后来的热克然·亚阿科夫）的一队罗马尼亚犹太人，他们表示他们希望的不仅是来自著名的罗斯柴尔德家族的金钱，还包括领导。

埃德蒙热情地做了回复。按照他告诉塞缪尔·赫希这位“密可维以色列”农业学院院长的，他的目标是“建立一个未来定居点的样板，有点像是一个居住点的核心区，围绕着它，可以逐步建立起其他的定居点”。所有新加入锡安先锋的新定居者必须签署一份申明，宣布“自己完全服从管理当局认为有必要以男爵先生的名义发布的有关土地开发及服务的所有命令，如果要对我采取任何行动，我自己均无权反对”。在这个显而易见的独裁基础上，埃德蒙命令莫希勒维尔的定居者在艾克然（后来重新命名为玛兹克雷特·贝蒂亚，用以纪念他的母亲贝蒂）进行葡萄种植。另外还有在罗西·品纳进行的丝绸生产试验，以及香水和玻璃生产，另外还有大量的犹太会堂、学校和医院——所有这一切都由男爵的“官员们”进行监管。尽管他始终坚持他所做的这一切不是慈善，而是建立一个在经济上可以自我持续发展的定居点。埃德蒙高度家长式的做法不可避免地产生了现在所说的“依赖文化”。到1889年，尽管投资总额达到了160万英镑，还是出现了很多经济失灵的迹象。尽管他在1900年把管理权移交给了犹太人殖民协会，默认了需要在更大范围进行的地方自治，但他仍然继续在犹太人殖民协会巴勒斯坦委员会主席的职权范围内以他们的银行家的身份发挥影响。到1903年,28个在巴勒斯坦的犹太定居点中的19个都部分地或者全部地接受他的补贴。完全算起来，他在定居点上总共花了有560万英镑。

埃德蒙的殖民冒险不应该等同于那种目标是建立犹太国家的具有犹太民族主义色彩的锡安主义，也不应该认为英国罗斯柴尔德在犹太殖民过程中有什么样的私人利益。在1890年，纳蒂（与伦敦社区其他的知名人士，比如塞缪尔和科恩一起）出席了英格兰科维维锡安协会的开幕大会，这个协会团结了在1883年针对俄国排犹浪潮在当地所形成的各家锡安信徒组织。里奥对以色列—赞格威尔的犹太疆界组织提供了支持，该组织试图在美索不达米亚（伊拉克和库尔德斯坦）建立犹太殖民点。但是这一代的罗斯柴尔德家族成员中没有谁会真正支持在中东建立犹太国家的想法；事实上，埃德蒙明白无误地告诫定居者，应该寻求土耳其的国籍。阿尔伯特更是表现得毫无兴趣，他在 1895 年接到了一份申请，毫无疑问来自一个异常啰唆的笨蛋，提出的要求更是让人啼笑皆非——10 亿法郎，而且还不能少。

到了 1895 年，维也纳的剧作家和记者希奥多 · 赫泽尔确信“犹太人问题唯一的解决办法”是离开欧洲寻找他们自己的“犹太人乐土”，遵循希腊人、意大利人、日耳曼人以及其他民族在 19 世纪时所走过的道路，建立自己独立的民族国家。找到赫希这位同情的听众后，他进行了一系列的尝试，试图赢得罗斯柴尔德家族的支持，因为他相信他们会考虑将他们那没有外人知道的巨额资产“变现”，作为对他们所遭遇的反犹太人思潮攻击的应对，而他可以为他们提供一个“历史性的使命”供他们去投资。但是，尽管经过了维也纳总拉比伽德曼恩的居中协调，赫泽尔致“罗斯柴尔德家族委员会”的信还是一直没能发出。他甚至没有从阿尔伯特那里得到对他第一次尝试的任何答复，因此苦涩地总结说，他的信“不应该摆到罗斯柴尔德家族的面前，因为他们是粗鄙、傲慢而且自私自利的人”。相反，他应该通过动员犹太群众，发动“一场反对那些有权有势的犹太人的战斗”。

这种从讨好到挑衅的转变，是罗斯柴尔德家族那些商务联系人中普遍存在的典型特点。巴伐利亚的路德维希二世国王在罗斯柴尔德家族拒绝了他为他那疯狂的童话城堡申请的贷款后的反应也是如此：他告诉他的仆从去抢劫法兰克福的罗斯柴尔德银行。然而，赫泽尔从来没有放弃获得罗斯柴尔德支持的希望。在 1896 年的 5 月份，他想方设法试图通过巴黎的总拉比扎多克 · 卡恩获得一次给埃德蒙陈述的机会，甚至提出如果埃德蒙能够同意出任领导，他将放弃他自己所创立的运动的领导权。但是当埃德蒙说他认为赫泽尔在土耳其领土上建立国家的想法对他自己的殖民计划是个威胁的时候，赫泽尔转变成了敌对的态度。一年之后，他宣称他们“对于犹太人来说是一大不幸”。他在 1896 年 8 月试图获得一次与埃德蒙会谈的机会，然而结果只能是面临一次更大的失望。到 1898 年，他得出结论说，埃德蒙弱智，因此他应该去请求更有财力的阿方斯——这个说法通过他在 10 月份对锡安信徒的访问得到了证实。

开始，他在伦敦没有获得任何进展。1901 年时，纳蒂甚至都不愿意见他（尽管有他的表妹巴特锡夫人的求情），而且当赫泽尔在 1902 年就有关移民的事宜在皇室调查委员会上作证时还发生了冲突。在那一次交锋之后，纳蒂清楚地说明他会“对建立简单纯粹的犹太殖民地的观点感到恐惧”。他宣称：“我弄清楚了一件事，那就是巴勒斯坦之梦是一个神话，而且虚无缥缈。”里奥也反对赫泽尔式的锡安主义。只是在赫泽尔改变了他的战略，认为在西奈的任何犹太人殖民地都可以是大英帝国的一部分的时候，纳蒂才开始表现出了兴趣，把他介绍给了约瑟夫 · 张伯伦。他的支持在赫泽尔生命晚年时出现了显著的增长，尽管他们的英国犹太人在西奈的殖民计划由于外交障碍，最终没有取得任何进展。

为什么罗斯柴尔德家族对赫泽尔提出的“犹太国家”的概念开始如此不当回事？部分原因是，尽管他信誓旦旦地说他们会从对他的支持中获得经济和其他方面的好处——他甚至提出新国家的首任民选“王子”为一位罗斯柴尔德人——但赫泽尔的有乌托邦特征的银行体系很难对他们有什么吸引力。事实上，赫泽尔曾经有一种狠毒的倾向，如果他们反对他，他打算把对利他主义的声明与“清算罗斯柴尔德家族”或者“发动一场残酷的运动”结合起来。当然，还有其他更重要的反对理由，而且赫泽尔自己公开地承认，如果要建立一个犹太国家，势必鼓励那些反犹太人的组织对现有的已经归化了的犹太人的国家身份认同问题提出质疑。纳蒂是一名英国犹太人，正如阿方斯是一名法国犹太人，而阿尔伯特是一名奥匈帝国犹太人一样。他们并不赞同赫泽尔的悲观和预言式的观点——受《新自由杂志》对德瑞夫斯事件的评论的启发——这样的公民权利可能会在某一天被反犹太人的政府取消。他们不仅没有把锡安主义看成是“对解决犹太人问题的一个答案”，反而把它看成了对他们地位的威胁。对于罗斯柴尔德家族来说，描述他们的漫画似乎更能说明问题——这已经不是第一次了——作为离开德国的王廷的一部分，他们深受困扰，就算他们已经到达他们自己私人轮船的船坞边（见图 3.5 和图 3.6）。这样一种大规模移民的景象，无论是朝向圣地或者（按照反犹太人的漫画中所幸灾乐祸地描绘的）朝向海底，所代表的不可能比否定他们家族自内森起在一个世纪以前以一名外国移民的身份进入英国以来所获得的社会地位更让人无法接受——那种在很多犹太人眼里看起来的王权、在大多数异教徒眼里看起来的贵族身份，但最根本的还是他们出生的国家所赋予他们的公民权利。就后来来看，我们可以看到赫泽尔是一个预言家。在他死后不到半个世纪，德国、奥匈帝国

图 3.5　克里斯丁 · 肖勒，《犹太人在世界各地寻找合适的地方建立共和国》

资料来源：赫丁，《漫画中的罗斯柴尔德家族》，插图 26

和法国的罗斯柴尔德家族全部都成为了他所预见到的反犹太人大屠杀的牺牲品。但是同样也很容易看出他的观点在当时看起来古怪而且危险的原因。

图 3.6　《犹太人滚出德意志！》《政治宣传画》第 17 卷（1895 年）

资料来源：赫尔丁，《漫画中的罗斯柴尔德家族》，插图 27

如果投资者的特殊利益无法与公众利益调和，就会引发破坏性的政策，然而更加危险的是金融家们的那些特殊利益……这些重大的生意——银行、经纪、票据贴现、贷款的浮动利率、公司创办——形成了国际资本主义的核心部分。经营这些生意的机构坐落在每个国家的商业中心，通过最强大的组织联系紧密团结在一起，只要他们还对欧洲有兴趣，就总是能够通过最近的距离和最快的速度保持着相互之间的联系。这些业务主要通过一个人和一个奇特的家族进行操控，而他所代表的是几个世纪积累起来的金融经验，他们居于一个独一无二的位置对国家的政策进行操纵……是否有人认真考虑过这个问题：如果未经罗斯柴尔德的银行及其关联的企业的同意，有哪个欧洲国家有能力发动一场大战，或者是进行一份巨额的国家贷款认购？

每一个大的政治行动都牵涉着新的资本流动，或者引起现有投资的价值出现波动，因此必须取得这一小部分金融之王的批准和实际的支持……作为投机者或者金融交易商，他们控制帝国主义经济体系中最关键的那些单个因素……他们那些很大的生意中的每一个条件……都把他们抛向帝国主义一边……没有哪一场战争、哪一次革命，甚至哪一次无政府主义者的暗杀活动或任何其他公共恐慌，没有让这些人赚得盆满钵满，他们贪婪而残酷，从每一次突然的公共信用的骚乱中充分地榨取他们的收益……这些银行的财富、他们的业务规模以及他们世界性的组织，使他们成为了经济政策最主要的制定者。他们在帝国主义世界里的生意拥有最大、最明确的赌注，把他们的意愿强加到国家政策之中的最合适的方式……金融是……帝国主义引擎的调节器，它引导着动力的方向，决定着工作……

J·A·霍布森，《帝国主义：一项研究》

1902 年

第四章

“站在帝国主义一边”（1874~1885 年）

衰退是一个相对的概念。与1880年前在国际金融资本市场上的统治地位比起来，罗斯柴尔德家族无疑在此之后出现了衰退。与那些竞争的银行相比，他们的利润相对较低而且发展不够快。然而，如表4–1所示，罗斯柴尔德家族就算是在第一次世界大战之前，也是绝对的一支强大的金融力量。N · M · 罗斯柴尔德公司从资本金方面看仍然是伦敦金融城里无可匹敌的最大的私人银行。如果人们能记得罗斯柴尔德家族伦敦银行只是四家罗斯柴尔德银行之一的话，那么对这种统治地位所留下的印象就应该更加深刻了。图4.1显示了罗斯柴尔德银行按照后续的合伙合同计算出的合并资本金。1874~1887年，合并资本金从3 440万英镑上涨到了3 800万英镑，而在1899年则达到了最高峰时期的4 150万英镑。在1904年，合并数据取消的前一年，这个数字仍然高达3 710万英镑。如果资本金没有在1898年后被提走，总资本应该已经超过了4 500万英镑。这使得N · M · 罗斯柴尔德公司不仅是伦敦最大的私人银行，而且也是世界上各类银行中的翘楚。在1881年，有71家不同的信托企业在巴黎交易所报价，总的实缴资本金为14.9亿法郎；合并的罗斯柴尔德银行自己拥有的资本金差不多有10亿法郎，而且罗斯柴尔德家族巴黎银行——5.9亿法郎的资本金——仍然是法国最大的银行之一。在1913年，5家德国最大金融机构（达姆斯塔德、贴现公司、德意志银行、德雷斯德纳尔银行以及柏林亨德尔银行）的总资本为8 700万马克（4 300万英镑）——并不比10年前罗斯柴尔德银行的合并资本金多多少。

当然，罗斯柴尔德银行资产负债表上的数值远远小于那些大型的股份合作制银行的报表。最大的英国清算银行米德兰银行拥有的存款总值在第一次世界大战爆发前夕为 1.25 亿英镑，而罗斯柴尔德银行的相应数据（资产减去资本）只是 1 400 万英镑。对于德意志银行——1914 年时德国最大的银行来说，这个数字是 7 400 万英镑。但是这个数字其实比较缺乏可比性。罗斯柴尔德家族从来没有对吸收存款表现过兴趣，他们主要关注的是以他们的资本为基础承接大型的债券发行，以吸引外面的资金直接进入新的证券领域，而不是吸引存款。

表 4–1 N·M·罗斯柴尔德公司与其他商业银行的资本金及承兑金额，1870~1914 年

（单位：百万英镑）

	资本金	资本金	资本金	承兑金额	承兑金额	承兑金额
N·M·罗斯柴尔德公司	5.90	7.07	6.37	0.91	3.44	1.31
巴林兄弟公司	1.63	1.02	1.02	6.70	3.89	3.72
Wm Brandt 父子公司	0.18		1.00	0.10	0.70	0.72
布朗与席普利公司	1.20		0.78		4.50	5.10
A.Gibbs 父子公司			1.22		0.88	1.17
C·J·哈穆布罗	0.63	0.04	1.00	0.98	0.84	1.34
Fr. Huth 公司	0.50	0.60	0.75			3.30
克林威兹父子公司	0.84	1.19	4.42	2.10	5.40	8.50
拉扎德兄弟公司	0.60*	1.20	1.00			
J·H·施罗德公司	1.69	1.24	3.54	3.22	4.00	5.82
J·S·摩根公司+	1.80*		1.00		4.20	
Seligman 兄弟公司	1.35		3.00			

*估计数值

+1910 年来自 Morgan,Grenfell & Co.

资料来源：RAL，RFamFD/13F; Gassis,*City*, p.33; *idem, City bankers*, pp.31f; Kynaston, *City*, vol. Ⅰ, pp. 312f; vol. Ⅱ, p.9;Chapman, *Mercbant banking*, pp.44, 55, 121f., 200f., 208f.; Roberts, *Scbroders*, pp. 44, 57, 527-35; Ziegler, *sixtb great power*, pp.372-8; Wake,*kleinwort Benson*, pp.472f.

罗斯柴尔德家族与其他竞争对手的另一个不太引人关注的差异，是他们的盈利水平相对来说显得较低。表 4–2 给出了金融城里 6 家主要银行数据的比较。结果表明，罗斯柴尔德家族伦敦银行的平均盈利水平从 19 世纪 70 年代的 9.8% 下降到了 1900~1909 年的 3.9%。罗斯柴尔德家族看上去经营得非常稳健：凭借他们从上一辈人手里继承下来的巨额资本积累，纳蒂和他的兄弟们显然没有感到有什么压力要去获取像巴林银行或者施罗德那样的高额利润，更不用说是像米德兰银行那样的股份合作制银行。1890~1914 年承兑业务的数据也表明罗斯柴尔德家族伦敦银行落在了克林威兹、施罗德银行和摩根·格伦菲尔后面，而且，在 1910 年之后，甚至被布罗涅德兹和哈穆布罗赶超。1890~1914 年，N·M·罗斯柴尔德公司的平均年承兑金额为 270 万英镑，

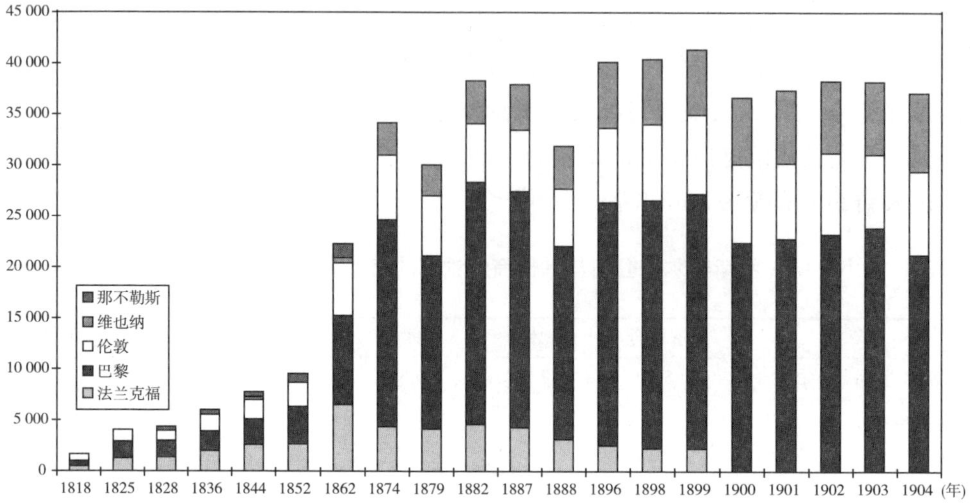

图 4.1　特选年份罗斯柴尔德合并资本数（单位：千英镑）

而巴林银行是 560 万英镑，施罗德公司是 720 万英镑，克林威兹父子公司是市场的领导者——900 万英镑。资产方面，目前可以找到的资产负债表的数据表明，巴林银行和施罗德公司在 1914 年前的 10 年间快速赶超了N · M · 罗斯柴尔德公司。在 1903 年，纽考特的资产总额是 2 500 万英镑，而施罗德公司是 1 030 万英镑，巴林银行是 990 万英镑。10 年之后，罗斯柴尔德家族的总资产几乎没有什么变化，而施罗德公司的资产负债表上增加到了 1 910 万英镑，巴林银行的数据也上升到了 1 580 万英镑。

说明出现相对衰落的另一个指标是这样一些事实：从个人财富的角度说，罗斯柴尔德家族已经不再是特例。纳蒂在他那一辈的英国罗斯柴尔德成员中是最富有的（在他于 1915 年去世后留下了 250 万英镑），但是在 1890~1915 年，至少有 13 名英国百万富翁留下的财富跟他一样多，甚至比他的还要多。在大洋的彼岸，小摩根在 1890 年去世的时候留下的财富已经达到了那个数字；当他的儿子皮尔庞特在 1913 年去世的时候，其资产的净值估计已经达到 6 830 万美元（1 400 万英镑），这些还不包括他的艺术藏品，如果把这部分包括进去，其财富应该接近 2 400 万英镑。可以想象，在 1901 年的时候，摩根的合伙人克林顿 · 道金斯感觉有点不可想象：

> 老皮尔庞特 · 摩根及其公司在美国所处的位置远比罗斯柴尔德家族在欧洲的位置更为突出……合并起来看，摩根在美国和伦敦的资本总和大概不会比罗斯柴尔德家族差太多，但是比后者更有扩张性，也更活跃，而且融入了这个世界的伟大发展进程之中。老摩根已经是 60 岁的高龄……他的后面有……年轻的摩根——还不到 40 岁，正在做着成为伟大人物的准备；还有我自己。罗斯柴尔

德家族除了经验和老纳蒂的声望外，没有什么新的东西……因此，如果我们能继续保持并能有一到两名优秀的人才来帮助我们，在随后的20年间就有可能看到罗斯柴尔德家族陷入衰退，而摩根集团则鹤立鸡群。

然而，上面这种情况的出现需要有一些条件。首先，如果考虑1830~1869年的数据，N · M · 罗斯柴尔德公司1879年后的表现事实上并没有明显比之前的时期差。19世纪70年代是一个特殊的时期，这个时期之前和之后的那段期间的情况并没有太大的差异。因此，通过跟过去的情况比较来说衰退就存在误导的嫌疑。第二，通过继续采用稳健的手段，罗斯柴尔德家族非常安全，而这段时间巴林的做法代表了完全不同的风格。表4–2的数据也反映了这个时期内由于1890年的危机导致的竞争对手的收缩情况。巴林的高利润部分原因是由于它那种高风险、相对狭窄的投资策略。

罗斯柴尔德银行合并后相对较低的利润率和它的经久不衰，让人不由得想到弗雷德里希 · 根兹早在1827年就给出的解释，他认为罗斯柴尔德经营理念中的两个根本原则是：

他们从不追求过分的利润，在所有业务中他们都限定了明确的范围，无论人们多么聪明和谨慎，他们从不心存侥幸。这其中深藏着他们力量的一个主要秘密。毫无疑问的是，在那些他们说了算的情况下，他们完全可以在这个或那个项目上获取远高于他们所获得的收益。而且，就算这样做不至于影响到他们业务的安全，他们也会通过把他们的资源分散到大量能持续进行的交易中使他们最后的所得减少，但是这些分散出去的交易无论在什么（经济）条件下都能够不断地重复。

表4–2 6家主要伦敦银行的资本利润率，1830~1909年（10年平均数，%）

	罗斯柴尔德	巴林	施罗德	克林威兹	摩根	米德兰
1830~1839	5.9	15.5				
1840~1849	1.8	13.3				16.3
1850~1859	4.9	21.3				17.9
1860~1869	7.0	27.6	10.6			22.2
1870~1879	9.8	11.9	11.6		15.1	21.9
1880~1889	7.5	13.6	6.3	4.0	5.2	19.8
1890~1899	4.6	13.6	7.5	4.1	7.8	24.3
1900~1909	3.9	27.1	10.5	3.6	4.7	22.8

注：不同公司对资本和利润的定义有所不同

资料来源：RAL,RFamFD/13F;Roberts,*Schroders*,pp.44,57,99,527-535;Ziegler,*Sixth great power*,pp.372-378;Wake,*Kleinwort Benson*,pp.472f.;Burk,*Morgan Grenfeu*,pp.260-270,278-281;Holmes and Green,*Midland*,pp.331-333.

另外，罗斯柴尔德在承兑市场上落后于施罗德和克林威兹这样的事情也不能说成是衰败的迹象：就算这些数据准确无误，罗斯柴尔德家族也从来没有像其他的伦敦商业银行那样对承兑业务产生出的利润如此依赖。与过去的情况一样，他们把自己的资源主要集中于债券市场，而在这个领域他们依然无人可敌。最后，不应该孤立地看待罗斯柴尔德家族伦敦银行的利润，因为其中有很大的一部分要在各家合伙人之间分享。罗斯柴尔德银行的合并利润并不容易计算，因为当某一个合伙人死后，会有巨大的金额被提走，但是图 4.2 给出了一个合理的修正数据。我们再次说明，总的来说罗斯柴尔德银行并不是衰落：虽然 1874~1879 年中那些萧条的年份每年平均年利润都下滑——幅度大概达到一半（比 1852~1874 年多下滑 100 万英镑），但是 1879~1882 年是罗斯柴尔德家族历史上利润最为丰盈的时期（平均年利润达到了 400 万英镑），尽管这似乎不能持续，然而在 1888 年到 1904 年间的总体趋势是向上的（从 19 世纪 80 年代中期的每年 78.5 万英镑到 1898~1904 年的 160 万英镑）。

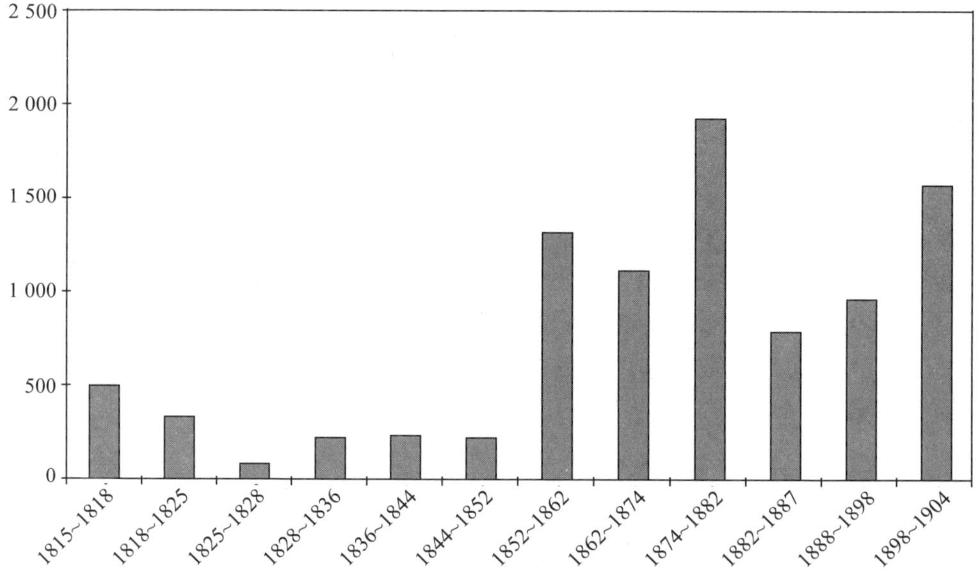

图 4.2　罗斯柴尔德家族平均年利润（合并分行报表），选择性时段（单位：千英镑）

这在伦敦罗斯柴尔德家族与英国的整体经济之间引出了一个有意义的类比。很多年以来，经济历史学家一直在争论，大约在 1870 年以后，英国的经济遭遇了相对的衰退，主要的表现是这期间美国或者德国的经济出现了更快速的增长，而英国作为重要的产品出口国的统治地位在下降。当一部分人认为这个相对下降是因为“企业家的失败”，或者甚至是由文化决定的“产业精神的衰落”的时候，另一部分人则认为伦敦金融界是一个集体罪人，他们在19世纪末期通过鼓励过度水平的资本输出阻碍了英国产业的现代化进程。在整个19世纪，罗斯柴尔德家族都在鼓励这种资本输出的过程中扮演着主要的角色，而且一直到1914年都还在做着同样的事情。因此，存在着这样的可能性，纳蒂不仅应该为他自己的公司的衰落承担责任，还应该为英国的整体经济的衰落承担责任。

现实的情况是，英国经济的衰落，与1914年前罗斯柴尔德家族的衰落一样，被夸大了。如果能够证明出现了资本短缺造成英国公司无法对其生产设施进行现代化改造的话，资本输出的本身也只是使英国的工业投入出现缺口的一个原因；而实际上，几乎找不到这样的证据来支持这样的说法。事实上，英国的高水平资本输出，是英国经济在全球经济中所扮演的角色使然，英国是工业产品的出口者，食品和其他初级产品的进口者，国际货币体系中的最终债主，技艺娴熟的殖民者输出国，适用于绝大部分海域及陆地（在1860年为950万平方英里，1909年为1 270万平方英里）的法律和法令的帝国捍卫者。如果太狭隘地来测算这个体系的成本和收益——只看那些仍然生活在英国本土的英国人的利益，就会看不到问题的根本点。在第一次世界大战前夕，大约有4.44亿人生活在某种形式的英国统治之下：与那些反殖民统治时期的民族主义者的宣传相反，英国的政治家在制定经济政策时不可能也不会只考虑那10%正好生活在联合王国里的人。当海外扩张的利润毋庸置疑地流入了相对较少的投资精英的口袋里时，英国投资的乘数效应和贸易就让人感觉不只是英国自己了。统治和保卫帝国的成本也不应该被夸大，由英国所导致的税收和债务的负担相对于英国统治的巨大范围和由稳定的、基本上能保证自由贸易、资本自由流动和自由移民的强势英国所产生的经济效益来说，事实上很小。

到19世纪50年代，英国海外投资总计已经达到了2亿英镑，而在19世纪的下半叶，出现了资本输出的三波浪潮。1861~1872年，对外投资的净额从占GNP的1.4%上升到7.7%，而1877年又下降到0.8%。之后，在1890年的时候稳固上升到了7.3%，但是1901年又再次降回到了一个百分点以下。在第三波升浪中，于1913年达到了最高峰的9.1%——这个水平一直到20世纪90年代才被突破。按照绝对的条件看，这导致了巨额的海外资产累积，从1860年的3.7亿英镑上涨到了1913年的39亿英镑——大约是英国股票总市值的1/3，上涨了10倍还多。没有任何其他国家的外国投资能接近这个水平：最接近的法国，拥有的海外资产价值总额不到英国总额的一半，德国只是1/4强。英国在第一次世界大战前夕占了全部外国投资的差不多44%的份额。尽管在对外投资和国内固定投资之间存在负相关的情况，然而，这个高水平的资本输出不应该按简单的概念被理解为是把资本从英国经济中"抽掉"。把资本输出看成是某种“引发”英国贸易赤字扩大的原因也是完全错误的。事实上，这些投资中所赚取的收入远高于新增的资本输出，也就是（算上来自“隐形”收入的总收入）它总是高于贸易赤字。在19世纪90年代，国外投资净值达到了GNP的3.3%，而海外净资产收入达到了5.6%。在随后的10年中，这两组数据分别是5.1%和5.9%。

为什么英国的经济会有这种表现方式？海外投资从性质上来看，是“组合”而不是“直接投资”，换句话说，它是通过出售代表外国政府和公司发行债券和股份的方式进行的股票交易。按照艾德尔斯坦对外国证券的“拉动”作用的解释，尽管外国证券也许涉及更高程度的风险，但其收益比国内债券的收益更高（大约高1.5个百分点），这个结论来自对1870~1913年的数据进行平均后的结果。然而，这个平均的过程隐藏了巨大的波动。在对482家公司的报表进行分析后，戴维斯和哈藤拜克证明了美国国内债券的回报率有时候高于国外的——以19世纪90年代为代表。他们的工作也从定量分析的角度证明了帝国主义投资人眼里所看到的重要意义，因为在帝国内部投资的回报率与在英国有实际的政治控制以外的国外投资的回报率有明显的差异：在1884年之前的那段时期高于67%，但是之后低于40%。那么我们是否可以因此说英国的海外投资是帝国主义经济方面的不理性产品——一个资本紧跟旗手，而不是利润最大化的案例？很多现代的史学家倾向于强调大英帝国快速扩张的非经济动机。从另一方面看，戴维斯和哈藤拜克证明，从英国投资的总体情况来看，帝国控制的领地并不是主要的目的地：因为在1865~1914年，只有大约25%的投资投向了帝国内部，而投向英国本土经济的占了30%，另外的45%投向了外国经济体。他们的努力方向是让已有的对帝国有着实际利益的投资精英成为稳定整个国际资本市场的中坚。19世纪晚期的帝国主义是伴随着一种类似20世纪末期的“全球化”经济进程的政治附庸。

作为帝国投资者精英俱乐部的领导成员，罗斯柴尔德家族在英国帝国主义中的作用非常重要。1865~1914年在伦敦公开发行的外国债券总额为40.82亿英镑。N·M·罗斯柴尔德公司以独家或者是合作的方式负责了总额的1/4还多（10.85亿英镑）。没有任何其他的银行可以与之比肩，尽管巴林银行在1860~1890年期间做过尝试，而且皮尔庞特·摩根之后也逼近过这个目标。在世纪之交的时候，塞利曼兄弟和厄内斯特·卡塞尔齐头并进，形成了非常强有力的竞争态势。表4–3给出了1852年之后那段时间罗斯柴尔德所发行的贷款的类型以及地理分布情况。

表 4–3 由N · M · 罗斯柴尔德公司所发行的贷款，1852~1914 年

	总额（英镑）	百分比（%）	其中公共部分	总计百分比（%）
英国	11 941 582	8.7	96 266 582	86.0
欧洲	90 034 413	45.6	54 929 413	94.1
中东	78 677 640	6.1	78 677 640	100.0
拉丁美洲	189 003 610	14.6	175 898 990	93.1
北美洲	291 700 448	22.5	284 900 448	97.7
澳大拉西亚	5 000 000	0.4	5 000 000	100.0
亚洲	20 200 000	1.6	11 500 000	56.9
非洲	7 200 000	0.5	3 700 000	51.4
其中帝国内部	77 547 580	6.0	65 347 580	84.3
总计	1 293 757 693	100.0	1 210 873 072	93.6

资料来源：阿耶尔，《金融的世纪》

用戴维斯和哈藤拜克的资料（见表 4–4）与罗斯柴尔德的数据进行比较后，我们会发现，N · M · 罗斯柴尔德公司对政府财政的兴趣远胜于对私营部门事务的兴趣。1865~1914 年，在所有的"募集"资本中只有大约 36% 为政府所用，而在同期由伦敦罗斯柴尔德银行提供的贷款（同样的数据，大约数）超过了 90% 为政府所用（余下部分几乎全部被外国铁路公司所占有）。罗斯柴尔德在政府债券发行中的支配地位是相当惊人的。对于整个伦敦市场来说，1865~1914 年所发行的外国公共部门债券总额为 14.8 亿英镑，其中接近 3/4 主要由罗斯柴尔德银行单独或者以合伙的方式负责。与伦敦的总体市场比起来，纽考特仍然是对欧洲非常感兴趣，而在非洲、亚洲和澳大利亚的债券发行方面没有能够充分表现。或许，所有情况之中的最大不同是，罗斯柴尔德家族相对来说基本没有涉及英国以外的帝国债券发行，这一块只占他们总体业务的 6%，而在整体的英国资本市场占到了 26%。考虑到纳蒂和阿尔弗雷德在帝国主义政治中的作用，这个发现让人高度惊奇，它说明他们在自己的私人金融活动中没有把英国以外的帝国放到一个相对重要的领域的位置。更准确一点说，他们对那些通过英国金融控制的国家（比如巴西）和担保的国家（比如埃及）所发行的债券并不是很感兴趣，因为那些担保国家在政治上仍然是独立的。因此，像厄内斯特 · 卡塞尔说阿尔弗雷德的，认为罗斯柴尔德家族"几乎不会从事没有英国政府担保的任何业务"是十分错误的。

表 4-4　英国资本募集的地理分布，1865~1914 年

	千英镑	百分比（%）
英国	1 487 519	31.8
欧洲	349 974	7.5
北美	1 059 797	22.7
南美和加勒比	631 235	13.5
非洲	310 198	6.6
亚洲	442 518	9.5
澳大利亚和太平洋	374 404	8.0
不详	22 800	0.4
总计	4 678 445	100.0

资料来源：Davis and Huttenback,Ma mmon,p.46.

罗斯柴尔德家族伦敦银行在两方面“代表着整个”金融界。北美和南美的债券发行在其为整个市场所做的业务中占有几乎完全相同的比例。而且，罗斯柴尔德也同其他同仁一样对国内私营部门的金融相对来说缺乏兴趣，这部分只占所有罗斯柴尔德发行债券的 1% 多一点的份额（罗斯柴尔德家族一直有对国内产业缺乏热情的名声）。当爱德华 · 基尼斯爵士试图于 1886 年在股票市场发行他的爱尔兰酿酒公司股票的时候，罗斯柴尔德家族伦敦银行拒绝处理这项 600 万英镑的业务，后被巴林银行接了过去。这些股份和债券最终大受欢迎（认购数额超出了将近 20 倍），而巴林银行在这次发行中赚了大约 50 万英镑。然而，当纳蒂被一名记者问到他是否后悔回绝了这笔生意时，纳蒂回答说：“我并不从这个角度看问题。每天早上我去银行，当我对每一个提交给我的项目方案和计划说‘不’后，我晚上回到家里都非常轻松和满足。但是当我同意了任何建议之后，我马上就会陷入焦虑之中。说‘是’就像是把自己的手指放到了一台机器上，飞转的轮子可能会卷住你的手指，然后把你整个人都拽进去。”这通常被看成是第四代罗斯柴尔德小心谨慎的典型例子。因此，当其他人在为伦敦地铁网络的建设提供融资服务而大赚其钱的时候，罗斯柴尔德家族仍然对此是敬而远之。甚至连海峡隧道的想法，由于可能提高北方铁路的通达能力而深受法国罗斯柴尔德家族青睐，也没有能让纳蒂动心。“你完全可以不用有什么顾虑，放心地从我这里拿走它。”他在 1906 年告诉他的堂兄弟们，“这个意见（海峡隧道提案）在上院将会遭到绝大多数的反对，因而，你根本不值得在这方面浪费你的时间和金钱。”

得承认，这种节制的规则也有一些例外。或许是有意与巴林银行和基尼斯的成

功合作一比高下，纳蒂在1886~1891年，先后4次为曼彻斯特轮船航道公司发行了股票和债券，总值达1 300万英镑。但是正如爱德华·汉密尔顿评论的，这种发行的首次失利导致金融城内出现了"罗斯柴尔德的水"与"巴林的啤酒"这样的"恶意对比"。甚至在有巴林银行的合作支持之下，也未能让第二次发行获得成功。类似的情况还有，由于成为了19世纪早期发展迅速的通信行业的先锋，罗斯柴尔德家族本应在抓住重要的创新方面（比如电话的推广等）有所作为。事实上，他们自己早在1891年就开始试验使用电话作为巴黎和伦敦之间的一种联系手段。但是在次年为新电话公司发行价值48.8万英镑的股票的工作在他们眼里却变成了一桩可有可无的小事，而且很让人诧异的是伦敦和巴黎合伙人之间的相互联络继续采用他们的父辈、祖父辈以及曾祖父辈那样的手写书信方式。

所有这一切都解释了为什么历史学家通常都认为这一代罗斯柴尔德家族成员对金融的认知相当"保守"的原因（明显的反面是法国罗斯柴尔德银行仍然是像北方铁路这样的铁路公司的大股东）。不过，这些批评家仍然停留在对罗斯柴尔德家族的运作模式以及他们在19世纪末期全球化进程的作用方面的错误理解上。举例来说，有一个国内的行业，罗斯柴尔德家族确实取得了一些成功——或许，大家可能会猜到这是一个与政府联系非常紧密的行业——国防。与参与到国内产业和运输业方面比较起来，罗斯柴尔德家族在国外的矿业、国际金属和宝石市场的兴趣占有更重要的位置（这将在下一章中详细讨论）。

罗斯柴尔德家族在帝国主义经济和政治中的作用不应该被歪曲成含义更为广泛的衰败论的一部分。在很多方面，帝国主义并不代表与他们过去的辉煌成就一刀两断。外国公共部门的投资仍然是他们的首选，而"自家"政府的借贷位居其次，因为法国、奥匈帝国和情况稍好的英国都不得不靠继续发行新的债券来资助自己不断攀升的保卫自己的帝国所需的费用。从这方面说，罗斯柴尔德家族在国际债券市场上即使不能说没有对手，起码也是少有对手。他们在外国私营领域的融资（特别是铁路方面）是比较适度的，在承兑业务方面的策略也差不多。而他们在国际矿业领域的兴趣，正如我们将要看到的，相当的不同凡响。

与过去一样，罗斯柴尔德家族继续致力于推动全球经济体系的持续扩张，使资本、货物和人员事实上能够以尽可能自由和安全的方式进行流动。如果可以不通过政治干预来达到这个目的，他们会非常满意。因此，罗斯柴尔德家族参与到巴西事务中的长期历史表明，他们并没有把帝国对目标国的正式控制看成是以盈利为目的的资本输出的前提条件。只有在重要的债券面临由于贷款国政治不稳定导致的危险时，罗斯柴尔德家族才会支持直接的政治干预。他们在西班牙和墨西哥的矿业方面的兴趣不需要外国干预，尽管这些国家时常面临政治不稳定的情况；反之，很难想象他们在缅甸红宝石矿或者新苏格兰镍矿完全没有欧洲直接控制的情况下进行投资。南非的情况说明罗斯柴尔德家族对以塞西尔·罗德斯为代表的帝国主义的态度充满着矛盾：尽管黄金和钻石矿对他们充满了吸引力，但是他们还是不相信罗德斯更为广泛的将英国的政治影响力扩展到开普殖民地北部地区的计划。也没有任何迹象表明他们对这些帝国领地上的铁路有什么兴趣。

一般说来，罗斯柴尔德家族只会在他们觉得这种做法肯定不会引发与欧洲其他大国的冲突，或者是（但不很常见）他们觉得如果英国不作为，另一个竞争对手会建立一个经济上限制更为严格的殖民地统治（人们通常认为法国和德国的政权比英国的更加趋于保护主义模式，尽管事实上法国和德国的关税并没有很明显地高过英国）的时候，才会支持英国的帝国建设。这种对避免国际争端的追求解释了罗斯柴尔德偏向于被称为多国帝国主义的体系的原因，在这种体系下，经济方面的利益受到了一个以上的欧洲大国的保护。典型的例子是埃及的情况，在这里，罗斯柴尔德家族试图通过两个国家的债券持有人分享利益的方式来协调英国和法国的政治利益冲突（罗斯柴尔德家族在希腊和土耳其基本没有什么利益，但是类似的多国金融保护的模式也在这些地方采用）。在中国，他们也支持在欧洲各个大国之间进行合作。

应该强调的是，对于所有这一切来说，有某种程度的本能在里面，而当批评家（像霍布森）提出帝国主义理论的时候，帝国主义者自己却没有意识到。“这是一个很奇怪的事情，”纳蒂在1906年5月写给巴黎的信中说，“如果他们生活在欧洲，这些投资人和资本家怎么具体考虑他们本国的股票？”他有一种模糊的概念，认为投资者被较高的收益所“迷惑”，因此，这说明海外投资风险较高，而他自己对具体地区和领域的偏好看起来也是基于大部分都无法言明的假设之上。然而，他对帝国主义的政治假设远不是用“无法言明”就可以解释的：在此之前以及自此之后，没有家族成员在政治上这么活跃过。在这里出现了一个重要的变化。过去，罗斯柴尔德家族倾向于透过他们自己的经济利益来看待政治：詹姆斯对外交事务的所有干预几乎都是基于他的商业方面的算计。而这种说法无法适用于第四代成员。自身的经济利益仍然是第一位的，但是有时候纳蒂和阿尔弗雷德的立场是基于“纯粹”意识形态或者是政党政治的原因，与N·M·罗斯柴尔德公司的业务几乎没有任何关系，就如在他们拥有私人利益的某些地区根本没有认真考虑过帝国控制力的可能性一样。具体来说，纳蒂认为他自己“戴着不同的帽子”：一顶是为纽考特戴的，一顶是为威斯敏斯特戴的；或者，用他自己的话说，一顶是为东区戴的，一顶是为西区戴的。那些职业政治家也倾向于以同样的方式思考，尽管无论在哪种情况下私人利益与公众利益的界限都能够进行完满的划分。

事实上，帝国主义的政治家对于经济的优先考虑通常还要胜过罗斯柴尔德家族自己所意识到的。尽管他们从高水平的资本输出获得利益是一个不争的事实，但是在具体的项目中，第四代通常都会让国家的政治考虑优先于罗斯柴尔德各银行之间集体的经济利益。事实是，英国金融重点不再放在欧洲的重新定位，使得罗斯柴尔德家族连接伦敦、巴黎、法兰克福和维也纳的网络在某种程度上被荒废了。同时，法国和英国之间出现的殖民地利益纷争使罗斯柴尔德家族面临两难的选择。正是在此期间，各家银行更加独立地各自为政。这些英—法之间的不和，以及奥匈帝国对欧洲以外的世界所表现出来的麻木，都给我们提供了很好的解答。

帝国的金融政治：埃及

罗斯柴尔德家族卷入英国的帝国事业中最为人所知的是埃及的例子。众所周知，是伦敦罗斯柴尔德银行在1875年给迪斯雷利政府提供了400万英镑的无抵押贷款，使英国皇室得以收购了苏伊士运河公司的大量股票。撇开围绕着这场交易的那些罗曼蒂克的光辉，这件事通常被看做是1882年后迈向英国对这个国家的军事占领和经济控制的第一步，而整个过程中，罗斯柴尔德家族也都提供了便利。然而，走向苏伊士股票购买的道路并不是平坦的；在很多方面，罗斯柴尔德家族在埃及的作用都说明了在像"帝国主义"这样的历史概念后面所隐藏的不确定性和偶然性。

为了能理解1875年那些狂热事件的重要意义，我们有必要对中东地区的金融情况做个大致的了解。在克里米亚战争所引发的灾难性后果中，在君士坦丁堡的苏丹和在开罗的总督都开始欠下了巨额的而且可以肯定是不可持续的国内和国外债务。1855~1875年，土耳其债务从大约900万土耳其里拉上升到了大约2.51亿。考虑到土耳其政府的金融资源，这些债务是完全不可持续的：以现金收入来计算，债务负担从130%上升到了1 500%；以支出计算，利息和到期本金从1860年的15%上升到了1875年最高时的50%。埃及的情况也类似：在1862年借了第一批外国贷款之后，到1976年，总体的公共债务从330万埃及镑上升到7 600万，大概10倍于税收总收入；此外，伊斯迈尔总督的私人户头上还欠了大约1 100万镑。1876年的预算表明债务费用占了所有全部支出的一半还多（55.5%）。

很值得把这些数据进行某种程度的比较分析，我们只需要对那些在19世纪构成的可持续借款确定一个大概的概念。在这个世纪的大部分时间里（一直到1873年），英国的国家债务一直都10倍于总的公共税收；与此同时，债务费用从1818年到

1855 年大约为总支出的 50%。而从 19 世纪 40 年代起一直到 1914 年，英国债务总的趋势在持续不断地下降，以至于到第一次世界大战前夕，总债务只是总收入的 3 倍多一点，而债务支出只占总费用的 10%。另外，英国经济以史无前例、令人意想不到的速度在增长。在土耳其和埃及，债务连续 20 年膨胀，到 1875 年几乎接近政府的预算，然而经济活动却几乎停滞了。与其他几个也在国际市场借钱的主要国家（比如巴西和俄国）比较一下就会发现，土耳其和埃及完全失控了。巴西和俄国的债务从来没有超出过总税收的 3 倍，而债务支出基本上也都在总费用支出的 15%以下。与中东这个教训最接近的例子是西班牙，这个国家也在 19 世纪 70 年代面临破产（见表 4–5 和表 4–6）。在 1873 年困扰所有欧洲市场的全面经济危机这个大背景下，中东债务危机已经不可避免。

表 4–5　选择性年份及一些国家的债务情况，1869~1913 年

	英国	法国	土耳其	埃及	西班牙	巴西	俄国
1869 年	1 060.7	587.1	608.1		1 033.4	205.2	
1879 年	905.5		1 758.5	1 074.5	1 628.2	167.4	
1889 年	693.2		871.3	976.5	784.4	177.3	
1899 年	501.5		1 044.7	883.2		398.7	
1909 年	438.5		1 015.8	599.5		282.9	
1913 年	331.0	650.8		532.1			258.3

资料来源：Mitchell,British historical statistics pp.396-9,402f.;Crouchley,Economic devedlpment,pp.274ff.;Shaw, "Ottoman expenditures and budgets," pp.374ff.;Issawi,Economic history of the Middle East,pp.100f.,104ff.;Levy, "Brazilian public debt," pp.248-52;Mitchell,European hisorical statistics,pp.370-85,789;Martin,Rothschild;Carreras,Industrializacion Espanola,pp.185-7;Gatrell,Rovernment,industry and rearmament,pp.140,150;Apostol,Bernatzky and Michelson,Russian public finances,pp.234,239;Hobson, "Wary Titan," pp.505f.

表 4–6　选择性年份及国家的债务费用百分比，1860~1910 年（%）

	英国	土耳其	埃及	西班牙	巴西	俄国
1860 年	41.2	15.2		60.1	9.3	
1865 年	39.3			48.4	6.7	
1870 年	40.4			29.0	8.0	
1875 年	37.1		55.5	31.3	9.9	
1880 年	34.5	28.8		50.7	10.2	
1885 年	32.8			72.4	10.7	
1890 年	27.0	11.9		77.6	6.2	

（续）

	英国	土耳其	埃及	西班牙	巴西	俄国
1895 年	23.1	19.7		37.5	12.2	
1900 年	16.1	19.3		38.9	15.8	14.2
1905 年	16.6			40.5	17.9	9.6
1910 年	13.3	33.4		56.2	21.8	15.7

资料来源：同表 4–5

从战略高度考虑，英国准备让负债这个球滚动起来。为了在克里米亚战争中支持土耳其的军事地位，英国在 1854 年和 1855 年给坡特提供了首批英国贷款（这些贷款的第二批通过伦敦罗斯柴尔德银行来运作），而土耳其银行（土耳其帝国银行）在 1856 年设立。这两批贷款以土耳其政府从埃及获得的全部税收作为正式担保。然而，1860 年以后欧洲贷给中东地区的款项主要考虑的是经济利益。在土耳其的这种局势下，欧洲的铁路推广者（由赫希率领）提出了一个奥匈帝国铁路网的扩张计划，希望通过巴尔干连接到博斯普鲁斯，并因此为新型的欧洲商业打开土耳其市场。而当法国具有远见卓识的企业家费迪南德 · 德 · 勒塞普斯看到，如果实现连通地中海和红海的古老梦想，可以为国际贸易开辟出一条重要的交通生命线，使伦敦到孟买的海上运输距离缩短将近 40%。美国内战对埃及棉花出口的人为刺激也起到了一定的作用。尽管苏伊士运河对英国与印度贸易具有特殊重要意义，英国支持土耳其帝国也具有传统性的外交意义，然而，为土耳其和埃及的赤字提供资助的，在一开始的时候却并不是英国投资人。在土耳其，1875 年以前的主要资助银行由法国人担当（著名的有国民银行）；在埃及，主要是法兰克福的金融家赫尔曼和亨利 · 奥本海姆，以及法国兄弟爱都尔德和安德雷 · 德维沃。从短期来看，这项业务对发行的银行来说应该是利润不菲的业务。到 1877 年，土耳其的债务达到了 2.51 亿里拉，其中，扣除佣金和折扣后，位于君士坦丁堡的土耳其财政部仅拿到了 1.35 亿。然而，这不仅未能推动中东的经济发展，那些倒霉的债券持有人还只得年复一年地为这个挥霍无度的政府不断提供资金。阿普杜拉 · 阿齐兹苏丹在他 1867 年的欧洲之行中就挥霍了数百万；而他的继任者阿普杜拉 · 马吉德花得还更多，建造了新的朵尔玛巴赫宫，这是一座处于皇宫与一座维多利亚风格的火车站之间的宫殿。而那些私人业务，比如赫希的铁路和勒塞普斯的运河，最终也没有达到先前所预计的那么好的效果。事实上，在授予赫希和勒塞普斯特许权的问题上，两个政府所付出的成本远远高于他们所获得的收益。

因此，罗斯柴尔德家族在 1855~1875 年在参与中东地区事务中所表现出来的节制，看起来是一种谨慎的亡羊补牢行为。比如说我们已经知道，勒塞普斯早在1854年6月，也就是在从总督处获得必要的特许权之前6个月，曾经找到詹姆斯寻求对运河项目的支持，但是被婉言谢绝。罗斯柴尔德在都灵的代理人朗道有一个兄弟在亚利桑德利亚，他与奥本海姆银行一唱一和，试图引诱罗斯柴尔德家族参与19世纪60年代中期给埃及政府筹款的活动，但是最终也没有得逞。尽管年迈的詹姆斯有些动心，但这次他的侄子奈特的风险意识取得了很少见的成功——而且，理由也很充分。尽管列昂内尔在1867年直接接见了一名带着礼物的埃及代表，他也很礼貌地回绝了。到1869年，甚至就在运河已经正式开通后，阿方斯还在预言苏伊士运河公司将会倒闭，而且伦敦的推论是埃及政府将会紧随其后。伦敦和巴黎的罗斯柴尔德家族都不看好土耳其的金融前景：安塞尔姆想通过巴尔干扩展南线铁路的想法显然没有得到他的堂兄弟们的同意。当埃及财政部长伊斯迈尔·萨达克·帕萨在1874年寻求罗斯柴尔德财政支持的时候，他的请求被斩钉截铁地回绝了。他们能同意做的最多只是保证威尔第1871年在开罗歌剧院执导他的《阿依达》全球首演式的时候能够拿到他的报酬。

到1975年年初，仍然没有明显的理由让罗斯柴尔德改变他们的看法。勒塞普斯已经濒临破产，因此自1871年开始一直在想着把这条运河卖给一个或者多个欧洲大国，但是土耳其政府一直都在阻挠把任何有关的计划拿出来讨论。格莱德斯通政府也没有表示出任何兴趣，因此，运河的未来变得扑朔迷离，因为关于它的通行费的收取涉及了复杂的法律争议。迪斯雷利在1874年2月回到权力中心是把罗斯柴尔德家族送上舞台的第一个关键的变化。由于迪斯雷利总是对东方的一切事物怀有罗曼蒂克的想法——但是又很现实地洞悉了新的“东方危机”的临近，以及埃及在未来战略中的重要地位——他要求列昂内尔重提英国购买运河的问题，而且纳蒂也因此目的被派往巴黎。对于自己在其中的作用，罗斯柴尔德家族非常敏锐，他们看到了在埃及运河上复制他们早先为欧洲铁路所开创的模式——也就是为大型资产的出售进行融资——的可能性。然而，正如居斯塔夫所报告的，法国政治上对英国购买想法的反对似乎成了一道无法逾越的鸿沟。当迪斯雷利建议通过罗斯柴尔德家族购买总督在运河上的股份而避开直接购买的问题的时候，金融领域也表现出反对，这反映的是地产信贷银行、国民银行和英国—埃及银行之间的紧密联系。

由土耳其首相迈哈迈德·那蒂姆·帕萨在10月7日宣布了土耳其破产公告，通过削弱总督和他的法兰西银行家们的地位使局面出现了转机。随着土耳其的破产，埃及很难再借到什么钱，然而伊斯迈尔需要（他自己也是这样的）300万~400万镑来支付11月底到期的债务。法兰西银行和德维沃提出通过用总督的运河股份做担保给他提供短期贷款，但是他们不久就陷入了僵局，这给迪斯雷利提供了机会。11月

10日，英国财政部请求帮助"重组并控制"埃及金融的说法，发出了总督已经准备转向英国进行最后一搏的信号。4天之后，《帕玛公告》的编辑雷德里奇·格林伍德从亨利·奥本海姆处（他那时恰好身处伦敦）打听到了有关英国—埃及银行和德维沃进行谈判的消息，并且告诉外交部长德比爵士（不是十分准确）苏伊士运河股份将要转到法国人的手上。事实上，地产信贷银行当时确实建议以5 000万法郎（200万英镑）购买那些股份，并且确实已经获得了这样做的选择权。但是法国外交部长德·德卡泽斯公爵的决定是在没有得到德比的同意之前不做决定，因此就直截了当地否决了。总督因此基本上没有了其他的任何选择，只能卖给英国，在11月23日，他提出要400万英镑换取他的股份，用购买价款的5%作为抵押，直到被抵押的息券交还并且重新开始分红。德比和财政部长斯泰福德·诺斯科特爵士不同意这个报价，认为这个运河可以由一个国际委员会进行控制；而当这个议案在11月18日到24日的5次内阁会议上进行讨论之后，迪斯雷利最终如愿以偿了。

在1875年的时候，400万英镑是一个很大的数目，相当于整个英国预算债务费用净值的8.3%。另外，正如迪斯雷利在他11月18日给女王的信中所写的，根本连"喘息的时间都没有"，因为总督要求在"这个月的30日"拿到钱。最大的问题是议会在休会期，因此不是很确定没有议会的授权，政府是否可以从英格兰银行里筹到这笔钱。这就解释了为什么在11月24日（或者可能是前一天），迪斯雷利一得到内阁对购买股份的批准，就派他的首席私人秘书蒙塔古·科瑞去见列昂内尔的原因。科瑞后来在回忆中对他的主人生动描写道：

> 迪斯雷利安排他在内阁外面值班，当他的领导伸出头来说"行了"的时候，他应该马上采取行动。在收到这个信号后，他马上跑到纽考特，并且秘密告诉罗斯柴尔德"明天"首相要400万英镑。罗斯柴尔德拿起一粒葡萄，吃下，吐出了皮，经过深思熟虑后说："你们用什么担保？""英国政府。""你们可以来拿。"

这个说法有部分的臆想成分。总的看起来，首相私下里应该已经与列昂内尔讨论过这个问题，因此，这个决定并不是在一瞬间做出的（迪斯雷利后来告诉威尔士王子，罗斯柴尔德银行花了"4~20个小时来下这个决心"）。达成的条件是，款项付给英国政府，由埃及政府支配（12月1日付100万英镑，余下的在来年1月份支付），作为回报，他们收取2.5%的佣金；政府另外在还回款项前，支付5%的年利息（尽管这笔费用全部转嫁给了总督，由他支付5%的年息，直到所购股份可以再次分发红利为止）。11月25日，合同由英国总领事斯丹顿将军与埃及财政部长共同签署；4天之后，列昂内尔电告埃及政府他手头已备好了200万英镑，自12月1日起，埃及政府就可以调配使用（这个金额比起初计划的多了一倍），12 月 15 日开始可以安排另外 100 万英镑，而最后的 100 万英镑从 1876 年 1 月 1 日起可以使用。到 1 月 5 日，N · M · 罗斯柴尔德公司付清了全部的应付款额（3 976 582.26 英镑），其中的大部分直接付给了埃及政府的债主。国会在 2 月 21 日投票同意支付 408 万英镑（这笔钱通过发行 3.5% 的财政债券筹集），而借款在 3 月份的时候从债券发行募集的款项中进行了赔付，同时还支付了 99 414 英镑的佣金，应付利息 52 485 英镑最终在 6 月 2 日支付。

对于这个非常出人意料的交易有两种不同的说法。第一种是迪斯雷利的说法，散见于他写给当时驻在波尔莫罗的维多利亚女王的信中。他告诉她，拥有这些股份“会给持有人带来巨大的——如果不是绝对的——对运河管理的影响力。在这样关键的时刻，这对陛下您的权威和势力都是至关重要的”。收购大获成功之后，他大喜过望，并且十分高兴地将这个荣耀与列昂内尔分享。在给女王的信中，他说道：

> 事情刚刚办妥，您做到了，夫人。法国政府被我们战胜了。他们做了很多的努力，提供了高利率的贷款，而且还附带有条件，实质上是要把埃及政府的权力拿过来。
>
> 总督在既绝望又厌恶的情况下，提出让陛下您的政府购买他的全部股份——以前他对这样的建议听都不爱听。
>
> 400 万英镑！而且是马上就拿出来。也只有一家公司可以做得到——罗斯柴尔德。他们的做法很令人敬佩，并且以一个很低的利息借出了这笔钱（好像有“5%”的字样被划掉）。总督所有的利益都是您的了，夫人。
>
> 昨天，内阁对这个问题讨论了 4 个多小时，而且迪斯雷利今天没有得到一刻的休息；因此，此次汇报得请求您原谅，因为他的脑袋实在已经不听使唤了。他将在明天给您讲述这整个奇妙故事。
>
> 当陛下您今天的第二个电话打来的时候，他在内阁，他为当时他给您做的太过简单而且愚蠢的回答表示道歉——但是当时的情况确实很紧急。
>
> 政府和罗斯柴尔德同意保守秘密，但是我们担心明天会从开罗走漏风声。

他给布莱德福德夫人的报告就显得更加口无遮拦了：

> 我们已经掌握了全世界所有那些组织起来反对我们、掠夺我们的赌徒、资本家、金融家的情况，那些遍布世界各地的密探，已经使他们深受困扰，而且从来没有被怀疑。前天，勒塞普斯提出了一个诱人的报价，他公司拥有余下的

那部分运河股票，而且得到了法国政府的支持，他本人实际上就是法国政府的代理人。如果他成功了，整个苏伊士运河就会归法国所有，而他们或许就会关闭这条运河……女神（维多利亚女王）对运河非常着迷……

让人更加印象深刻的是这场外交胜利让法国所付出的代价。迪斯雷利后来告诉威尔士王子，列昂内尔不能"向他最强大的援军——他们在巴黎的家族求援，因为阿方斯是非常法国化的人，他有可能马上就出卖整个计划"。按照约翰·曼耐斯爵士的说法，迪斯雷利对他的妙招"相当得意"，而且"期待着英国的海外影响力能因此获得伟大的复兴"。这也让俾斯麦得以描绘对法国的声望给予一击后可能出现的局面；而迪斯雷利利用罗斯柴尔德的支持骗过法国政府的这种说法，正如我们已经看到的，是后来由法国反犹太人士，比如希拉克等人所炒作出来的。

另外的相反说法——准确地说，是反对的说法——很让人疑惑，这种说法认为迪斯雷利最起码是欺骗了自由党人。格莱德斯通马上严阵以待。他给格兰威尔写信时说："我找不到任何借口来为他开脱，除了有必要防止运河的关闭之外。而……关闭伦敦和西北（铁路）之间的可能性也存在。"甚至购买已经"在与其他大国协调一致的基础上"完成之后，也还被说成是"荒唐的举动，将来还会遭遇数不清的尴尬"。他所预见到的是"严重的后果"。按照格莱德斯通的看法，合理的行动过程必须经过议会的质询以及英格兰银行的参与。但是格兰威尔在11月28日给格莱德斯通的信中提到的只是一系列不很成熟的问题。"至于说我的第一印象，"他写道，"我怀疑，这看起来非常愚蠢。"但是他也不确定原因是什么。这个"没有先例……让政府成为一个私人企业的股东之一，而按通常的方式看，他们又没有办法控制这个企业"的做法能行吗？

采用政治手段去引导并调整其他国家采取预防措施还不够有效吗？

不可能是勒塞普斯和罗斯柴尔德家族以法国资本家可能购买相威胁，来欺骗政府去做推高苏伊士运河价值的事吗？

政府是否打算在公开市场上以已经被推高的价格购买另外的10万股股份，以便能得到有效的控制？如果他们这样做，那些股东是否还会给他们惹来无尽的麻烦？

这是否将会引起各种国际麻烦和问题？

运河是否仍然受属于苏丹的那种自由意志所支配，而我们也是一直追求这个目的？

没有征得议会的同意，能否承担如此巨大的责任？

“我认为，”他在提出这些清楚明了的问题后这样总结道，“我们现在越能让苏伊士运河平静，对我们就越有利。”这种观点得到了亨廷顿爵士的附和，在格莱德斯通辞职后，他是自由党正式的领袖，而且他也意识到了迪斯雷利这着棋的深厚的群众基础。

因此，轮到前财政部长罗伯特·罗爵士来对格莱德斯通这种本能的反对寻找支持。在迪斯雷利嘲讽地预言“一场反对一个股票经纪政府的谩骂中”，罗认为罗斯柴尔德的总收入——15万英镑，对于一项三个月期的400万英镑的贷款来说，年息达到了15%，这个数字应该更适合给埃及政府，而不是英国政府（这种观点明显得到了部分财政部官员的认同，包括财政部长W·H·史密斯）。自由党批评家也拿出了格兰威尔的说法，对这些股票的购买行动引发了“对股票交易进行的赌博”——也就是那些知道内幕的人对埃及债券的投机，这些人具体说就是罗斯柴尔德家族成员。之后迪斯雷利的律师菲利普·罗斯的说法证实了这一点，他深信罗斯柴尔德家族“获利非常丰厚”，他们“购买了大量的埃及股票”。迪斯雷利自己也听到谣传，说他们“至少赚了25万”，尽管蒙塔古·科瑞听到另外的说法是“罗斯柴尔德家族一点都没有利用这个情报，因为他们把自己放在了与政府站在一起的位置上”。另一个持反对态度的是一个老生常谈的说法，他们认为，作为一个国会议员，纳蒂被禁止从政府的贷款里营利；对这个说法的驳斥更容易，论据就是纳蒂并不是银行的完全合伙人，而列昂内尔在1874年就没有在议会里任职了。

真相其实介于这两个极端之间。从政治上说，认为英国就此确保了控制权，而且阻止了法国的前进的这种说法其实并不十分准确。按照沃尔夫的说法，法国政府反对任何法国人购买，因此他们对英国出手干预埃及危机是乐见其成的。持有运河公司44%的原始股份也没有让英国就能控制整条运河（特别是这些股份一直到1895年之前都没有投票权，而且之后也只有10票的表决权）。另一方面说，总督保证支付运河股份5%的红利让英国政府在埃及财政中拥有了新的直接的利益。迪斯雷利认为运河公司可能会对英国商船关闭大门的看法是错误的，从法律上说，情况根本就不会是这样。然而另一方面法律并不能保证运河一定对所有船只开放，而且法律规定也不可能随时都被遵守。正如迪斯雷利准确地说过的，拥有这些股份能让英国拥有额外的“杠杆”——对报复行为有更强的调节能力——如对其交通出现威胁的话。这个观点得到了《时报》以及其他银行家（包括欧维尔斯通爵士）的认同，而且以我们今天的观点来看，这似乎也是正确的。如果法国政府对购买行为完全满意，那么罗斯柴尔德家族似乎也就没有必要在11月23~25日之间如此严守秘密。居斯塔夫在12月31日的信中指出，最初想到英国可能接管埃及的时候，在巴黎引起了“恐慌”。两周之后，他的哥哥转达了来自法国政府非公开的警告：“如果英国政府现在通过另外方式的金融行动来拯救总督，进而控制这个国家的主要税收，以这样的方式来进一步加强对埃及事务的影响力的话，法官政府的地位将受到威胁……”

从经济上看，自由党人的批评家是站不住脚的。正如迪斯雷利在下院对格莱德斯通和罗伯特 · 罗一次不留情面的反驳中所指出的，罗的说法低估了罗斯柴尔德家族在如此短的时间内筹措如此巨额的资金所花费的机会成本，尽管这笔钱的使用时间或许只有3个月，特别是法国或者俄国政府采取外交行动的可能性还不可能完全排除（罗斯柴尔德从巴黎和法兰克福发出的信完全证实了这种外交行动的可能）。当听到股票经纪人阿瑟 · 瓦格认为罗斯柴尔德家族应该免费提供这笔钱的时候，列昂内尔只能苦笑。“阿瑟 · 瓦格，”他反驳道，“你太年轻了，以后你会明白的。从这项交易中我赚了10万英镑，我的希望是能赚20万英镑。”正如他在2月19日向科瑞指出的，这笔交易确确实实有风险：总督有可能坚持要用黄金支付；“不可预见的事件”有可能让市场上的资金面很紧张；另外，政府“之前很习惯与罗斯柴尔德家族做生意，有可能会要求公司做一笔涉及大量备用付款的交易，如果发现罗斯柴尔德的公司无法达到要求，他们就可能会考虑把业务转到他人之手”。而且，如果没有预先的接触，没人敢保证英格兰银行能够提供这笔钱。正如科瑞在他面见列昂内尔之后告诉迪斯雷利的：

> 这是一个很关键的问题……只有通过全体董事会议来决定，但这又明显达不到效率和保密的要求……罗斯柴尔德男爵想象，政府很有可能压着银行去找那400万（并且会要求付很低的佣金）。这必将是一件很激烈的事，在这件事情实施之前，他们必定得采用所有可能的手段去向各家公司筹钱。他也明确宣布，英格兰银行不把整个资金市场闹得人仰马翻，就不可能筹到所需的这个数目。

列昂内尔最后说道，“完全避开了这种对市场的干扰”这个理由对“所提出来的佣金是最好的解释”。

这些说法不能简单地看成是狡辩。罗斯柴尔德的损益表也驳斥了格兰威尔和罗所提出的那种大规模投机埃及债券市场的说法：1875年的报表证明罗斯柴尔德出售了价值12 682英镑的1873年埃及债券，这些债券以55元的成本买进，而在11月26日以76元卖出，总利润只有3 505英镑。这次交易的财务意义应该是给了像地产信贷银行这样的法兰西银行以喘息之机，这些银行持有非常大量的埃及债券。从这个意义上来说，运河股份的购买根本就不能算是打击了法国的利益。最后，这些股份的购买最终证明是对英国纳税人非常有利的一个安排，这种有利的情况远远超出了批评家的预期。到1876年1月，股票价格就已经从22.104镑上涨到了34.126镑，差不多50%的涨幅。在1898年政府持有股票的市值是2 400万英镑，第一次世界大战前夕是4 000万英镑，而到1935年是9 300万英镑（大约每股合528英镑）。1875~1895年，政府每年从开罗获得了20万英镑；这之后，按正常分红，分红的金额从1895年的69万英镑上升到了1901年的88万英镑。

其他的东方问题

正如欧维尔斯通和其他人所意识到的，运河股份的购买只是一幕英国大规模参与埃及金融事务（最根本的是参与政府事务）的序曲，它同时也发出了英国决定在东方的共性问题上重新发挥影响力的信号。早在1876年7月，柏林就到处盛传“英国政府已经用1 000万英镑购买了埃及的主权”。然而，如果将1875~1882年军事占领期间的道路描绘成一条直线的话，那就完全错了；而且如果认为罗斯柴尔德家族急不可耐地想走上这条道路，也同样是在误导。紧随苏伊士运河的这招妙棋之后，德比派出了斯蒂芬·凯伍前往埃及，作为对总督早些时候提出要求英国财政援助的回应。凯伍的首要目标是建立起对埃及经济进行某种控制的体系，至少要保证刚购买的运河股份5%的利息能够得到持续的支付。随之而来的是需要罗斯柴尔德家族帮助对埃及政府的多种债券进行清算和转换——这种观点得到了国债办公室的主审计长查尔斯·雷伍尔斯·威尔逊的支持，他当时是英国政府在苏伊士运河委员会里的代表，而他们私人间的通信证明罗斯柴尔德家族是非常勉强的帝国主义者。从很早的时候开始，他们就明确反对公开发表凯伍的报告，并且向迪斯雷利强调“让我们自己处理这种大规模金融事务所面临的困难”。他们的勉强部分原因是基于狭隘的金融考虑：尽管对于小规模投机埃及债券非常乐意，但是列昂内尔和阿方斯仍然觉得凯伍和雷伍尔斯·威尔逊低估了在伊斯迈尔仍然留在总督的位置上的时候想稳定埃及经济所面临的那些困难。

还有就是政治上的保守。列昂内尔和阿方斯对维持大国间——在这个案例中是法国和英国——的和谐更为关注，而对埃及的金融控制则显得热情不高。事实上，正是通过阿方斯，英国政府第一次了解了法国总统麦克马洪的妥协性提议：由一个多国委员会来监督埃及的经济情况，委员会由包括来自英国、法国和意大利的代表平等组成。阿尔弗雷德从巴黎转达了德卡兹对德比那种支支吾吾的态度的“愤怒”，并且警告政府不要对法国的建议“泼冷水”。列昂内尔转达了迪斯雷利的回应：“他们希望法国政府能做一个很好的计划，而不是只做把钱装进自己的腰包，却对总督没有任何好处的事。"困难的是在那些持有含息埃及债券的人与那些——主要是法国和埃及的银行——给总督提供了短期借款的人之间存在着利益冲突。从本质上说，债券持有人不接受那些短期借款人有与他们同等的申索权，因此否决了对所有埃及债券总体减值20%的方案，然而这个减值方案得到了英国政府的支持。这次否决使5月份新建立的公共债务信托局陷入了瘫痪。如果英国和法国不能达成一致，罗斯柴尔德家族只可能拒绝重组埃及债务的任务，因此只能将待清算的大约为7 600万英镑的债务留给一个调查委员会去处理（这个数字不包括1 500万用总督的土地担保的私人债务，以及一份巨额的可能高达600万英镑浮动债务）。

在1878年之前，这些困难似乎都没有办法克服。在成立了一个由各家银行的代表、勒塞普斯、雷伍尔斯·威尔逊以及一名埃及人组成的委员会后，由他们推荐，委派了一个由努巴·帕萨领导的"国际政府"，雷伍尔斯·威尔逊出任财政部长，法国人尤金·德·布利格尼尔斯出任公共工程部部长。与此同时，英国和法国的罗斯柴尔德家族同意筹措850万英镑的贷款，以总督领地中的大部分土地作为担保。这次贷款筹措除了带给投资人极大的信心之外，其重要意义更在于它让人们觉得英国和法国之间建立了友好的关系，《争鸣杂志》说得更夸张，把它描绘成"相当于在法国和英国之间结成了联盟"。这据说是罗斯柴尔德家族最希望看到的局面。然而，这与投资人对埃及的信心一样，同样注定是短暂的。

英国和法国的埃及政策不应该孤立起来看，这只是土耳其债务危机这部长篇小说里的一个小章节，而这次债务危机是总督出售苏伊士运河股票的前提条件。土耳其债务危机也需要放到大国外交的背景下来看，这终归是由在波斯尼亚—黑塞哥维那和保加利亚省发生的反对土耳其统治的起义所引发的。这是俄国外交官梦寐以求的用于对外政治理由的借口，而且也是英国自由党人非常需要用于国内政治的口实。如果说罗斯柴尔德在埃及的作用具有政治上的敏感性，那么他们在1875~1878年的巴尔干危机中的地位也基本上是这样的。他们对迪斯雷利的同情很自然地使他们倾向于支持他那本质上支持土耳其的政策，但是，他们对俄国的金融承诺直接与此相左。

从1870年10月开始，俄国就对土耳其施行了"进攻"政策，当时沙皇驳斥了1856年《巴黎协定》的《黑海条约》。确实，海峡结束中立状态后——海峡的中立是克里米亚战争为数不多的、实实在在的成果之一——应该在伦敦的国际会议上得到其他大国的同意。俾斯麦在"三大帝国"联盟的旗帜下联合德国、奥匈帝国和俄国的政策，在19世纪70年代早期似乎限制了俄国的巴尔干政策。然而，发生在俄国与英国之间的针对土耳其事务的冲突极有可能实现迪斯雷利打破三大帝国联盟的梦想。1875年夏天的波斯尼亚—黑塞哥维那的起义一爆发，迪斯雷利马上指责俄国、奥匈帝国和普鲁士煽动分裂土耳其帝国。事实上，无论是奥匈帝国外交大臣安德拉希，还是其俄国的戈尔查科夫，都会满意于一个对土耳其采取“有效的手段”的六大国协议，而德比很可能会接受这个做法（与法国和意大利一致）。但是，迪斯雷利对此没有兴趣。

1876年5月26日，列昂内尔写信给迪斯雷利：“我希望很快能就一项达成的安排向您表示祝贺，这项安排将由于一项有力而坚定的政策，可以保证之后很多年的和平。”事实上，向贝斯卡湾派出舰队的举动，寻求分裂三大帝国联盟的“有力政策”的努力，几乎把英国引向了战争。苏丹在1876年5月退位，塞尔维亚和黑山随即在6月份加入到了反土耳其起义的阵营中，而“保加利亚暴行”——其间，据称有15 000名保加利亚基督徒被巴希-巴祖克斯的土耳其准军事组织杀害——给了格莱德斯通重新复出的非常完美的机会。当6月9日迪斯雷利在列昂内尔家的一次晚宴上碰到俄国大使苏瓦罗夫的时候，他对英国孤立的外交政策的不满之情溢于言表。事实上，当印度部长萨利斯伯利爵士到君士坦丁堡出席由德比召集的国际大会的时候，他倾向于同意俄国特命全权大使伊格奈特耶夫提出的土耳其应该授予被分割的保加利亚自治的权力。同时迪斯雷利很鲁莽地企图收买奥地利退出三大帝国联盟——“你开价多少”是他很生硬的问题——的企图无功而返。列昂内尔在9月8日给迪斯雷利的信——给首相提供鼓励和金融界情报的一系列的信中的一封——确认他正面临“一场非常困难的山头攻坚战”。如果英国和俄国之间在1877年6月发生战争，迪斯雷利和戈尔查科夫几乎应该负有同等的责任，或许还应该更多。因为事实上，他在这个问题上与两名资深的大臣（德比和卡纳万爵士）背道而驰。

对于罗斯柴尔德家族来说，这样一场战争的前景是非常堪忧的，尤其是在为了一个高尚的理由的时候。1870~1875年，伦敦和巴黎的罗斯柴尔德家族联手发行了总价值为6 200万英镑的俄国债券，最后终于圆了长期以来一直使他们耿耿于怀的影响俄国金融的梦想。这是一个盈利非常丰厚的生意：这只5%利率的俄国债券的价格从1870年3月的85，上涨到了1875年8月的106，上涨比例达到了24%。1875~1877年的东方危机不仅仅遏制了这个上涨的势头，而且引发了价格的节节下跌——1876年10月跌到了74，而当俄国在第二年4月向土耳其宣战的时候，又跌到了68。这种情况在所有欧洲主要市场的绝大多数政府债券上都有反映。纳蒂自己后来称这场1878年的金融危机为“有史以来英国金融史上”最大的危机，它以格拉斯哥城市银行的倒闭为开端，以英格兰西部银行的破产为顶点。列昂内尔和纳蒂（因为他正准备继承他那已经病痛缠身的父亲的财产和职责）所面临的困境是相当严峻的：他们应该支持俄国吗？眼睁睁看着土耳其帝国受辱甚至是灭亡，而所有这一切可能意味着将殃及埃及和英国本身也在所不惜？

他们选择了土耳其，把1877年的俄国贷款让给了由门德尔松率领的银团，而法国的那些股份合作制银行——著名的有贴现银行和里昂信贷——在一旁虎视眈眈。迪斯雷利可以在8月份拍着胸脯向女王担保，罗斯柴尔德家族"对俄国现在的政策极端讨厌，而且已经拒绝了帮助沙皇渡过目前的难关的请求"。这是一场真正的牺牲，因为这样的举动或多或少在随后的15年间将罗斯柴尔德家族排除在俄国的金融活动之外。这不能只用他们在土耳其帝国的经济利益来解释，因为在1877年的危机期间几乎就见不到什么利益。巴尔干地区主要的铁路特许权掌握在赫希的手里，他们仍然继续排斥来自君士坦丁堡寻求金融支持的请求，而且第一笔稍大的给埃及的贷款一年多以后才贷出来，唯一可信的解释应该是来自非经济方面的。

格莱德斯通和罗对罗斯柴尔德家族在苏伊士运河股份的购买过程中作用的攻击，极大地破坏了列昂内尔对政党政治的忠诚基础。更为重要的是，罗斯柴尔德家族认为一个斯拉夫民族主义在巴尔干地区的胜利从他们"宗教共存"的观点来看并没有什么必要。格莱德斯通自从1876年9月印发了他的小册子《保加利亚恐慌以及东方的问题》后，就发动了他反对迪斯雷利政策的一次宗教圣战运动。从其最根本的性质来看，这种站在巴尔干基督徒的立场上的诉求，对于罗斯柴尔德家族（以及其他有钱的犹太人，像戈尔德施密特）的利益的影响有限，特别是投票人总是能记起迪斯雷利的犹太人血统——还有他的那些支持者。正如德比评论的："格莱德斯通……指责'犹太虔诚'的影响，并不仅限于那些自称是犹太人的人，关于东方的问题是否是指迪斯雷利，还是指那些明确的犹太人，抑或指罗斯柴尔德……所有这一切完全都是模糊的。"列昂内尔对那些攻击土耳其，而对于"起义和骚乱的原因"只字未提的"所有这些工作聚会"给予了严厉的批评。他所关心的与他们十分不同，这可以从他写给迪斯雷利的信中看出，这封信在柏林的议会大会上被大声地读了出来，是关于东欧（特别是罗马尼亚）的犹太人迫害的，他希望这种情况能引起大家的重视。阿方斯也试图通过布雷希罗德对俾斯麦施加同样的压力。最终定案的《柏林协定》的第44款，在罗斯柴尔德家族的眼里明显要比七弯八扭的对于保加利亚的妥协有价值得多，而《柏林协定》目的就是保护巴尔干地区各种信仰相互依存。

列昂内尔因此对迪斯雷利的政策给予了毫不含糊的支持。"我是多么高兴看到，"他在1877年3月底的时候写道，"一个爱国主义者的成功，而且只是通过政策的调整所取得的——由于您伟大的坚毅和政治家风度，使我们终于可以充满信心地期盼不久之后就可以为一个普天同庆的和平向您表示祝贺。"纳蒂也向蒙塔古·科瑞确认了他对土耳其毫不动摇的同情。在整个危机期间，他们定期地向迪斯雷利送交他们从欧洲大陆收集来的情报的汇编，并且也作为与维也纳联系的一个非官方渠道。例如在8月份，迪斯雷利向女王报告说，他已经“下定了决心，就这个问题秘密地去征询罗斯柴尔德先生的意见”，他所说的这个问题就是俄国有关塞尔维亚和保加利亚的中立给奥地利的承诺。“他们正频繁地与奥地利皇室进行接触。罗斯柴尔德男爵同意给家族在维也纳的负责人发电报，而且我们要求他在做任何推进之前，在他们收到不同于当时通行的说法的信息回复两天后，他应该从安德拉希公爵处得到对有疑问的问题所做出的明确表示……”这就是罗斯柴尔德家族与首相的亲密关系，这让其他关键的外交人物——包括俄国大使和英国外交部长——都确切地感觉到自己被边缘化了。“苏瓦罗夫告诉德比夫人，他发现罗斯柴尔德家族对所发生的一切了如指掌。”德比在1877年12月抱怨道：

> 与那些大臣相比更是这样，他证实了他们每天都保持着与首相的联系，得到所有提交过去的信息并用于他们自己的目的。通过从其他途径得来的消息，我敢肯定，我们时常抱怨的内阁机密的泄漏，主要就是就是在这个环节，因为当贝肯斯菲尔德爵士出城的时候，通常很少有那一类的流言飞语……罗斯柴尔德家族毫无疑问是自己直接得到的消息。

迪斯雷利与罗斯柴尔德之间的关系也不是没有引起自由党领导层的注意。“罗斯柴尔德家族的行为非常讨厌。”格兰威尔这样向格莱德斯通报告，时间是1877年8月，也就是格莱德斯通在下院提出了他的《女王陛下政府已公布政策的重大或者事实变更的决议案》之后3个月。4个月之后，当“N·罗斯柴尔德听到一个盛怒的土耳其人嘲弄迪斯雷利打算开战的说法”的时候，他愤怒了。“他说土耳其人把自己置于他的掌控之下（一个非常令人向往的信任），还说俄国人将会放弃。”按照纳蒂的说法，“迪斯雷利的意思并不是为反对将海峡向所有的战舰开放而发动战争”。这跟他后来告诉历史学家J·A·弗劳德的完全不一样。纳蒂曾经试图劝说J·A·弗劳德“按照他的观点”去写一本迪斯雷利的传记，但是没有说动。纳蒂后来在回忆中说“他（贝肯斯菲尔德勋爵）决定支持战争，这对于他的政策来说是必要的：这是女王强压着他这样做的……而他面临着他碰到的那些每天在内阁进进出出的反对党人的指责”。

无论是否有诈，迪斯雷利都是幸运的。第一，俾斯麦选择的是不支持戈尔查科夫和伊格奈特耶夫，他担心俄国人太完美的成功可能会让奥匈帝国从大国的位置上降级。第二，俄国人在1877年12月在普列文的进军被察觉的时候，他们开始在军事上显得非常踌躇。第三，他们在矢口否认他们以前让奥匈帝国占有波斯尼亚—黑塞哥维那的保证的同时，试图通过《桑·斯特法诺协定》建立一个新的“大保加利亚”的做法上手伸得太长了。所有这些使萨利斯伯利在取代德比于1878年春出任外交部长后，肩上的担子变得比以前轻松了很多。在结束了一系列与俄国（得到了比萨拉比亚和巴图）、土耳其（把塞浦路斯让给英国以换取英国对它的亚洲领土的保护）以及奥匈帝国（允许它占领波斯尼亚–黑塞哥维那以及位于塞尔维亚和黑山之间的诺伍巴扎州）的一番讨价还价之后，萨利斯伯利快步走向迪斯雷利在柏林的外交“胜利”。

柏林到底获得了多大的胜利？这个问题事实上也是见仁见智：把保加利亚分成了三份的瓜分方案——获得自治的保加利亚，仍然处于土耳其宗主国统治之下的东鲁梅利亚，以及仍然作为土耳其帝国的一部分的马其顿——看上去似乎并不是最终的解决方案，而且土耳其对其在巴尔干地区的势力并没有打算完全放弃。可以肯定的是，俄国的军队到1879年底的时候已经从巴尔干地区撤出，而迪斯雷利毫无疑问地重新建立起了英国在东方问题上的外交主导地位。他也很满意地看到俄国与德国和奥匈帝国之间产生了纷争。罗斯柴尔德家族对迪斯雷利的热情赞扬并不是完全没有道理。无论如何，这种可以让人产生无限遐想的处理方式在不到一年的时间内得到了柏林国会的肯定。

在1879年4月，总督解散了“国际”政府，这个政府从一开始就受到了埃及纳税人的抵触。解散政府导致罗斯柴尔德新发行的债券的价格一落千丈。而通常的看法是，从这一刻起，纳蒂开始对英国在埃及的军事干预产生了动摇。但这其实并不正确。纳蒂接受雷伍尔斯·威尔逊关于“政府一纸诏书，马上就废除了总督，这一行动得到了列强的支持，几乎与此同时任命了他的长子图菲格”的说法。但是他反对暂停1877年的贷款，这位前大臣相信，这会使这次解散“国际”政府的后果得到加强，他宣称他和他的法国堂兄“强烈反对威尔逊取消贷款的提议，他们认为这个建议所提出的做法非常卑劣”。再一次，他们的目标是格莱德斯通不大可能有理由反对的：一次与其他列强协商一致的行动，废黜伊斯迈尔，用图菲格取而代之。然而，过去那些在不同的债权人之间存在的纷争又再次浮出了水面。很自然地，罗斯柴尔德家族的第一要务是重建他们1877年债券的保障体系，而这个目标并不被持有早期埃及债券的投资人所认可。一直到1879年12月，他们才得到了奥地利和希腊政府的同意，并达成了一项妥协，确定了用于罗斯柴尔德贷款担保的土地范围，同时也没有损害其他债权人的利益。无论如何，新的政权——完全置于一个新建立的以英国和法国为主导的清算委员会的控制之下——与它的前任几乎同样短命。就在几个月之内，这种“双层控制”的体系分崩离析，再也没有恢复。

从投资到投兵

格莱德斯通在赢得了1880年春季选举的胜利之后没有浪费一秒钟，让罗斯柴尔德家族马上就陷入了最糟糕的境遇之中。他紧随土耳其的另一次破产声明掌握权杖，而且几乎是马上就寻求代表规模庞大而又几乎互不相关的土耳其债权人组织某种形式的经济制裁，他自己作为这个组织的成员。除了按照在柏林达成的协议，从土耳其撤出英国的军事领事，并迫使土耳其政府对希腊和黑山做出让步外，他老谋深算地占领了斯迈尔纳港口。这个做法让罗斯柴尔德家族非常担忧，至少是因为像纳蒂对迪斯雷利指出的，斯迈尔纳的税收已经抵押给了罗斯柴尔德家族作为1855年贷款的担保。他提醒迪斯雷利，只有俄国或许还有意大利似乎会支持这个政策，纳蒂预言，格莱德斯通的“傲慢”将会导致很复杂的国际局势：“在股票交易所，人们都在说，欧洲音乐会的门票已经在广为发售。”“如果其他大国不同意，”他在10月8日告诉布雷希罗德：

> 没人知道会发生什么事情。像格莱德斯通这样感情用事而又喜怒无常的人，什么事情都干得出来。如果他继续独断专行地与俄国和意大利狼狈为奸，这将会给人造成最坏的印象，而且不会被大众所接受。只有一个人可以应付这种糟糕的局面——这个人就是俾斯麦亲王，他可以让埃及恢复秩序。因此，人们都在期待他能接手这个难题。

当格兰威尔在那天早上拜访德国大使曼斯特公爵的时候，他看到阿尔弗雷德已经在那里了。“当他和阿尔弗雷德·罗斯柴尔德看到对方的时候，大家都觉得有一点尴尬。”格兰威尔这样告诉格莱德斯通，“我问罗斯柴尔德想知道什么。曼斯特说，他来告诉我，他知道那是斯迈尔纳。”纳蒂觉得很肯定“格莱德斯通会独断专行地继续走下去”，但是纳蒂也很有信心，认为他也做不到——“如果不征询其他公使（外国大使）的意见。英格兰没有德国的同意就不会行动，根本不会只跟俄国来往——我对我的看法有充分的理由。有最好的消息来源的人告诉过我，俾斯麦的外交政策前所未有的强硬”。

正如后来出现的情况，格莱德斯通不需要占领斯迈尔纳也能达到他的目的。1881年12月20日，苏丹颁布了《斋月敕令》，宣布削减土耳其的债务以及每年的收费，并且建立一个新的土耳其公共债务管理局，这是得到了债券持有人首肯的对防止列强以柏林大会上通过的决议案的相关条款为口实，进行直接干预的抢占先机的正式行动。实际运作过程中，在管理局中的不同国家的代表的任命都预先得到了政府的同意，而且管理局的最高职位由英国和法国的代表轮流担任，这给人的第一印象就像是埃及"双层控制"体系（尽管有例外，比如像烟草垄断分派给了一个由维也纳罗斯柴尔德家族、商工银行和布雷希罗德等共同组成的银团）。格莱德斯通又提出了一个解决方案，而对此罗斯柴尔德家族几乎无法反对。尽管阿方斯在保持土耳其经济的稳定问题上一直都保持着克制，但他们还是在获得了新的特许权后又进行了两次大规模的贷款，一次在1891年，金额是690万；另一次在3年之后，金额是900万（与土耳其银行合作）。很显著的特点是，与他们1855年的土耳其贷款一样，这两次也是用埃及的赋税作为担保。

为深刻理解《斋月敕令》，有必要分析一下这一时段内欧洲各个大国之间外交关系的变化。在俄国与土耳其的战争之后，俾斯麦曾经努力想在德国、奥匈帝国和俄国之间恢复三大帝国联盟，这项努力以1879年10月与奥地利建立秘密共同防务联盟为起点。接下来就是俄国，他随后即鼓励俄国寻找与奥地利的某种形式的相互谅解，最终在1881年6月达成了第二次三帝国同盟。从本质上说，这是一份"三国之中的任一国家与第四国交战时其他两国保持中立"的协定，而它有关巴尔干地区的条款是它最为重要的方面。与土耳其的冲突不包括在联盟关系的规定里，但是奥匈帝国实质上同意让俄国自由"团结"保加利亚，而与此同时，俄国接受奥地利吞并波斯尼亚—黑塞哥维纳（这个地方在柏林大会的时候就已经在它占领之下）。另外，奥地利对塞尔维亚建立起了一个等同于保护国的体制，在1881年的时候承认了米兰国王，而在两年之后，得到了德国的承诺，保护鲁玛尼亚不受俄国的攻击。与此同时，一个十分独特的三国联盟于1881年5月在德国、奥地利和意大利之间形成，部分原因是为了直接反对法国的地中海扩张战略（其信号是1881年占领了突尼斯），但是也获得了意大利在奥地利与俄国发生战争时保持中立的承诺。在三大帝国和三国联盟之间很明显存在着矛盾，但是如果奥地利和俄国之间没有战争，这个矛盾就是隐性的，而且，三帝国同盟在1884年3月的修订也没有遇到多少困难。1878年在柏林签订的协议非常快速地解体了。

这给英国和法国留下了什么呢？答案是如果他们在埃及的关系恶化，他们之间就很有可能彼此孤立——除非是支持俄国的政策被某方或者双方所接受。英国与俄国相互谅解的机会在俄国的影响力从中亚向波斯、阿富汗和拉吉西北前线扩展的时候遭到了极大的破坏。尽管共和制与沙皇体制存在巨大的政治差异，法国—俄国的亲善关系更有现实的可能，而且对这样一种局面的担心在很多方面是了解俾斯麦精心布局的钥匙。从本质上说，他能够让德国在殖民地争端中不仅扮演经纪人的角色，甚至可能是潜在的同盟者。

英国罗斯柴尔德家族显然被这种可能性所吸引。1880年后罗斯柴尔德家族的政策因此也变得越来越多地受俾斯麦的影响，布雷希罗德最终能够扮演中介的角色，而他的这种想法以前则一直遭到拒绝。俾斯麦这位曾经的经济稳定的毒药，在19世纪80年代显然成为了经济稳定的保护者。当英国大使艾姆梯尔爵士在1882年拜访过布雷希罗德后，他报告说他看到了一份来自巴黎罗斯柴尔德家族的电报，想了解关于恺撒健康状况的最新消息。“我询问布雷希罗德，法国的金融家认为皇帝的辞世对巴黎交易所会产生什么样的影响。‘总体下跌10%~15%。’他回答道，‘因为在一个新的君主统治下，俾斯麦的任期很不确定。’”一年之后，纳蒂告诉德国驻伦敦大使，英国和德国之间的相互谅解是“除了少数几个大臣外最有理智的英国人”所期待的。事实是在1881年之后，土耳其债务比例的上升被柏林的资本市场所吸收——由德意志银行扮演领导角色——为解释这种亲德国的浪潮的出现提供了答案。

从罗斯柴尔德家族的观点看，英国—德国的亲善关系不利的方面是，这似乎潜藏着损坏英国—法国关系的可能。事实上，当由阿拉比·帕萨领导的反对图菲格总督无能统治的爱国武装起义使埃及的“双层统治体制”陷入瘫痪后，这已经是显而易见的了。法国1880年在摩洛哥以及次年在突尼斯出现的威信扫地的情况，可以解释格莱德斯通政府为什么对启动英国—法国干预的政策不是太热心的原因。这与格莱德斯通式的关于对埃及事务干预本身的神经质基本没有关系，他曾经在非常短的时间范围内，命令放弃了亚利桑德利亚（1882年7月），又推翻了阿拉比（9月）。

罗斯柴尔德家族在这一系列的惊人事件中的作用，从根本上来说是在英国和法国政府之间做调停工作。在伦敦方面，这已经非常困难，因为纳蒂和格莱德斯通相互之间根本不信任；他们在法国的政治地位使这项工作更加困难，但是为大众联合银行的危机帮了个大忙。

大众联合银行的兴衰作为左拉小说《金钱》的原型在前文中已经有所提及。现在让我们把它与第三共和国和东方问题的复杂政治背景结合起来看，因为在这些问题中，它曾经在一定时间内扮演了几乎与苏伊士运河同等重要的角色。从根源上看，大众联合银行产生于由朗格朗德·杜蒙梭发起并由赫希在19世纪60年代末继续推进的，建立一条通过巴尔干地区联结君士坦丁堡的铁路连接线——东方铁路——这个宏伟计划之中，但是这个计划在土耳其破产以及《桑·斯特法诺协定》把这原本属于土耳其的特许权部分转给了新独立的巴尔干国家之后，遇到了很大的麻烦。保罗·尤金·邦图斯是一名名不见经传的法国铁路工程师，在于19世纪70年代中期开始动手构筑自己的奥匈商业帝国之前，他曾经为帝国与皇家御准奥地利国家铁路公司和罗斯柴尔德拥有的南线铁路工作过。开始的时候，他希望把法国的资本引到中欧的业务中。然而，当他于 1878 年从南线铁路离开的时候，他非常清楚需要在维也纳建立一个新的金融机构来挑战罗斯柴尔德–商工银行集团的统治地位。如果说在 1878 年以 2 500 万法郎的资本金重新启动大众联合银行是第一步，那么第二步就是在 1880 年建立奥地利土地银行。在奥地利财政部长塔夫的支持下，本图克斯购买了奥匈帝国铁路和煤矿的股份，而且还试图在开发连接贝尔格莱德、君士坦丁堡和萨罗尼卡的铁路的时候取代赫希。后来他开始进行多元化投资，所以大众联合银行在整个欧洲大陆建立起了广泛的控股关系。

然而，大众联合银行基本上也就是按照地产信贷银行模式建立起来的另一家信托投资机构。与之前的朗格朗德 · 杜蒙梭一样，本图克斯采用教皇至上以及对抗罗斯柴尔德的借口来鼓动那些自我意识比较保守的天主教投资人到他那儿存款。卫道士德 · 恰姆博德伯爵是那些投资了大众联合银行股份的人之一。对这个企业的规模不应该被夸大：在其最顶峰的时候，其资产略高于 3 800 万法郎。然而，本图克斯增加其名誉资本的做法远远超过了他所能募集的真实认购，这也就意味着大众联合银行是一家投机性的、不切实际的企业，其长期投资类的资本项下是赤字，而用来弥补资产负债表的是短期的存款。到 1881 年 12 月，面值为 500 法郎的股票价格超过了 3 000 法郎，但是银行的预计利润只是预估数，一点也不真实，而且尽管本图克斯自己不承认，大量的大众联合银行的股份（超过 10 000 股，价值约 1 700 万法郎）由银行自己掌握。到 1881 年年底，由于法兰西银行开始推高利率，因此，其投机泡沫接近破灭。在 1 月 4 日后的两周之内，股价从 3 005 法郎下跌到了 1 300 法郎；而到了 1 月 31 日，大众联合银行不得不暂停支付。在他被判犯有金融行为不当罪，并且逃到西班牙后，本图克斯反复声称他是一个"犹太阴谋的牺牲品"，但是他根本没有任何证据支持。事实上，就是靠一笔来自主要的巴黎大银行的贷款——其中罗斯柴尔德家族贡献了 1 000 万法郎，才使巴黎的金融市场能够幸免于一场多米诺骨牌式的金融倒闭风潮。（我们将会看到，这种形式的集体救援在 8 年后的巴林银行倒闭中再次在伦敦采用。）

大众联合银行倒闭的历史意义主要在于其倒闭的时机选择上。因为在 1881 年 11 月，倒闭发生的前夜，莱昂 · 甘必大成为了法国总理，他施行（表面上看起来）对外冒险、对内激进的政策。尽管导致他在位仅两个月就下台的直接原因是选举改革的议案在国民大会遭到惨败，但是也有可能是 1 月份的金融危机真正地击垮了他，使他的大规模债务转换和铁路国有化的尝试遭遇失败。这些证据仍然是推断性的，但是毫无疑问，甘必大的倒台（以及莱昂 · 塞回归财政部）受到了罗斯柴尔德家族从国际观点的角度的欢迎。1 月 25 日，阿方斯写信给纳蒂，警告他甘必大不愿意与英国在埃及问题上按由英国大使莱翁斯爵士提出的方案进行合作，而且对正在讨论中的《英国—法国商务协定》也产生了怀疑。纳蒂将信转给了迪尔克（时任外交部的副部长），同时附上了他含糊的评论："无法令人满意。"紧接着第二天，甘必大被迫辞职。过了不到 14 天，阿方斯在法国外交部遇到了莱翁斯并问他："关于埃及问题，希望我对德 · 弗雷辛内特先生说什么？在认真想了好一会儿后，他回答，'告诉他让商务协定生效。'"看起来纳蒂和阿方斯似乎正在扮演他们的先辈们之前所扮演的角色。作为新上台的法国政府非官方的交流渠道，纳蒂"按照迪尔克指出的意思"写信给巴黎，阿方斯很确定地回复"整个法国内阁没有人对英国商务协定的重要性认识得比莱昂 · 塞更清楚"。尽管他们都习惯性地怀疑罗斯柴尔德家族的动机，格兰威尔和格莱德斯通也认为这个消息很"有意思"。

更有意思的是来自阿方斯的强烈暗示，法国政府不大可能反对英国摆脱阿拉比 · 帕萨的行动。按照阿方斯的说法，对于参与全面的"武装干预"，法国政府可能会在议会遭到太多的反对，他和莱昂 · 塞都明确希望英国能自行行动。这个消息传到伦敦的时候，格莱德斯通还正在期待着能在君士坦丁堡的一次国际大会上达成一个多边的决议，尽管面临着来自他的内阁成员（特别是亨廷顿）要求单边军事行动的压力。当英国舰队在 7 月炮击亚利桑德利亚的时候——城里发生骚乱似乎为军事行动提供了更多的借口——阿方斯很高兴，他注意到"英国在法律和秩序重新在整个国家建立起来之前不再会撤出；这对于那些在埃及有法律利益的所有人来说，是最好的保障"。之后还不到两个月，沃尔斯雷将军在特尔 · 艾尔 · 克彼尔取得了大胜，消息传来，他感觉得到了"最大的满足"。很难绕过这样的结论，就是罗斯柴尔德家族怂恿英国政府跨越了格莱德斯通很负责任的谨慎，并且（根据内阁 7 月 31 日的会议记录所示）强制性地去"推翻阿拉比"。做出这个决定的那一天正好是甘必大的继任者弗雷辛内特提出英国—法国联合占领运河区的建议被国会否决的日子。到 9 月 7 日，格兰威尔或多或少接受了纳蒂的观点，认为在埃及"不言而喻，英国将在以后保持领先优势"。如果没有法国很明显的默许迹象，这次的立场改变是否会有可能出现很令人怀疑，而法国方面的这些情况是罗斯柴尔德家族非常乐意提供的。只有在一种情况下，阿方斯和纳蒂会认为对埃及的占领存在困难：对于前者，是因为打算把这作为向俾斯麦发出英国—法国团结的信号，而对于后者，是想按与德国财政部长一致的步调行动。

如果罗斯柴尔德家族希望给格莱德斯通设一个陷阱，可能找不出比引诱他占领埃及更好的办法了。格莱德斯通自己很准确地预言了这样一个行动可能产生的复杂情况；现在，他发现自己已经被这些问题给困住了。第一，怎样重组总督的政府根本就是一堆乱麻。第二，存在着那些长期悬而未决的金融问题，而债权人应该在这方面得到优先的考虑。第三，还存在国内政治困境，因为格莱德斯通通过如此勉强地采用帝国主义手段的方式为反对党谋得了很多的方便。第四，或许也是最重要的，是他给另一个欧洲大国送去了一根大棒，而这根大棒是用来打英国的。

法国居然默许英国占领一片法国在很久以前获得了很大经济利益的领土，总是让人百思不得其解；但是这并没有持续太久，在沃尔斯雷取胜后不足一个月，按照居斯塔夫给纳蒂的报告，以及纳蒂给格兰威尔的报告，巴黎流言满天飞，说英国政府已经在尝试从公开市场上购买苏伊士运河的股份，目的是绝对控股这个公司。这似乎是纳蒂希望政府做的，但是格莱德斯通仍然对当初迪斯雷利在1875年购买原始股份的有关任何事情都存在着深深的戒备——他一直觉得当时交易的情况都在故意瞒他，而且在很多条件下都证明与勒塞普斯和在运河公司内的法国股东们根本不可能达成协议。

运河只是埃及问题的一部分。这或许并不让人感到奇怪，因为我们下面将要讨论原因，格莱德斯通把埃及的金融看成是一件“神圣的事情”，但是他仍然决定通过“欧洲的一致行动”来解决这个问题。在俾斯麦式的现实主义政治时代，这是根本无法想象的事情。布雷希罗德不久转达了来自柏林的信号，似乎暗示德国对英国的埃及政策忽然转变了立场，而且伦敦大会上格莱德斯通提出了他希望在1884年夏天打破僵局的想法。由于受到孤立，格莱德斯通没有别的选择，只能把埃及的金融重组委托给金融城里罗斯柴尔德和巴林的经典组合。8月4日，海军大臣诺斯布鲁克爵士——巴林家族的成员，尽管从未做过银行的合伙人——被派往埃及去调查这个国家的金融情况。正如伦道尔夫·丘吉尔在下院里愤慨地指出的，他的堂兄弟伊维莱恩·巴林（后来的克罗梅尔勋爵）已经以总领事的身份出现在开罗。“因此，”丘吉尔大发雷霆，

> 伟大的巴林银行的两名成员都得到了委托，按照我所能够理解的，他们获得了几乎是无限的独自处置英国在埃及的政治和金融利益的权利……我希望指出，在这个关系中，实际上派两名罗斯柴尔德银行的成员还是派两名巴林银行的成员并没有什么区别。这两家在规模和他们在东方的经济利益的程度方面几乎没有什么区别；而且我们也可以推断出，如果女王陛下的政府提出建议——提出了一名罗斯柴尔德家族银行的成员，根据他自身的条件以及他的公共地位，适合执行这项任务——派遣这样一位成员，那么从下院和整个国家可能就会发出很大的嘘声。但是，在罗斯柴尔德家族的地位和巴林之间似乎不应该有什么不同……

考虑诺斯布鲁克过往的政治记录（他是前印度总督），丘吉尔的得分并不高，而且他声明说“这个国家的公共服务从此不再与伦敦城里的商业和金融私人企业有任何的联系”，这当然完全是一派胡言。但有意思的是，他相信罗斯柴尔德家族参与到埃及的政策制定中，会比巴林的参与引起更多公众的反对。

丘吉尔不知道的是，在诺斯布鲁克被派往埃及后的第二天，纳蒂给格兰威尔做了一个保证，他的公司会为弥补埃及当前的赤字提供100万英镑的短期贷款，尽管他明确地要求知道“政府会为他的贷款提供什么样的担保”。对更新这笔贷款的需要为罗斯柴尔德家族提供了对丘吉尔错误地依靠巴林家族的政策进行调整的杠杆：在很沮丧地讨论随时可能出现的埃及破产问题的时候，纳蒂在12月26日告诉格兰威尔，他能够同意的延长这笔贷款期限的时间只限于两周，目的主要是为了促进与其他大国进行的谈判。当纳蒂“上紧螺丝”的时候，他似乎很高兴用争论以及来自柏林和巴黎的那些矛盾的消息来折磨政府。“我们唯一的机会是同意俾斯麦的条件。”他在8月的时候的告诉汉密尔顿。9月1日，他警告格兰威尔说：“俾斯麦非常生气，而且说他要维护德国债券持有人的权利……因此他将反对对于埃及事务的任何非法行动，而且给了我们一个绝对的比率[①]，把欧洲的管辖权让给法国，在他看来，我们不会愿意面对这样的情况。”但是当他在3个月后与格莱德斯通一起吃饭的时候，他又“嘲笑法国对埃及土地税收的计算方法”，并且非常支持诺斯布鲁克在上一个月报告里的测算，这份报告提出由英国独家控制埃及财政。

格莱德斯通心无旁骛地朝一个事实上的英国保护国方向进行推进的努力，不由得让人肃然起敬：由于罗斯柴尔德家族似乎无处不在，因此他指责他们向法国政府泄露了关键的信息——在亨廷顿为纳蒂提供诺斯布鲁克报告以转给俾斯麦的那个时候。或许这里面有些问题：在10月份，法国总理朱利斯 · 费瑞告诉俾斯麦的儿子赫尔伯特“英国正在煽动那些大的金融企业，特别是罗斯柴尔德银行，而且让他们知道如果英国政府被迫走极端的话，埃及的贷款可能会变成一张废纸，债券持有人会一无所获……金融家们现在真的非常担心，而且都在试图影响法国政府的态度，朝英国的方向转变”。罗斯伯里对在这个关键时刻加入内阁非常犹豫：他很自然地想到了丘吉尔关于金融家族这个话题的另一次措辞激烈的讲话。就在这时，丘吉尔发表了口无遮拦的讲话，说“一伙伦敦和巴黎的犹太高利贷者诱使伊斯迈尔 · 帕萨落入了他们的网中”，而且声称“格莱德斯通把埃及人送回到了他们的犹太主人的罗网中”。

最后，也是最致命的，这里存在一个问题，就是英国新的管辖权应该怎么划定。

---

① 原文如此。

埃及南部在迈赫迪的领导下，宗教叛乱在整个苏丹肆虐。罗斯柴尔德家族再一次鼓励英国进行干预，格莱德斯通再一次发现自己无法抵御这种国际国内交织在一起的帝国主义情绪与"骑虎难下"的过度的个人野心的混合势力。所有相关的人都过分地高估了英国的实力。法国罗斯柴尔德家族兴高采烈地重复着一个交易所的故事，说"戈登·帕萨带着10万英镑英格兰银行的纸币，这是平息暴乱最好的英国武器"。从苏丹撤军的后勤保障远不是报告中说的那样，由于接到了相关的命令，戈登试图进攻马赫迪。传到伦敦的消息说他可能战死于1885年2月5日。正是这个危机最终说服罗斯伯里加入了政府，这个决定得到了纳蒂的欢迎，他公开说："您无与伦比的判断力和爱国热忱将会给政府以极大帮助，并拯救这个国家。我希望您关注已经派到尼罗河的援军。苏丹的战役将会是一个辉煌的成功，而且肯定不会有错。"

罗斯柴尔德家族直接受益于英国对埃及的占领这样的说法应该不会有什么问题。正如居斯塔夫说过的，英国的控制对于大多数（尽管不是全部）埃及债券的持有人来说是个好消息，因为"如果英国与埃及共同为埃及的对外义务负责，埃及的信用明显将会从中受益"。不仅如此，它还为罗斯柴尔德家族提供了发行新形式债券的机会：1884年之后，所有的埃及债券发行都将由英国认购。1885~1893年，罗斯柴尔德家族伦敦、巴黎和法兰克福银行联合负责了四次大型的价值将近5 000万英镑的埃及债券发行。这些发行由罗斯柴尔德家族与布雷希罗德合作，其中一次与贴现公司合作，具有重要的外交意义。在1885年3月，大家一致同意这些贷款中的第一批应由所有有关的大国共同担保，但是俾斯麦批准这个协议的前提条件是德国的银行——意指布雷希罗德——要获得一定比例的份额。这就排除了通过英格兰银行发行债券的可能性（为印度和其他殖民地的债券发行采用的就是这种模式），使得罗斯柴尔德的操作成了显而易见的解决方案。萨利斯伯利第一批在1885年夏天组建临时管理机构的任务之一，就是向英格兰银行发布消息，说他被"授权筹措贷款中的英国部分，由N·M·罗斯柴尔德公司作为代理，因为它在巴黎和法兰克福都拥有银行，而且与柏林的布雷希罗德银行关系很好"。

在所有担保中更为重要的，是伊维莱恩·巴林稳定埃及经济的努力取得的成功。1890年和1893年的贷款是转换贷款，发行的目的是调低埃及债券的利息。这也不应该按埃及民族主义者的说法说成是外国投资人为自己在埃及的利益上所取得的胜利：在巴林的管理下，出现了大量的基础设施投资（铁路以及最著名的在1898年到1904年间修建的阿斯旺大坝）；然而，绝对债务负担却从1891年最高峰时的1.06亿英镑下降到了1913年时的9 400万英镑，而且按人头征税。换个角度说，在这个时期一开始，债务负担是当时收入的10倍；到这个时期结束的时候，这个数字只是5倍。

英国的金融控制是如此严格，以至于罗斯柴尔德家族马上就抱怨说他们在埃及业务上的佣金被压榨了。这可以部分地解释为什么罗斯柴尔德家族在巴林于1907年离开埃及后，将越来越多的领域放手给厄内斯特·卡塞尔的原因，尽管更为可靠的解释是纳蒂担心英国的控制力在面对埃及民族主义者的暴动时出现下滑。

这种向正式的英国控制转换的代价最惨重的部分不是由债券持有人或者纳税人来承担，而是由英国的外交政策来承担。1882~1922年，英国觉得有必要对其他大国承诺它将结束对埃及的占领，这样的承诺总计不少于66次，但是所有想从埃及脱身的努力均在面对其他大国之间无法调和的矛盾之中无功而返。在1885年9月，纳蒂被要求在柏林就关于杜鲁蒙德·沃尔夫提出的由土耳其军队在埃及替换英国军队的建议发表意见。俾斯麦的儿子赫尔伯特代表俾斯麦所做的回应是反对。由外交部在1887年提出的“在英国保护下埃及中立”的意见也同样注定不可行，法国坚持要苏丹反对。在实际的操作中，“一个垂帘听政的政体”（米尔纳的说法）建立起来了，而且开了一个很有影响的先例——正好契合了购买苏伊士运河股份的时候格莱德斯通警告可能会发生的情况。

最不可理喻的是这次行动中最主要的受益者之一不是别人，而正是格莱德斯通自己。1875年末——可能正是他竭力反对购买苏伊士运河股份之前——他购买了面值为45 000英镑的1871年土耳其埃及贡赋贷款券，价格只有38英镑。按照他的日记所证实的，到1878年（柏林大会召开的那一年），他又增购了5 000英镑（面值）；而且在1879又购买了另外15 000英镑的1854年土耳其贷款券，同样也是以埃及的赋税作担保。到1882年，这些债券占了他整个资产组合（面值51 500英镑）的37%。甚至在武装占领埃及之前——这是他自己下达的命令——这些投资看起来都非常不错：1871年债券的价格从38涨到了1882年夏天的57，事实上在上一年还涨到过62。英国的占领让首相获益更多：到1882年12月，1871年债券的价格涨到了82。到1891年，它们甚至摸高到97——仅资本收益率比他1875年购买的时候就多达130%。因此，当某一次听他把土耳其的政府破产描述为“所有政治犯罪之最”的时候，也就不会觉得太奇怪了。每当我们说到维多利亚时代的虚伪，常常让我们想起格莱德斯通对性所持的压抑态度；而他对待帝国经济的态度才是真正的虚伪。在他反对迪斯雷利代表政府购买苏伊士运河的同时，却在他所反对的行动的支持下做出了他个人生涯中最成功的一次个人投机，让我们不得不说他真是一个虚伪到极点的人。东方问题是罗斯柴尔德家族和格莱德斯通之间在这个时期分歧的最主要原因之一；我们似乎可以得出这样的结论，格莱德斯通的双重标准——这与迪斯雷利充满浪漫色彩的夸张对比起来是如此强烈——是不和的根源。

第五章

政党政治

THE HOUSE OF ROTHSCHILD

迪斯雷利在这里……我们的朋友精神状态非常好，根本就没有对在议会遭到的暴力袭击有任何抱怨。你能对我在写东西时与亲爱的妈妈在一起的来访者说什么呢——这个情况我刚听说，赫赫有名的格莱德斯通先生正在跟她一起喝茶、吃面包和黄油，我怀疑他是否会来看我。

列昂内尔给里奥和莉奥诺拉的信

1876 年 3 月

可以肯定的是，19 世纪 70 年代关于埃及和土耳其的争论并没有让罗斯柴尔德家族与格莱德斯通造成太大的隔阂。然而，如果据此认为他们与自由党的关系完全破裂或者对保守党无条件接受，都是错误的。对这个事实最好的证明就是迪斯雷利在 1876 年的某一天拜访列昂内尔，而就在同一天，格莱德斯通与夏洛特在一起喝茶。这并不是一个孤立的偶然现象。4 年之后，费迪南德给他的朋友以及罗斯伯里伯爵家的姻亲写信，描述了一个类似的场景："贝肯斯菲尔德爵士正与阿尔弗雷德在一起——而另一天，我们不得不把他送到纳蒂那里去吃饭，因为格莱德斯通要来吃饭，并与剑桥公爵会面（私事）。"一直到 1905 年，罗斯柴尔德的政治立场总是有点像"旋转门的性质"：尽管家族的成员（具体来说就是纳蒂）越来越认同保守主义——或者可以说是自由党的联合主义——但是与格莱德斯通党人的联系渠道却从未关闭过。与迪斯雷利之后的保守党领导人的关系也并不完全和谐。1900 年之后，犹太移民问题的政治化为这个家族为什么变成了自由党人提供了一个可信的说法。

一个无可辩驳的事实是，罗斯柴尔德家族的第四代与他们的父辈和祖父辈相比，对政治的看法变得更加注重意识形态——最明显的是在对待爱尔兰的问题上，但是与此同时也针对欧洲城市人满为患而引发的"社会问题"（或者说是各种社会问题）。这些问题让他们与格莱德斯通的分歧越来越大。然而，一直到世纪之交，纳蒂才完全放弃了他的自由主义立场。与他父亲和祖父之前所做的一样，他仍然相信，无论是经济还是外交，罗斯柴尔德家族应该保证无论哪个政党掌权都应该受到重视。这就可以部分解释他与不同的政治取向的政治家，比如罗斯伯里、伦道夫 · 丘吉尔爵士以及阿瑟·贝尔福都能保持良好关系的原因。在维多利亚晚期私下的政治生活中，罗斯柴尔德家族经常碰到这一类人，在金融城里（在纽考特的午宴上讨论金融问题）以及在西区（在俱乐部或者匹克迪利大街家里的晚宴上讨论政治问题），这些访客与其他数不胜数的政治精英们，无论是自由党人还是托利党人，都是罗斯柴尔德乡间庄园（特别是都灵、瓦德斯顿和霍尔顿）的常客。很多那个时期最重要的政治决策都是在这样的环境下做出的。而当罗斯柴尔德家族无法对他们政治界的朋友亲口说的时候，他们就写信——这对于历史学界来说是很幸运的事情，然而纳蒂决定在他死后把他的所有信件全部销毁，因此在罗斯柴尔德自己的档案里几乎没有留下什么。尽管来自巴黎的信件仍然可以使我们推断出很多发生在纽考特的事情，但是我们依据的主要还是政治家们自己的文件，因此也给历史学家留下了很多让人无法解释的关于罗斯柴尔德家族政治作用的悬念。

自由主义追求

罗斯柴尔德家族中的部分成员事实上从来就没有停止过他们的自由主义追求。一直到他们生命的最后一刻，迈耶和安东尼在意识形态上都是坚定的纯粹的自由党人。迈耶击退了托利党人乡绅的进攻，保卫自己的海斯席位，争取到了来自福克斯通地区渔民的支持，而安东尼继续依靠党内的科博德耐特派的支持。人们听到安东尼在1866年9月宣布"我们摆脱殖民地越快，对英国的好处也就越大"——这是一个很令人吃惊的鼓动，对于这一时期的罗斯柴尔德来说，这句话可能会被理解成一句对毫不妥协的经济自由主义的表述。人们也不应该忘记安东尼的女儿康斯坦丝和安妮仍然通过她们的生活活动与自由党紧密地联系在一起，而且迈耶的女儿嫁给了一位将继格莱德斯通之后出任首相的自由党人。

甚至列昂内尔的儿子们也是以公开的自由党人身份开始他们的政治生涯的。当他们的堂兄里奥在1865年首次参与议员竞选时，他明确问投票人："你们到底喜欢谁来领导，是帕尔梅斯顿、罗素和格莱德斯通，还是德比和迪斯雷利？"明显前一组得到了他的支持。在同一年代表艾勒斯贝利以自由党人身份参选的时候，纳蒂"一直驶到密森顿，而且受到很多人的迎接，他们一直伴着我穿过城市，来到一片丘陵地区，像驯服的熊一样走了很长的路"。有非国教投票人问他是否支持废除教会规费，他很直截了当地回答说："支持。"这个立场让人们回想起当初他还在剑桥上学时所表现出来的教条式的自由主义。

还应该注意到的很重要的一点是，到格莱德斯通结束他的政治生涯之前，一直都有罗斯柴尔德家族的成员与他继续保持着联系。他在1868年12月首次获得首相职位后并没有改变他们始于19世纪50年代的交往模式。格兰威尔爵士在他于次年住在门特摩尔期间向格莱德斯通转述了罗斯柴尔德对1868年选举的看法，而格莱德斯通也于1869年和1870年在匹克迪利148号与列昂内尔和夏洛特一起吃饭；也经常与列昂内尔举行“业务”会谈。比如在1869年4月，两人碰面讨论预算，而且正如我们看到的，格莱德斯通在1870年和1871年的法国—普鲁士战争期间，与罗斯柴尔德家族的成员进行了几次重要的会谈。他也在1874年7月到纽考特拜访过列昂内尔，而且一年之后又再次来访（尽管他的日记并没有透露拜访的原因）。只是在苏伊士运河股份矛盾爆发之后，这些会面表面上看起来才停止了——尽管列昂内尔仍然通过格兰威尔偶尔传过一些不很重要的话。

甚至在苏伊士问题之后，格莱德斯通仍与列昂内尔的妻子夏洛特保持了一种超越熟人的关系。在1874年，他把自己的肖像画送给了她，一年之后，他在日记里记下了与她“关于信仰状况”的一段对话。这引发了双方不断的信件往来，一直持续到第二年的8月份，夏洛特送给他一套由犹太作家写的《圣经》评述，显然是为了帮助他进行他的理论研究。夏洛特在丈夫死后对此表现得兴致不高，但是格莱德斯通继续到加奈斯贝里去拜访她——这些拜访被她的儿子描述成是“我最敬爱的母亲在病倒之前最后的乐趣”。夏洛特在1884年辞世。尽管他们的政治信念各异，他和纳蒂在1884年和1885年还是经常一起吃饭，并且在他的第三次任期内，也经常在其他的很多场合碰面（主要是讨论埃及问题）。走出办公室之后，他在晚宴上依然很受欢迎，并且在1891年2月访问了都灵。

格莱德斯通在与纳蒂的妻子艾玛恢复了他早先与她的婆母所进行的学术性通信上也没有感到有任何不便。比如在1888年8月，他写信给她，要求她帮助探讨“关于《摩西法典》与其他同时代或古代体系就其道德和社会层面领域进行比较这样一个很流行而且也能有很多理由进行说明的话题——而比较之后得出的结果很显然对《摩西法典》非常有利。”艾玛对神学没有兴趣（她喜欢讨论英国和德国文学），但是她显然很高兴能被这样一位大人物所青睐，并且尽她的所能帮助他找到共同的立场。为了感谢格莱德思通送给她的一本有他签名的他的《圣经》研究的专著，她评论说：“尽管我们的需求在很多方面都不同，但基督徒和犹太人对那些神圣的《圣经》教义的忠诚都是一样的，对此，正如您说的，‘它们用中立的方式武装我们，把那些争斗带来的相互伤害从我们的身上清除！’”两人对歌德的热情也为通信提供了新的话题。格莱德斯通同时也与费迪南德和他的妹妹艾丽斯，以及康斯坦丝和她的丈夫塞瑞尔·弗劳尔保持着社交联系，他还在他的第四个以及最后一个任期内为塞瑞尔·弗劳尔争取了贵族身份和新南威尔士总督的位置。在 1893 年，安妮也高兴看到这位大人物。在给她姐姐的一封信中，她很高兴地描述了“当他说到那些可耻的土耳其人的时候，他的那张老脸被愤怒和火光点亮”。让那些激进的报纸错愕的是，格莱德斯通尽管这一时期与纳蒂在政治见解上存在很大的差异，他还是在同一年接受了访问都灵的邀请。而纳蒂和艾玛在 1896 年对哈沃登的回访表明，政治问题在当时被回避了。这次访问之后，艾玛和格莱德斯通的通信中讨论的话题是一棵白桦树最大的树围。似乎格莱德斯通先生和她的丈夫最后终于找到了两人共同的热情所在——树木。

然而，这些持续不断的个人接触也无法掩盖罗斯柴尔德家族与格莱德斯通的政治信念的不同。简单地说，这与罗斯柴尔德家族与迪斯雷利之间独特的亲密关系不无联系。在他早年的日子里，正如我们已经看到的，迪斯雷利曾在他的小说里描绘了他们之间的浪漫关系，而且经过长期的培养，让列昂内尔获得了对法国铁路进行投机的一次良机。这些并不成功，而且迪斯雷利的财务状况——一大堆混乱的债务以及高利贷利息的支付——在 19 世纪 50 年代末期达到了最糟糕的状况。应该强调的是，与当时的传言相反，罗斯柴尔德家族并没有给他任何救助。1862~1863 年，一位名叫安德鲁 · 蒙塔古的有钱的地主给他提供了帮助，而且还安排购买了迪斯雷利所有的债务，获得了 5.7 万英镑，以哈根登的 3% 做抵押，这就很显著地减少了迪斯雷利每年的支出。在此后不久，他从布莱基斯 · 威廉斯夫人处继承了 3 万英镑，这是一位虔诚的年迈女士，他赢得了她的信任和青睐；另外，他还从他的小说中获得了大约 2 万英镑。有人声称在迪斯雷利死后，罗斯柴尔德家族在他的侄子科宁斯比继承之前付清了哈根登的按揭款，但是我们找不出他们这样做的明显的原因。

在早前的日子里，与迪斯雷利过分的熟悉曾经导致产生了某种程度的蔑视——不只是因为他对他的父辈信仰的特异态度。然而，到了 19 世纪 60 年代，他的政治立场高尚到足够使不敬让位给钦佩。夏洛特在改革法案期间的信函反复对他的政治能力进行称颂。“迪斯雷利先生让人觉得非常和蔼可亲。”她在 1866 年很有特点地这样写道：“我们全神贯注地听他说话，敬爱的爸爸和我……听他讲话真的是一种享受，甚至迪斯雷利太太的出现也不会破坏这种愉悦。”列昂内尔也明显地对迪斯雷利热情了起来，因为他已经距离顶峰不远了。在 1867 年进行的改革辩论的过程中，两个人明显地走得很近，议会结束后也经常一起吃饭，并交换相互的政治信念。这些信件中的语气表明了几乎完全没有政党政治那样的摩擦存在：迪斯雷利肯定没有拿财政部长对待反对党议员的那种态度来对待列昂内尔，而与此同时，列昂内尔在他幸存的信件中的政治评论也是如此中立，以至于如果仅从这些评论来看，很难推断他的政党倾向。只有在很偶然的情况下，迪斯雷利才会显得含糊其辞。例如，在 1867 年 8 月，他“在星期六的内阁会议结束后来访，但是，”夏洛特很失望地注意到，“爸爸尽了最大的努力也无法突破这位大人物的冠冕堂皇——他就是不跟爸爸透露一个字，而且改革法案的命运仍然很不明确”。迈耶也对这一时期迪斯雷利勇猛的领导风格印象深刻，其程度与他的侄子纳蒂几乎别无二致。

当迪斯雷利最终获得了可贵的首相职位的时候，玛丽·安娜马上把这个消息告诉了罗斯柴尔德家族，而且法国的罗斯柴尔德家族马上写信表达他们对这位“非凡人物”的胜利感到高兴。尽管面临少数派政权存活机会不大的现实，列昂内尔对德棱给予了严厉批评，因为后者在《时报》上攻击新当选的首相。迪斯雷利很坦诚地告诉列昂内尔他有关于内阁组成计划的打算，尽管他的立法计划仍然使他颇费思量。对于爱尔兰教会问题，列昂内尔在1868年3月的时候这样说道：“我怀疑他还没有拿定主意，而且改革法案将会因势利导。”“还没有人知道，”他在两天后又补充道，“迪斯雷利将要怎么来保证获得胜利。”列昂内尔非常积极地通过“泄露”反对党的打算的消息来尽力协助迪斯雷利。“昨天，迪斯雷利是我们唯一的访客。”他在3月9日告诉他的妻子，“他没有告诉我们什么，但是想要知道所有的报告。当我告诉他，他们（他的自由党资源）说他的很多支持者可能会在爱尔兰问题上反对他时，他说他提出的任何提案都会得到每个人的支持。我建议他组织一些有趣的晚会。”当迪斯雷利在1868年的选举中被击败的时候，列昂内尔仍然给予了支持。“在那个伟大的议会斗争中，您干得非常漂亮。”他在次年的3月写道，“如果趋势稍有更改，就会为您提供更多展示您的雄辩和才能的机会，而我们将会永远分享您的成功，感受您珍贵的个人友谊，这种感情无论在什么场合下您都向我们展示。”作为一种标志性的举动，他以迪斯雷利的小说《罗泰尔》中一个人物的名字来命名一匹赛马，这部小说是在他的选举失败之后匆匆收的尾，而安东尼则提供了“大量的野鸡，还有一些兔子”。

在迪斯雷利成为反对党的时候，他们的关系仍然维持着原来的状况。迪斯雷利在1870年的时候，至少三次被邀请到匹克迪利148号，而且还有其他类型的社会接触。他为康斯坦丝的一本书提供了关键的构思，而当他自己的房子无法居住的时候，阿尔弗雷德为他在伦敦提供了住房。“请您同意在这间屋子里待些时间。”夏洛特于1873年9月在加奈斯贝里写道，“希望您尽早到来，尽量留下来多待一些时间，起码要待到10月1日之后，因为这是我们盛大的斋戒日以及赎罪日，这样我们所有人才会更加高兴，而且也备感荣幸。”除了热情好客，列昂内尔总是能提供来自其他政治渠道的有价值的新闻。比如，内部关于《自由法案》内容的信息，或者德棱计划在《时报》上发表的社论。“罗斯柴尔德男爵……是自由党人，”迪斯雷利在一次内部通气会上对布莱德福德爵士说道，“而且……知道所有的事情。”迪斯雷利在1874年重新掌权之后，自由党人担心迪斯雷利会抢在他们之前授予列昂内尔贵族爵位就不足为奇了。

迪斯雷利与罗斯柴尔德家族之间在那些年间的亲密友情怎么评价都不会夸张。有种说法（尽管不是十分准确）认为他被看做是家族里的一员，特别是他的妻子玛丽安娜在 1872 年去世之后。当汉娜在 1878 年嫁给罗斯伯里的时候，是迪斯雷利送走了她；而当首相在 12 月份立遗嘱的时候，他指明纳蒂与他的律师菲利普 · 罗斯爵士一道作为他的遗嘱执行人。在列昂内尔去世后一年的 6 月，他的儿子们在回复迪斯雷利的吊唁的时候告诉他，他们的父亲“把你看成是‘他最亲爱的朋友’”。很难想象出在晚年的日子里，还有谁会比他走得更近了。

列昂内尔的儿子们继续了他们的父亲的“贝肯斯菲尔德主义”的倾向，尽管也像他一样继续坐在下院的自由党一边。在迪斯雷利对东方问题的“沙文主义”政策 1878 年放到下院来表决的时候，自由党领导层多多少少对纳蒂有些不放心。格莱德斯通的皇室副官威廉姆 · 哈科特认为，与很多其他“商业人士”一样，“他们发现他们的金钱利益被目前这种局面极大地损害了”，罗斯柴尔德家族“已经投入了托利党的怀抱”。与威廉姆 · 哈科特所设想的非常类似，纳蒂在政府 2 月份寻求紧急信贷支持的时候，挑战了自由党制定的以弃权作为底线的官方态度，而且两个月之后，当威尔弗雷德 · 罗森爵士在 4 月份提出修正案来反对使用储备的时候，他在两次投票中均投了政府的支持票。他还反对亨廷顿爵士关于印度军队调动的两次决议案（5 月 23 日）以及《柏林协定》（8 月 2 日）。这些就像有时候人们所争论的那样，对于罗斯柴尔德家族和其他富有的犹太人来说，就是他们政治的十字路口，他们在争取犹太人权利的长期斗争中形成的对自由主义的忠诚，最终屈从于迪斯雷利式的帝国主义诉求。更准确一点说，应该把这看成是 19 世纪 40 年代前后，大量的贵族或以乡村为基础的辉格集团脱离格莱德斯通式的自由主义公开迈出的第一步。

随着迪斯雷利的政府招架不住格莱德斯通对“贝肯斯菲尔德主义”（历史书上记录为米德罗锡安运动，这是在格莱德斯通被说服去竞选苏格兰国家席位之后所发动的）的猛烈攻击，而在 1879~1880 年下台。纳蒂越来越像是穿着自由主义外衣的托利党人。就像他显然觉得很尴尬地告诉门提 · 克瑞的那样，有一次，他“正好在准备投票的环节走进议会，而且因为没有任何人给我任何提示，我发现我跟多数派的人投了同样的票，而这个议案是谴责政府的。我写信把这些情况告诉你，尽管你知道，以后就算把我的双手砍掉我也不会再做这样的事了”。他在 1879 年 3 月做了些补偿，当时他提醒迪斯雷利说，查尔斯 · 迪尔克打算推动一次谴责政府南非政策的自由党人投票，这个政策是在伊桑德尔瓦纳取得祖鲁胜利之后做出的，而且“很多保守党人将被禁止投票”。这类信息，用纳蒂的话说，是“通过在西区的俱乐部里以及在金融城里的各种谈话”收集得出的，用现在的眼光看显得有些琐碎，但他确实是这位维多利亚式的首相“倾听大家（指政治精英）心声”的唯一途径。到1879年12月，纳蒂拐弯抹角地通过把自由党领袖说成是“那个魔头格莱德斯通”来表达自己新的政治立场，这句话出现在他给迪斯雷利的新年祝词的结尾处，而且他还提出希望“他（格莱德斯通）会搬起石头砸自己的脚来给您提供帮助”。费迪南德也附和了这种情绪，他这样告诉罗斯伯里：“我希望您的格莱德斯通大人深陷海底。”

在自由党人获得了1880年的选举胜利之后，阿尔弗雷德在他自己位于希莫尔区1号的宅子里给迪斯雷利提供了一套住房，而纳蒂仍然继续给他提供自由党内部纷争的最新消息——尽管有人怀疑他现在的目的更多的应该是让一位老人感到高兴，而不只是想煽动他进行有效的反击。当另一部以纽萨泰尔的形式来表现戏剧化的罗斯柴尔德的小说《恩底弥翁》发行的时候，纳蒂的赞誉显得很虚假（或许从中可以看出希东尼亚与阿德廉·纽萨泰尔的一个不同点正好是他自己与他父亲之间的差异）：

> 在那些“圣乔治的大旗飘扬在拉瑟拉斯平原上”，而塞浦路斯是一片富饶的殖民地的日子里，“那些在文学和艺术上遭遇惨败的人”不会再像一位诗人或者具有非凡想象力的人那样谈论您的作品，但是他们将像我一样一如既往地把您看成是一位伟大的英国政治家。

他宣称，这是“对英国文学的一个伟大的贡献”。这位风烛残年的作者继续与阿尔弗雷德——“这位世界上最好、最有爱心的东主”——住在一起，一直到1881年1月，当时他搬进了他用《恩底弥翁》的稿费购买的位于科赞大街19号的房子里；而且当他首次以及最后一次于1881年3月10日在那里宴客的时候，阿尔弗雷德都是到场的客人之一。当迪斯雷利4月19日凌晨去世时，轮到纳蒂去履行他的最后愿望，把他送到哈根登与他的妻子葬在一起，而且他的葬礼“与她的一样非常简单”。也就是说他们委婉地拒绝了格莱德斯通提出的公共葬礼的建议。

政治斗争

用阿方斯的话说，迪斯雷利曾经是“我们家族最好、最值得信赖的朋友”。但是把罗斯柴尔德家族从自由党那边争取过来，并不只是靠这份友谊。同等重要的是在格莱德斯通式的自由派人士——他们当中有的人非常激进——与具有非常明显保守倾向的辉格党人之间意识形态方面的差异。这些差异在选举过程当中表现得淋漓尽致。

当罗斯柴尔德家族在19世纪50年代期间首次以一股政治力量的形式出现在白金汉郡的时候，在艾勒斯贝利及其周边已经建立起来的辉格党人的领导地位所形成的大环境非常不友好。卡林顿爵士提到他们的时候，很刻薄地说他们是“红海”，而艾克顿·丁达尔则大谈拒“割礼”于党门之外。在1865年，纳蒂以无可争议的选举结果回到他的席位，但是他与丁达尔的政见仍然存在明显的差异（比如对于教会费的废止问题）。然而，三年之后，似乎忽然之间变成是罗斯柴尔德家族在党内站对了路线。激进派联盟秘书长乔治·豪威尔有点死缠烂打地在艾勒斯贝利硬缠着他们，结束了那种简单的局面，并由此让一名罗斯柴尔德家族的人和一名托利党人没有悬念地退回到了这个有两名成员的选区。在金融城里，列昂内尔发现他自己很尴尬地与一名自由党候选人在哈姆莱兹大厦竞争，这名候选人是一位名叫约塞弗·德阿吉拉·萨姆达的改变了信仰的犹太人。这很可能是他失去他的这个席位的原因之一——在总体上自由党人票数领先的选举中出现这样的失败显得很不寻常。6年之后，列昂内尔又再次遭遇失败。然而，这一次失败的原因在于他和格莱德斯通之间对于财政政策的分歧被公布了出来。按照《时报》后来所回忆的，列昂内尔（“在或许是他参加过的唯一一场重要的选举会议上”）指出：

> 格莱德斯通先生提出的废止所得税提议将会让国家每年失去900万英镑，而且盈余可能达不到那个数额的一半。对于另外的一半，必须征收更多的新税种。当他的听众大喊“反对”和“经济”的时候，他回答说经济并没有走得这么远，可以每年节约400万。德·罗斯柴尔德男爵的意见是，新税种必须开征，而且必须针对财产来征。他提出了执照税，比如在奥地利由商人支付的那种情况。

提倡高税收会对选举产生负面影响的发现并不是现代的事情。列昂内尔的说法被诺斯科特尔1874年的预算所验证，他们仍然征收所得税，尽管对于年收入在400镑以下的提高了起征点，并采用了较低的税率。

罗斯柴尔德家族和格莱德斯通之间的党内政治紧张局面在1876年终于彻底地爆发了，当时迪斯雷利升到了上院后，需要在他的白金汉郡选区进行一次补选，而此时恰逢格莱德斯通的“残酷”运动进行到最高潮的时候。格莱德斯通非常急需一场自由党的胜利，而且他显然看到了保加利亚问题可以作为实现那个目的的一种手段：他送给了自由党候选人鲁波特·卡林顿“250份小本”（他写的小册子的副本），而且以热切的兴趣追踪着这场运动。当格兰威尔的一个朋友在投票前5天试探列昂内尔的口风的时候，他发现：

他很狂热地支持迪斯雷利和德比——但说起话来似乎他在支持卡林顿[①]。但是在当下的投票体系中又没有可能去了解选票的流向。举个例子说，对于他的三个佃户，他也不可能说出他们是跟随着他的方向投票，还是跟随着教区长的方向投票。他的看法是，弗雷门特尔（托利党候选人）可能会以5票胜出，总得票数为600票。

最后的结果证明这个预测相当准确。

两年之后，当艾勒斯贝利的第二个席位被自由党候选人乔治·W·E·罗素——约翰爵士的侄子——赢得的时候，他们的分歧更加严重。在反犹太人运动的暗流中，在打倒“贝肯斯菲尔德主义”的一个完美的例子中，罗素就像格兰威尔对格莱德斯通所承认的那样，“攻击迪斯雷利是犹太人、沙文主义者和阴谋家”。当这在当地的保守派报纸《白金汉郡信使报》上进行报道（尽管罗素努力取消了“犹太人”这个字眼）的时候，纳蒂顿时火冒三丈，马上在他再次见到格莱德斯通的时候，抓住“一切机会给罗素扣尿盆子”。那些带头的自由派人士愿意以这种方式行事的事实，使得人们很难再只把对罗斯柴尔德家族向迪斯雷利偏移的理由仅仅说成是与格莱德斯通在对外政策上的不合。

外交因素无疑也是很重要的。当自由党人赢得1880年大选的时候，在法国罗斯柴尔德家族的眼里是一件有些“遗憾”的事情，因为他们认为保守派政府似乎会有更多的“古老英格兰的威望和影响”。而“格莱德斯通先生对外交政策的轻视”，是他们热忱地希望萨里斯伯利能够留在权力位置上直到1885年年底的主要原因。真实的情况是，当费迪南德在1885年决定进入政治领域的时候，他坚持声称他希望以自由党人的立场出现。但是，他对有偏激倾向的迪尔克明确表示，他对这个党的对外政策有疑虑，并且暗示他的政治信念可能会建立在坚持帝国主义路线的自由派人士的条件之上。这封信注定要被大量地引用来说明这一时期罗斯柴尔德家族政治观念的矛盾性：

我并不是如你所想象的天生就是一个保守派。保守主义已经毁了好几个海外的国家，而自由主义政治一直是英国的立国之本。对于自由主义，我们（包括你）都应该心存感激。无论对任何形式的托利主义，我都没有任何理由和方式去倾慕。从另外的角度看，尽管我没有能力来对这个问题表达决定性的意见，我为生我养我同时也是我所衷心热爱的祖国，为它对现任政府的限制政策而感到难过，而政府已经做出了极大的牺牲，就算牺牲的不是利益，而是英国的旗

① 原文如此。

帜和名称对于那些刻板的国会改革问题所具有的神奇魔力。我或许“比教皇更像一名天主教徒”，但是我会为英国国旗插遍波利尼西亚的各个岛屿、东方的每一个尖塔而欢欣鼓舞。您（我指的是政府）在经过长期的摸索实践之后，还是得回到这条道路上（帝国主义）。看看现在对喀土木的远征，以及为您的殖民地理论提供的论据……

如果我能成功进入到下院，我会支持现在的自由党政府……（但是）如果我最终在未来的政治生活中发现他们自己的风格逐渐成形，而且如果这种风格让我感到不安（我有意使用了强调），我将退出这场游戏，退回到平常的低调生活状态之中。

这封信的重要性是显而易见的，只要人们能记得费迪南德成为新设立的白金汉郡中区单人选区议会候选人的唯一原因，是他的堂兄纳蒂已经被授予了贵族身份。现在已经证实，格莱德斯通选择在他的第二个任期快结束的时候提升纳蒂的原因之一，是在即将到来的选举中替换他在下院的位置，而且现在应该不难理解他为什么想这样做。1884 年 10 月 29 日，亨廷顿的秘书勒景诺德 · 布雷特就这个问题给自由党总督导和机要秘书理查德 · 格罗斯维诺爵士写的信上，就清楚地说明了这一点。布雷特的信开门见山地提出：“您和格莱德斯通先生应该对纳蒂 · 罗斯柴尔德特别客气。他并不是一名很死硬的自由党人，但是我认为让他自己放任自流可能不会有太多人反对，而且如果把他推向托利党人阵营的话，反对就更少。”这是一个拐弯抹角的提议，一个罗斯柴尔德贵族身份的想法重新被提了出来。但是，他随之警告格罗斯维诺在下院用费迪南德替换纳蒂可能不会产生自由党领导层所期望的结果：

如果期望罗斯柴尔德家族成员会相互倾轧，期望费迪南德更容易相处或者是更听话，是可以用纳蒂作为代价来替换，实际上这将会犯下一个很大的错误。

罗斯柴尔德家族的团结已经有了几代人的历史了，如果自由党与纳蒂分道扬镳，就意味着与他们的整个家族决裂，而在我的想象里，这样的做法对我们来说一无所得。

费迪南德给迪尔克的信充分地证实了这个判断：如果他取代了纳蒂的位子，罗斯柴尔德在外交政策上的立场仍然会与之前一样。正如收信人酸溜溜的评论所说的：“费迪南德 · 罗斯柴尔德想进入国会，而我告诉他他是托利党人，而且应该站在托利党人的立场上……他永远不会以现在这样的自由党人的身份进入，这一点我很确定。”这最终证明基本上是正确的：尽管费迪南德开始的时候是以自由党人的身份参选（为争取那些非国教人士的选票，他甚至对戒酒也表示了支持），到 1890 年，他在议院里描述自己是“萨利斯伯利政府坚定和狂热的支持者”。

保存在费迪南德的瓦德斯顿的访客签到簿上的那些名字，为辨析他在政治上的矛盾心理提供了很好的佐证。在 1881~1898 年经常出现的政治访客名单中，自由党人士略占优势：爱德华 · 汉密尔顿以不少于 52 次的到访数领先于其他人，然后是自由党领导人亨廷顿（10 次）、自由党内政部长和财政部长哈尔科特（9 次）、罗斯伯里（9 次）以及迪尔克（2 次）。其他的自由党人访客包括格莱德斯通、勒景诺德 · 布雷特、历史学家艾克顿爵士以及他的同事詹姆斯 · 布莱斯（后来的兰喀斯特公国的首相以及商会的主席），该党未来的领导人赫尔伯特 · 阿斯奎斯、卡林顿爵士（后来当上了新的南威尔士总督）以及达尔豪斯伯爵（后来当上了苏格兰的国务卿）。两位最常见的访客是自由统一党人士：总检察长亨利 · 詹姆斯，他到过 17 次，以及约瑟夫 · 张伯伦，他曾 12 次做过瓦德斯顿的客人，而且通常由他的儿子奥藤陪同前来。同时，几乎有与自由党人同样多的托利党人：哈瑞 · 查普林（农业委员会的主席以及后来的地方自治政府的主席），他在瓦德斯顿停留过 26 次；萨利斯伯利爵士的侄子和继承人阿瑟 · 贝尔福（8 次来访）；萨利斯伯利的助理私人秘书兼印度副国务卿乔治 · 科赞（也是 8 次）；农业委员会主席沃尔特 · 龙（5 次）；伦道夫 · 丘吉尔爵士（2 次）；战争部副部长布朗罗伯爵（也是 2 次）；以及外交部副部长詹姆斯 · 弗格森爵士。

就像费迪南德给迪尔克的信中所指出的，促使罗斯柴尔德家族脱离自由主义的并不只是帝国问题。他们对以城镇为根据地的激进的自由党人，比如张伯伦和德勒科本所倡导的社会政策的怀疑越来越深。“我不称自己是激进分子，”费迪南德解释道：

> 是由于我认为那些伟大的领导人，像张伯伦和您本人为得到群众的支持而推行那些琐碎的措施根本就不值得，比如说废除那些可能会激发不健康的对社会和金钱贪欲的狩猎规则，而这种情况所导致的严重后果已经在法国有了很好的例证；你们应该做的正事是在广泛的原则下管理好人民，并把他们带入到广阔的天地中。

甚至张伯伦关于由地方当局强制购买土地分配给工人阶级的说法都让纳蒂大为震惊。罗斯柴尔德脱离格莱德斯通式的自由主义所反映的不仅仅只是对他那不温不火的帝国主义政策的不满，同时也是对他的政党的国内政策走向的不信任。为什么爱尔兰问题会在 19 世纪 80 年代和 90 年代的政治生活中扮演如此决定性的角色的一个原因，正是提高爱尔兰佃户的土地份额的提议唤醒了英国地主们心中与罗斯柴尔德家族同样的对保护自己土地财产的担心。

统一主义

尽管在那个时代有些人总是先入为主地把爱尔兰想成是英国的殖民地，爱尔兰其实从 17 世纪以来就一直是联合王国内部的一个组成部分，自 1800 年起，爱尔兰的下院就一直在威斯敏斯特的下院里。那里也不是罗斯柴尔德家族很熟悉的地方。他们在那里没有任何经济利益，事实上家族中有的成员根本就没有涉足过这个地方。安东尼与他的女儿们在 1865 年的时候到那里度过假，并且对他参观过的有些地方的自然风光留下了不错的印象。费迪南德在三年之后去了那里，他对“特别荒蛮”的风光没有表现出太多兴趣，但是发现了那里人民“最好客”——尽管他对于在都柏林被错误地当成天主教徒而倍感茫然。对于大多数的罗斯柴尔德家族成员来说，那是一片完全陌生的土地。夏洛特在写于 1865 年的一篇文章中，把它描绘成与最偏远的殖民地一样偏僻和奇异：一个当地政府“管理不善”的国家，世风粗俗，到处是醉汉以及无意间的暴力。如果纳蒂去过那里，现在似乎没有任何相关的证据保留下来。

然而，这个问题却是那个时期影响他的政治操守的所有问题当中最重要的一个。原因可能有两个。不仅是那些巩固爱尔兰佃户在与地主关系当中的地位的企图似乎威胁到了所有财产所有人的权利，授予爱尔兰“地方自治”——也就是某种形式的下放立法权和行政权——的想法似乎也威胁到了联合王国的统一，而且会为在整个帝国范围内出现大范围的分权化情况开启不好的先例。正是爱尔兰问题这两个双重的重要性造就了这种非常规的政治联盟，有“年轻的辉格党人”纳蒂 · 德 · 罗斯柴尔德、“托利民主党人”伦道夫 · 丘吉尔爵士以及激进自由党人约瑟夫 · 张伯伦，并因此破坏了格莱德斯通式的自由主义，重振了后迪斯雷利时代的保守主义。

罗斯柴尔德在爱尔兰问题上反水的最初迹象出现在 1880 年，当时纳蒂在投票反对格莱德斯通的《爱尔兰土地法案》的过程中，参与了主要由贵族中的“年轻辉格党人”组成的群体，这个法案试图为那些不缴租的要求遭到地主拒绝的佃农提供补偿。他们反对的理由是一种很原则性的说法，也就是没有任何事情可以破坏合同的神圣性。正如纳蒂告诉迪斯雷利的，他所关心的是这种方式带来的后果比“征用”还要坏。纳蒂是反对自由党领导层所制定的政策的人中最坚定的 6 人之一，两次投票反对《干扰补偿法案》，两次投票反对对方提出的修正案。这使他与辉格党中的显贵比如 J · C · 敦达斯、C · W · 菲兹威廉姆和阿尔伯特 · H · G · 格雷（后来的格雷伯爵四世）处于同一战线。在 1885 年 12 月的选举结束后（这次选举给了帕奈尔的爱尔兰国民党在威斯敏斯特得到了同等的权力），当格莱德斯通开始考虑更为激进的地方自治解决方案时，很显然纳蒂将会按提案反对者的原则来调整自己。

事后我们可以知道，格莱德斯通的想法——“通过爱尔兰人的立法机构进行管理来作为与帝国事务的区别”——还是非常清晰的，而且应该能在反对“罗马统治”的倾向在乌尔斯特冒头的这一敏感时刻令人信服地让爱尔兰民族主义者满意。设计中的爱尔兰议会只拥有有限的权力，而把国防、外交和海关留在了“帝国政府”的手中，同时取消或者说至少是减少了爱尔兰在威斯敏斯特的代表权。如果托利党人的眼光能够放得更远一点，他们应该给帕奈尔提供一些与他们自己类似的东西（就像事实上他们想要去做的）。然而，对地方自治的反对与英国政党政治的内部动力的关联，远胜于爱尔兰自身的追求；至少，这是纳蒂幸存下来的信件中对这个问题的说法。

格莱德斯通重新恢复对自由党的领导一度让纳蒂十分沮丧，因为他希望看到的是由亨廷顿（一位继承了德文郡公爵爵位的辉格党人精英）来坐镇。在一封写于11月29日的晦涩的信里，他告诉亨廷顿：“格莱德斯通的名字应该改成爱查波德”，并随附了摘自《旧约》的一份解释性的说明：“埃里的孙子被叫做爱查波德，或者‘荣耀已经离开了以色列’，他在以色列人被腓力斯人击败后出生。”在格莱德斯通的儿子暗示过他父亲对爱尔兰的决定5天之后（1885年12月17日），纳蒂与伦道夫·丘吉尔举行了一次会谈，纳蒂在会上告诉他，为了萨利斯伯利的利益，应该考虑自由党分离的可能性，并解释说“约翰·莫雷和张伯伦已经被分开，前者没钱，只能依靠国家的工资，自然对G·O·M表示完全服从……帕奈尔已经牢牢控制了格莱德斯通，而且后者已经把自己交了出去。”这次会谈的目的非常明显。丘吉尔和杜鲁蒙德·沃尔夫爵士（丘吉尔自诩的“第四党”中另一个关键人物）两人都已经在考虑“通过罗斯柴尔德为（与辉格党人）联合进行谈判”，尽管丘吉尔对爱尔兰与大陆进行进一步的政治“融合”或者一体化的想法，让很多辉格党人觉得令人吃惊的激进。

还没有得到答案的问题是：辉格党中的哪一派愿意舍弃格莱德斯通分裂分子？与保守党人的关系会是什么样子？因为保守党人的政府一直要执政到1月30日。在《地方自治法案》于6月8日遭受致命失败前非常关键的几个月里，罗斯柴尔德家族的做法就像是政治上的骑墙派。比如在1月8日，丘吉尔可以为萨利斯伯利提供来自自由党阵营塞瑞尔·弗劳尔出于礼节性考虑所提供的情报，塞瑞尔·弗劳尔刚好听到格莱德斯通谴责丘吉尔是“一个没有原则性的小流氓，或者其他类似的东西”；而从纳蒂那里得到消息是，他曾经告诉过布雷特“哈尔科特和迪尔克的看法是……格莱德斯通先生会放弃《地方自治法案》，并且考虑他的同事们的意见”。为了鼓励持不同政见者，阿尔弗雷德告诉亨廷顿说萨利斯伯利愿意在由他领导的联合政府中出任外交部长，他可以向丘吉尔保证："关于亨廷顿投降的说法没有丝毫的证据；事情完全是相反的。"

到了 3 月份，注意力转移到了张伯伦的身上，他在一段时间内曾经渴望与格莱德斯通断绝关系。在勒景诺德 · 布雷特的一次晚宴上，贝尔福遇到了张伯伦，同行的还有两名重要的辉格党人——阿尔伯特 · 格雷和纳蒂。按照贝尔福告诉萨利斯伯利的说法，所有在场的人都"公开表示，张伯伦将会离开政府"，格莱德斯通给大家讲了很多他的爱尔兰计划，"让约瑟夫相信他至少是不会食言的"。在这个讨论的过程中，纳蒂和格雷确认他们已经计划好了在金融城里举行"一次大型的反对地方自治的大会"，尽管无论是纳蒂还是张伯伦都觉得这不会有什么太大的作用。然而，大会还是于 4 月 2 日在吉尔德厅召开了，而且纳蒂自己公开宣布次月在威斯敏斯特宫饭店举行第二次会议。正是在这次大会上，他被选进自由统一党总务委员会，这标志着他与格莱德斯通最终的政治决裂。与他一起加入的其他有名的犹太人议员还包括他的堂弟费迪南德和弗兰西斯 · 戈尔德施密特，但是其中起决定作用的并不是他们的犹太人身份，金融城的企业——包括乔治 · 高森、勒维尔斯托克和很多的其他人——都是绝对的统一党人。

按照阿方斯的说法，罗斯柴尔德家族最期待的事实上是"一个亨廷顿—萨利斯伯利政府"，一个联合政府，换句话说，就是自由统一党和保守党的联合政府。然而，事实证明这样的目标并不容易达成。丘吉尔和纳蒂说服哈尔科特加入他们计划的尝试没有成功；而 6 月 13 日——《地方自治法案》在下院被否决后的第 5 天——在瓦德斯顿举行的一次会议上，张伯伦告诉贝尔福，他认为一个自由统一党-保守党联合政府"没有可能"。他能提供的至多是"对亨廷顿肯定的而且完全的理解，以及足够尽管不是完全的对我的理解，并通过在发言席后的各种咨询"确保"行动中有足够的团结性"。当纳蒂在三天之后见到他的时候，这从本质上说其实应该是亨廷顿的意见。

"摆脱格莱德斯通"的共同目标在一种报复的心态中实现了。那年 7 月份的大选结果对于格莱德斯通和《地方自治法案》来说是"毁灭性"的：选出的代表中保守党人 316 名，自由统一党人 78 名，而格莱德斯通派有 191 名，爱尔兰国民党人 85 名。苏格兰地区的失败特别惨重——"老头子……屁滚尿流"——这里由纳蒂督促着丘吉尔和张伯伦竞选。脱离G · O · M在乡村选区的说法与费迪南德在艾勒斯贝利的一样。但是统一党内的和谐——反映在布雷特的记忆中的丘吉尔、纳蒂和张伯伦"三人齐心协力领导帝国的事务"——并不长久。召集"大量的自由统一党人"一起到门特摩尔打猎很简单，但是要让他们一起在政府里工作就没有那么容易了。早在 12 月份，萨里斯伯里、丘吉尔和张伯伦对政府的《县级议会法案》的看法出现了分歧，而且丘吉尔因为自作主张在同一个月讨论国防预算而辞去了财政部长的职务。在次年的2月份，纳蒂对政府的爱尔兰政策彻底失望——一个他认为“非常腐朽的”胁迫和《新土地法案》简单混合的政策。“你会发现你的老同事被那些无休止的熬夜和越来越强烈的对一个强硬爱尔兰政府的要求弄得精疲力竭。”他这样对丘吉尔说。他预言，如果政府再不“小心，那种以某种形式出现的，认为地方自治更适合目前的混乱和不满情绪的想法将会反弹”。

纳蒂在这个时期真正的政治忠诚似乎只是对亨廷顿。布雷特告诉亨廷顿，纳蒂、丘吉尔和张伯伦达成一致的，是“维护好（自由）统一党，而且您的愿望和意见似乎是他们全部考虑中最优先的因素……因而根本的问题是，借用伦道夫的说法，‘不让格莱德斯通那帮人掌权’”。塔迪在3月份使用了一个真正的地主才会采用的隐喻，建议丘吉尔说，如果由统一党人发起或者支持的措施通过的话，他们应该知足：

> 亨廷顿不是乳臭未干的小孩，而且也没有失去他的羊群（意思是指他的支持者），他和约瑟夫以最大的热情和精力支持政府，都是跟稍后的《刑事法案》和《大额采购法案》有关。草场上还放养着几匹血统存疑的马，他们的老子有两匹或者三匹的种马都有可能（也就是在下院与相当数量的目的各异的赞助人有关的立法措施）。如果有人问我的话，我应该说，这些……措施最早提出的人很难确定，但是其中之一肯定是约瑟夫。

当爱德华·汉密尔顿在8月份与纳蒂一起吃饭的时候，有人直截了当地告诉他说“亨廷顿马上就要当首相了，而且是真正的‘自由党’首相，尽管现在是所谓的保守党在做代表。亨廷顿不会再次被安排去做那些激进党人的脏活累活。他的忍辱负重已经超出了对党的忠诚感情”。而纳蒂披露了自己对张伯伦也越来越不信任，而在张伯伦自己的说法中，似乎那些自由党过去的宗派可以重新团结起来。

> 对于张伯伦来说，他根本不可能成为一个大人物。他是披着托利党人羊皮的激进主义的狼。他是典型的民族主义者——一个大肆挥霍的沙文主义者——与丘吉尔形成了巨大的反差，因为后者在经济和外交问题上是一名很典型的皮尔派人士。而对于格莱德斯通先生来说，他没有任何机会——对最近两年甚至是两个月中自己心里想什么事情他从来都弄不清楚，这对国家来说是一种持续的危险。因此，一个像汉密尔顿那样对格莱德斯通派如此忠诚的人也对此表示了自己的蔑视，对此也就不足为奇了（尽管他无法否认纳蒂“对将要发生的事情所具有全面的知识”）。但是让人觉得有意思的是，汉密尔顿接下来的

活动安排居然是与罗斯伯里在门特摩尔一起吃饭，而此时的罗斯伯里已经被看成是（最起码将会是）自由党人将来某一天在上院里的代表。

换句话说，他们所争论的话题事关自由党的命运，由亨廷顿牵着走向东，张伯伦拉着走向西，而罗斯伯里则处于两者之间，想着从格莱德斯通的沉沦中抢救点什么东西出来。当然，纳蒂想尽量把丘吉尔和亨廷顿调和到一个“真正的”自由党的标签下面的愿望，由于前者糟糕的身体和精神状况而夭折。但是在这个过程中，自由统一党似乎还是有可能避免被保守党人一锅端的机会。还有就是为什么纳蒂要建议在1890年的大选中为亨廷顿提供自由统一党的竞选经费，而且鼓励德比爵士也这样做？不应该不切实际地像纳蒂在1888年所做的那样去推测，格莱德斯通已经被“适时地逐出了权力的舞台”，而且“随着格莱德斯通先生的离去，《地方自治法案》就会自生自灭”。甚至格莱德斯通在自由党获得1892年胜利后的政治反击，最后也都证明是短命的；而罗斯伯里的继任者也只能很谨慎地乐观，他必须时刻提醒他自己，对《地方自治法案》和上院的改革只可能是表面上的。

与政治家的关系

或许，纳蒂在19世纪80年代风云变幻的政党政治中的作用最引人注目的方面，是他远离作为一个银行家所应该关注的那些东西。或许我们可以说，一名罗斯柴尔德家族的人首次以职业政治家的身份为了自身的利益参与到政治活动中时，在他们对爱尔兰或者是社会政策的辩论与他们自己作为富裕的地主的利益之间几乎没有什么太大的实际联系。

然而，无论如何，我们都应该时刻牢记在心，当所有这一切都在发生的时候，纳蒂仍然还是把他大多数的工作时间花在纽考特，而且作为一个银行家，他最优先的政治考虑是对外的政策，而不是国内的政策。甚至就在我们探寻并且重建他在关于地方自治的辩论中的作用的时候，我们也应该记住其实他考虑最多的还是帝国主义外交政策的角度。罗斯柴尔德家族能够在多大程度上使用他们的政治关系来影响这个时期的外交政策？解答这个问题的方式之一是考虑他们在后迪斯雷利时代与两位政治家的关系。他们与这两位的关系最为密切——伦道夫·丘吉尔和罗斯伯里。而且有必要在此简单说明一下维多利亚时期英国的帝国属地中最为重要的地方：印度。

在1880年之前，罗斯柴尔德家族对印度没有太多的兴趣，尽管他们与在那里的公司有些业务。当他们的亲戚加布里埃尔和莫里斯·沃尔姆斯在丧失音信25年之后，于1865年从塞伦回来的时候，夏洛特不仅被他们的外貌——“苍老、猥琐的英国高加索印度人”所震撼，同时也被他们描述的茶叶种植生活所迷住。那些赤身裸体的苦力，蛇、大象、豪猪、昆虫，仿佛就像是发生在另外一个星球的事情；沃尔姆斯把他所拥有的一个种植园叫做“罗斯柴尔德”，只是一种赞誉，并不是说明这个家族在拉吉有经济方面的参与。然而，在1880年之后，这一切都变了。1881~1887年，夏洛特的儿子们负责为印度铁路发行股票，价值总计640万英镑。

自由党的下台以及丘吉尔被萨利斯伯利爵士在1885年夏天任命为印度国务卿，似乎预告了罗斯柴尔德家族对印度的兴趣开始萌发。与他整个短暂而辉煌的政治生涯相矛盾的是，丘吉尔正紧锣密鼓地在印度事务上与纳蒂和他的兄弟们建立起一种跟他早先谴责过的格莱德斯通政府与巴林家族为埃及事务建立起来的那种关系。在计划为印度中部铁路发行筹款债券的时候，丘吉尔特别告诉总督都费尔林爵士：“如果明年我还在位……当这笔贷款提出来的时候，我将会打一场针对贝特拉姆·居里的大战，把这笔贷款交到罗斯柴尔德家族的手里，因为他们的金融知识在英格兰银行都还不存在的时候就已经非常渊博，而且他们的委托人简直难以计数。”

丘吉尔的传记作者罗伊·弗斯特认为，发行新铁路股票确实为罗斯柴尔德家族提供了帮助。当时的人们也认为，丘吉尔决定吞并缅甸——在1886年元旦宣布——也与他和罗斯柴尔德家族的关系日渐亲密有关。正如爱德华·汉密尔顿所讥讽地评论的：“沙文主义越来越流行，因为它能产生利润。”理所当然地，在宣布吞并后的一周时间里，他们要求取得“缅甸的所有铁路，并把线路延伸到边境”，丘吉尔向萨利斯伯利保证，那些说法都是“一派胡言”。事实对此作了证明：在1889年，罗斯柴尔德家族负责成功发行了巨额的缅甸宝石矿的股票——当时的认购者人数是如此之多，甚至纳蒂都被盛传只能通过梯子才能爬到他的银行办公室，而且股票的升水高达300%。难道布雷特没有在1886告诉亨廷顿说“丘吉尔和纳蒂·罗斯柴尔德在张伯伦的协助下联手领导着帝国的业务”？难道汉密尔顿后来没有对罗斯伯里评论说让张伯伦“深陷困境”的是他与“某一家金融企业”的“过从甚密”？难道萨利斯伯利夫人没有在与赫尔伯特·冯·俾斯麦和罗斯伯里的谈话中大肆谴责“伦道夫，说他把所有的事情都通报给了纳蒂·罗斯柴尔德”，而且“暗示说没有人会无缘无故为那些金融大鳄提供政治消息而无所图”？过度亲密的关系的证据似乎是很令人瞩目的，特别是考虑到丘吉尔个人金融状况不是十分稳固的时候。正如我们现在已经非常了解的——尽管丘吉尔早期的传记中掩盖了这个事实——他去世的时候欠了罗斯柴尔德家族伦敦银行的债款“高达惊人的66 902英镑”，虽然他曾经听从罗斯柴尔德的建议，投资矿业股票也赚了些钱。

然而，经过更加仔细的观察发现，丘吉尔在印度办公室和财政部中有限的能力在罗斯柴尔德家族的银行业务中所能起的作用的重要性是有限的，而且同样的，他们作为丘吉尔的银行顾问对丘吉尔的重要性也是在他离职以后才显现出来的。缅甸宝石矿所发行的股票只是区区 30 万英镑，而且是在丘吉尔结束他短暂的印度办公室任期后 4 年才正式发行。一直到 1896 年，罗斯柴尔德家族才发行了 200 万英镑的缅甸铁路债券，他们在 10 年前首次接触印度金融委员会的时候则吃了闭门羹。在萨利斯伯利第二届政府的财政部，丘吉尔征询过他们对金融政策的意见（任命纳蒂进入了一个调查委员会去质询公共开支）。但是，很难说清楚丘吉尔的那种自我毁灭和极端格莱德斯通式的对军费开支的反对，因为无论从哪个角度来看，这都有利于罗斯柴尔德的利益，事实上，丘吉尔对埃及和货币政策的看法很快就与纳蒂产生了分歧。罗斯柴尔德家族跟他在 1886 年 12 月份那次非常关键的辞职决定也没有关系。当勒景诺德 · 布雷特询问他是否可以把这个消息告诉纳蒂的时候，丘吉尔说“不要，因为他正在生阿尔弗雷德 · 罗斯柴尔德的气，后者显然发表了反对他的言辞激烈的谈话。‘他抱怨说我没有征询罗斯柴尔德家族的意见。无论如何我都很高兴把他们当朋友，但我不是雷伍尔斯 · 威尔逊，而且也没有领他们的工资’”。对纳蒂来说，丘吉尔的辞职只是“闹情绪”，尽管丘吉尔自己坚持说是“一次单纯的误判……他不知道萨利斯伯利已经‘早就备好了王牌’，换句话说，他早已准备好任命高森来补这个缺”。

相关的资料表明，只是在他离开了这个职位之后，他才开始向罗斯柴尔德家族大量地借钱：截至 1888 年，他的债务只是 900 英镑；但是到了 1891 年，就膨胀到了 11 000 英镑。尽管纳蒂继续鼓励丘吉尔相信自己还很可能会在某一天回到政府里，但是考虑到这位前财政部长越来越古怪的表现，他不大像是相信这样的说法。按照爱德华 · 汉密尔顿在 1888 年 8 月说的：“R · 丘吉尔所有的东西都向罗斯柴尔德要……但是作为他的主要财务顾问，罗斯柴尔德已经把他看成是毫无希望的政治家，而把他抛弃了。”事实上，把纳蒂在 1886 年之后对丘吉尔的资金支持当成是一项本质上的友谊之举，就像梅毒冷酷地拿走它应得的部分一样；因为从政治和经济的角度看，丘吉尔现在更多的是负债而不是资产。这门锈蚀的大炮在 1891 年的时候再次开火，当时丘吉尔从一次由罗斯柴尔德资助的到马希侯诺尔兰德的探险中归来，但只是报告了这个地区的经济前景——这让纳蒂大为光火，就像我们将在下文中看的一样。更多的不是出于算计，而是出于对可悲的丘吉尔的同情，促使罗斯柴尔德更多地关注他雄心勃勃的儿子，他们对年轻的温斯顿 1904 年时以一名代表曼彻斯特的自由党议员的身份反对《外侨法案》时无疑觉得相当满意。

罗斯伯里的情况几乎也没有什么太大的差别，尽管关于罗斯柴尔德影响程度的类似问题再次冒头。这个在格莱德斯通的第三和第四个任期中出任外交部长并且在1894年接替他出任首相的人娶了一名罗斯柴尔德家族的人，在政治上是否有什么重要的意义？正如像对待丘吉尔一样，当时有些人也是这样认为的。“这个结合不好，”自由党的机关报《正义》在格莱德斯通于1893年9月访问了都灵之后发表评论说，“当外交部长通过婚姻与同样阴险的金融企业紧密联系起来的时候，我们看到的是格莱德斯通先生与罗斯柴尔德爵士推杯换盏。”

毫无疑问，几乎从他娶了汉娜的那一刻起，家族中更加政治化的成员就开始对罗斯伯里的政治生涯更加关注。在1878年9月——也就是婚礼后的第6个月——费迪南德向罗斯伯里披露了这种关切的程度：

> 纳蒂与往常一样跟我谈了很多关于你的事情，而且竭力向我灌输你的追求和政治抱负。他希望知道，当自由党再次执政，如果给你比较低级的职务，你是否会考虑接受。我只能向他表示我对此一无所知。阿尔弗雷德今天早上11点的时候来了，而且似乎对我的行动了如指掌……他知道我们昨晚一起去看戏——废除宗教裁判所真的是一件令人遗憾的事情。我的这些亲戚怎么都是一些喜欢刺探别人隐私的人啊！

在丘吉尔的案例中，私人的金融联系确实是发生在他离职之后，而在罗斯伯里的案例中却是发生在之前。1878年11月，费迪南德建议罗斯伯里：“如果你手头有几千英镑的闲钱（9000~1万英镑），你可考虑把它们投资在新的……埃及筹款债券上，我们的银行下周将会开始开放认购。”一封来自纳蒂的1880年的信进一步说明了罗斯伯里从他的妻兄那里得到的“有关投资的良好建议”。他带点调侃地写道：“我很高兴地说，我以前从来不知道要听听那些部长们要做什么。我只能告诉你，我今天为纽考特买了10万，而且我应该建议你去告诉梅先生（可能是罗斯伯里的经纪人，或者是罗斯柴尔德的一名工作人员）付款给你。”

这似乎可以解释为什么当格莱德斯通在1884年给罗斯伯里工厂专员的职务，以及在内阁里任掌玺官的位置时，他为什么在开始的时候会拒绝。他引用政府关于埃及金融问题所做出的那些紧急的决策，告诉格兰威尔：“你可以猜到我与这个问题之间那种特别脆弱的关系，尽管我不是罗斯柴尔德家族的成员，但是我与他们的是紧密联系在一起的，这种联系既是亲情的，也是友情的，而且我觉得在这个时候进入内阁特别困难……”然而，当戈登将军被暗杀后，罗斯伯里终于被说服接受了格莱德斯通的提议，他和罗斯柴尔德家族都没有做任何努力来切断他们之间的经济联系。在他加入政府后的两周之内，他至少在四个场合见到过家族的成员，包括与纳蒂的两次晚宴。

在1885年8月，也就是格莱德斯通辞职使他再次暂时离开了这个职位后仅两个月，罗斯伯里分得了5万英镑由罗斯柴尔德家族伦敦银行发行的新的埃及筹款券。有意思的是，“根据罗斯伯里的愿望，埃及的收入付到汉娜的银行户头上”。

这种模式在罗斯伯里1886年当上外交部长的时候又重复了一次。这一次，纳蒂表达了公众的疑虑，他在1月份告诉勒景诺德·布雷特说罗斯伯里作为一个可能的自由党外交部长“根本没有疑问，不会因为他与罗斯柴尔德银行的关系而受到影响”。在1887年加奈斯贝里的一次晚宴上，他向爱德华·汉密尔顿发难——他曾经期望他吹捧一下罗斯伯里“没有为通过联姻建立起如此紧密的联系而有任何的骄傲”——针锋相对地顶撞说：“罗斯伯里是一个没有政治纲领的演讲者。他的讲话是苍白的，他作为外交部长的名声被过分高估——事实上他向巴图姆派兵这件事毁坏了他的名声，他这次的做法只是叫唤的声音很大，但是根本没有咬人的打算和实力，俾斯麦对他感觉非常失望”。但这不应该按表面的现象来看。像以前一样，罗斯伯里和罗斯柴尔德家族仍然保持着在外交问题上的密切接触（特别是阿富汗问题），而且阿尔弗雷德从纽考特写来鼓励性的信函：“从所有的方面，甚至是偏远的地方，我们听到的全部都是对新外交部长任命的溢美之词。”当罗斯伯里在《地方自治法案》遭遇失败后再一次离职时，是纳蒂鼓励他担任新建立的伦敦县议会主席而保持了他的政治影响。他也在1892年回到政府之前的那几天与阿方斯讨论过产业间的关系问题——这预示了他次年将会对矿工罢工进行干预。而且似乎并不像德国大使所宣称的，罗斯柴尔德家族不鼓励罗斯伯里回到外交部长的位置：从这个时期保留下来的信件表明他们仍然继续给他提供金融和外交方面的消息（比如有关埃及的）。法国罗斯柴尔德家族很欢迎他继格莱德斯通辞职之后升任首相的职位，而且阿尔弗雷德采取了很不寻常的举动——在一场与英格兰银行关于据称是银行前总司库错放的保险箱的争论中，代表首相出现（他的调解最终获得了不少于2万英镑的庭外补偿赔款）。纳蒂非常遗憾罗斯伯里随后辞去首相职位的举动，不只是因为这代表了哈尔科特的胜利——“前所未有的浮夸和狂躁，而且更加奸诈”——还有就是他越来越进步的财政政策。

罗斯伯里一直坚持格莱德斯通的路线，比纳蒂更加持久，但是他在1902年组织帝国主义性质的自由党联盟表明他的立场从来没有脱离统一党太远，而且他的政治生涯在1905年与自由党彻底决裂后基本上与纳蒂的很接近，但是并没有相交（例如两人都在1909年反对罗伊德·乔治的预算，以及削弱上院权力的《国会法案》）。

然而，正如与丘吉尔的关系一样，问题仍然是，罗斯柴尔德家族是否从他们与罗斯伯里的关系中得到任何物质上的好处。答案大体上可以说是没有。可以肯定，留存下来的信件表明罗斯柴尔德家族给罗斯伯里提供了经济和外交信息，但是很少有直接的回报，没有以何种形式提出的行政方面的要求，除了一些非常小的罗斯伯里偶尔提供的照顾业务。对罗斯伯里外交政策的最新的研究也没有任何可以说成是罗斯柴尔德影响的结论。因此，对由激进的自由党人提出的担心罗斯伯里与“阴险的”罗斯柴尔德家族联系的任何结论，都是没有根据的。然而，至少还是有那么一次，罗斯伯里确实在一项重要的外交决策之前提前给他们发出了警告。在1893年任外交部长的时候，他派勒景诺德·布雷特去通知纽考特，政府打算加强埃及游击队的力量。“我见到了纳蒂和阿尔弗雷德，”布雷特报告说，

> 而且告诉他们，您对他们一直给您提供的所有信息深表感激，并且因此希望他们在报纸上公布（增援的消息）之前就知道这个事情……当然他们都非常高兴，而且非常感激。纳蒂希望我告诉您，他能为您提供的任何消息和帮助完全由您自由支配。

这有可能是一次完全独立的偶然情况；从另外的角度看，这种可能性也不能完全排除，也就是这种内部的信息通常都由口头转达，因而没有出现在留存下来的书信里。

法国的保守主义

毫无疑问，英国罗斯柴尔德家族的政治活动与其法国兄弟的活动是同时平行进行的。当然，阿方斯在他的信件中对政治一直都表示出很高的关注，法国的共和国体制是一种与英国的情况非常不同的政治环境，在这里，无论是左翼还是右翼，都采取了比英国更为极端的立场。另外，法国罗斯柴尔德家族建立了更高程度上的意识形态方面的中立（或者说是灵活）的立场，这主要是他们在生活中经常面临频繁更换统治者的情况所造成的一个结果。在他们的内心深处，阿方斯与他的兄弟们一样都继承了他们母亲的奥尔良党人的思想：在他们的信件中有足够的正面证据来说明他们的君主复辟思想。但是与他们的父亲一样，他们都时刻准备着与共和党人政治家一起工作。他们的区别在于温和的和保守的共和党人，与激进的或者“赤色的”共和党人的区别。他们很平静地看待梯也尔的共和国总统位置在1873年被马歇尔·麦克马洪取代，并在4年之后为在5月16日一场流产的政变之后麦克马洪的下台而悲伤，因为共和党在选举中的胜利唤醒了阿方斯内心深处对公社的记忆。只是在他的老朋友莱昂·塞在12月被任命为财政部长之后才让阿方斯有所释怀。尽管莱昂·塞准备直接向公众发售新的3%票面利率的公债减少了他们传统的承购佣金收入，罗斯柴尔德家族还是成为了热情的认购者。他们对1881年中期的政府贷款并没有减少支出，认购

的总额超过了1亿法郎。

如果对土地资产的“尊重”是纳蒂眼中区分真假保守主义的标准，法国罗斯柴尔德对私营的法国铁路公司也有类似的情节，这当然是因为他们仍然持有大量的股份。在19世纪70年代早期，又出现了一波新建铁路的热潮，阿方斯担心北线铁路公司的优势会被其他公司超越。后来，更为严重的威胁来自于铁路国有化——1848年时提出的目标——这是他心里一直耿耿于怀的问题。

也就是在这样的背景下，人们可以很容易理解罗斯柴尔德对莱昂·甘必大这位1870年战争中的共和国英雄的态度。罗斯柴尔德家族完全支持甘必大，尽管他在1869年的贝勒威尔计划被认为相当疯狂，因为他继续致力于推动法国实施帝国主义政策。有一份著名的关于在甘必大短暂的总理生涯（1881~1882年）中一次晚宴的报道，其中提到了他本人和阿方斯：

> 他们在一个窗檐下愉快地交谈，这两位统治者——法国事实上的主人甘必大和罗斯柴尔德……甘必大想搞一次海军的武力炫耀：五艘炮艇到突尼斯港、派5个连登陆，并以适当的方式对被伊说：“接受摄政的方式，要不就滚蛋。”这个事情24小时就搞定了……之后，阿方斯·德·罗斯柴尔德开始说话，他知识非常渊博地谈到了意大利和英国的政治家。甘必大听着，带着羡慕和吃惊的混合神情：他一点都不怀疑阿方斯·德·罗斯柴尔德拥有如此令人称羡的天生及后天开发的聪明才智。他们两人谈论了德普勒迪斯、卡尔罗里、瑟拉、迪斯雷利、格莱德斯通、克瑞斯匹、亨廷顿、格兰威尔……（当祝酒的时刻来到的时候）甘必大的祝酒词是：“为复兴的法兰西！”阿方斯·德·罗斯柴尔德的祝酒词是：“为让它复辟的人！”他的声音有些含糊，只能刚好让郭里菲将军和甘必大听到。但是甘必大毫不犹豫地接受了，因为他认为这句话指的就是他自己。他思索了一会儿，想找到一句恰当的回应，但老是想不出来，随后他就简单地回应：“好！我非常愿意。”如果贝勒威尔的选举委员会在这里目睹他们的甘必大在这些王公贵胄的前呼后拥之下，他们会有什么样的感想。

这件逸事关键的地方当然是在于，它说明甘必大为了获取权力出卖了自己。然而，甘必大在此期间所追寻的国内政策远不如征服突尼斯符合罗斯柴尔德家族的胃口。首先，甘必大谋划了一个大规模的行动，转换大约600万法郎5%票面利率的债券。莱昂·塞拒绝接受甘必大手下的财政部长职务，这发出了高级银行将进行抵制的信号。事实上，按照警方的报告，阿方斯在1881年12月告诉记者们说：“我想要的是一个全身心投入的运动，有必要在甘必大推翻我们之前先推翻他。”我们已经看到了大众联合银行的倒下怎样为这个推翻行动作出了贡献。其次，甘必大似乎打算推行某种类型的铁路国有化。在他垮台之后才达成了一个协议，在国家行使回购这些铁路的权利之前，授予铁路公司另外30年的经营权。一位像甘必大这样的“左翼”政治家在追求帝国主义的政策方面，几乎会与右翼政治家一样不相上下；但是罗斯柴尔德家族出于基本的国内政治原因，更希望他们的帝国主义是保守类型的。从另一个角度说，他们属于谨慎的法国右翼中的沙文主义流派——当然有他们自己的理由。他们不喜欢在鲍朗格尔将军于1887年5月被解除战争部长职务后煽动群众去支持他，因为这种行动（像之前的波拿巴主义一样）混合了国内政治极端主义和对外的强权扩张，这种情况在罗斯柴尔德家族看来与法国的实力不匹配；不过在这位“无用的”而且“无能的”将军1889年下台后，他们开始为他提供私人银行业务服务。

法国罗斯柴尔德家族对工会组织的社会主义政党的兴起所表现出来的担忧远甚于英国罗斯柴尔德家族，尽管这很可能也反映了法国更容易受革命政治影响的历史特征。在1892年的时候，埃德蒙的信中越来越明显地出现了社会主义者可能对“财阀”进行攻击的警告，并且提到了随时可能出现的“无政府”混乱状态，而与此同时，阿方斯预言说，“社会主义感染”在法国可能比在英国要更加危险。在1892年与罗斯伯里讨论产业间的关系的时候，阿方斯强调他反对在劳资纠纷中政府以任何形式介入。他显然把罗斯伯里看成是一个自相矛盾的人，他在他们的会面之后有些讥讽地说道：“在我们国家，那些住在大庄园里而且年入10万英镑的人里没有激进主义者。”阿方斯在1897年告诉作家朱利斯 · 赫雷特：

> 站在我的角度，我不相信这些工人阶级运动，我敢肯定，通常说来，劳动人民对他们的状况是很满意的，他们根本就不会抱怨，而且他们对所谓的社会主义根本就不会有一丁点儿的兴趣。很显然有一些挑头的人，他们试图造出很多噪音而且想吸引一些跟随者，但是这类人对那些诚实、勤劳的工人不可能控制，也不可能影响。人民应该能够区分出好工人和坏工人的差别。那些要求8小时工作制的人都是懒惰、无能的人。其他的人，比如那些家庭里面稳重、严肃的父亲，希望能够工作足够长的时间来为他们自己和他们的家庭提供保障。但是，如果他们所有人都被强迫去每天只工作8小时，你知道他们中的大多数会做什么吗？他们会去喝酒……除此以外你还能指望他们做什么？

或许是赫雷特错误地引用了阿方斯的话，但是在这封发往伦敦的信中表明，这或多或少就是他的想法：一个不妥协但不能说是鲁莽的，对劳工市场听之任之的看法，这种观点在当时的实业家里是一种司空见惯的说法。同样司空见惯的还有阿方斯对经济不平等的辩解：

> 我从来就不明白“高级银行”意味着什么。“高级银行”是什么意思？有比较富裕的人和比较贫困的人，这都是自然而然的事情！有些人今天比较富有，但是明天会比较贫困……每个人都面临这样的变化——没有任何人可以例外！而且也没有人可以夸耀自己能够逃脱。至于说这些资本的积累，它所循环的是金钱……（而且）生长出果实。这是国民的财富！如果你把它吓走，或者惩罚它，它就会消失。而且，到了那个时候，所有这一切都会失去。那将是国家繁荣的终点。资本是生产力！除了一些不幸的例外……每个人……都应该享受他的智力、体力和勤劳所应得的资本。

这篇洋洋洒洒的辩解充分说明了罗斯柴尔德家族在新世纪临近的时候，所面临的社会和政治的孤立局面，而且在一个新的时代里，政治势力不可能再轻易地在俱乐部以及乡村庄园的餐室里做出决定。

第六章

帝国的风险与收益（1885~1902 年）

THE HOUSE OF ROTHSCHILD

如果可以，请选择《耶稣教宪章》，并且将罗马天主教加入到英帝国中。

塞西尔 · 罗德斯致罗斯柴尔德爵士

1888 年

在1889年，财政部长乔治·高森着手将5亿英镑永续公债3%的利率转换为2.5%——这个举动牵涉了几乎全部国家债务的一半。这次转换似乎象征着长久以来在英国建立起来的超乎完美的道德体系随着帝国的扩张与财务的紧缩交织在了一起。随着国家债务的绝对水平出现自拿破仑战争以来的稳步下降的趋势，维多利亚时代似乎并没有出现帝国扩张过度的问题。

高森的转换工作同时也是N·M·罗斯柴尔德公司在伦敦债券市场的持续统治地位的证明。尽管高森对他过去的主子格莱德斯通很忠诚，爱德华·汉密尔顿（供职于财政部）却没有丝毫犹豫，当即建议高森"对罗斯柴尔德家族……完全可以放心"，同时也可以考虑巴林家族。汉密尔顿吃惊地看到纳蒂对财政部提出的2 000万到2 500万2.5%的债券，价格略高于99的建议"看都不看一眼"，他认为"可能的利润空间"与"所承担的风险根本就不成比例"，而且说服了很好说话的勒维尔斯托克，坚持价格不能高于97.5。对于汉密尔顿来说，在一个利率稳步下降的时期，这无疑是一种奇怪的吝啬之举。也就是仅仅一年之后，纳蒂的谨慎就成为了一个广为人知的事实。

非官方的帝国风险：巴林家族的危机

历史学家长期以来一直在争论帝国主义的"贸易跟随旗帜"能走多远，或者反过来也一样。在埃及，旗帜跟随着债务（尽管债务又跟随着贸易），但是从投资向侵略的转变并不是不可避免的事情。在海外市场，欧洲投资者的利益从来就不是强制进行外来政治控制的借口或者理由。对于这个观点最经典的说明是拉丁美洲的情况，在“门罗主义”提出之后，那里的欧洲帝国的影响力多少都显得是被界定在了“非官方”的范围内，而且因此主要是经济方面的，而不是“官方的”和政治性的（对这条规则的例外是英国、法国和荷兰的圭亚那殖民地）。1890 年发生的事件——当时出现了几乎把巴林兄弟银行拖到破产边缘的给阿根廷的贷款坏账——说明了这种非官方的方式有非常不利于帝国的一面。如果阿根廷是一个中东或者亚洲国家，它的政治不稳定或许会通过主要的债券持有人，比如巴林的利益考虑所进行的政治干预而有所改善。拉丁美洲这种奇特的中立状态排除了这种解决方式的任何可能性。

巴林银行危机的故事经常被提及。在罗斯柴尔德家族历史的大背景下，需要强调三个问题。首先，当时的人们宣称“犹太人染指”——意思是罗斯柴尔德家族——在某种程度上促发了他们这个最老的竞争对手的衰落是否有任何的真实性可言？其次，出于怎样的算计，最终促使纳蒂参与到了对巴林银行的救助之中？最后，为什么没有类似的灾难降临到罗斯柴尔德家族的头上？因为他们在紧邻的而且政治情况也不见得有多好的巴西所接受的委托从规模上完全可以与巴林银行阿根廷业务相提并论。

巴林银行对阿根廷事务的参与在 1850 年之后的几十年间在稳步增长，而且总体来看很成功——1880~1889 年的年平均资本收益率为 13%——以至于在 19 世纪 80 年代晚期出现了致命的过分自信。周围的人已经看到了压过来的乌云。早在 1888 年，《银行家杂志》就表达了对阿根廷联邦政治稳定性的怀疑，《国家主义者杂志》警告说在 1889 年中期将会出现“无法避免的”衰退。尽管伦道夫 · 丘吉尔后来声称纳蒂曾经告诉过他（可能是 1889 年）巴林银行“不会有事，这些问题不会困扰他们”，但这只是对一个敏感话题的简单判断；事实上，罗斯柴尔德家族至少在巴林银行危机爆发前两年就已经预见到了这个风险。正如阿方斯在 1888 年 10 月所评论的，阿根廷“事实上不得不快速地变得非常富裕”，以便能够应付它那不断累积的债务负担。居斯塔夫预言过一个重大的“阿根廷资金的断裂，并将对所有其他市场产生负面的效应”，并且希望——最终证明这种看法是不现实的——这样的预见或许可能“让巴林先生冷静下来，法兰西银行和其他银行将会关注整个阿根廷的业务。”（事实上，他们并没有在阿根廷事务中做到洁身自好；在 1889 年，威尔海姆 · 卡尔被任命为驻法兰克福政府金融代理。）英格兰银行贴现率在 1889 年下半年从 4% 上升到 6%，这被威廉姆 · 利德达尔总督看成是对拉丁美洲局势“神经过敏”的表现。事实上，由于担心在危机时出现黄金外流，促使高森建议发行 1 镑面值的钞票。

到 1890 年，巴林银行的组合里有大量的各种阿根廷债券，包括很多瑟都拉斯债券，这是一种由阿根廷银行用按揭贷款方式向土地所有者发放的贷款。而最致命的交易是巨额的 200 万英镑由巴林银行代理布宜诺斯艾利斯给排水公司发行的股票，这个公司设立的目的是为了对城市的供水和排水系统进行现代化改造。不仅只是银行没有能向公众发售超过 15 万英镑的股票——尽管采取了后来受到广泛批评的“市场设计”——而且当约翰·巴林在 1889 年年底访问布宜诺斯艾利斯的时候，他吃惊地发现新的供水系统工程进展缓慢，公司成了尖锐的政治批评的靶子，而且住户也不愿意用硬通货支付水费，而这是当时考虑给投资人相应红利的保障。就算政治条件保持稳定，巴林也会因此陷入麻烦之中，而 1890 年 7 月财政部长在米盖尔·塞勒曼总统推行通胀政策提出辞职的时候，危机忽然降临。汇率暴跌，而且由海军军官支持的革命迫使塞勒曼逃亡，“无政府状态”不可避免地迫近了。

然而，问题的严重性一直到迫在眉睫的时候都仍然无法估量。当爱德华·汉密尔顿与纳蒂在 10 月 8 日——银行利率再次升回到 6% 后的第二天——一起吃饭的时候，后者“承认金融城内目前的状况非常艰难”。但是汉密尔顿补充说：“没有任何人确切地知道为什么这种艰难的感觉会蔓延，除此之外，有一种普遍的观点认为某些大银行目前日子不好过，或者说处于艰难的困境之中，主要的原因是阿根廷的危机，以及债券的普遍下跌……”米尔斯·格莱恩公司的贝特拉姆·居里在勒维尔斯托克 10 月 13 日找他办理直接贷款时做出的最初的分析，是巴林银行的承兑与其资产组合中的票据之间存在着 100 万英镑的亏空，这点亏空是很容易弥补的；居里马上提前三个季度支付了这个金额。一直到了 11 月 2 日，大多数了解这笔贷款的银行人士（包括纳蒂）的情绪都是相对乐观的。一直到最后，这个漏洞的规模才披露出来。居里和前英格兰银行行长本杰明·巴克·格林仔细检查了账册之后，他们发现应付票据（1 580 万英镑）和应收票据（700 万英镑）之间的差距比以前所说的超出很多。而且这还只是问题的一部分。巴林银行的总负债接近 2 100 万英镑（包括大量的从 1889 年晚期已经开始提款的俄国政府储蓄），而银行的资产中包括 400 万英镑的阿根廷债券，这部分是与塞缪尔·赫尔公司的布宜诺斯艾利斯机构联合持有的。

考虑到巴林银行 1890 年的资本仅为 290 万英镑，这些数据都是灾难性的：资本与负债间的比率仅达到 14%，而比较 1880~1889 年，N·M·罗斯柴尔德的这个数据是 39%。从大的方面看，累积了高于银行总资本的阿根廷债券组合是一个荒唐的事情。用利德达尔的话说，这就是“管理的随意性，肯定会把任何公司都带入深渊”。《时报》在危机最终被公之于众的时候，对此说法表示了赞同，巴林银行已经“远远超出了谨慎的界限”。在这样的情形之下，人们对纳蒂开始的时候认为应该让巴林自尝苦果不会觉得奇怪，这是他在11月8日早上回答艾维尔拉德·哈穆布罗的询问时说的；他拒绝了利德达尔的建议，利德达尔认为罗斯柴尔德家族可以对阿根廷政府发挥一定的影响力，建议政府支持“巨量的丧失了信用的南美债券，因为他们对股票市场有着很强的影响力”；而且他也反对居里的建议，这份建议提出他们应该组织“3~4家其他的银行借给巴林400万英镑来渡过这个难关”。这个事情与好恶无关——尽管毫无疑问，在罗斯柴尔德和勒维尔斯托克之间存在着一些个人和专业方面的竞争——但也不至于到你死我活的境地。

同时那种认为（类似勒维尔斯托克的兄弟罗伯特·巴林上校所说）罗斯柴尔德家族应该对俄国政府大量从巴林银行提款导致危机发生的情况负有全部责任的说法，也是一派胡言。毫无疑问——按照从巴黎发往纽考特的信中所披露的——罗斯柴尔德家族打算采取“最大的努力来阻止一场灾难”，前提是这些努力不会危及任何其他银行的利益。按照这样的思路，纳蒂不愿意在他得到保证说不仅英格兰银行，而且财政部都愿意为这样的救援行动提供支持之前做出任何承诺也无可非议。事实是，当纳蒂在11月29日对勒景诺德·布雷特进行解释的时候，俄国从巴林提取存款的做法已经在纽考特结束了。布雷特报告说“他们现在有大量的金额属于俄国政府”：

> 毫无疑问，他们已经对巴林银行在阿根廷的投机非常警惕，因为巴林银行之前持有大量的俄国政府债券。现在，怀着对巴林银行的疑虑，斯塔尔接到了电报命令他从巴林银行提取俄国的存款。如果纳蒂支持居里原本的建议，那项命令可能就会延伸到罗斯柴尔德家族的头上——完全可能导致他们的大逃亡，这是一次大崩溃。
>
> 这因此也就说明纳蒂算计中有自私自利的成分。

信贷通常是给到“针线街的辛巴达”——高森的继任者哈尔科特这样称呼英格兰银行总督——手里，以拯救巴林银行，使之不至于毁灭，同时也让金融城避免“一场空前范围的恐慌”。用利德达尔自己的话来说，这低估了纳蒂在说服政府采取行动过程中所起的作用。高森最初的行动——得到了财政部长W·H·史密斯的支持——拒绝了利德达尔提出的100万英镑的申请，他的理由是“万能的经济”应该“能够找到自己的解决办法”。他在11月11日告诉利德达尔，他准备提供的最多是在英格兰银行的储备外流增长太快的前提下，授权暂停《银行法案》的执行（这个提议被拒绝了）。但是，当高森告诉萨里斯伯里，“罗斯柴尔德家族肯定不会坐视不管”，而且当首相在11月12日派人去找纳蒂的时候，他们被伪装的报复给骗住了。纳蒂轻蔑地告诉萨利斯伯利，巴林银行完了；最多，合伙人每人能留下每年1万英镑的收入，而且可能会“更愿意瓜分他们残留下来的资本金，退休到乡村去，每人每年靠4%的利息收入生活”。危险的是他们的损失如此巨大，以至于产生了“一场可能会让全世界都通过伦敦的票据进行所有业务交易的商业习惯可能就此寿终正寝的大灾难”。纳蒂后来对布雷特提出了一个类似的观点：如果巴林银行“不能得到拯救，那么大多数的伦敦大银行都会跟着它一起倒下”。他的结论是，除了政府的干预，没有任何办法可以阻止一场甚至比1866年还要严重的危机。正如1914年再次发生的情况一样，伦敦承兑市场的一场危机变成了整个金融城的危机，进而成为了整个国家的危机。

纳蒂愿意在缺少政府支持的情况下做的最多是帮助英格兰银行寻找黄金，因为如果危机的消息蔓延的话，可能会需要大量的黄金。按照早已形成的模式，他已经向阿方斯发出了从法兰西银行用黄金的形式贷款的200万英镑，为期3个月，款项放给其在针线街的合作行的申请。在11月12日，利德达尔要求纳蒂安排另外一笔100万英镑的申请，这个要求也得以马上落实，而法兰西银行接受永续债券作为即将以恰当方式发行的财政票据的担保。其结果是释放了英格兰银行所承受的压力，并帮助它把自己的储备从11月7日最低点的1 100万英镑提升到了一个月之后的1 660万英镑。然而，正如阿方斯所指出的，这还不足以“被看成是对所有困难的根本性解决”。关键的问题仍然是怎样把萨利斯伯利救上船，这就意味着要克服高森的反对。在11月12日，纳蒂已经赢了半个点：在他与萨利斯伯利会面后，内阁同意，如果英格兰银行不得不违反其章程，就“阿根廷债券问题”向巴林银行提供借款的话，将通过一项补偿法案，“前提是他们能得到格莱德斯通的首肯”。这就帮助我们解释了为什么纳蒂会觉得他与萨利斯伯利的会谈“相当令人满意”，因为他感觉已经消除了政府的固执己见。第二天，对“一些严重的偶然事件”（按照银行家约翰·彼得达尔弗·马丁的说法）的担忧开始蔓延，而且“很多以前已经在流传的谣言已经越来越多地指向巴林银行”，尽管当彼得达尔弗离开金融城的时候“所有的事情仍然按其过去的规矩在运行”。只是在14日星期五的时候，才开始很危险地出现了大量巴林银行的票据被带到英格兰银行贴现，而且也正是这样的情况才决定性地强化了政府在这个问题中的直接行动。当天下午，当高森还在去苏格兰参与他早已安排好的一次讲话的路上时，萨利斯伯利和史密斯同意承担由英格兰银行在从当天下午两点开始的24小时时间内接收的巴林银行票据所导致的任何损失的一半。

下一步的工作是建立一项担保基金，来分担任何可能的损失所导致的成本，这些成本可能会在巴林银行的资产最终清算完毕后仍然无法冲抵。这个决定在英格兰银行总裁办公室内达成，与会的有英格兰银行财政委员会的成员以及主要的商业银行家。谈判再一次获得了脆弱的平衡。利德达尔在开始投标的时候说，英格兰银行本身认下100万英镑，条件是其他金融城内的企业至少保证300万英镑。居里马上报出50万英镑，条件是罗斯柴尔德家族也做同样的承诺。再一次，巴林银行的命运又被掌握在纳蒂的手里。按照汤姆·巴林的说法，他有点迟疑，而且觉得“愧对”居里，因此只好同意。居里自己的记录更加可靠一些，他说纳蒂“有些迟疑，并且希望能跟他的兄弟们商量一下”——这是罗斯柴尔德家族赢得时间的把戏——“但是最后经过一些压力之后还是被说服了”。按照爱德华·汉密尔顿的说法，所谓的压力，就是利德达尔告诉纳蒂说，“没有你，我们照样可以干”。

情况可能真的是那样，纳蒂的同意尽管是很勉强做出的，但使得整个进展相当容易了：自此之后，保证基金快速增长，因为所有主要商业银行都参与到了捐献者的名单中，随后股份合作制银行在第二天也加入进来。在24小时的“窗口”时间结束之后，总共筹集了1 000万英镑（这个数字后来上升到了1 700万英镑，尽管真正需要的只是750万英镑）——按照阿方斯的评论，这证明了：

> 英国的这些企业完全清楚他们的责任，而且通过保护巴林银行免受灾难，他们也保护了自己在英国商业信贷体系中的根本利益，这一点对他们来说与现在的巴林银行是同样重要的。这家银行的倒闭会给英国的商业带来可怕的灾难，并殃及全世界。

更为重要的是，政府担保以及组成了这样一个辛迪加的消息，让持有由巴林背书债券的人吃了一颗定心丸，因为他们能够拿回自己的钱。然而，这并不是这个故事的大结局，巴林危机的衍生结果说明当初纳蒂为什么会在关键时刻犹豫。阿根廷总体破产的可能性仍然存在，这可能会一次性吞噬掉巴林总资产1/5的价值。就算一切如常，阿根廷债券的价格到1891年7月的时候也比他们1889年3月时的价格下降了40%。纳蒂发现自己坐上了一个银行家委员会主席的位置，并担负起了保护所有英国债券投资人在布宜诺斯艾利斯利益的工作。他更愿意督促政府实施一项以海关收入作为抵押的货币稳定计划，这是一项分步实施计划，最终被采纳。在1892年，罗斯柴尔德家族同意给政府提供一项新的短期贷款，使它可以买下供水设施，并因此可以清算巴林银行最麻烦的一项负债。但是这使得阿根廷的外债达到了3 800万英镑，而且1893年的另一项新贷款更把负债总额推得更高。第二项贷款的条件——所谓的《罗麦罗协议》——是对阿根廷铁路网实行经济控制。事实上，一直到1897年，阿根廷政府才全面恢复了利息的支付。

这次延误不可避免地放慢了巴林合伙制解体的步伐，像阿方斯所指出的，这是“整个问题”的关键点。“这不足以防止巴林银行暂时性的关闭。”他在12月29日这样写道，“不过恶化的势头通过对那些引起麻烦的事情的清算已经得到了遏制。”1893年4月，由于巴林资产出售的进程比当初所预期的慢，银行家的担保期限不得不延长（尽管金额有所减少）到下一年的11月。尽管瑟希尔·巴林在新成立巴林资产公司来清算余下的阿根廷债券的时候，评论纳蒂“非常仁慈”，但是毫无疑问，罗斯柴尔德家族对巴林担保强加给他们的对他们资源无休止的占用情况感到非常恼怒。一直到1894年，新组建的巴林银行才最终赔付了由担保人支付的款项。

所有这一切帮助我们解释了为什么纳蒂在官方圈子的地位会通过巴林危机而得到加强，而出现下降的不只是勒维尔斯托克。罗斯柴尔德家族在防范潜在的恶性金融危机的过程中扮演了关键的角色。在危机出现以前，爱德华·汉密尔顿一直都在诋毁罗斯柴尔德家族。1889年4月，在进行一次小型的财政票据方面的金融活动时，他在日记里写道：“尽管我总是认为要与他们在东区问题上划清界限，但我确实在组考特吃了午饭。”然而，当自由党人回来后，纳蒂经常被新任财政部长哈尔科特咨询有关股票交易印花税的复杂问题。10年之后，在下一届自由党政府上台的前夜，汉密尔顿任命纳蒂与厄内斯特·卡塞尔以及勒维尔斯托克勋爵二世一起，作为“首席顾问”以及“金融城代表”之一，所有的新任财政部长都必须介绍给他认识。

1890年所发生的事情是，一家按照正常的金融市场规则本来应该倒闭的银行，由英格兰银行发起的众机构进行救援，在关键的节点上通过政府承诺，以居里和罗斯柴尔德领导下的其他金融城内银行的广泛联合体共同支付相关的费用。对于政府以及因此而涉及的纳税人来说，这是一个便宜的解决方案：它比派出一艘炮艇或者一队侵略军无论从哪方面来看都便宜（如果阿根廷是一个中东的破产者，这是很可能的选择）。银行所支付的成本也是低的：支付的金额略高于把资金冻结在支付给巴林的债权人的付款里，这比起让巴林银行倒闭来说要低很多。然而，还有一个问题没有搞清楚：为什么罗斯柴尔德家族没有走上巴林银行的道路？因为从很多方面看，他们也深陷于拉丁美洲的金融活动中。比较巴林的经历与罗斯柴尔德家族在巴西的经历，可以帮助我们清楚地了解非官方帝国主义的相关成本和收益。

在1890年11月，纳蒂告诉萨里斯伯里说，他“十分不一样……他没有一点负债”。这是纯粹的虚张声势。事实上，罗斯柴尔德家族与他们自己的拉丁美洲债务危机进行搏斗已经有些日子了。我们已经看到了列昂内尔怎样在19世纪60年代恢复罗斯柴尔德与巴西的联系。在巴拉圭战争结束之后的19世纪70年代，巴西政府的借贷出现了短暂的平静期——仅有的大规模筹款发行是1875年的530万英镑——但是19世纪80年代出现了很多活动的苗头，在这些活动中，再一次由罗斯柴尔德家族作为政府在伦敦的唯一发行代理。总结起来，罗斯柴尔德家族1883~1889年为巴西政府负责发行了总计为 3 700 万英镑的债券，另外还为巴西亚—圣弗兰西斯科铁路公司发行了 32 万英镑。除了帮助合并现有的已发债务和将早期的债券转成较低利率的债券之外，这些钱还被用于已有铁路公司的利息支付，以及补贴轮船公司，因此至少有一部分可以被用来进行开发，特别是用于基础设施方面的投资。当佩德罗皇帝被有军方支持的共和革命所推翻的时候，所有的一切进展似乎都非常良好——奴隶制在 1888 年被废除了，而且货币在次年也重新获得了黄金平价的待遇。这明显让罗斯柴尔德家族非常吃惊。而在阿根廷，出现了货币贬值以及海外巴西债券报价的大幅下滑。到 1893 年，国家陷入了内战的泥沼，而海军和身处南方的君主制主义者都不服从新的政府。1895 年出现的稳定迹象变成了一种幻象：1896~1897 年，一场新的起义席卷了东北部地区的农民。

这些问题为什么没有像巴林危机一样把罗斯柴尔德家族同样带入危机中？第一，显而易见的答案是，按照绝对条件看，罗斯柴尔德家族伦敦银行在 1890~1893 年损失的“只是”大约 74 万英镑。这里部分的原因可能是罗斯柴尔德家族自己没有持有大量的巴西债券，比如在 1886 年，他们持有的这类债券只占罗斯柴尔德家族伦敦银行总资产的 2.4%。第二，正如我们上面所提到的，罗斯柴尔德家族保持了远较巴林家族高得多的资本负债比例：甚至就在这个时期（1890 年）的最低点，这个比率仍然是 19.5%。他们因此在应对 1889 年出现的危机时处于了一个更为有利的位置。第三，而且或许最为显著的是，罗斯柴尔德家族伦敦银行 1890 年的资本金是 590 万英镑，而巴林银行只有 290 万英镑，这还不包括其他罗斯柴尔德银行的资本金。相比较而言，他们所遭受的损失因此就要小很多。

罗斯柴尔德家族不是巴林家族，巴西也不是阿根廷。尽管 1889 年后很多年间巴西的政治形势很不稳定，而且这种状况一直持续到了 1898 年，政府才宣布对其外债延期偿付。巴西政府在此之前维持债务偿还的能力使阿方斯大为吃惊，但也并非异乎寻常。与当时那些主要的债务国相比，巴西的情况并不是最糟的，甚至在其 1898~1899 年的债务最高峰时期，总的公共债务也只是税收的 400%。外债的利息和分期赔付款总体来看只在政府的总支出里占相对较小的份额：1890~1899 年平均 10.5%的数字明显低于其他债务国的相应数据。事实上，1898~1900 年稳定之后，真正的债务问题才开始显现。1890~1914 年，罗斯柴尔德家族伦敦银行发行了令人难以置信的 8 300 万英镑的巴西公共部门债券，以及另外 580 万英镑的私营部门债券。此外，纳蒂和他的兄弟们还深深卷入了同时进行的规模不断扩大的智利借款中，1886~1914 年发行了价值 3 300 万英镑的智利债券。这些不断累积的债务远远超出了这些国家的经济发展所能够达到的水平，就算世界上对他们的原材料（巴西的咖啡和橡胶、智利的鸟粪和铜）出口的需求在持续上升，也无法满足这个缺口。1890~1913年，巴西的总债务（以英镑计）上升了3.5倍；而实际的国民生产总值只增长了2.7倍。另外，圣保罗地区的咖啡生产快速增长——在1870年到1900年翻了4倍——导致了供应过剩的危机。

明白地说，其实是罗斯柴尔德家族对巴西拥有巨大的经济调控能力。当政府在1898年暂时冻结了已有债券的时候，罗斯柴尔德家族伦敦银行马上提出重新安排时间表（这就从根本上把所有沉没资金的赔付推迟到了1911年）。由罗斯柴尔德家族为合并政府的各种负债而新发行的融资筹款券，采用土耳其模式，以海关收益作为担保，而政府不得不实行严苛的节约计划，这些都在纽考特给当选总统冈波斯·萨勒斯的一封信中进行了明确、严谨的表述，而且这封信被登在《时报》上供大家阅读。这种政策马上引起了货币（米尔雷斯）的增值，从7/4镑涨到了1913年的16镑，这种趋势加剧了咖啡产业已经很严峻的危机局面，当国际咖啡市场上的价格正在下降的时候，却推高了巴西的生产成本。

然而，通过这种非官方的帝国主义来发号施令，其控制的范围总是受到限制的。因为还有一个问题，即国际资本市场上不断增加的竞争不可避免地开始侵蚀罗斯柴尔德家族在19世纪建立起来的对巴西外债的控制地位。到了1906年，罗斯柴尔德家族在两个国家的地位都受到了挑战，其中，智利的挑战来自于斯佩耶尔斯和德意志银行，而巴西的挑战则来自于施罗德家族。当圣保罗州在1905年寻求为应对国际市场的咖啡这种当地主要产品价格下跌而准备实施的咖啡储存项目寻找金融帮助的时候，阿尔弗雷德拒绝接手这个“稳定价格”的计划，原因是“这是人为的而且疯狂的投机”，必将以灾难收场。纳蒂也对联邦政府通过建立一家新的汇兑银行来对米尔雷斯与英镑的汇率进行调整的努力深表怀疑。然而，施罗德银行和克林威兹银行建立起了一个纽约、汉堡和勒阿弗尔的咖啡贸易辛迪加，而且在1906年秋季和1908年5月之间开始买进了至少800万袋，相当于世界年消费总量的一半还多。当施罗德试图在这个辛迪加清偿给圣保罗的应付款的过程中向纳蒂寻求1 500万英镑贷款支持的时候，纳蒂马上很生硬地回答：“当然不支持这种该死的骗人伎俩。”要是他一直坚持不松口，施罗德或许就将面临生死的考验了：没有罗斯柴尔德的支持，他们就无法从巴西联邦政府得到担保；而如果没有这样的担保，这笔贷款就只可能告吹，只能让施罗德将其已经预付的1/6留给圣保罗，而他只能拿走相应的咖啡。纳蒂选择了一种狡诈的介于直接资助稳定物价计划和借钱给巴西政府（尽管巴西政府又将这笔钱用于稳定物价计划）之间的另外一种方法。在折磨过施罗德，让他饱受焦虑之苦后，他最终同意参与贷款，而他认为这样的计划很难获得持久成功的直觉是正确的。1910年来自东印度公司的竞争造成了橡胶价格的急剧崩溃，而且根本没有办法用库存来进行缓冲，最后导致汇率危机，使得汇兑银行根本没有招架之力。这次危机的影响使已经走下坡路的巴西债券市场更加雪上加霜，将由罗斯柴尔德家族1913年发行的1 100万英镑筹款券中的94%压在了承销商的手里。正当一项新的以巴西银行接受外资控制作为先决条件的贷款计划即将达成的时候，欧洲却在1914年爆发了战争。

非官方的资本主义——按照其定义——总体上说缺乏根本的政府干预手段。这是完全不同的事情，正如法国投资人1888~1889年所看到的，在反对埃及修运河的同时，却把钱投进巴拿马去修另一条，原因就是法国在当地有相当的影响力，尽管从根本上说要比英国人的影响力稍弱。拉丁美洲的选择介于美国控制或者不控制之间。例如，当巴西政府表现出准备在1895年吞并特立尼达的时候，纳蒂敦促萨利斯伯利的首席私人秘书希沃姆伯格·迈克坦纳发表了外交讲话，让巴西把他的要求提交仲裁。迈克坦纳告诉萨利斯伯利："是为了罗斯柴尔德银行去证实……撤军的政策，而且，如果能达到这个目的，仲裁道路上最主要的障碍就扫除了……毫无疑问，罗斯柴尔德可以做到这一点，但是他们很自然地希望我们去做。"在实际情况下，这意味着要看纳蒂是否想就此问题给巴西财政部长发电报；按照政府的想法，巴西问题从严格意义上看，是罗斯柴尔德家族的事务。英格兰银行影响力的限制在不仅是巴西，而且还包括阿根廷、智利，当他们都开始大把往自己的海军花钱的时候，这种情况得到了证实。尽管英国的银行不断就"经济崩溃"对他们发出警告，最终的结果还是证明他们不可能控制拉丁美洲的军备竞赛——不只是因为英国的造船公司是这些有吸引力的订单的受益者。正如纳蒂在寻找控制巴西铁道部的机会时非常坦率地说："质问一个政府的政策总是一个敏感的问题。"

"坚定的单一本位主义者"

大量从英国输出资本成为了19世纪末和20世纪初的一个特征，而且这种情况得到了全球货币体系某种程度的支持：首先是双本位制（白银和黄金）体系，以及后来从19世纪70年代中期开始的金本位制，这种方式把大多数主要货币按固定的汇率与黄金挂钩，因此也与英镑这种世界性储备货币挂钩。罗斯柴尔德家族在这个进程中所起的作用总体来看被低估了，而且通常也被误解了。

传统上一直认为罗斯柴尔德家族是从双本位币制向金本位转换的坚定支持者。事实上，对于美国的人民党来说，罗斯柴尔德家族是人格化了"国际黄金圈"，因此他们相信罗斯柴尔德家族也一定站在废除白银的货币本位职能的立场上。要弄清楚为什么会这样并不困难。罗斯柴尔德拥有自己的精炼和经济业务，而且正如我们将要看到的，他们对黄金开采的兴趣在19世纪的后20年快速增长。另外，由罗斯柴尔德家族在这一时期所处理的很多债券发行的业务，都与受益人采用金本位制度相关联。这在美国的业务中表现得最为明显，在那里，他们与他们的代理人奥格斯特·贝尔蒙特在支持恢复金币支付（这种做法在美国内战时期停止了）的过程中起到了主要的作用。

在1874年7月，罗斯柴尔德家族伦敦银行与纽约的银行家约瑟夫·斯利格曼联手，同意包销发行价值4 500万美元5%利率的美国债券，而且对另外的1.23亿美元有6个月的选择权。当发现这次发行最终不很成功之后，小摩根集团与纽约第一国民银行也加入到了这个辛迪加里，第二次发行了2 500万，其中罗斯柴尔德家族占了55%的份额。在1873年到1877年之间，N·M·罗斯柴尔德参与了总计2.67亿英镑的美国债券在伦敦和纽约的发行。这些贷款设计的目的不仅仅只是为了稳定美国的金融，还是为了使美国在可以预见的未来采用金本位体制。然而，当第45届国会在1877年10月召开的时候，起草了一份法案，打算恢复“自由”的白银铸币，以及其法定货币的身份——对于这种方式，贝尔蒙特强烈地指责为“公然的偷盗”和“盲目而且可耻的疯狂”。在最终的法案规定只允许白银以严格限制的数量进行流通，而且不会用于应付债券的利息支付的时候，罗斯柴尔德家族的愤怒才有所平息。美国财政部长约翰·谢尔曼随即在1877年通过贝尔蒙特安排了新的5 000万美元采用金币方式的筹款，这就让在1879年初采用金本位的安排又朝前迈出了一步。这次发行之后还有另一批债券需要发，但这一次小摩根那位雄心勃勃的公子皮尔庞特试图把罗斯柴尔德家族排除在外，这激怒了列昂内尔和纳蒂，他们（正如纳蒂告诉布朗·希普雷公司的赫尔曼·霍斯基亚的）拒绝“参与任何的美国辛迪加，去接受他们的怜悯或者命令，我们只会按我们的方式来进行，并且有一群朋友一起来干的条件下，才可能考虑”。对美国采用黄金本位制度承诺的怀疑可以帮助我们解释为什么罗斯柴尔德家族在美国铁路股票和后内战时代的债券大繁荣中只扮演了这么个小角色的原因。

一直到1893年3月，这个问题在政治层面上仍然是存在的，当时格鲁维尔·克利夫兰试图筹措5 000万~6 000万美元的黄金贷款，在美国黄金储备快速减少的时候维持可兑换性。尽管摩根家族愿意联合行动，但纳蒂、阿尔弗雷德和里奥颇感踌躇：阿尔弗雷德仍然“坚决反对”，尽管克利夫兰保证撤销当时仍然在继续执行的《谢尔曼白银购买法案》。最终，他们达成了一个协议，这是一个利润丰厚的协议（或许这应该是这两兄弟谈判技巧的成果，而不是摩根说的他们过度谨慎的表现）。6 230万美元利率为4%的美元债券由银行按104.5的价格接下，然后以112.25的价格（后来涨到了119）卖给那些心急的投资者。在短短22分钟的时间赚了600万美元的神话有利于打破人民党所面临的僵局，当然也帮助确保威廉姆·詹宁斯·布莱恩而不是克利夫兰作为民主党1896年大选的总统候选人胜出。然而，布莱恩被共和党人威廉姆·麦金利击败也为美国向金本位转换的进程画上了句号。

美国的稳定是一个更为广泛的进程的一个组成部分。在1868年，只有英国和它的一些经济属国——像葡萄牙、埃及、加拿大、智利和澳大利亚——采用了金本位制度。法国和其他拉丁货币联盟的国家、俄国、波斯以及一些拉丁美洲的国家一直采用双本位体制；世界上其他的地方，包括中欧的大多数国家，一直采用的是银本位制。40年之后，只有中国、波斯和少数中美洲国家还采用银本位制。金本位实质上是全球的货币体系，尽管在实践操作中有不少亚洲经济体有一种黄金兑换标准（用当地的货币兑换成标准银币，而不是真正的黄金），而且很多在欧洲和美洲的“拉丁”经济体则根本就没有兑换之说。在很多主要的欧洲国家里——德国（1871~1873年）、法国（1878年）和俄国（1897年）——罗斯柴尔德家族都在协助货币制度的转换过程中起到了关键的作用，尽管在意大利哈穆布罗十分雄心勃勃地在1881年至1882年领先了一步。在此之后，罗斯柴尔德伦敦和巴黎银行成为了他们各自的中央银行不可或缺的辅助机构，在其中某一方市场出现危机的时候，另一方会将大量的金币大规模地送过海峡。这个过程本身也是一个利润不菲的业务。与此同时，金本位确保了以黄金为标准的各种货币表示的外国债券可以防范汇率波动带来的风险，并因此可以让那些更为谨慎的投资人愿意购买，否则的话他们可能就只愿意购买那些永续债券和“国内铁路债券”。货币一体化支持了国际债券市场的成长，因为可兑换性“标志着一个国家对可靠的预算、平衡的对外支付和可持续外债规模的承诺”。因此，这对于罗斯柴尔德家族的主要业务是有好处的。

毋庸置疑的是，英国罗斯柴尔德家族在19世纪90年代早期重新抬头的双本位制辩论中经常要捍卫正统的金银通货理论。例如，阿尔弗雷德“强烈反对……关于英国贵金属流通过程中的任何激进的改变”，这句话出现在他于1886年写给英格兰银行总裁的私人报告里；而在4年之后，纳蒂坚决反对高森推出1英镑纸币的提议，这项提议事实上代表了对1844年建立起来的体系进行一种异想天开的现代化改造的想法，以及一种对英格兰银行不断增加的货币需求的有意识的回应。当格莱德斯通和他的财政部长哈尔科特正在考虑代表英国参加1892年在布鲁塞尔举行的国际货币大会、否决美国双本位计划的合适人选的时候，阿尔弗雷德似乎是理想的选择。按照哈尔科特的说法：

罗斯柴尔德这个名字所具有的分量在货币领域无人能敌。我并无法预知

> 阿尔弗雷德对这些问题的看法，但是我认为他理所应当是一位坚定的单一金属本位主义者（格莱德斯通先生称之为“明智的人”），他会至死捍卫单一金本位制……

阿尔弗雷德适时地向哈尔科特保证“找不出比我更坚定的对单一金属本位体制的支持者”，而且他会“竭尽全力投身于维护我们建立在英国所拥有的那种绝对的商业霸权基础上的金融霸权”。

然而，阿尔弗雷德的行为证明他无法把分配给他的“明智的人”的角色坚持下去。在11月份，他提出了他的妥协方案，这让所有人都大吃了一惊（不只是与他同去的代表贝特拉姆·居里）。尽管被他在金融城和财政部里的对手嘲弄了一番，而且大会上出现的那种严重的两极分化情绪使他的提议注定无法通过，但是这个建议在很多方面看，都是调和贵金属本位主义者和双金属本位主义者之间矛盾的切实可行的尝试，具体的做法是通过一个历时5年的国际购买协议来提高并维持白银的价格，同时又不给白银实际的与黄金平等的地位的方式。如果这个提议能被采纳，阿尔弗雷德认为，“应该给南非的金矿一定时间，来证明他们每年的产量是否足以满足整个世界增加的额外需求，而且也应该给予印度一定的时间来引入以黄金作为货币的金本位体系”。然而，在“纯粹的单一金属本位主义者”居里看来，这与哈尔科特所要求的“单一金属本位主义者的荣耀”或者“双金属本位主义的寿终正寝”的目标相差甚远；事实上，阿尔弗雷德的计划在大会上赢得了某些双金属本位主义者有保留的支持，尽管这些支持还不足以使它变成一项实际的议案。

另外，这个问题在1897年又再次被提出来的时候，有谣传说纳蒂在阿瑟·贝尔福的影响下也软化了立场，而阿瑟·贝尔福从骨子里说是一名双金属本位主义者。纳蒂拒绝签署由居里提出，并得到大多数主要的商业银行附议的反对双金属本位体制的一份金融城的备忘录。而且，足以让新财政部长米盖尔·西克斯·毕希爵士感到尴尬的是，他再一次表示出了愿意对那些银行做出妥协让步的意愿：他重新开启了印度造币厂，将英格兰银行储备的1/5转成了白银，而且将对白银作为法定货币的限制从2英镑提高到4英镑（同时作为对美国双金属本位主义者10英镑目标的还击）。

我们怎么解释这种对正统的温和的偏离？应该提及的是，纳蒂的祖父曾经是极端固执的贵金属本位理论的批评者之一。但是阿尔弗雷德和纳蒂所做的并不是重复过去，他们也反映了他们的法国合伙人的意见，用阿方斯的原话来说，他们是双金属本位主义“极端的”信仰者。作为法兰西银行的董事，阿方斯在整个19世纪60年代，一直在为捍卫双金属本位体制而与那些纸币倡导者以及拉丁货币联盟进行着斗争。在某些方面看，这是货币保守主义——一个银行家的“传统智慧”，也是他的英国亲戚的镜像。与纳蒂把发行1英镑面值纸币看成是对英国现状的威胁一样，阿方斯也在1870年坚决反对引入25法郎的硬币。但是，按照弗朗德罗已经证明了的说法，罗斯柴尔德家族表面上看起来很矛盾的地位其实有着它自己的内在逻辑关系。双金属本位主义不再继续的原因，是法国政府在1873年作出的政治决定，他们为了不给德国对白银去货币功能化的政策提供便利，便继续自由地将白银转成黄金。在1873年之前，双金属本位主义之所以能发挥作用，是因为“在一定时间段内的双金属本位套利（通过私人代理在那些双金属本位国家中进行）限制了黄金—白银的汇率，反映了熔化一种金属货币与铸造另一种金属货币有关的成本”。罗斯柴尔德家族是这个体系中主要的套利者，他们依靠的是英国操作金本位，而法国是双本位。因此，出于各自国家的利益考虑，英国罗斯柴尔德家族支持金本位，而法国罗斯柴尔德家族支持双金属本位；不过英国罗斯柴尔德家族从来没有支持过在全世界进行白银的去货币功能化。甚至在保卫白银的战役失败之后，阿方斯还在喋喋不休地强调双金属本位体制与黄金本位相比为英国和法国的货币政策提供了更为灵活的体系。最后，英国罗斯柴尔德家族希望避免完全白银去货币功能化有他们自己私人的理由，也就是考虑他们在水银（其主要的用途就是用于白银的精炼）行业的利益，即使他们私人在黄金行业的股权远比这个大。

地下帝国

那些参与拉丁美洲债券交易的银行家所遭遇的困难并不新鲜：这些问题与罗斯柴尔德家族在19世纪20年代以及30年代的西班牙和葡萄牙所碰到问题在很多方面都很类似。罗斯柴尔德家族对这些债务危机处理的手段总体来说也不新鲜。在19世纪30年代，他们就取得了埃尔梅登水银矿的控制权，因为他们相信，如果需要向一个像西班牙这样不稳定的国家支付款项，那么某种有形的资产是必需的。19世纪80年代发生的情况反映的也是类似的考虑，但是罗斯柴尔德家族现在涉足的矿业已经达到了一个前所未有的规模。事实上，毫不夸张地说，罗斯柴尔德家族伦敦和巴黎银行对于建立一个可以被描绘成矿业帝国的决策，是他们自决定参与19世纪30年代的铁路融资以来，业务模式最大的转变。正如詹姆斯认为对一个泛欧洲铁路网的控制与在世纪中期资助一个新生的民族国家同样重要一样，纳蒂和阿方斯也认为对矿业的投资同样与为欧洲的海外殖民地和经济卫星国发行债券同等重要。就像他们之前的铁路一样，矿山提供的投资回报比国家债券要大；而与此同时，他们的资产缩水的可能也要小很多（惩罚性税收甚至被征用的风险确实存在，但是总体来看要比政府破产的风险小得多）。那些认为罗斯柴尔德家族的势力在 1880 年后走向衰败的说法，很少考虑他们这个巨大的投资方向上出现的变化。

我们已经看到了罗斯柴尔德家族伦敦银行是怎样在 19 世纪 70 年代重新确立了对埃尔梅登水银矿生产的控制的。这些矿产一直到 20 世纪 20 年代，都在持续不断地提供着稳定的收益：比如 1871~1907 年，罗斯柴尔德家族伦敦银行从矿业上赚了大约 90 万英镑，占他们总收益的 8%。然而，与他们对金矿业务更为活跃的参与情况相比，罗斯柴尔德家族在埃尔梅登中的作用相对来说是被动的，这可以从他们合伙人之间的通信中得出判断。

从 19 世纪 40 年代开始，罗斯柴尔德家族伦敦银行开始对在新世界寻找黄金表现出了极大的兴趣，而且促使他们 1852 年在伦敦拥有了自己的精炼厂。特别是在加利福尼亚和墨西哥，戴维森兄弟得到鼓励，亲自积极地参与到那些最有前景的矿山的开发工作中。到了 19 世纪 70 年代，他们在这个地区又雇用了新的业务协调人员，其中一人是矿业咨询工程师汉密尔顿 · 史密斯，他在 1881 年编写的关于委内瑞拉埃尔 · 卡尔里欧黄金矿的报告，说服罗斯柴尔德家族也到那里去做了投资。很有可能正是纳蒂在 1885 年鼓励史密斯定居伦敦，并与另一位矿业专家埃德蒙 · 德 · 克朗诺建立了合伙关系。一年之后，他们成为了一家名叫勘察公司的新公司的执行董事。在满足罗斯柴尔德家族的矿业野心方面，这是一个非常关键的机构。

开始的时候，勘察公司的工作只是作为顾问，为它的股东在矿业方面的方案提供咨询；但是到 1889 年，它重组为一家股份制公司，名义资本为 30 万英镑，而且成为一家专门的发起公司（换句话说，就是它帮助矿业公司在伦敦股票交易所上市，收取名义资本 20%的手续费）。本质上，这是那些备受推崇的金融城企业操作被广泛认为是高度投机业务的一种方式，通过这种方式，可以避免直接危害其良好的声誉。除了罗斯柴尔德银行之外，公司的其他 20 家发起股东包括勒维尔斯托克爵士、艾维尔拉德 · 哈穆布罗、亨利 · 奥本海姆和阿瑟 · 瓦格；由霍拉斯 · 法古阿出任董事长，一直任职到 1896 年。到了这个时候，公司的资本已经增加到了 125 万英镑，其市值也达到了 224 万英镑，使它成为了“世界上最强大的同类公司”（银行家哈瑞 · 吉布斯语）。对于那些缔造者来说，在分了 10%的红利以后，他们还拥有盈余的一半，而且借由他们随之增加的投票权，他们仍然控制着这个公司，所以这是一项非常赚钱的投资。1889~1903 年，它为 23 家公司发行了名义价值高达 2 070 万英镑的股票。在 1889 年到 1895 年之间，它对其初始实收的 3 万英镑资本支付了总计为 265%的红利，4 倍于它的股票价值，然后在随后的 10 年间，红利下降到 80%，而 1905~1914

年只是40%。开发公司由罗斯柴尔德创立是一个显而易见的事实。纳蒂与他的兄弟们总计持有了30%的股份（尽管随着公司的成长，他们的持股比例在下降），而且1889~1897年，公司的营业地址在圣斯威辛道。

除了投资于开发公司本身所获取的利润外，罗斯柴尔德家族还从他们所发起创立的各种矿业公司获取了巨额的回报。罗斯柴尔德家族伦敦银行1886年的资产负债表表明，他们总共持有的矿业公司的股份只值27 000英镑；而在几年之间，这个数字就变得相当可观。在1891年，罗斯柴尔德持有5 000股面值为1英镑的南部非洲联合黄金矿井股票，之后他们的持股增长到了13 000股。当朱丽叶·威恩希尔和阿尔弗雷德·贝特——卓越的“朗德矿主”——在1893年2月上市朗德矿山的股票的时候，罗斯柴尔德银行分配到了10万股中的27 000股；当同一家公司在1897年再融资100万英镑的时候，他们拿到了债券中的35 000英镑。这使他们巨大的“垄断公司”集团持有了巨额的股份，占有了朗德公司1902~1913年生产的黄金产量的大约37%。从这类投资中产生出的利润是巨大的。朗德矿业的股票从1897年最低的15英镑10先令涨到了1899年最高时候的45英镑。类似的，罗斯柴尔德家族伦敦银行和巴黎银行在新成立的玛瑞维尔和耐吉尔黄金矿产公司的股票于1895年上市之前，购买了价值10万英镑的股份，上市之后马上按25%的利润卖出了这些股票。他们还获得了5万手以1英镑买入的期权，而当公司上市的时候，一手期权价值4英镑。罗斯柴尔德法兰西银行显然没有这么成功，他们在1894年初期抱怨说，他们在某些矿业股票上的利润只是略高于他们在其他股票上的损失。

黄金矿是开发公司的最爱：他们在得到了威特沃特斯登德的新勘探结果，成功地应用了深井开采技术后，急速扩大了南部非洲的黄金产量。在1892年，公司完成了联合深井公司和格尔登辉斯深井公司的上市工作；随后在1893年，完成了朗德矿业和马希侯诺尔兰德金矿的上市工作；之后在1894年又完成了江佩斯深井公司和汤斯威尔公司以及大众联合公司的上市工作。在所有这些上市公司中，罗斯柴尔德家族都保持了很高的权益。在1892年早期，迈耶·卡尔被派往汤斯威尔公司考察各种金矿山。他提交的报告的基调是很轻快的。他宣称，这些矿区“面前拥有广阔的未来”：

> 这个国家在之后的10~20年将为欧洲的资本提供比南美洲和其他类似国家更为广阔的天地。这里有一个很好的国家，宜人的气候，居住着荷兰人和盎格鲁–撒克逊人，刚刚开始开发，遍布着各种矿种并引种了各种农作物。我觉得罗斯柴尔德银行应该在这里放一个聪明的代表，他应该能够在这里做很多赚钱的生意。

尽管没有派去“聪明的代表”，但罗斯柴尔德家族通过开发公司间接参与到南部非洲的黄金繁荣过程中的贡献经常被低估。公司并没有把自己限制在南部非洲。在1894年，它进入到西澳大利亚，而且把大众联合公司作为了一个区域性的分公司，进而帮助新西兰开发公司在1896年上市——尽管这些公司的上市都没有像它们在南部非洲的那些兄弟公司那样带来那么好的收益。

在如此众多的金矿公司中拥有大量的股份是一个勇敢的举动，这些都基于对世界黄金市场未来预期的重要假设。用阿方斯的话说，朗德导致了“阿拉丁宝藏”的幻觉。最初看起来，他表达出的不害怕这种金属可能出现供过于求的说法是令人不解的(如果朗德还有未发现的水银或者铜的储备，他可能会这样)。对这种情况的解释是直截了当的：对黄金的需求似乎仍然是旺盛的，因为越来越多的国家采用它作为他们货币体系的基础。只要这种情况持续下去，黄金供应的增加就不会打压黄金的价格，而只会导致货币扩张以及所有其他资产价格的总体上涨。正是基于这样的判断，才出现了所谓的“黑非洲的繁荣”——南部非洲的矿业股票在1893~1894年飞涨。因此，不用说，英国的罗斯柴尔德家族是鼓励金本位的推广的。

罗斯柴尔德家族并不是单一本位主义者，他们是多本位主义者。在同一时间内对他们来说显得同样重要的是铜，这虽然是一种基础金属，但是在19世纪的最后25年间由于电气工业的快速发展，它的需求也在不断增加。法国罗斯柴尔德家族可能间接参与了19世纪70年代由金属公司和贴现银行为首的银团垄断铜市场的首次尝试，但是，他们似乎是在1889年泡沫破灭后直接进入了铜行业。在19世纪80年代，罗斯柴尔德家族伦敦银行和巴黎银行通过购买并控制力拓公司的矿业资产，增加了他们在西班牙的权益，力拓在当时占有全世界大约10%的铜产量。这是一项最为重要的投资：到了20世纪初，力拓的价格几乎成了伦敦和巴黎之间通信中经常引用的一个基准数据，其出现的频度，完全可以与半世纪前的永续公债和债券的价格相提并论。伦敦罗斯柴尔德家族同时也在1895年成为公司的银行顾问，发行了价值360万英镑的企业债券(获得的佣金为11.05万英镑)。

这只是广泛进入铜矿业和铜市场的一个组成部分，而广泛进入的战略或许是受到了保护在力拓的投资不受由于很多地方都传出发现新的铜矿资源而导致价格下跌的需要所驱动。19世纪80年代，罗斯柴尔德家族巴黎银行购买了波里欧公司——一家墨西哥铜矿公司37.5%的股权；1895年之后，勘探公司成为了位于蒙大拿的阿纳康达矿业公司主要的资金来源。这些权益使罗斯柴尔德在世界铜市场上拥有了真正的影响力，与纽约的莱昂纳德·路易松和布朗戴斯、戈尔德施密特公司一起组成了市场辛迪加，从1895年开始，通过直接购买和限制产量，把铜价又推回到了每吨50英镑的水平。当有新的资源被发现的时候，他们会毫不犹豫地将其纳入自己的囊中。1903年，勘探公司为德属西南非洲的奥塔威矿业公司融资100万英镑。法国罗斯柴尔德也参与了铜的投资，也对类似巴黎通用公司这样的企业进行投资。

罗斯柴尔德家族对宝石开采业也同样感兴趣。他们对德比尔斯的参与——或许是他们的矿业投资中最负盛名的——将在下文进行详述。值得关注的是，这并不是他们在类似领域的唯一投资。他们在经过千辛万苦，终于从英国政府手里获得了7年的采矿许可之后，在1889年也对缅甸红宝石矿公司进行了上市融资，而缅甸则在那3年之前被英国吞并。这又是一种赚钱的生意：4年之后，宝石的价格仍然在强劲上涨（与钻石价格形成了强烈的反差）。

总体来说，法国罗斯柴尔德家族在黄金和宝石领域不如他们的伦敦合伙人。非常典型的例子是，法国的罗斯柴尔德兄弟公司通过位于伦敦的勘探公司才在1895年成为了法国矿业勘探公司的股东。然而，阿方斯及其兄弟们在这个时期也有同样快速发展的矿业投资。例如，在19世纪80年代，罗斯柴尔德家族巴黎银行开始扩张他们在西班牙的含银铅矿项目，他们通过卡塔金纳的代理购买了这些矿石，并在他们的勒–哈维尔精炼厂提纯加工成商业用途的铅和银。在他们自己的工程师汉密尔顿·史密斯的指导下，阿方斯及其兄弟们投资了25万法郎在他们法国的精炼厂项目上，并将其转换成一种直接从西班牙厂家购买的体系，但是他们并没有听从阿方斯直接投资于西班牙精炼厂项目的劝告。1880~1881年，阿方斯才说服他们成立了彭纳罗亚矿冶公司，将这个矿业帝国从它的西班牙矿主手上租了过来。到1913年，公司出产的白银产量占西班牙全部产量的80%，铅产量占60%。由于拥有了彭纳罗亚矿冶公司40%的股权以及独家的销售权，罗斯柴尔德家族巴黎银行成为了国际铅市场最大的单一玩家。同时，也是同样的方式，阿方斯及其兄弟们购买了由澳大利亚实业家约翰·希金森在法属太平洋岛上的新卡勒东尼亚建立的镍矿公司25%的股权。这里表现出来的战略目的也是野心勃勃的，到1884年，公司已经收购了欧洲大部分的镍精炼厂，但是1891年在加拿大新发现的镍矿打碎了他们的垄断美梦，迫使“镍矿公司”削减其资本，并与美加国际镍业公司签署了市场分享协议。在此期间的第三大矿业投资是上面说过的墨西哥波里欧（铜业）公司。到1900年为止，法国罗斯柴尔德家族合计在这些矿业公司投资的股份名义价值为1 150万法郎（46万英镑），而市值大概是两倍，相当于银行总资本的大约4%。

类似的情况也出现在法国罗斯柴尔德家族对俄国石油产业的参与上。这一兴趣从19世纪60年代就已经开始了，当时罗斯柴尔德家族巴黎银行开始从美洲进口石油，而且在1879年，他们就已经与炼油商梅特德意志公司合伙在西班牙生产煤油，之后在费由美建立了新的炼油厂。为了给这个工厂寻找原料，引发了罗斯柴尔德在巴库附近的俄国油井找油的首轮投资热潮。（罗斯柴尔德奥地利银行在加里线的石油产业中也有一些股份，但是他们似乎没有进行合作的考虑。）当罗斯柴尔德家族巴黎银行提出与诺贝尔兄弟石油公司合作的建议在1883~1884年被否决后，巴黎的合伙人决定购买另外一家公司——巴图炼油与贸易公司（通常知道的是它的俄语首字母缩写BNITO)。他们还建立了一个拥有超过2 000台油罐车的车队，以及在诺沃罗斯耶斯克的炼油厂的"巨额专项资本"，同时在敖德萨还拥有一座油库。麦克凯估计巴黎罗斯柴尔德家族在俄国石油行业的投资在世纪之交的时候价值大约是5 800万法郎(230万英镑)。在其最高峰的时期，大约1/3的俄国石油产量由罗斯柴尔德控制。

19世纪90年代是国际市场对石油需求出现急剧增长的时期。罗斯柴尔德家族的俄国煤油通过他们的里海工商公司以及黑海煤油公司在欧洲进行销售（采用与西班牙的铅一样的方式)。后来，他们与俄国船运公司以及圣彼得堡国际银行合作，成立了一个叫做马佐的新公司，目的是通过把他们的产品卖到俄国国内市场来扩大他们的销售。这就意味着他们不仅要与诺贝尔公司竞争，还将与美国的巨头标准石油公司竞争。在亚洲市场也出现了类似的竞争局面。在1891年，公司位于伦敦的两兄弟马科斯和塞缪尔获得了BNITO的煤油在苏伊士以东地区的销售权，采用他们首创的油轮运输方式——这是成立于1897年的壳牌运输与贸易公司的前身。他们在亚洲最主要的竞争对手就是快速成长中的皇家荷兰公司，公司位于荷属东印度。

由于竞争导致了价格的下降，他们曾试图按常规的方式组成一个利润分享卡特尔（1893~1895年）来结束这场"石油战争"。然而，与标准石油的谈判没有取得任何进展，事情的发展似乎是罗斯柴尔德家族参与到了已经在逐步融合的壳牌与皇家荷兰公司之中。罗斯柴尔德家族成为了由这两家公司在1902年投资组建的亚洲石油公司的第三家股东，而且在1911年，用它们所持有的全部俄国企业换取了皇家荷兰和壳牌的股份，使它们在这两家公司中成为了最大的股东。到这个时候，这个交易看上去还是相当不错的，因为罗斯柴尔德在BNITO和马佐的股权估值为290万英镑，而他们在皇家荷兰/壳牌公司里的新股份能够保证很稳定的收益。而仅仅在6年之后，罗斯柴尔德从巴库撤出的智慧就清晰地呈现出来了。

水银、黄金、铜、铅、白银、钻石、宝石以及石油——到1900年，罗斯柴尔德家族在国际有色金属市场、宝石市场以及石油市场上占据了非常显著的位置。他们不仅直接或者通过勘探公司为新矿业公司筹措资金；他们还将大量的钱投入到矿业股票，而且还直接参与了对国际原料市场的整合甚至是控制。这很难说是一种在走下坡路的企业所采取的战略。相反，罗斯柴尔德家族伦敦和巴黎银行聪明地找到了一种方式，将他们传统的业务路线发展成为适应世界经济最根本的结构变革的方式。

罗德斯与罗斯柴尔德家族

除了通常的高利润以外，在19世纪80年代和19世纪90年代所获得的矿业帝国对罗斯柴尔德家族吸引力的部分原因还在于它显然并没有受到政治控制。一旦一项特许权授出，或者一片土地出售了，矿业公司似乎都享受了某种接近完全自治的待遇，特别是当矿山位于偏僻的地方，而这些地方的社会结构通常处于相对原始的阶段的情况下。然而，这种类型的帝国主义从来都不可能完全独立于正式的处于国家引导下的真正的帝国主义；在塞西尔·罗德斯的概念里，这种情况尤其严重。

罗斯柴尔德家族与罗德斯的关系可以追溯到1882年，当时纳蒂派公司的前旧金山代理阿尔伯特·冈索到金伯利——当时主要的钻石矿中心——去报告英—非钻石矿业公司的工作，该公司提出了一项对杜托兹旁的申请，而杜托兹旁是这个地区四个主要的区段之一[其他几个是金伯利、巴尔特方藤和德比尔斯（De Beers）]。在几个月之内，冈索就得出结论说，这些为数众多的小公司（总共超过了100家）将会由于过度生产而相继倒闭，因此他坚定地认为应该合并。然而，尽管在伦敦成立了一个合并委员会，而且计划以一个合并后的公司为基础发行价值350万英镑的股票，但这个计划建立在相互竞争的公司的股东和董事之间的相互嫉妒的基础之上。除了在现有股份的价值上很难达成一致外（在合并中，应该要换成新的股票），1882~1883年钻石价格的下跌或许也让罗斯柴尔德家族不能够专注于这个问题的解决。法国罗斯柴尔德家族肯定抱怨他们在英—非公司股票上的损失，而购买这些股份是他们的伦敦兄弟推荐的。

重燃罗斯柴尔德家族对钻石的兴趣的正是开发公司，尽管是间接的，这个公司新雇了一位美国工程师加德纳·威廉斯，由他负责南部非洲的矿业前景研究。此时，合并的进程与5年前相比已经取得了很大的进展：金伯利区实质上已经由金伯利中部公司控制，其1887年的市值大约为245万英镑，每次出矿大约可生产1.3克拉。接下来排名第二的就是德比尔斯矿业公司，市值大约为200万英镑，而生产量稍低。一直困扰在塞西尔·罗德斯——德比尔斯公司的董事和大股东，以及金伯利公司的共同发起人之一——心头的问题是，在与金伯利区块中最后的独立公司法兰西公司的合并过程中，这两家公司谁会笑到最后。

罗德斯开始意识到，在德比尔斯和中部公司有限的金融资源的条件下，在即将上演的并购大战中，能够打开通向胜利大门的钥匙要到伦敦去找，而且谁能得到金融城里金融大鳄的金融支持，谁就能够胜券在握。一意识到威廉斯（他们两人首次相遇在 1885 年开往伦敦的汽船上）可以成为他通向纽考特大门的引导人，他立刻给了他德比尔斯总经理的职位，并且在两个月后，动身前往伦敦开始他与著名的罗斯柴尔德勋爵的首次会晤。纳蒂又开始艰难地讨价还价。在 8 月 4 日，罗德斯用电报向金伯利发回了一份详细的计划，这项计划为德比尔斯购买法兰西公司提供了资金，但是代价很高。具体来说，就是由罗斯柴尔德家族支付 75 万英镑的现金，按每股 15 英镑的价格购买 5 万股新的德比尔斯股份，外加 20 万英镑的企业债券。对于这次安排，他们获得了 10 万英镑的佣金，以及他们购买股票的价格与德比尔斯股票 1887 年 10 月 5 日在伦敦市场价格差异的一半。按照图雷尔的说法，这意味着他们额外多收入了 15 万英镑，因此，“罗斯柴尔德辛迪加从支付 75 万英镑的这次买卖中得到了 25 万英镑”。经过一直持续到 9 月份的在巴黎进行的多次漫长的谈判后，法国公司的董事们最终接受了合并条件，按 100 ∶ 162 的比例把法国公司的股票转成了德比尔斯股票。

然而，这对于罗德斯来说，距离最后的胜利还很遥远。中部公司给法兰西公司的回盘确实是过去了，但是似乎得通过以 65.6 万英镑的价格把法兰西公司出售给中部公司才能实现。因为这当中有 10 万英镑是以金伯利中部公司股票的方式支付的，历史学家通常都认为罗德斯很聪明地获得了中部公司的股权；事实上，当时的情况是中部公司以一个非常优惠的价格得到了法兰西公司，而且当时普遍的看法是德比尔斯此时将要被中部公司吞并。罗德斯计划的是全面收购在巴尔特方藤和杜托兹旁那些还仍然独立存在的公司的股票，并完成德比尔斯—金伯利中部公司的合并，但是要这样做的话，他必须得到金伯利中部公司董事会主席弗兰西斯 · 巴林-高尔德以及最大的股东——热情洋溢的巴尼 · 巴奈图的同意。如果两人都反对——就像是传言中那样的情况——罗德斯基本上就没有什么希望了。

在这个事件中，只是巴林-高尔德比较难弄；巴奈图看到了大发横财的机会，而且秘密地与罗德斯结成了统一战线。在 11 月，德 · 克朗诺从金伯利给罗德斯发来电报，称需要再贷款 30 万英镑全额收购中部公司的股份，并且强硬地告诉罗斯柴尔德，如果他们不愿意提供所需资金，罗德斯的合作者阿尔弗雷德 · 柏特会提供。就是在这个时候，纳蒂为自己购买了 5 754 股德比尔斯的股份，成为了公司最大的股东（罗德斯本人只有 4 000 股）。这个战略一直贯穿于整个 1888 年，其间罗德斯和纳蒂都在寻找克服巴林-高尔德抵制的办法。1888 年 3 月 13 日，罗德斯正式注册了德比尔斯联合公司，注册资本 310 万英镑，还有另外 150 万英镑的可转债，但是，巴林—高尔德和中部公司的少部分股东仍然僵持着。除了对中部公司和德比尔斯两家公司丰厚利润的预期外——两家的利润在 1888 年上半年都出现了高速增长——另外一个说服巴奈图的关键性因素是得到了新公司“永久总裁”地位的承诺，这个妥协显然是纳蒂非常不情愿的。尽管如此，合并的进展仍然很不顺利，首先面临的是一个来自中部公司股东方面的法律问题，他们反对关于新公司发展目标一揽子的委托条款；其次是发生在德比尔斯矿山的一场可怕的大火，火灾造成了 202 人丧生。一直到了 1889 年 1 月，金伯利中部公司的合并案才最终完成，此时，德比尔斯已经持有其竞争对手总资本的 93%，因而对中部公司最后的购买需要再投入的已经不到其总市值 530 万英镑的一成。自此之后，对其他一息尚存的小公司的处置就相对比较容易了。

在这场旷日持久的战斗中，纳蒂的主要作用是帮助罗德斯在他的股份收购过程中筹集资金，他发行了 225 万英镑的一级可转换债券，使德比尔斯能够清偿到期的债务，并在杜托兹旁和巴尔特方藤继续获取新的矿权。合并的总成本很显然超出了他的预期；但是与很多其他人一样，纳蒂无法抵御罗德斯的那种热情洋溢的魅力。“整个事情就看你是否对我有信心，而且是否信得过我本人。”罗德斯在 1888 年的某个时候就这样说道，“或许有人可以做得比我好，这我还真的不好说。你知道我的整个目标以及整个事情其实就是一个信任问题。我知道，有你的支持，我可以做到所有我说过的事情。但是如果你的想法不一样，我也无话可说。”这种关系在合并完成后仍然在继续。例如，开发公司在 1889 年发行了 175 万英镑的德比尔斯联合抵押债券，其中的 17.8% 由伦敦的罗斯柴尔德家族买走；1894 年，罗斯柴尔德伦敦银行自己发行了价值 350 万英镑的德比尔斯债券。所有这一切都意味着罗斯柴尔德家族在新公司中获得了巨大的股权，因此，对罗德斯拥有强大的财务控制，让罗德斯对在整个并购过程中所受到的高度钳制感觉到非常不舒服。迈耶 · 卡尔被委派进入了新的德比尔斯董事会就是纳蒂打算随时监控整个事情进展最明显的迹象。到 1899 年为止，N · M · 罗斯柴尔德公司是德比尔斯的第二大股东（拥有 31 666 股），略少于巴奈图的侄子乔尔兄弟（33 576 股）。罗德斯只拥有 13 537 股；柏特 11 858 股。这些都证明了这是一项相当不错的投资。

在烟雾缭绕的会议室里，马上有人抛出了一个问题，就是已经控制了南非钻石 98% 产量的新德比尔斯联合公司应该怎样建立其控制国际钻石市场的机构。从 1887 年开始，一个建立辛迪加的计划就处于讨论当中，一直到 1890 年 3 月，德比尔斯才与由威恩希尔柏特公司牵头的 5 家合作公司的联合体达成了一个协议。由于这种方式是罗斯柴尔德家族为维护水银的价格而采取的传统做法，而且在铜行业也是这样操作的，因此，这个辛迪加马上就受到了纳蒂的祝贺，尽管罗斯柴尔德家族自己在里面的参与很有限。罗斯柴尔德家族坚决反对的战略之一就是德比尔斯自己囤积钻石，不论以何种方式。正如纳蒂在 1891 年 7 月对罗德斯所说，他“没有任何权力进行钻石投机，而是必须尽一切可能尽快销售”。“至于钻石的处置，”他的结论是，“我越仔细想，越觉得你最好的做法就是按照市场供需的一般原则，尽量避免任何人为的方式，比如什么组合、囤积等。”当金伯利的董事为提振他们股票低迷的价格而偷偷建立了“一个秘密储备”的丑闻曝光的时候，迈耶 · 卡尔谴责说这是“不道德的行为”。而这只是身处现场的那些人阳奉阴违的几个举动之一。在这个事件中，这种考虑其实纯属多余：从 1896 年开始，钻石市场就开始进入了上升通道，而且德比尔斯的年红利在随后 5 年中达到了 40%（160 万英镑），迅速摆脱了开始时的滞胀，而得以快速推高。按照纳蒂在 1900 年告诉罗德斯的说法：“德比尔斯公司的历史简单来说就是一个神话。你建立起了一个钻石生产的垄断格局，非常成功地为你的钻石产品的销售建立了稳定的市场，而且成功地找到了能够做到这一切的机械设备。”换句话说，罗德斯还能有什么需要呢？然而，罗德斯仍然还在继续对钻石销售方面强加给他的那些限制感到恼火，在 1898 年，他跑到伦敦去抱怨市场辛迪加拿走了过多的利润。

尽管金伯利及其周边的土地（格瑞卡兰德维斯特）在 1871 年被英国吞并，但是德比尔斯在金伯利钻石业内建立起统治地位很少或者说根本就没有政治方面的因素。不过从一开始，罗德斯的野心就远远超出了英国的领土范围。刺激他向开普殖民地以北扩张英国影响力的，不仅仅是在布尔控制的威特沃特斯登德发现黄金的事实。实际上，罗德斯在朗德的投资非常不成功，而且他的公司联合金矿公司马上投入到野外作业，去寻找那些尚未发现的黄金储藏（当时公司还没有在德比尔斯进行投资）。准确地说，他想沿西北方向穿过汤斯维尔延伸到马特贝勒 · 金 · 罗贝固拉的王国里。

1888 年 1 月，罗德斯给纳蒂写了一封长信，寻求纳蒂对他刚从罗贝固拉那里获得的新特许权的支持，他打算在里木波波河的对岸开发“永远不会枯竭”黄金矿区。从这里可以很清楚地看出，尽管他很希望罗斯柴尔德家族能够在这个项目中“参股”，但是与他们的金钱比起来，罗德斯显然更看中他们的政治影响力。他的报告中说，“国内有很多人对我们这个特许权的覆盖范围持反对意见”，主要来自竞争对手，由基福德爵士和乔治 · 科斯顿组建的贝克华纳兰德勘探公司，以及葡萄牙政府。他特别担心的是，有消息说要撤换他那位非常好说话的朋友赫居勒斯 · 罗宾森爵士驻开普殖民地英国最高代表的职务，因为这会让他的长远目标变得不切实际：

> 我感觉到政策出现一丁点儿的新变化都可能带来危险。他（罗宾森）在过去 8 年间管理得非常好，因为在保持非洲人的信心的同时，他稳步向北扩张，而且完全包围了（布尔）共和国，这几乎完全归功于他的努力，我们才能够从瓦尔河向赞比西发展，而且，如果你们看看地图就会发现，通过实施他的政策，

他已经完全限制了汤斯维尔共和国，使它不可能再发展。如果我们现在能搁置问题，静静地工作，随着汤斯维尔黄金的开发，我们将会逐步得到一个连成一片的而且是插着英国国旗的南非。（金矿）矿主最终不会忍受纯粹的布尔政府的管理，整个事情其实只是一个时间问题，但是如果我们新派一个人去对周边的共和国采取完全新的对抗政策，就会使所有这一切都毁于一旦；而且如果他的政策建立在麦肯齐的民族独立思想基础之上的话，将会导致无穷无尽的摩擦。现在突然发生了数不清的问题——比如斯瓦兹兰德的未来，以及与玛塔贝勒国王交往的方式，所有这些问题要是不能很好地处理的话，都会导致无穷无尽的纷争，而我认为赫居勒斯爵士凭借他8年的经验，现在看来仍然是最合适的人。

同年的晚些时候，罗德斯给纳蒂就类似的问题写来了信件，此时他已经把德比尔斯想象成了“另一个东印度公司……由于有巨大的国家支持，每天都在发展”，而且更多地提出了他的“美好愿景”：

玛塔贝勒国王……是中部非洲的唯一障碍，只要我们得到他的领土，其他的就易如反掌了，因为其他的部分是原始的村落体系，每村都有一个单独的首领，而且全部都是相互独立的……

在蒙巴萨新成立的东非公司……应该通过汤加恩伊卡向赞比西发展，从南部跟我们的扩张遥相呼应，在德国和刚果的夹缝中发展……目前我所想到的是千万不要被隔断……还有另外的一个连结方式是在康巴尼湖或者奈央扎，可以从赞比西置换出希尔，但是关键还是玛塔贝勒兰德以及它的黄金，关于这一点，那些报告并不是道听途说……幸运的是这个金矿（位于玛塔贝勒兰德）是可以买到的，2年前的价钱大约是15万英镑，现在的叫价已经超过了1 000万。我建议过柏特和罗宾森，而且文件确实都已经签署，但遗憾的是我不得不离开，而且我离开之后，整个计划就流产了。

我们很难不把这些计划与1895年12月的“詹姆森突袭”的惨败，甚至是在1899年与布尔之间战争的爆发直接联系起来看。罗德斯专注于一种让独立存在的布尔共和国无法接受的包围及扩张的计划，而且他希望纳蒂能够支持他。

他对纳蒂会帮助他实现这个梦想抱有极大的信心，甚至在1888年6月修改了遗嘱，把所有的财产（除了2 000股德比尔斯的股票，这些股票他留给了他的兄弟姊妹）留给了他。把几十万英镑留给世界上最富的人或许似乎有些违背常理，但是在这份遗嘱所附的信中，罗德斯向纳蒂表明希望这些钱用于寻找被他的传记作者称为“一个为了帝国的利益而挑选出来的社会”。“如果可以，请选择《耶稣教宪章》，”罗德斯潦草地写道，“并且将罗马天主教加入到英帝国中。”基本上可以肯定罗德斯（更不用说罗斯柴尔德）从来没有读过由圣伊格纳修斯在1558年所起草的《耶稣教宪章》，这里的提法只是对那些无私奉献的兄弟情义的象征，而这正是他的理想状态。让人吃惊的是——与这个时期另一位完全不同的理想主义者希奥多·赫泽尔一样——罗德斯也把神话般的罗斯柴尔德爵士看成是有能力把他的梦想变为现实的那个人。

人们通常认为，罗德斯的扩张主义热情可能也感染了罗斯柴尔德家族，否则他为什么要给他讲这么多？然而，我们对此应该保留谨慎的态度。可以肯定，纳蒂和他的兄弟们并不反对扩张英属南非的想法。当罗德斯与贝克华纳兰德公司的基福德以及科斯顿合力建立一家新的中非勘探公司——将他的计划推进到玛塔贝勒兰德——的时候，纳蒂是一个主要的股东，而且当这个公司在1890年变成了联合特许权公司时，他的参与程度也提高了。当罗德斯在1889年成立英属南非公司的时候，他也是发起股东之一，并免费出任公司的投资顾问。更为重要的是，根据1892年1月一封信上所显示的，纳蒂对罗德斯的野心并没有幻想。“我们与南非事务有关的愿望中首要的，而且最为重要的，”他告诉罗德斯，“是你应该留在这个殖民地的核心事务里，这样你才能够推行你一生所致力的那些伟大的帝国政策。我认为你应该可以让我们有幸声称我们一直非常真诚地支持你推行这个政策，而且你完全可以放心，我们仍将继续支持你这样去做。”

事实上，纳蒂不愿意再听到对罗德斯的批评。当地位已经岌岌可危的伦道夫·丘吉尔1891年从南非回国后，公开抨击马希侯诺尔兰德的发展前景，而且在媒体上宣称“再也找不出比把钱投在矿业勘探辛迪加中更不明智、更不安全的投机方式了”的时候，纳蒂发火了——特别是他资助了丘吉尔的这次南非之行。威廉斯·哈科特爵士的儿子路易斯在他的日记中描写了1893年初纳蒂与丘吉尔在都灵的一次特别遭遇：

> 丘吉尔以最恶毒的语言攻击罗德斯和南非以及马希侯诺尔兰德，说这个国家已经破产，而且纳蒂知道（瑟希尔）罗德斯是一个大骗子，罗德斯不可能在金融城里筹到51 000英镑去开一座矿山……所有这些都是当着纳蒂的面说的，弄得他非常愤怒——他的怒火是如此之大，以至于不得不离开房间几分钟以使自己冷静下来。

罗斯柴尔德家族对罗德斯使用武力镇压玛塔贝勒和其他阻碍他前进的非洲部落也没有感到有什么不安。阿瑟·德·罗斯柴尔德在1893年一封发自巴黎的信中说

“渣打公司的股票小幅上涨”，“与玛塔贝勒人发生了剧烈的武装冲突，对方被打死100人；而我们方面，我很高兴宣布，几乎没有一个人受伤”。在巴黎的年长的合伙人也同样表现得非常热情，重要的原因是罗德斯在1890年成为开普的首相后所采取的专制统治的方式。

然而，在罗德斯与罗斯柴尔德之间关于从开普扩张英国影响力的策略上，总是存在着巨大的鸿沟。从理念上看，罗德斯总是更接近于自由党的帝国主义思想，而偏离萨利斯伯利政府的政策，他们比较倾向于让周边白人殖民者的野心从属于都市政府的外交政策。由于对纳蒂期望一直都很高，罗德斯很快就醒悟了。他对罗斯柴尔德家族不能说服葡萄牙政府撤出德拉果阿海湾深感失望，因为这里是位于莫桑比克海岸主要的海港，对于汤斯维尔的未来具有非常关键的战略意义。对于这个问题的谈判一直断断续续，没有什么进展，而且尽管纳蒂很乐观地谈到了从葡萄牙购买这片土地的想法，但是仍然存在很多无法克服的外交障碍。罗德斯感觉萨利斯伯利“在葡萄牙事务上太不把他当回事了”，这个说法是纳蒂竭尽全力为他所进行的辩护。“你不应该忘记，”他对这位勇往直前的帝国的缔造者说：

> 在当时的那种情形下，整个欧洲的公共舆论都非常同情葡萄牙，而且萨里斯伯里爵士去引发争议也不是一件明智的事情，在那些友好的大国的看法中，他们认为这个国家将会为了中非非常重要而又非常落后的地区去垮弱小的葡萄牙。不管怎么说，你还能从一个自由党政府身上期望更多的支持吗？

当罗德斯再一次尝试直接接触葡萄牙特使路易兹·德·索维拉尔的时候，他感觉纳蒂的支持缺乏诚意。“很显然，你要是采纳索维拉尔的观点，那么你什么也无法做。”他在1893年5月抱怨道：

> 我认为，你应该尽你所能，因为在过去几年里你一直是这样的感觉，而且也是这样做的，德拉果阿对我们在南非的地位来说非常关键……我担心我们得购买德拉果阿海湾。我们想要它，而且也准备为它出钱。随着汤斯维尔的成长，我们越耽误，付出的代价也就越大，而且随着德拉果阿铁路的完工，我们或许永远也没有办法得到它了。

在这个问题上，也像在很多其他问题上一样，他抛弃罗斯柴尔德家族的速度太快了，对葡萄牙政府不打算出售有争议的领土的解释越来越不耐烦。早在1891年2月，罗德斯坦诚地告诉雷琴纳·布雷特，他认为纳蒂“是一个诚实但是脑子不够用的人”。不久之后，他修改了他的遗嘱，指定了一位与纳蒂一起共同处置他财产的人。

“这个想法折磨我已经有一些时间了。”他宣称，“如果我死了，我所有的钱就会传给一个人，这个人尽管心肠很好，但是根本无法理解我的想法。我已经尽了全力对他进行解释，但是我可以从他的脸上读出，这对他没有任何的作用……因此，我只是在浪费我的时间而已。”

纳蒂被这种自以为是的做法弄得手足无措，罗德斯着手利用德比尔斯联合公司，在玛塔贝勒兰德推行他的计划。这种联系的第一个关键点是罗德斯规定德比尔斯应该是英属南非公司——在通信报道中通常称之为“渣打公司”——的大股东。纳蒂的意见是“德比尔斯不应该持有投机性如此之强的债券”，这种观点得到了迈耶 · 卡尔的强烈支持，他总是“对渣打公司的前景非常悲观”。在 1892 年 1 月，纳蒂以“非常坦率的”的方式说出了他的观点：

> 对于开普政府是否应该占领北部边疆区，你是唯一的裁判；这与我们无关，而且我们不想在这个问题上提出任何看法。你应该知道你的渣打公司在多大程度上需要得到女王陛下政府同意。我们想要说的是，如果那就是你的政策，而且你需要钱来推行，你应该从其他的途径去找，而不是动用德比尔斯公司的现金储备。我们一直坚持认为德比尔斯公司只是一个单纯的钻石矿开采公司……如果让别人知道德比尔斯公司借钱给渣打公司，有些德比尔斯的股东可能就会去申请强制令，进而煽动罢免董事会，并提名自己的董事，这是我们最不愿意看到的事情。因此，考虑以这种方式使用德比尔斯的资金是对还是错的问题，是一个非常不明智的问题，而且会极大地伤害公司和其股东的信用和名声。

对于罗德斯对渣打公司需要钱的抱怨，纳蒂的回应是：

> 比让德比尔斯公司补贴渣打公司更为方便的办法是，我们建议你对出口钻石征点儿税；这种做法在开始的时候无疑会引来一些抱怨，但是这个行业最终还是会习惯这个做法。而且这会引发这样的考虑，就是开普政府收购全部钻石矿的股份的时机是否已经成熟；当然，不是在几年前很高的数字基础之上，而是一个公平合理的价格。请思考一下这个建议，并且告诉我你的想法。

想象罗德斯对将德比尔斯和渣打公司进行这样直接的政治控制并不是什么困难的事情。

在这些讨论的过程中，纳蒂总是小心翼翼地避免惹恼性情生来就比较容易激动的罗德斯。“你知道我并不是要干预他们（德比尔斯）的内部管理，”他在 1892 年 7 月这样向他保证，“我只是希望未来能有不错的分红，而且他们可以逐步偿清自己的债务。”事实上，很多时候罗德斯根本不理来自伦敦的“指令”（比如他执意要购买普勒密尔或者西瑟尔敦矿山）。而纳蒂也不会对罗德斯讳言伦敦董事会中的大股东们掌握着钱袋子。伦敦董事会与在任总裁之间的这种摩擦在1899年再次爆发，当时罗德斯希望德比尔斯向朗德金矿和铁路投资，而这个时候，德比尔斯连分红的钱都是借来的。纳蒂对这种提议的反对以及对终身总裁制度的批判激发了罗德斯的冲天怨气，他说：“我与德比尔斯有关的所有政策、计划，自公司成立以来就一直遭到了伦敦董事会的反对。”他指责迈耶·卡尔“滥用暴力”。然而，他无可奈何的事实是纳蒂再加上“法国股东中的大多数人……代表了”公司资本中很大的部分，而且最终他们有能力坚持废除终身总裁制。另外还值得关注的一点是罗德斯自己的账户上欠了罗斯柴尔德家族很大的金额：1895年中期，他任开普殖民地的首相，他欠他们的债高达16 515英镑，尽管他自己当时也拥有百万家产，但这主要来自于他所持有的德比尔斯股份。这比伦道夫·丘吉尔当年在台上的时候所欠的要多很多。

除了对德比尔斯所要扮演的角色有争议外，纳蒂对南非未来的看法也与罗德斯有着很多根本性的差异。例如，很难让人相信，罗德斯会在1891年欢迎纳蒂提出的补贴几百个从沙皇的迫害下逃出来犹太人家庭的路费和安家费的建议。一个更为严重的摩擦源是纳蒂不同意罗德斯取消与布尔共和国和平共处的计划。1892年5月，有一份简要的报告上说，罗斯柴尔德家族伦敦银行正在谋划为汤斯维尔政府发行250万英镑的筹款券，使它可以扩张自己的铁路网，这是年初时迈耶·卡尔访问约翰内斯堡期间，由保罗·克鲁格总统提出来的一个想法。迈耶已经向纽考特报告说，克鲁格是“一个奇怪的布尔老头，长相丑陋，穿着怪异而且举止粗鄙，但是与其他所有的大人物一样，是一名很厉害的演说家”。而且，他补充了一个政治评论：“古老的布尔人群与新近的矿业人口之间的关系有了前所未有的改善。”这些说法出现在罗德斯在伦敦的时候，肯定不是偶然的。

当然，对于1892年贷款目的是不是要对汤斯维尔进行非官方的帝国主义控制仍然存在争议，而出现官方控制的状况是罗德斯一直期待的。当纳蒂与萨利斯伯利谈到这个问题的时候，他有意地强调他已经削减了克鲁格原本更大的贷款计划，目的是购买葡萄牙的德拉果阿海湾铁路。而且当他写信给罗德斯告诉对方这件事的时候，他强调说“在起草合同的时候，我们会遵照你的建议，小心地为自己保留在未来的借贷中的话语权”，而且他打算“当时机成熟的时候提出安排开普铁路的必要性”。“我也告诉了他们，我们不会同意为建奈塔尔支线借给他们更多的钱，而且你会在以后看到，我们坚持这些钱只能花在他们国家的领土范围内。当然，我们永远也不会让他们想到我们是按你的建议行事。”

按照这个说法所指出的，罗德斯最初的想法应该是，通过建立起他们自己连接南部的铁路，布尔人就有可能对金矿指手画脚。纳蒂显然想向他保证，但是正如他自己承认的，“我们不太好指令政府当铁路建成后，应该征收什么样的税收”。按照查普曼所证明的，布尔人并不想被他们的新银行所牵制。当纽考特在它的客户警示中写到所筹集的资金“应以最大的谨慎及经济考虑进行使用”，而且“每一笔支出……都必须进行严格而且足够的控制”的时候，比勒陀利亚很坚决地回复说，“不接受任何控制，政府在支取这些钱之前不会就钱的用途进行说明，而且政府不会同意在使用之前把钱一直存在你们银行”。汤斯维尔债券在伦敦市场上的成功因此是打在罗德斯身上的一记重拳。在开普顿布尔人已经预言了这个问题，因为1895年晚期的那些计划开始在开普敦着手准备以非布尔人的“外籍人”的名义推翻克鲁格政府在汤斯维尔的统治。

詹姆森突袭（一场事实上是由罗德斯的私人军队在贝克华纳兰德发起的未遂入侵）震惊了罗斯柴尔德家族，他们对这个政变计划事前居然一无所知。尽管罗德斯已经与约瑟夫·张伯伦——他在1895年夏天加入了萨利斯伯利的政府，出任殖民地大臣——讨论过煽动外籍人士暴动的想法，但是他对此只字未对纳蒂提起过，而且他与张伯伦的关系也没有亲近到无话不谈的地步（与《时报》驻非洲通讯员无法同日而语）。在政变失败之后，纳蒂试图修补伦敦与比勒陀利亚之间的关系，为了让詹姆森无法抵赖，他力促克鲁格来伦敦。“如果无条件接受邀请，”他向克鲁格保证，“你能得到共和国的独立。我们不希望让这里的那些反对汤斯维尔政府的势力得到加强，也绝对有必要防止敌视布尔政府的情绪增长，因为迄今为止，公众的舆论还是站在你的一边，而且我们会竭尽全力让你的任务很容易完成。”霍布森声称“金融家们”从詹姆森的闹剧中获得了利润的说法是错误的，反过来说才是事实。

官方帝国主义的陷阱：布尔战争

然而，詹姆森突袭的失败只是推迟了与布尔共和国之间纷争的出现。在1897年到达南非出任高级专员不到一年的时间，阿尔弗雷德·米尔纳就确信英国影响这些共和国对外政策的唯一方式就是通过战争。他已经找到了维护外侨合法权益的借口，而且张伯伦也觉得出于政党的政治考虑应该支持他。两人联手足以劝阻纳蒂不在1898年11月发行第二次汤斯维尔贷款；但是从米尔纳的观点来看，罗斯柴尔德家族非官方外交的目标就是缓和与比勒陀利亚之间的矛盾，这一点很是叫人感觉尴尬。在1899年6月，阿尔弗雷德直接给克鲁格发去了电报，告诉他殖民地办公室无法言明的条件，而且之前已经请示了张伯伦：

国家和政府都不想发生战争，但是没有人能预知可能发生的事情，以及公共的舆论会强迫政府去做什么……局势的症结在于外侨应该在沃尔克斯特拉德国会里有一些直接而且是能参与决策的代表，原因是阁下施政中出现的过失使所有的变化都被推迟得太久，因此一点儿都无法影响目前的局势。

克鲁格对这些诉求并不是充耳不闻。在7月6日，张伯伦接到了纽考特转来的克鲁格妥协的消息：外侨将会获得“溯及既往以及提前7年的特权”，这个方案“获得了那些非英国籍的外侨的喝彩，而之前曾经担心他们会期待萨利斯伯利爵士发动战争”。纳蒂在12天之后向迈克坦纳证实了这个说法，催促张伯伦宣布危机“结束”。一直到8月25日，迈耶·卡尔还“坚决声称临时停战协定这次一定能够达成——尽管我承认克鲁格正在考验政府的耐心而且……空气中弥漫着一股火药的味道，这有些危险”。这种观点也是塞西尔·罗德斯的观点，他一直到最后一刻都充满了信心，认为“布尔人会在最后的时刻让步”。当事情变得明朗起来，大家都知道这一次克鲁格并不打算放弃，罗斯柴尔德家族为达成和平解决方案进行了最后的努力。根据亨廷顿（他当时是德文郡公爵）的建议，给驻在比勒陀利亚的商务代表塞缪尔·马科斯发了一封电报，在未得到张伯伦和萨利斯伯利的授权的前提下，明确地形成了英国的政策：

大英帝国政府期待和平。如果能无条件同意5年的特权，汤斯维尔的政府没有理由担心友好谈判并随后安排相关的细节。肯定不会再提出更多的要求……现在发生战争是他（克鲁格）的错误，不能怪罪于大英帝国政府……我们以N·M·罗斯柴尔德公司的名义担保大英帝国以及英格兰或者说英国政府并不想干预汤斯维尔的统一……最强烈地敦促你尽最大的努力保证特权不要附加任何条件，我们认为这是防止战争的唯一办法。

这个建议不仅被布尔人拒绝，而且也有可能被萨里斯伯里批评。他担心这样的“地下谈判”会导致“严重的混乱”，因此要求纳蒂“非常真诚地停止与比勒陀利亚这种方式的所有联系”。

罗斯柴尔德的观点并不是建立在对布尔自治政府的深厚同情基础上，用纳蒂告诉迈克坦纳的话说，塞缪尔·马科斯信心满满地认为，如果和平能够保持，“用15年的时间，汤斯维尔将会是另一个英国”。马科斯的合作伙伴路易斯这样说，“克鲁格是最后的老布尔托利党人”，而且“他也将会是汤斯维尔历史上这种形式的最后一任总统”。另外，战争一爆发，纳蒂就毫不犹豫地把自己投入到战争的进程中，建议马上切断布尔人通过德拉果阿海湾的补给线。当士兵们从战场返回白金汉郡的时候，到处都洋溢着那种义不容辞的爱国热情，而阿尔弗雷德以自己特有的方式，在科文特花园组织了一场蔚为壮观的庆祝晚会。纳蒂与米尔纳的关系一直很好，而且给他发去了热情洋溢的祝贺信——尽管是“以我妻子的名义”——祝贺他“稳固地在非洲南部为女王陛下建立起了完全的主权”。然而，私下里，他为英国军队发现自己陷入了“可怕的游击战”之中而感到悲哀。在和平到来后的两个月之内，阿尔弗雷德在他的饭桌上力促英国和布尔将军之间的和解。

纳蒂特别对那些激进作家，比如霍布森等人所认为的，发动战争是为了在黄金矿和钻石矿上有经济利益的那些人的利益这种说法感到紧张，他建议罗德斯：

> 对有关发动战争以及你与军事当局的关系的任何说法都要相当谨慎。这个国家与这场战争有关联的所有问题目前都处于高度敏感之中，而且现在议会的朝野两方面都非常倾向于把已经发生的一切归罪于资本主义者，以及那些在南非的矿产业中有利益的人的身上。火上浇油将会是一件非常大的憾事，而且这只会给你的对手提供更多攻击你的机会，而我敢肯定你一定不想这样。因此，我希望你对你的言辞一定要相当小心，而且如果你要对战争部的下属有什么微词的话，你一定要找到适当的机会私下里说。

这就帮助我们解释了纳蒂两个月后给贝尔福的信中私下敦促他说“一个好的战争部长……给他的将军们的是他们要求的两倍”：

> 前几天《每日新闻》上有一篇很好的文章在结尾说道，如果陛下的大臣们没有能力缔造和平，也就没有能力进行战争……从长远来看，现在进行大量的努力所花的代价远比让战争被拖入另外一年要小得多……我认为这是正确的，你应该知道公众对这个问题是什么样的情绪，以及某些没有身处欧洲的人有什么样的忧虑，总的来说都是希望省钱，因此（我们或许）最终不得不面对一份巨额的支出账单。

总结起来说，纳蒂同意罗德斯对战争发起方式的批评，但是他认为这样的批评由任何在金伯利和朗德矿山拥有巨大私人利益的人在公开场合做出是相当不合适的。

对罗斯柴尔德做出的针对战争时期经济假象的警告也有一定的讽刺，因为布尔战争正好出现在罗斯柴尔德家族对该地区的英国政策影响力下降的过程日渐明朗的时期，而之前罗斯柴尔德家族的影响则是无人能敌的。布尔战争是自克里米亚战争以来，英国首次被迫依靠提高国家净债务水平来资助的战争。鉴于在 19 世纪 50 年代已经有过授权，财政部可以向N · M · 罗斯柴尔德公司请求借贷支援，但是过了半个世纪之后，借贷已经无法再得到保障。纳蒂从战争一开始就在设想，正如他告诉爱德华 · 汉密尔顿的，财政部长米盖尔 · 西克斯 · 毕希爵士“在他准备好后会派人来找我”。但是他提出的以罗斯柴尔德担保发行永续债券的建议遭到了拒绝，得到认同的是厄内斯特 · 卡塞尔提出的一个“更为权威的”以98.5的价格在公开市场销售国库券的建议。“卡基贷款”严重超卖，而且汉密尔顿很高兴地看到“罗斯柴尔德家族对卡塞尔的嫉妒”。当7月份再次出现对新贷款的需求的时候，纳蒂同意了卡塞尔的方式（而且还要与英格兰银行竞争），力争第二批贷款的发行，这一次是1 000万英镑。但是汉密尔顿又给了罗斯柴尔德家族第二记重拳，他与J · P · 摩根的克林顿 · 道金斯以及重新恢复了元气的巴林银行的勒维尔斯托克爵士达成了协议，由他们预付款，投放了一半的金额到美国市场。这大大地激怒了纳蒂，他已经早就开始着手招徕认购，并且推测伦敦市场完全可以满足要求。确实，第三次1 100万英镑的债券没有再假手美国市场，但是当政府强硬地准备推出更高金额的6 000万英镑的永续公债时，它再次叫来了摩根。摩根拿走了一半，N · M · 罗斯柴尔德以及英格兰银行（每家1 000万）得到的是一个固定价格94.5。令人更加无法接受的是，摩根得到的佣金是伦敦银行的两倍。留给较小的银行的那一小部分在“金融城里的英国人圈子”引发了很大的怨气，他们觉得，按照霍拉斯 · 法古阿的兄弟格兰威尔的说法：“恼怒于把那些肮脏的德国犹太人找来，而把他们自己排挤出去。”但是事实是，最大的赢家是既不是德国人也不是犹太人的皮尔庞特 · 摩根：因为在一个世纪以来，英国政府被迫从一个国外的机构借巨额的资金来在自己的帝国内部发动战争。这是一个金融重心跨越大西洋转移的早期信号，这一次转移将是新世纪具有决定性意义的特征——而对于罗斯柴尔德家族来说则是致命的。

摩根在1902年春天再次亮出了肌肉，当时决定筹措一笔3 200万英镑的新贷款。纳蒂当时被道金斯怀疑仍然还有“大量上次发行的永续公债沾在手上，而且出现了亏损”，因而才提出了发行新的由汤斯维尔担保的贷款，但是道金斯在摩根亲自到访伦敦的重大利好支持下，成功地说服西克斯 · 毕希坚持发行永续债券。尽管美国人同意只拿走500万英镑——留给了罗斯柴尔德家族700万英镑以及卡塞尔和英格兰银行各200万——他们发现自己仍然有能力来确定发行的价格（93.5）。这是这个新的美国竞争者令人厌恶的迹象，纳蒂则有意识地拒绝摩根的伦敦银行参与到他的份额的发行中。甚至在战争结束之后，罗斯柴尔德讨价还价的地位看起来仍然很弱。尽管1903年的汤斯维尔3 000万英镑贷款券的销售没有要美国人的任何帮助，但是纳蒂提出的2.75%利息券的要求被财政部否决，理由是定得过低，而且还决定不接受低于2 000英镑的认购——这种政策方面的变化被纳蒂气愤地指责为“最没有英国味”。

布尔战争的胜利也没有在南非推出一个绝对的宗主国政权。尽管布尔人最终被迫接受停火条件，其实是开普敦（和金伯利）而不是伦敦从英国的胜利中得利。在德比尔斯公司中，伦敦董事会和罗德斯之间最后的冲突就是这种情况的一个微缩版。甚至就在汤斯维尔的战争正在进行的过程当中，罗德斯就接到了纳蒂用电报发来的忠告：“无红利清算还未偿还的贷款以及无抵押永续债券，就算是受益人可以在此之前支付也不要……我们因此建议充分利用有利的机会再推出5万股，这肯定会被现有的股东吃进。”纳蒂8个月之后继续跟进这件事情，并对罗德斯的会计方式从细节上进行了批评——具体来说，就是他累积大量盈余的习惯，他和其他的终身总裁“用于各种各样的目的，有的与矿山有关，有的与外面的投资及股权有关”。而且，纳蒂继续反对罗德斯要打破位于伦敦的钻石市场辛迪加的权力的野心。无论如何，罗德斯想给他在德比尔斯的继任者一个几乎坚不可摧的地位。从1896~1901年每年的红利大约为160万（每股40%）涨到了1902~1904年的每年200万英镑。甚至纳蒂都不得不承认这是“一个了不起的成就”。另外，对在南非矿山使用中国劳工的政治攻击——自由党在1906年的选举中把这个问题变成了一个选战问题——所起到的作用就是扩大了伦敦和开普敦之间的裂痕。最后，罗斯柴尔德家族对德比尔斯的控制在国内税务局考虑将公司的纳税义务从英国投资人的红利延伸到整个公司的净利润的时候，遭到了巨大的打击，这个情况对伦敦董事会的正式解体起到了推波助澜的作用，同时确立了金伯利对欧洲股东最高的管理责任。正如处于惊诧之中的纳蒂所说的：“如果伦敦办公室只是很简单地关闭，德比尔斯公司就会变成威恩希尔柏特公司，而且最终他会取得控制权，你现在绝对不会知道可能发生的任何事情。”

恰恰就是罗斯柴尔德家族对布尔战争的金融支持方面的作用在下降，成为了最不吉利的预兆。仅在10年之前，在高森转债和巴林危机的时候，N·M·罗斯柴尔德似乎仍然与从前一样处于金融界的领导地位。现在，新世纪的曙光带来了第一个明确的信号，罗斯柴尔德家族的主导地位终结了。罗斯柴尔德家族自己是否也意识到了这一点？有一个明确的证据说明他们或许意识到了。在1900年12月结束的新年前夜，按照爱德华·汉密尔顿在日记里所记述的：

> 在门特摩尔有一个罗斯柴尔德的聚会，为19世纪最后送行。我认为我们总共集聚了24人——罗斯伯里和他3个未结婚的孩子、克鲁维斯、纳蒂和他两个儿子、里奥与他们的3个男孩、阿瑟·萨逊……晚饭后罗斯伯里在一个充满柔情的简短讲话中提到了“罗斯柴尔德银行永远繁荣昌盛”，这句话让纳蒂和里奥热泪盈眶。

现在，（阿尔弗雷德）正在遭受狂妄症的折磨，德国皇帝因为他在建立英国和德国的良好关系方面所起到的作用，而给他颁发了一个很高的荣誉勋章。

肖伯格·麦克唐纳致索尔兹伯里爵士的信

1899 年 1 月

毫无疑问，政治与经济常常是手拉着手前进……

纳蒂·罗斯柴尔德勋爵

第七章

金融与联盟（1885~1906 年）

THE HOUSE OF ROTHSCHILD

1870~1914 年的欧洲历史通常被描绘成帝国主义竞争导致多极联盟体系，并最终爆发灾难性战争的历史。然而，也有很多理由可以质疑这样的说法，因为如果说帝国主义必然引发战争的话，那么最应该爆发的是 19 世纪 70 年代和 80 年代英国和俄国之间那场一触即发的战争，但是却一直没能打起来；或者说是 19 世纪 80 年代和 90 年代英国与法国之间引而未发的战争。这 3 个大国总体来说是真正的帝国主义竞争对手，相互之间冲突频繁，从君士坦丁堡到喀布尔（英国和俄国之间），或者从苏丹到泰国（英国和法国之间）。当时的人们很少会想到它们居然能够站在同一条战线来参加一场世界大战。

也没有人会认为居然会有无法回避的力量产生绝对致命的“英国—德国对抗”。事实上，从罗斯柴尔德家族的观点来看，完全相反的结果似乎不仅是值得期待的，而且也是完全可能的：英国与德国的相互理解（如果不能做到完全联盟的话），似乎是对英国、法国和俄国之间的帝国主义差异最符合逻辑的反应。历史学家中总是有这么一种倾向，总是通过假设或者寻找理由来证明它们注定得这样做，并以此来附会那些失败了的外交行动。在第一次世界大战爆发的前几年，为确保英国和德国之间的理解而做出的努力通常都是这类牵强附会的目标。阿尔弗雷德 · 德 · 罗斯柴尔德在力求帮助达成英德联盟过程中所起到的作用，事实上只是更加鼓励了那些无视这些努力的倾向。正如我们已经看到的，阿尔弗雷德并没有得到当时人们应有的尊重，而且说他很业余的那些评论也使后来的作家们认为他所做的所有事情都不够严肃——似乎他天真地认为“通过简单地邀请张伯伦和哈茨菲尔德（或者伊卡斯坦）一起坐下来吃餐饭，联盟就可以一蹴而就。”德国大使的首席秘书赫尔曼·冯·伊卡斯坦男爵的作用也通常被历史学家大打折扣，原因是当时的人诋毁他的那些说法，比如爱德华·汉密尔顿就说他是“听命于罗斯柴尔德公司召唤，奔走于英国—德国事务的那一类非正式的中间人”。最常见的情况是英国—德国联盟的想法被很狭隘地定位在伦敦金融城银行家们的要求上，特别是那些有德国和犹太人渊源的银行家——这种想法当然就被当时的那些仇恨德国的人进行了理所当然的解读。

然而，英国和德国间的关系最终跌落到1914~1918年灾难性的战争之中不应该被过分地追溯为“理所应当”。在很多方面看，它们对某一类问题的认识，就算不是完全的同盟，也都找到了共同的国际利益。这并不是重提过去说过的在英国和德国关系中“丧失了机会”，而这些机会有可能改变厮杀双方战壕中的战友，这样的说法实在太过于倚重那种事后诸葛亮式的智慧以及靠不住的记忆；这只是说明未能达成英国与德国间的协定，更多的是意外事件，而不是来自人们所期盼的结果——这种情况的出现不可能用1914年以前那段时期内那些纷繁的外交事件的交织融合来解释。

未能打起来的战争

自从占领埃及的那一刻起，英国就发现自己在外交上谴责它的帝国主义竞争者进行类似扩张的时候显得底气不足。在针对德国的一件事情上，它甚至根本就没有这样去做的想法；但是在针对俄国和法国的时候，英国的外交政策则并非如此的温和。

德国总理的非洲版图，用他自己的说法，是从属于他的欧洲版图的；无论如何，他很乐意谎称（按他儿子告诉格拉德斯通的）“如果殖民地问题能够友好解决，没有也不会有关于埃及的争端发生。”纳蒂在1886年9月也转告了来自德国大使保罗·冯·哈茨菲尔德公爵的类似口信。能够找到殖民地补偿的最显而易见的地方就是在次撒哈拉非洲地区，但这一地区已经由比利时国王利奥波德二世通过他的刚果国际协会建立起了广袤的私人王国。英国的属地在更南的地方，但它似乎也在谨慎地通过亲英国的葡萄牙要求获得刚果的土地，来建立某种类型的间接战略据点：正是罗斯柴尔德家族对这个战略的默认使它们不太愿意帮助利奥波德进行他的扩张。从1884年开始，俾斯麦用埃及作为德国在该地区进行一系列野蛮干预的借口，以一个法国—德国“中立联盟”来威胁英国在非洲的利益，声称德国在西南非洲控制了安哥拉—佩克，并要求获得开普殖民地和葡萄牙西非洲中间的全部土地。英国的反应是用接受德国在西南非洲的殖民地要求，并撤回对喀麦隆和东部非洲的更多的土地要求来安抚德国。由哈茨菲尔德在1886年引发的桑给巴尔事件是非常典型的：德国在桑给巴尔并没有值得一提的经济利益（而且事实上在1890年用它交换了北海的黑尔戈兰岛），但是只要英国仍然被它在埃及的地位所困扰，那么对这片土地的要求就是值得的。

至少对两个地区俄国可以名正言顺地提出类似的要求：中亚和巴尔干地区。这两种情况都让英国完全无言以对。出于这样的原因，罗斯柴尔德家族倾向于迫切要求英国的调和政策与让步——尽管他们自己对仇视犹太人的沙皇政权的敌意不断地增长。

在1885年4月，在格拉德斯通的第二任期将要届满的日子里，一次，英国—俄国之间的冲突在俄国取得了对阿富汗军队的平狄地区的胜利之后，眼看着就要爆发。纳蒂马上（接受雷金纳德 · 布雷特的建议）通过试探俄国大使德 · 斯塔尔公爵来寻求化解战争的办法。当斯塔尔问到英国能够“同意的”外交妥协的底线的时候，纳蒂认为是“马上从那些有争议的国家撤出俄国的军队，”但是补充说，“这样做，你们将会得到的边界线会与你们自己画的有所不同”。斯塔尔适时地向布雷特回复了这种方式的建议，布雷特则将它转给了格拉德斯通。通常情况下，人们对于纳蒂的动机无法理解，甚至爱德华 · 汉密尔顿都不得不承认这是“为了从俄国大使馆获取信息的努力，然而只是非官方提出的参考”。按照传统的罗斯柴尔德方式，纳蒂试图通过邀请斯塔尔与一些自由党和托利党人政治家共进晚餐来加速和平的进程，这些政治家中有时任内务部长的哈考特以及布雷特、德拉蒙德 · 沃尔夫以及冉冉升起的保守党新星阿瑟 · 贝尔福。当丘吉尔在1885年夏出掌印度办公室的时候，纳蒂很快告诉斯坦尔这个好消息：俄国人希望解决阿富汗边界问题，而且丘吉尔能够于9月3日在谢菲尔德的一个特别隆重的讲话中公布一份协定。然而，这显然操之过急了。自由党在1886年一赢得政权，阿尔弗雷德就不得不警告罗斯伯里说：

> 阿富汗的问题对于英国来说看起来相当糟糕。俄国人已经完全控制了阿富汗，而且……英国划界委员会的地位处于实实在在的危险当中。阿富汗人公开对我们表现出了敌意，而且我们的委员会几乎没有保卫，而俄国人有3万人在附近可以调用，而且可以沿他们的铁路线很快地运动。

危机再一次得以缓和，但是罗斯柴尔德家族继续密切监视着那里的西北边界。事实上，在1888年，埃德蒙在俄国人的护卫下去了撒马尔罕，表面上是去调研“商业条件”，但更有可能的是去评估俄国对喀布尔军事威胁的程度。

在1885年保加利亚爆发危机的时候，情况也是大同小异。对于罗斯柴尔德家族来说，在外交孤立不断增加的这个时期，英国似乎没有什么太好的理由卷入到保加利亚事务中。如果英国有权去管理埃及的事务，那么俄国也就有权利不让保加利亚国王亚历山大在他的任期内统一保加利亚和东鲁米利亚，这是他在 1885 年 9 月所想要做的。反对俄国干预的唯一理由来自于世袭王朝（维多利亚女王的女儿之一嫁给了亚历山大的兄弟亨利）和道义（自从格拉德斯通发起反暴行运动以来，保加利亚人的命运就一直是一件很值得人同情的事情，而且俄国人对亚历山大的绑架更是激起了义愤）。尽管纳蒂接受了“保留保加利亚王子的君主地位，以及不让那些小国家，比如塞尔维亚帮助他们”的要求，但是他马上察觉了俄国人的意图是“把巴尔干的水搅浑”。从本质上说，他的态度是英国应该忍受这种情况。

从这一点上看，纳蒂与俾斯麦是一致的；而且从很多方面说，罗斯柴尔德家族在英国—德国亲善计划中的兴趣基本上都源自于这个时期。在他 1886 年 9 月写给伦道夫 · 丘吉尔的信中，他直接转达了德国大使哈茨菲尔德对英国的保加利亚政策的反对意见：

> 他说，你这样做显然不合逻辑，而且你对逻辑的追求要冒很大的风险。你们的政治家和你们的报纸说你们在多瑙河或者巴尔干半岛没有直接利益，你们承认俄国的权利，你们要求他们不要干预埃及，而且留在它的亚洲版图之内，但是今天，我们在索菲亚的代表发来补充电报说，弗兰克 · 拉塞尔斯爵士（驻保加利亚总领事）正在持续不断地密谋筹划反对俄国，如果这种情况持续下去，你会惊诧地发现你的手被迫伸向世界的四面八方。你们在保加利亚的所作所为让人无法理解，我们不会也不能支持这样一种政策，而且如果要麻烦你们俄国听从法国的意见，你也不应该觉得诧异。

纳蒂显然是希望丘吉尔能够比外交部长伊兹利更多地采取俾斯麦式的路线（就像斯塔福德 · 诺思科特所变成的那样）。当后者——被纳蒂鄙视为“老山羊”以及“咯咯叫的老母鸡”——派亚历山大 · 康迪 · 史蒂芬到新亭请求为在索菲亚的反俄国政权提供 40 万英镑贷款的时候，纳蒂很是怀疑。“我很自然地拒绝了，”他告诉丘吉尔，“真会有这样的傻瓜吗？”丘吉尔的反应是阻止了让史蒂芬作为索菲亚特使的任命（甚至以“伊兹利”的名义给外交部的索尔兹伯里发了一份加密电报）。为了增强这个说法的消极效果，纳蒂甚至走得如此之远，他（通过贝尔福给索尔兹伯里）转达了哈茨菲尔德对可能出现的德国对法国进行攻击的警告——暗示的是同时发生的英国—俄国冲突存在着引发大规模战争的危险。纳蒂在自由党人回到同一条战线后，给雷金纳德 · 布雷特和罗斯伯里的信中说：应该对俄国在保加利亚的政策给以容忍——而且纳蒂越来越多地把这个说法看成是德国的愿望。他在 11 月份的时候告诉罗斯伯里，俾斯麦“被法国人拖着一起去做俄国在保加利亚的保护人”。一个月之后，他报告说，俾斯麦已经“孤立了法国，而且如果他使英国和俄国成为了可靠的朋友，我根本一点儿都不会感到惊奇。”他在接下来的2月得出了结论：“我自己的信念是不会发生战争……法国已经开始与俄国眉来眼去。明眼人一看就知道，结果就是俾斯麦将会让俄国在巴尔干做它想做的任何事情。”

这也不是最后一次罗斯柴尔德希望英国和德国能够携手合作的想法没有实现。部分原因是当时的情况更适合让索尔兹伯里去与意大利和奥地利组建一个新的铁三角，以维持地中海和黑海的现状。尽管这对英国来说似乎不是一个最令人满意的组合，但是在新的保加利亚国王选出，而且也是英国皇室的远房亲戚（他就是费迪南德，阿尔伯特王子一个表兄弟的儿子）的时候，它也足以阻止俄国做出太激烈的反应，而且更为重要的是，这个组合有着一个奥匈帝国军事联盟的背景。与此同时，索尔兹伯里这样认为，三国同通过德国的三国同盟与柏林建立了间接的联系，因为在三国同盟中，意大利和奥匈帝国也是成员国。这是一个不稳定的均衡，从逻辑上说暗藏着（虽然俾斯麦尽了全部的努力去维持三皇联盟的遗产）一个俄法合作的可能，尽管仍然可以很明显地看出要实现它是多么的不容易，另外，它的存在是会加强还是削弱英德的合作局面，也有很多不确定因素。

在其他帝国主义大国中，对英国接管埃及作出最激烈反应的是法国。事实上，在很多方面，正是英法的对抗成为19世纪80年代和90年代外交形势的主要特点。与过去一样，这种局面对于罗斯柴尔德家族来说，比任何其他的国际纷争更令人尴尬，原因很显然，是两家仍然合作很紧密的罗斯柴尔德银行分别位于伦敦和巴黎。但是要想在这个中间做点儿什么努力并不是一件容易的事。在1886年，当法国向位于印度支那的越南北部进军的时候，法国罗斯柴尔德家族很担心地告诉赫伯特·冯·俾斯麦“下一次欧洲战争将在英国和法国之间爆发”。他们暂时的希望是罗斯伯里在1892年重新担任外交部长的决定能够改善这种局面；但是局势马上变得明朗起来，尽管罗斯伯里不太愿意承认英国反对法国与奥匈帝国和意大利签订的地中海协定，但他还是倾向于坚持上届政府的反法国政策。他对一些流言感到很紧张（法国罗斯柴尔德对这些流言给予了猛烈的抨击），这些流言说，继1893年7月在湄公河上发生了军事对抗后，法国打算以某种方式接管泰国。在第二年的1月份，罗斯伯里对于奥匈帝国对俄国在海峡上的图谋的担心所做出的反应是向奥匈帝国大使保证，他“不会从放手让英国卷入到与俄国的战争这样的危险中退缩，”并且补充道，如果法国与俄国站在一边，“我们会要求三国同盟的帮助以牵制法国”。

可以预料的是，埃及以及它的南方邻居苏丹最终证明是导致英国—法国对抗的主要原因——对抗是如此激烈，以至于英国和法国之间的一场战争似乎在 1895 年已经成为了一种真实的可能性。正如我们已经看到的，罗斯伯里在 1893 年 1 月向罗斯柴尔德家族泄露了政府打算加强埃及防务的秘密。在 1894 年 1 月和 2 月，阿尔弗雷德通过向罗斯伯里转送他们收到的关于开罗对英国统治不断增长的敌视的警示报告来作为报答。此时，已经越来越明显的迹象表明，法国政府打算为控制上尼罗河流域的法绍达而做出一些表示。由于担心法国对法绍达的控制可能会危及英国在埃及的地位，罗斯伯里在 3 月份当上首相之后，很快与比利时国王达成了一项协议，将法绍达南部的地区租借给比属刚果，作为交换英国获得西部刚果的一条带状地，其意图显然是为了阻止法国对法绍达的染指。在随后的艰难谈判过程中，法国罗斯柴尔德家族试图进行调解，他们向他们的英国兄弟们保证，法国政府并不是“完全地敌视英国”，但是警告说，英国的非洲政策在巴黎似乎是无法容忍的“挑衅”。这没有任何用处：法国外交部长加布里埃尔 · 阿诺多想就法绍达达成某种妥协的努力以失败告终，而且当由法国探险家马钱德带领的远征军向上尼罗河进发的时候，罗斯伯里在外交部的副部长爱德华 · 格雷爵士谴责这是一种“不友好的行为”。正在这个关键的时候（1895 年 6 月），罗斯伯里辞职，把英国留在了一个前所未有的外交孤立的位置上。

幸运之神眷顾了刚上台的索尔兹伯里政府，意大利在阿多瓦被阿比西尼亚军队击败的消息同时也借走了法国战舰的东风，原因正好是纳蒂告诉麦克唐纳让索尔兹伯里考虑的那些问题。纳蒂说，“法国处于极度的震惊之中，他们唯恐意大利的战败会引发三皇联盟的复兴，法国政府（因此）没有实力成为我们真正的威胁。”但是他提醒索尔兹伯里，“如果几个大国联合起来重提（埃及）撤军的问题，政府将没有办法再拒绝。”这是对迅速行动的一种鼓励。正好在一周之后，重新征服苏丹的命令就下达了。当阿诺多的继任者特欧菲尔 · 德尔卡塞对基奇纳在恩图曼击败在苏丹的伊斯兰教军队做出反应，占领法绍达的时候，罗斯柴尔德家族怂恿索尔兹伯里让法国人彻底亮出底牌。基奇纳应该被派去“占领法马钱德监狱”，纳蒂在 9 月份时告诉麦克唐纳。在两个月后危机最严重的时刻，阿尔弗雷德向他保证“法国军队将会放弃，因而不会发生战争”。麦克唐纳补充说，“他认为法国军队处于一个非常腐败的状态；但是对法国海军却有很高的评价……（这是出于好心的一个意见，但是内桑尼尔 · 罗斯柴尔德勋爵认为是一派胡言）。德 · 斯塔尔先生（俄国大使）今天早上也告诉罗斯柴尔德勋爵，他也认为战争打不起来。”

纳蒂是否有意识地将英国在埃及的战略利益置于他的巴黎兄弟的感受之前？这是很有可能的；但是一个更为可靠的解释是，法国罗斯柴尔德家族与在 1882 年时候的情况一样，满足于看到英国在埃及的统治能够得到维护，甚至就算以法国的骄傲为代价也在所不惜。没有证据表明阿方斯支持德尔卡塞的对抗政策。在任何情况下，罗斯柴尔德家族在认识法国的弱势地位方面都有非常足够的自知之明。正如俄国大使在法绍达危机期间对纳蒂所指出的，圣彼得堡永远不会在非洲问题上支持巴黎——一点儿都不会超过巴黎可能会在黑海海峡问题上对圣彼得堡的支持。

法绍达的意义在于它让我们记住一场应该爆发但是没有爆发的大国间的战争。类似地，我们应该记住在1895~1896年，英国和俄国都出现过用他们的海军占领海峡并宣布他们对君士坦丁堡的直接控制的想法。在实际的情况下，双方对他们的海军实力都没有足够的自信去冒险迈出这一步；但是如果一旦尝试，一场像1878年一样严重的外交危机将几乎根本无法避免。此外，还存在一场没有爆发的战争，这一次是在英国和俄国之间。起码来说，所有这些都表明，如果我们要解释为什么一场爆发的战争居然会以英国、法国和俄国作为一方，那么帝国主义这一解释显然不可能为我们提供答案。

法俄同盟

在这一时期出现的所有外交组合中，法俄同盟无论是在战略上还是在经济上，无疑都是最符合逻辑的。法国和俄国有共同的敌人：处于它们中间的德国，以及包围着它们的英国。另外，法国是资本输出国，而正在进行工业化的俄国对外国贷款的需求也非常之大。事实上，法国的外籍人士和银行家早在1880年就在开始讨论以法国贷款为基础建立法俄同盟的可能性。

无论如何，意识到这一个结盟面临多少障碍也是一件重要的事情。我们首先从金融问题入手。巴黎市场存在周期性的不稳定——1882年的兴业银行危机之后是1889年的贴现银行破产，以及1893年的巴拿马运河危机——使人们对法国应付大规模的俄国项目的基本能力产生了怀疑。在俄国方面也存在问题。一直到了1894~1897年，卢布才最终建立起金本位体系，因此汇率波动牵涉到了非常复杂的谈判。债券市场对俄国债券也一直表现得很谨慎。5%利率的俄国债券价格在19世纪80年代出现了异常的波动速率，在1886年底快速下跌，1887年上半年恢复，然后又在1888年初跌到了最低的89.75，但是在1889年5月又跳回到104.25的高点，但是在1891年又出现了另一次急剧的下跌。在3~11月，新发行的4%利率的俄国债券从100.25跌到只有90，跌幅超过了10%。在这次危机之后，才出现了一个稳步的上涨，到1898年8月达到了顶峰（105）（见图7.1）。

在法俄同盟的道路上还存在严重的外交困难。首先，俾斯麦的外交政策明确提

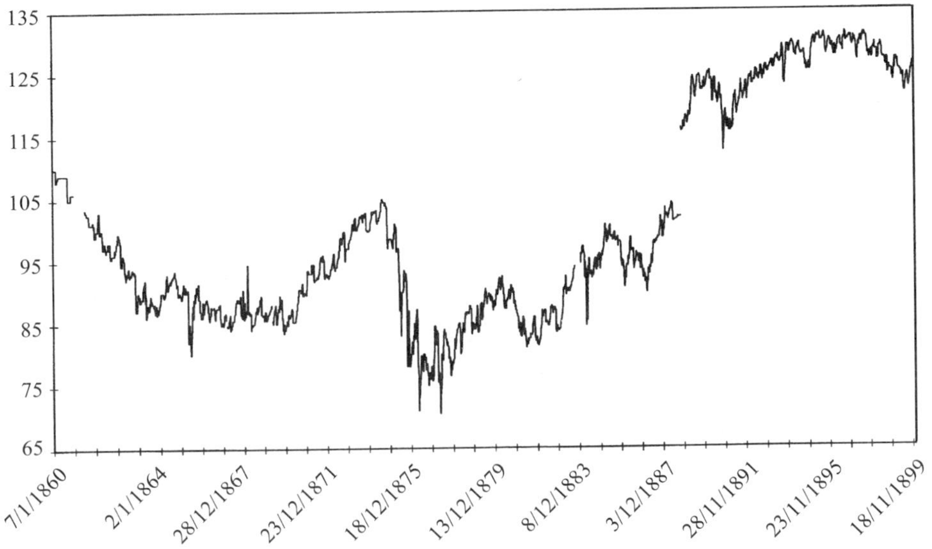

图 7.1　俄罗斯 5% 票面利率债券周收盘价（1860~1900 年）

资料来源：《经济学人》

出（最起码表面上是这样）要牢牢保持德国、奥地利和俄国的联系，这种联系最终出自于由他所缔造的三皇同盟。布朗热将军的崛起重燃了法国—德国的仇恨，但是这并没有让俄国站到法国一边：俄国驻柏林大使彼得·舒瓦洛夫伯爵只是表示，如果德国和法国之间发生战争，俄国将保持中立。俄国在 19 世纪 80 年代初期的目标是离间德国与奥匈帝国，而并不想为了法国的利益去疏远俾斯麦。德国和俄国之间于 1887 年 6 月所签订的秘密协定似乎没有任何的实际意义（它只是保证俄国中立，除非德国进攻法国，以及德国保持中立，除非俄国进攻奥地利）；但是它至少表明了柏林和圣彼得堡双方都有维持某种外交联系的愿望。另外，按照已经说过的，对法国和俄国之间可以相互提供的东西有着重要的限制。法国从来不愿意支持俄国与土耳其有关的任何政策；俄国也从不愿意支持法国在苏丹的政策。

最后，还存在政治障碍，而且不仅是因为共和体制的法国与沙皇体制的俄国之间明显的体制差异。1881 年 3 月对“解放者沙皇”亚历山大二世的暗杀以及他反动的儿子亚历山大三世的继位导致了帝国内部 400 万犹太人生存状态的恶化，这些犹太人中的大多数继续被限制在波兰和俄国西部的所谓永久定居隔离区内。在亚历山大二世统治期间，对犹太人的居住和职业的限制已经开始出现了一些松动；但是 1881 年到 1882 年间的屠杀浪潮让沙皇以及他的新政权相信需要保护“人民”不受这些从“很多方面看都有危害的”犹太人的“邪恶活动”的伤害。1882 年的“五月法令”对犹太人的居住地以及所能从事的职业进行了新的界定，在此之后，出现了对犹太人的持续迫害。教育的机会、拥有土地的权利、对职业的选择、在村庄里或者隔离区之外的地方居住的权利——所有这些都受到了挤压。犹太人的反应是多方面的：大约有200万人选择了移民，这种情况我们在前面已经说到了；在那些留下来的人当中，大多数都进行了自己力所能及的抗争；也有些人被革命的政治组织，比如社会主义革命党、社会民主党，特别是犹太人联盟所蛊惑：这足以让沙皇的政府相信他们把这些犹太人看成是危险分子是完全正确的。当1903年在基什尼奥夫出现新的大屠杀，而且在1905年波及更广的时候——并伴随有祭祀性屠杀指控，这种情况在60多年前曾经引发了大马士革事件——存在着太多官方的麻木不仁，如果不能说是同谋的话。这种情况证实了海外对沙皇政权是世界上迫害犹太人最为严重的政权印象的可信度。

所有这一切很让罗斯柴尔德家族感到不安。早在1881年5月，奥地利、法国和英国合伙人之间就开始讨论可以“代表我们的同教兄弟姐妹”采取一点什么样的实际行动。阿方斯的女儿与俄国犹太银行家莫里斯·伊弗鲁西的婚姻也许可以被看成是增强了他们在这个问题上的利害关系。因此，在外交官的圈子里有传言说罗斯柴尔德家族要求撤换法国驻圣彼得堡大使阿珀特，因为他通知新娘子伊弗鲁西夫人，说她不能在沙皇的宫廷上出现。令罗斯柴尔德厌恶俄国的事情是罗斯柴尔德兄弟银行一直被其他的法兰西银行（而且事实上是被俄国财政部长）看成是俄国政府在巴黎的首选代理商，如果没有他们，就无法保证俄国重大的金融活动能够取得成功。当舒瓦洛夫非正式地在1882年代表财政大臣邦奇与罗斯柴尔德巴黎银行接触的时候，居斯塔夫并没有遮遮掩掩：“我们只能回答说我们希望的只是与俄国政府达成一项金融的行动，然而，考虑到对我们同教兄弟姊妹的迫害，我们无法这样做。”在后面的岁月里，这也基本上是来自伦敦合伙人的永恒不变的答复。

这解释了伊利德·赛恩别名伊利亚·法德耶维奇·蒂恩取得有限成功的原因，他作为一名强烈仇视德国的俄国犹太人，在德国将要攻打法国的流言正盛的时候，试图在法国和俄国政府之间扮演中间人的角色。他的目标，用他自己后来的话说是为了将俄国的“经济从德国的压迫下解放出来，将俄国债券市场转移到巴黎”。尽管他在1887年2月拜访沙皇的顾问迈克尔·卡特科夫的时候，发现卡特科夫不太相信存在战争的危险（卡特科夫认为俾斯麦的耀武扬威只是一种大选策略），赛恩还是通过向卡特科夫解释“这是我与好多愿意与俄国合作的巴黎高级银行的代表讨论的结果”而引起了卡特科夫的兴趣。赛恩认为他的王牌是：

> 我与罗斯柴尔德家族的兄弟之一针对1月底的问题进行了长谈，他再一次

向我保证，他们的银行总是准备着为我们俄国的财政部服务，（而且时刻准备着）重新恢复12年前被强行中断了的关系，当时法国强迫将它的所有资本投入到它自己的内部需求之中。

赛恩后来也对新上任的俄国财政大臣I · A · 维希内格拉德斯基做了同样的说明，因为后者表达了对“获得罗斯柴尔德银行合作”可能性的怀疑，而“要是没有罗斯柴尔德银行的合作，巴黎市场就没有太大的价值”。维希内格拉德斯基明确表示在他获得罗斯柴尔德的善意——他建议罗斯柴尔德巴黎银行对转换由俄国地产信贷银行发行的抵押贷款债券做个报价——有说服力的证据之前，他不会愿意直接与拉菲特大街进行正式接触。按照赛恩的说法，赛恩随后返回巴黎，而且开始与罗斯柴尔德家族就此进行谈判，这些谈判最终取得了成功，尽管在4月份——在布朗热危机最高潮的时候——卡特科夫通知他正在进行谈判的那些条款无法接受，赛恩急忙赶回圣彼得堡以取得政府的批准。在5月5日，维希内格拉德斯基以及一名没有留下姓名的罗斯柴尔德代表签署了一份协议，降低总计约为1.08亿马克抵押贷款债券的利息。赛恩后来公布了一封来自罗斯柴尔德巴黎银行的贺信，对他所取得的成就表示祝贺，而且“对我们已经感到可以从这些业务中盈利，重启与俄国财政部的直接联系表示满意”。

然而，我们也不应该对赛恩这些活动的意义过分夸大。尽管他一直宣称他的动机是无私的，但是，罗斯柴尔德家族本身却认为他是“一个声誉值得怀疑的人”，而且对他的评价也冷酷：“没有什么证据证明他在那边没有以我们的名义自居，就像在这边以财政大臣的名义自居一样。由于是双重委托，他其实只能代表他自己。”而且更为严重的是，赛恩很可能在他的备忘录里弄错了抵押贷款债券业务的性质。我们应该记得1887年4月和5月见证了布朗热危机的高潮。很显然，甚至在赛恩自己的说法里，俾斯麦意识到了这个准备中的行动，并曾经试图干预他的谈判。另外，如果没有得到雷金纳德的同意，赛恩也不可能在柏林完成这项交易：无论如何，原本的抵押债券是由雷金纳德发行的，而不是罗斯柴尔德家族，尽管说罗斯柴尔德巴黎银行参与了部分发行工作。考虑到这些抵押债券更多的是掌握在德国人而不是法国人手中，因此，赛恩除了征得罗斯柴尔德家族对这项在柏林和圣彼得堡之间的交易的同意之外，其实什么也没做。这个结论很容易得出，因为它没有什么意义；它并不意味着俄国金融业务向巴黎的决定性转换。更为重要的是，当这个转换于1887年9月开始发生的时候，罗斯柴尔德家族并没有参与其中。

这是一次金融体系的重新定位，主要是得益于俄国债券的低价格，而且得到了俾斯麦关于禁止这些债券作为向德意志银行申请贷款时的抵押物的决定的推动。最引人注目的事情——感谢赛恩——是罗斯柴尔德家族不仅没有领导巴黎的市场，而且也没有加入其中。这是由竞争银行组成的一个辛迪加，包括了马利特和霍廷古尔，它们建议在圣彼得堡建立一家法兰西银行。为这个帝国政府发行的第一笔比较大的贷款——5亿法郎——是由一个由储蓄银行包括法国巴黎银行、里昂信贷银行、贴现银行和英国的布朗与席普利公司所属的赫尔曼·霍斯基尔等组成的辛迪加包销。这些都发生在1888年秋，在这个时候看，俄国债券价格的复苏似乎是确定无疑的。

是什么使法国的罗斯柴尔德家族改变了他们对俄国的态度？在很早的时候，他们就已经承认对于应对俄国的反犹太主义，比起他们的英国兄弟来，他们更难采取正面的行动（除了帮助俄国犹太人移民国外），这只是问题的一部分。按照居斯塔夫的解释，宗教“宽容”在法国是一个远比在英国敏感的话题，因为共和国政府为限制教会对教育的影响做了很大的努力；然而，除此之外，法国罗斯柴尔德家族不得不考虑“我们的政府与俄国政府之间的关系”。法国罗斯柴尔德家族也许也更容易受到这种说法的影响：俄国人自己通常这样认为，“对于俄国国内的犹太人这个问题或许会有些合理的改进……我们认为与俄国政府有关的金融活动的态度可能会对这个改进作出一些贡献。”其次，1887年5月布朗热政府的垮台以及1889年选举中共和党的胜利似乎是法国政治将进入一个更为稳定时期的先兆。再次，阿方斯早在1888年初就已经天才般地发出了警告，认为俾斯麦企图（用他自己的话说）建立一座“通向俄国的金桥，目的是为了打破如果不算是联盟的话，至少也是在我们国家与俄国之间所表现出来的现有的友谊”。如果一定要找出改变他对俄国态度的事情的话，就是“一个由英国、俄国、德国和奥地利的四国同盟”，这将把法国冷落在一边。最后，政策的改变还有严格的经济原因。由贴现银行的倒闭引起的法国市场危机增强了罗斯柴尔德家族在俄国的名气：显然是阿方斯对法兰西银行进行干预才避免了一场完全崩溃。于是俄国政府当时建议把要发行的债券转换成4%利率的债券，即那种由罗斯柴尔德家族在19世纪70年代所发行的债券。在这样的情况下，罗斯柴尔德巴黎银行同意在1889年承担两次总面值大约为7 700万英镑的大型的俄国债券发行就不是那么太令人惊奇了。人们并不是太容易接受的情况是，罗斯柴尔德伦敦银行居然早已准备好了加入到这些行动中，而且在1890年的发行中承担了1 200万英镑中的1/3的份额。

透过表面看真相，这次新的罗斯柴尔德与俄国关系最终被证明是高度不稳定的。我们立刻就可以看出圣彼得堡对于第一批贷款的条款是有矛盾的：维希内格拉德斯基是否为了在业务中获得私人的好处同意了过多优惠的条件？按照吉罗所证明的，1889年贷款的成本对于俄国财政部来说确实略高于上年度的非罗斯柴尔德贷款。从另外的角度说，通过缩小他们购买债券的价格与他们向公众出售的价格之间的差距，罗斯柴尔德家族能够吸引到更多的认购者。类似地，维希内格拉德斯基的“削价”事实上是为霍斯基尔打算，因为后者安排了1888年的贷款，而且坚持要再次参与。另外还值得牢记在心的是，一些德国银行家，比如布雷希罗德和汉森曼，都以基本上平等的伙伴身份加入了那个辛迪加，因此，那种认为俄国的借款完全从柏林转到了巴黎的说法是错误的。事实上，1889年的第二批贷款似乎是由德国人打头阵——这在阿方斯的眼里显得太过于仓促——而且到1891年，布雷希罗德还在热切地期待着另一批大规模贷款（大约2 400万英镑），他希望在这次贷款中能占到大头。

在重新与圣彼得堡建立起了经济联系之后，罗斯柴尔德家族现在试图对俄国政府施加压力，以重新开始对俄国反犹太人政策的批评。在1891年5月，罗斯柴尔德法兰西银行出人意料地退出了布雷希罗德期待已久的关于发行新的贷款的谈判。当时，俄国媒体推测，这是因为“巴黎的罗斯柴尔德家族对俄国政府提出了某种与俄国犹太人有关的要求”，于是在遭到拒绝后就退出了。按照一份报纸的说法，阿方斯受到了“来自英国以色列人以及亲犹太人党派”的“强大压力”，“看起来他们主要是被俄国对一部分以色列人所采取的某种管制方式所激怒”。有人认为这只是一个借口，真正的目的不是逼迫俄国政府改善对俄国犹太人的态度，而是要俄国政府同意一个比圣彼得堡当时正在谋划的方案更有军事约束力的与法国的同盟关系。另外一种可能是法国总理里博认为罗斯柴尔德辛迪加太“德国化”，具体说就是因为有布雷希罗德的参与。如果这些解释中的某一条是对的，那么都将是罗斯柴尔德金融势力在国际关系领域中持续发挥影响力的经典展示。但是如果大家仔细审视，就会发现没有一条是有绝对的说服力的。

首先，对于紧密的法俄关系，其存在着很多非经济方面的因素，而相当重要的一点是，德国政府在1888年威廉二世加冕之后表现出的越来越过分的不友好态度，而且两年之后俾斯麦又被免职。威廉二世和新的总理卡普里维公开保证德国在奥地利与俄国发生战争的情况下将会支持奥地利，再加上他们在秘密协定到期之后很生硬地拒绝续约，这就使得经济方面的动机显得多余：从逻辑上说，法国和俄国似乎相互之间更有吸引力，尽管俄国外交大臣吉尔斯对于签订一份有约束力的军事同盟协定比沙皇自己还更不积极。

其次，罗斯柴尔德家族对俄国政府继续执行反犹太主义政策的愤怒之情似乎也是一如既往的强烈。在1890年8月，纳蒂的儿子沃尔特给布雷希罗德写了一封信，要求他“应用您在圣彼得堡的影响力，让俄国政府停止过去的那些残酷而且愚昧的法律……这些法律是如此野蛮和暴虐，以至于成为很多犹太人变成无政府主义的暴力分子的直接原因”。或许是维希内格拉德斯基曾经做过某种承诺，说俄国可能会停止对犹太人的迫害，而他最终没有能实现这个承诺，确实是因为什么出现了差错。在罗斯柴尔德家族方面看来，伦敦罗斯柴尔德家族觉得对于已经犯下的这些“中世纪的暴行”，“阿方斯能做到的就已经是这样了”。当埃德蒙谴责“我们同教的兄弟姐妹们在俄国所遭受的那些永无止境的恐惧”，我们也没有任何理由来怀疑他的诚意。在阿方斯写给他的伦敦兄弟们的另外一封私人信件中，阿方斯将亚历山大三世的宗教迫害与路易十四和西班牙的菲利普二世相提并论，而且对由大反动分子康斯坦丁波伯特诺斯莱夫在 1892 年 9 月所发出的调子更为缓和言论的动机表达了深深的怀疑。我们很难相信，如果真的有什么情况，俄国和法国的报纸会忽视罗斯柴尔德家族从 1891 年的贷款中退出所具有的外交意义，而基本上都认同宗教问题是这次破裂的原因的说法。

最后，罗斯柴尔德家族对向俄国吹热风还是吹冷风有着严格的经济理由。比如在 1890 年巴林危机期间，罗斯柴尔德伦敦银行内大量的俄国短期黄金存款迫使英国合伙人们在他们提出政治批评的时候必须十分谨慎小心；到 1891 年，这个限制不存在了。法国罗斯柴尔德家族在俄国石油产业中不断增加的投资也需要他们小心行事。事实上，格拉卡特已经证明，主要是出于对俄国贸易政策的不满意——特别是它对通过铁路进口征收的保护性关税，以及对石油出口的新税种——让罗斯柴尔德家族撤出了 1891 年的贷款。1891 年俄国灾难性的大饥荒也有一定的影响，而这次饥荒至少在某种程度上可以说是由维希内格拉德斯基的政策所激化的。总结起来说，应该注意到的很重要的一点是俄国债券价格上重新出现的暴跌使罗斯柴尔德家族提前 1 个月从贷款辛迪加中撤出。这个事件本身对这个决定也是一个合理的解释。

如果 1891 年的“事件”有政治方面的潜在因素的话，那就是它与法国国内政治以及巴拿马运河公司面临的困难有关，这些问题对 1 年之后推翻里博政府起到了推波助澜的作用。罗斯柴尔德家族与巴拿马问题之间保持了一个安全的距离，这一点我们上面已经看到了；但是有些证据表明，他们也不怀好意地冷眼旁观着里博那些远不能算是大公无私的努力，让它自己随波逐流。法国出现的这次政府危机的外交意义在于，它推迟了法国—俄国军事协定的签署，使其一直延迟到了 1894 年年初，就是在这个协议中，俄国同意在遇到德国侵略法国的时候帮助法国。法国持续的政治动荡成为取得任何外交成果的阻碍。阿方斯自己向威特的代表拉法罗维奇表达了对于法国市场能力的悲观看法，他认为如果俄国政府继续推行它的保护主义政策以及不停地加税，那么法国市场就不足以持续支撑俄国的需求。

正是威特被任命为财政大臣才说服了罗斯柴尔德家族重新开始与俄国的金融关系。再一次，对待犹太人的态度又成为了关键的问题。在 1892 年 10 月，德国驻巴黎大使马斯特伯爵作出了一个评价，这个评价应该不算是太离谱：

> 过去我总是认为俄国沙皇陛下永远也不会将自己绑在民主共和上，或者达成一个同盟协议，我现在也不再十分肯定是否已经达成了某些协议。罗斯柴尔德家族过去一直宣称并不存在任何这样的事情，他们现在不再十分坚决地否认；而且他们已经突然地改变了自己对俄国的态度，并正在谈判一份5亿（法郎）的贷款。罗斯柴尔德家族一直属于保皇党人，现在已经开始接近共和党人，并跟政府穿一条裤子，因而重新赢得了他们的影响力。按照阿方斯的说法，为了盈利，以及为了俄国的犹太人得到更好的条件，他们在这里进行一份贷款的谈判……在这里的俄国夫人告诉我说，新财政大臣威特的太太是一位聪明而且非常阴险的犹太女人，她可以很好地帮助他与犹太银行家们进行沟通，对我来说这似乎没有什么不可能。巴黎的市场担心生活在柏林市场的阴影里，而且那些有头有脸的犹太人相信，如果他们能赚到钱，那么他们就可以更好地帮助那些弱势的犹太人，其结果是尽管法国市场已经充斥着俄国债券，法国人还在用他们的好法郎换俄国的卢布。

罗斯柴尔德家族私下里暗示威特妻子的犹太人背景这个事实，对这个说法提供了可信的依据。然而，我们再一次需要对那些发挥着作用的经济条件进行考虑。马斯特在1892年听到的正在讨论中的贷款事实上最终并没有谈成，而且，一直到了1894年，由罗斯柴尔德牵头的辛迪加才发行了价值大约1 600万英镑（4亿法郎）3.5%年利率的筹款券。后来在1896年又发行了同样金额3%年利率的筹款券，为此，阿方斯获得了十字勋章。到了这个时候，俄国基金的上涨开始出现了可持续的势头，尽管第二批筹款券只是逐步缓慢地放给投资人——甚至还伴随着由沙皇对巴黎进行访问的适时帮助。罗斯柴尔德家族可能也被威特公开提出的将俄国纳入金本位体系的目标所吸引，因为这与他们对黄金开采和精炼的全球性的战略不谋而合。事实上，在1891年的时候，新亭曾经有过一次谈话，讨论试图接近冈兹伯格男爵，因为他是莱纳金矿的所有人。

然而，这里存在着一个悖论。罗斯柴尔德家族的保密信件显示，罗斯柴尔德伦敦银行参与了1894年的贷款，而且也没有反对1896年的贷款。然而，马斯特以及其他人却得到了一个强烈的印象，“罗斯柴尔德伦敦银行一点都没有参与”俄国的融资活动，而且这种印象在5年之后再次得到了强烈的印证。对于马斯特来说，这只是说明了“这些犹太大人物是多么狡诈。他们总是有黑门打开着”。最近以来，历史学家开始倾向于认为英国的罗斯柴尔德家族对于与他们同教的兄弟姐妹们的权利问题的感觉要比法国罗斯柴尔德家族更加强烈。无论如何，档案证据表明，这牵涉到了更多的敏感问题。从本质上说，罗斯柴尔德家族在他们支持的法国—俄国亲善，以及他们反对的英国—俄国亲善之间找到了差异。这看起来或许是矛盾的，但是从很多方面看却是权力平衡原则的合理应用。在纳蒂看来，法国和俄国之间的同盟是可以接受的；但是随之而来的必然结果就是英国和德国之间某种形式的谅解。这就解释了当威特考虑在伦敦发行筹款券的可能性的时候，他和他的兄弟们所表达出的对俄国的敌视态度。

这个动机源自于巴黎市场的倦怠。正如我们已经看到的，俄国债券在1898年8月的时候达到了顶峰，而且当威特在那年夏末访问巴黎的时候，阿方斯指出，他不愿意在面对着整个市场收益增长的时候推出新的俄国贷款。他的这一表态是在征询了纳蒂的意见后做出的，而纳蒂又在询问了索尔兹伯里后评论说："鼓励德 · 威特先生做这个决定，这既不符合罗斯柴尔德家族的利益，也不符合罗斯柴尔德家族的想法，除非阁下认为需要这样做。"在一份完美地说明了债券市场是怎样与外交政策相互影响的答复中，索尔兹伯里同意：

> 按照现在的情况，我们不想鼓励威特先生的借款活动。但是可能会有一些无法预见的事件带来转机，使情况变成这样：既然太直白地表示不愿意帮助他也不太合适，那么能带给他的最有用的条件是让他相信他仍然有获得我们帮助的机会。

这个暗示是适时发出的，而且在1899年1月，俄国提出了在伦敦贷款的想法。

为了更好地理解罗斯柴尔德家族对这个建议的反应，有必要将德国的作用牢记在心，因为德国在此期间对俄国的政策处于一种不断变化的状态之中。尽管在威廉二世时代的早期放出了很多反俄国的信号，德国的银行仍然得到了德国外交部的正面鼓励，积极参与到了1894年和1896年的俄国贷款中，准确地说，主要是为了防止出现法国对俄国金融的垄断。事实上，在1898年，德国政府开始考虑返回到俄国—德国的这个选项上。因此，当俄国在伦敦发行贷款的想法于1899年提出来的时候，同时也提出了几乎是平行的，相互密切关联的俄国与德国间的外交交易。它所蕴涵的意思是，如果英国拒绝借钱给俄国，它可能就转向柏林。罗斯柴尔德家族面临的困境是严峻的：一方面，他们反对英俄友好，但是他们也不希望看到柏林和圣彼得堡按这样一种方式重归于好，使他们自己所推崇的英德友好的计划落空。这种境况解释了为什么这种建议把伦敦合伙人按照由麦克唐纳、索尔兹伯里总结出来的路线分离开来：

> 问题就被相应地提出来：英国市场是否允许为俄国筹集大约150万英镑？阿尔弗雷德 · 罗斯柴尔德先生是一个强烈的反对俄国的人，他的回答是"否"，

但没有给出理由。

罗斯柴尔德勋爵不是很坚定：他认为他的银行可以提供或者销售这样的一笔贷款，但是如果他们拿过来，可能不是特别好做：而且他的倾向是反对这个计划。

但是，如果伦敦市场仍然关闭，他担心俄国人会聚集起它自己的金融力量……作为最后一种资源[①]，俄国会自己找到钱，尽管这可能会涉及到要损耗它的战争基金。

3 天之后，纳蒂听说拟议中的俄德协定签署了，感觉释然了。他声称，部分原因是因为德国“为了在中国的商业目的，渴望与英国联合（也可能与美国和日本）”。他在一周之后还在为这个计划高兴，他愉快地报告说：“德国在这个时候明显已经警醒于俄国最近的提议：它给谢菲尔德的维克斯先生发出了一份很大的马克沁机关枪和击发野战枪的大订单。”他在 5 月份时告诉德国大使说：“这里没有人会考虑借钱给他们（俄国），因为这些钱可能会被用于对付英国的军备，而且他很肯定地认为，威特和他在金融城里的那些代理人仍然没有成功的希望。”哈茨菲尔德把这归因为“这个家族由于犹太人问题的反俄国感情”（注意这种情绪并没有在金融城里的其他银行蔓延）；但是外交考虑就算不是更重要的原因的话，起码也有同样重要的地位。在 1899 年 8 月和 1901 年 5 月之间，俄国转向巴黎，在德尔卡塞扩展了协定的条款“为维持欧洲力量的均衡”的支持下，新发行了 4.25 亿法郎 4% 年利率的贷款，这批贷款由过去罗斯柴尔德领导的银团在 1901 年 5 月推向市场。再一次，它成为了外交与金融相互依赖的联盟体系，德尔卡塞在 1899 年访问了圣彼得堡，而随后是埃德蒙在 1901 年的出访。哈茨菲尔德就这个贷款给霍尔施泰因写的报告中说到了罗斯柴尔德家族在国际关系中持续的影响规模：“甚至是心怀世上最美好的愿望，也很不容易发现法国人是怎样找到所需要的金钱，因为他们已经在俄国债券上投资如此之多的金钱。但是如果罗斯柴尔德认为是可能的，那么它大概就是可能的。”新的德国总理伯恩哈德 · 冯 · 布罗王子在报告空白处批注了两个字——“是的”。

意大利

俄国和法国之间的同盟并不是大战爆发前 10 年间唯一具有金融意义的外交发展

① 原文如此。

成果。意大利的情况——唯一另外一个与俄国一样靠外国资本来填补本国赤字的大国——也没有太特别之处。意大利甚至在统一之前就变得与巴黎的资本市场联系非常紧密，这要感谢詹姆斯·德·罗斯柴尔德对凯沃尔和皮埃蒙特的精明支持，以及他自己雄心勃勃地利用铁轨把北意大利与欧洲其他地方连通的计划。然而，到 19 世纪 80 年代末，法国在意大利的金融影响力相对于德国来说出现了下降。这样的趋势在意大利紧密与德国和奥地利的三国国盟，以及在地中海问题和贸易政策上与法国发生争执的时候，对巴黎和柏林两地，产生了强烈的政治影响。比如在 1889 年 7 月，德国驻罗马大使抱怨说"所谓的罗斯柴尔德集团"（按照通常的概念，包括布雷希罗德和贴现银行）一直"以首要集团的面目出现"在意大利的商业活动中，尽管事实上他们的"关系必须被看成是法国的，而不是德国的"。他所期望的是纯粹的德国银行集团，由德意志银行和柏林汉德尔银行领导，能够控制意大利的债券发行业务。这种想法在 1889 年 9 月得到了意大利总理弗朗西斯科·克里斯皮赞同。相反，法国政府希望罗斯柴尔德兄弟银行拒绝任何来自于罗马的金融帮助要求。在 1890 年 10 月，塞耶港出现了令人高兴的情况，因为阿方斯汇报了罗斯柴尔德在罗马的代理帕多阿与意大利财政部长进行交流的情况，后者显然被德国银团为支持意大利债券的价格所提出来的条件给搞得焦头烂额：

> 部长没有掩盖他的忧虑，这些问题都是意大利财政部自己发现的。他苦涩地说到了德国人的苛刻以及他们糟糕的信誉。他强烈要求罗斯柴尔德的代表应该自己决定从政府的退休基金中秘密购买 600 万里拉的 5% 年利率国债（也就是 1.2 亿里拉的面值）。德·罗斯柴尔德先生的反应是否定的……（他的信里）解释了他自己不可能牵涉到秘密交易里，而且很不幸的是在两个国家之间所发展出来的这种友好情况，还不足以推进到允许进行这样一种公开的交易。

不用说，法国的外交部长里博"鼓励德·罗斯柴尔德先生坚持他的立场。我们的政策……必须继续对意大利友好，不给它找麻烦，避免不必要地惹恼它，但是同时也不让它借助我们的证券市场，也不向它开放我们的国内市场，等到它从她目前正在学的有关三国同盟的好处中学到了该吸取的教训为止。"

随着里拉的汇率和债券的价格在 1890~1894 年出现急剧下滑，法国有了很好的理由对意大利人面临的困境感到幸灾乐祸。然而，事实证明，要想打破罗马和柏林之间的联系远比里博曾经认为的要困难得多。在 1891 年，随着克里斯皮的失势，法国罗斯柴尔德做了一个并不十分明智的举动去取悦他的继任者鲁迪尼侯爵。当后者找到帕多阿想要一份 1.4 亿里拉贷款的时候，他们提出了一个条件，如果意大利朝支持法国的方向改变它对北非的政策并调整关税的话，就会有这笔钱。鲁迪尼后来回忆道，听到这个说法，他的第一反应是“卡住这个肮脏的犹太人的脖子，把他从楼梯上踢下去”。但是他控制住了自己的情绪，认为这样的做法“不符合迪–鲁迪尼侯爵的身份”。与德国和奥地利的三国同盟在3个月后得以续写，而且自此一直到1896年为止的那些年中，德国在意大利金融中所起的作用也是以法国为代价持续不断地增加。部分也是由于这个原因，阿尔弗雷德在1897年声称意大利打算脱离三国联盟的说法也遭到了麦克唐纳和索尔兹伯里的质疑。

英德友好

如果法国和俄国可以以在巴黎交易所发行沙皇的债券为基础走到一起的话，那么我们就应该问一下什么样的经济因素可能会对英德友好作出贡献。一个正面的先例似乎在1890年英国和德国签订一个协议的时候出现了，在这个协议中，英国得到了桑给巴尔，同时交出了戈里兰德岛的北海岛屿以及一片狭长的土地，使德属西南非洲延伸到了赞比西河。这个协议与其他致力于联盟的殖民地协议一样，就算协议失败也不至于成为引发战争的必要条件。

在中国问题上，似乎最有可能发展成为某种形式的英德合作局面。自1874年开始，从为大清帝国筹集第一笔外国贷款开始的那一天起，清朝政府主要的外部金融资源就是两家位于香港的公司汇丰银行及怡和洋行，英国政府通过罗伯特·赫德爵士，也控制了大清帝国的海事海关。然而，1885年3月，阿方斯听到有传言说“世界的大总管”俾斯麦“想要插手中国问题”。随后，这个情报得到了证实。汉森曼找到了新亭，而且汇丰银行提出了在一个新的辛迪加中的英国和德国成员之间平均分配清朝政府和铁路的融资项目的要求。罗斯柴尔德家族对此没有表示异议：用阿方斯的话说：“大家都有这样的希望，就是德国活动能力和野心的过度增长应该被引向远东地区，我们对他们在那边的征服活动不会觉得有什么不安的感觉。”这一时期唯一让他们比较关切的，是汉森曼可能会提出超过50对50的合作要求。纳蒂在伦敦接到清朝大使访问德国的消息后，敦促外交部长伊兹利爵士采取“切实步骤，保障英国生产厂商在未来与中国政府的所有合同都能获得一个公平的份额”。让他们放心的消息马上就传来了，汉森曼邀请威廉·卡尔参与了一系列的谈判，并最终在1889年2月成立了德意志亚洲银行，这个合资银行的股东成员包括13家主要德国银行，罗斯柴尔德法兰克福银行也位列其中。当一名年轻的奥本海姆家族成员代表这个集团到中国考察中国经济前景的时候，他此行的旅行费用确实是由伦敦的罗斯柴尔德家族资助的。

1888~1893年的这段时间，柏林出现了一系列的人事变动，并因此把德国的对外政策带入了混乱状态，使得英国—德国在中国进行合作的想法也暂时被搁置。第一件是威廉二世在1888年继任恺撒。而之前让人措手不及的是他祖父突然辞世，以及他的父亲在即位仅99天之后就早逝了。对于法国罗斯柴尔德家族来说，这不啻是一个“噩梦”，因为这位新恺撒喜怒无常和好战的恶名早就传开了。事实上，居斯塔夫做得很过分，并做出了一个很有名的预言：

> 要是弗雷德里克三世辞世而他的儿子威廉王子继位，只要冯·俾斯麦先生还活着而且继续在相位的话，这个国家的政策也不会有什么太大的变化；然而，要是俾斯麦自愿退休或者是离世，那么大家相信就没有什么事情可以阻止威廉王子追寻他好战的理想，而且这有可能就意味着一场世界性的战争。

事实上，正如阿方斯所期待的，俾斯麦的离去是被迫的：到1890年3月，首相与新君主之间在对外和对内的政策上都无法达成一致，因此俾斯麦被迫辞职。“反复无常、喜欢冒险而且专横跋扈，对其使命过分自负”，威廉似乎对欧洲的秩序构成了威胁，而罗斯柴尔德家族过去一直把俾斯麦看成是欧洲秩序的监管者。阿方斯告诉布雷希罗德：“为了世界和平，我们对他的离去深表遗憾，因为我们确信他在最后的这几年中一直致力于最大限度地维护世界的和平。” 这种没有连续性的感觉在3年后布雷希罗德自己也去世之后变得更明显了。

人们试图把这些忧虑看成是一种先验性的，而且无可争辩的是，德国1890年后的对外政策变得非常拙劣，并通常都会弄巧成拙，而这种情况在俾斯麦执政的时候是从来没有出现过的。然而，在19世纪90年代的大背景下，更准确的说法可能是阿方斯和居斯塔夫倾向于将俾斯麦理想化——就是这个人，在20年之前，对他们来说还是一个有着反复无常和喜欢冒险的性格的人——而将恺撒妖魔化。早在1891年9月，法国合伙人就承认他们对威廉二世的担心有点儿过分了；事实上，威廉二世对外政策的失败可能更多应该怪罪于十分狡猾的弗里德里希·冯·霍尔施泰因——这位外交部的幕后推手——的影响力，而不是恺撒，因为他的权力其实总是受到很大的机构性限制，而且这种限制其实超出了他自己所能意识到的水平。另外，布雷希罗德的去世也不是什么无法挽回的损失：正如我们已经看到的，罗斯柴尔德家族总是倾向于把他置于汉森曼之下，而且布雷希罗德过去所发挥的基本外交功能也由保罗·施瓦巴赫没有多少犹豫，比较顺理成章地接了过去。因此，并没有等待多久，建立英德海外合伙体系的想法就再次浮出了水面。

与通常一样，关键点是在英国作为一方而法国和俄国作为另一方之间的帝国竞争。由于担心俄国在远东地区影响力不断增强，日本在1894年的甲午中日战争中为在柏林和伦敦之间建立合作关系提供了很好的契机；而且与过去一样，主要的推动力来自罗斯柴尔德家族和汉森曼。本质上说，纳蒂和汉森曼试图推进他们一直向往的汇丰银行与新德意志·亚洲银行的合作伙伴关系，并得到各自政府的官方支持，这样就可以防止俄国起到的对中国过度的影响力。可以肯定，银行家们所热切盼望的东西与外交家和政治家们所期待的不可能一样。比如霍尔施泰因希望德国能与俄国和法国联盟，而不是英国，而且加入到它们反对日本1895年4月根据《马关条约》对辽东半岛的吞并的阵营中。其他德国的官员错误地怀疑罗斯柴尔德家族，认为他们想要把德国银行排斥在中国市场之外。汇丰银行的嘉谟伦也不认为有必要放弃他的企业对清政府金融的传统垄断。但是，事实证明汉森曼-罗斯柴尔德的意见是明智的。1895年5月公布的消息是中国清政府将使用俄国1 500万英镑的贷款来支付给日本的赔款——否决了由纳蒂和汉森曼提出的多国贷款——用阿方斯的话来说，这对英国和德国政府来说都是“一杯苦酒”。这笔贷款当然不可能由俄国自己来提供，因为它本身还是一个国际欠债者；实际上，这是一笔法国贷款，由法国巴黎银行、里昂信贷银行和霍廷古尔提供，但是，好处由俄国和法国均分，前者获得了将其西伯利亚大铁路延伸到中国东北的权利，而后者也获得了在中国的铁路特许权。甚至还出现了一家新的华俄道胜银行，这个银行由俄国银行家罗恩坦用主要来自法国的资本建立，而且在1896年5月还建立了正式的俄中同盟。英国唯一的金融成就是由印度—新金山—中国渣打银行所发行的100万英镑的黄金筹款券，具体事务由厄内斯特·卡塞尔操办。

受此刺激，汉森曼提出汇丰银行应该与德意志亚洲银行联手的建议就显得更加有吸引力，而且两家银行在1895年7月签署了一份协议。对于纳蒂来说，这个联合的主要目的是结束几个大国之间的竞争，把清政府的外债掌握在一个单独的多国银团的手中，就像以前在希腊和土耳其所做的一样，尽管是处于绝对的英国—德国主导之下。经过大量的外交斡旋之后，在第二批中国贷款（这次是1 600万英镑）于1898年募集的时候，这个目标最终实现了。不得不承认，这个理想仍然面临着重重困难。纳蒂无法说服索尔兹伯里为贷款提供政府担保，造成了贷款中英国所承担的部分令人难堪地难以安排。各国外交官们对对方的领土野心也仍然互不信任，特别是当英国在1898年3月似乎为了旅顺港的问题不惜与俄国一战的时候。几个月之后，在汇丰银行的嘉谟伦和汉森曼之间就山东省的铁路特许权问题发生了激烈的争吵。但是，在阿尔弗雷德和纳蒂的努力之下，到了8月，这些紧张局面已经大为缓解。

在旅顺港危机最为严重的3月，阿尔弗雷德举行了一次晚宴，邀请了张伯伦、贝尔福、哈里·查普林、哈茨菲尔德和伊卡斯坦。晚宴上，德国获得了一次机会，以“有很多的、私下的而且是完全非官方的方式，在完全中立的土地上”述说了自身在中国的委屈。这一幕发生在国会以绝对优势否决了张伯伦对旅顺港问题所提出的议案，同意以威海卫（旅顺港的海港）进行“领土或者纸面上的抚慰”的同一天。纳蒂对汉森曼也同样发挥了类似的调和功能，嘉谟伦指责他违反了德意志亚洲银行与汇丰银行之间的合同，让他很不高兴。在9月初伦敦举行的一次银行家和政治家大会上，大家同意为了分配铁路的特许权，把中国划分为不同的“势力范围”，长江流域给英格兰银行，山东给德国，并划分天津—镇江线路。在1899年1月会见麦克唐纳的时候，纳蒂向首相保证德国的诚意，他们“非常希望就在中国的商业目的与英国联合(而且可能还有美国和日本)”。

对于铁路的争端仍在继续——汉森曼和迈耶·卡尔在1899年底对这个问题展开了激烈的交锋——但是合作的模式已经建立起来了。当德国人在义和团起义后派出远征军的时候，俄国在1900年入侵了中国东北，他们利用罗斯柴尔德家族向伦敦保证“俄国不愿意引发战争”，而且在10月份，英国和德国签订了一份新的协议，维护中国大清帝国的统一，以及“门户开放”的贸易体制。毋庸置疑，这是英国与德国在中国高水准的政治合作标志；同时应该注意到，它们商业上的合作继续持续了很多年。更多的争执（由所谓的英国福公司侵入黄河流域而引发）在由纳蒂和汉森曼组织的1902年于柏林举行的另一次银行家大会上得以解决。一直到了1905年，当《时报》驻北京的通讯员攻击英国和德国银行之间狼狈为奸的安排的时候，纳蒂向其编辑进行了投诉。

1898年3月旅顺港危机期间，在阿尔弗雷德家举办的宴会充分展示了那种利用微小的帝国问题作为野心勃勃的外交提案的基础这一方法。尽管这种方法很容易被说成是“业余谈判”，贝尔福的说法却表明，正是在这个场合，一个英国—德国联盟被赋予了新的生命，而此时距俾斯麦首次提出这个设想已经过去了10个年头：

> 在这个进程中……各类谈判进行了无数次，早已经超越了那种暧昧的友谊，而对于这种问题我想到的非常少，除了德国人对我们在山东铁路上的抗议觉得委屈之外。这件事发生在（3月）25日星期五——这一天的下午，政府在国会上鼓起了勇气进行表决（约瑟夫·张伯伦投了反对票）并通过了威海卫政策。另一个小插曲是约瑟夫通知我，他被安排了在同样的条件下去见哈茨菲尔德。我没有提出反对而且（我又一次相信了阿尔弗雷德的判断），另一次非官方而且非正式的谈话发生了。约瑟夫表现得很冲动：国会前几天的讨论将他的注意力引到了我们因为孤立并且偶然，因而困难的外交地位上。他在表述他个人倾向于

与德国联盟的想法时自然走得很远；有些人认为我们国会政府的组织形式让这样一种联盟形式很不稳固（这明显是很多德国人的想法），纳蒂与这想法势不两立，而且就算是对两个国家之间可能出现的安排的组织形式抛出一种暧昧的建议，我相信也能够实现。

根据贝尔福的回忆，来自德国外交部长伯恩哈德·冯·布罗的回复是“迅速的”：

他的复电（在第二次会面的时候对约瑟夫做了解释）对国会所面临的困难做了详细的说明，但是同时也很坦白地表达了德国对英国在欧洲体系中地位的看法。他们似乎认为我们是法国的一个竞争对手，但是远不是俄国和法国联合起来的对手。这样的一种竞争并不太可能。他们不会不顾我们的死活，这不是因为他们有多爱我们，而是因为他们知道唇亡齿寒这样的道理。这次谈话所想要表达的意思（根据我的理解）就是想提倡各国之间更紧密地团结。

这是柏林和伦敦之间冗长反复的外交时期的开端，在这个过程中，罗斯柴尔德家族扮演了关键性的角色。这不仅是说很多关键性的会谈都发生在希莫尔地区“中立的”餐厅里，而且哈茨菲尔德派他的儿子到都灵度周末，“以便能尽可能多地待在那里，探听到尽可能多的罗斯柴尔德消息”，而阿尔弗雷德和保罗·施瓦巴赫不久后就被布罗看成是外交联络的“安全和有用的……渠道”。

人们通常认为哈茨菲尔德和张伯伦总是在自说自话：当前者希望伦敦加入德国—奥地利—意大利三国同盟的时候，后者却怀着一个更为有限的“在德国和大英帝国之间建立有一定年限、具有防卫特点、基于双边对中国以及世界其他地方的政策理解的协定和安排……”但是，双方也有意识地相互靠拢，就像后来出现的英法协议所发生的情况。另一个熟悉的相反意见是到处都在发生的殖民地纷争——比如关于葡属莫桑比克和萨摩亚群岛的纷争——严重影响了英德亲善。但是基于同样的理由，这也没有说服力：英国与法国的关系也遭到了同样多，甚至可能更多的殖民地问题的破坏，而且，我们也将会看到，柏林和伦敦之间的大多数问题在1903年的时候都已经得到了友好的解决。

很多历史学家认为德国始于1897年的海军计划是解开“发生英德对抗”的钥匙。按照这种说法，布罗希望保持“自由之手”，实际上就是意味着他希望建立一支能够挑战英国海上霸权的海军。当然，在伦敦看来，德国提尔皮茨的海军就是一个直接的威胁。而且我们也将在后面看到，甚至连纳蒂这样最支持与德国发展友好关系的人在此期间都无法控制自己的癫狂。然而，人们总是对英国赢得这次海洋军备竞赛表现得非常健忘。早在1905年，在完成了海军大臣费希尔的首次海军改革后，海军情报部主任就可以秘密地描述英国对德国“压倒性的海上优势”。这个说法是非常正确的：1898~1905年，德国的战舰数量只是从13艘上升到了16艘，而英国的舰队总舰只从29艘上升到了44艘。这里没有考虑1889年的双动力标准，但是这已经足以驳斥那种单纯的德国威胁论的说法。尽管海洋“忧患”在后来也屡有提及，但是德国事实上从来就没有能够达到由提尔皮茨所设定的目标，使海军的力量强大到足以让西方大国担心英德的海战会危及西方世界。到了1912年，海军军备竞赛最终结束了，因为德国——经济强大但是国库空虚——无法在建设的费用上与英国抗衡。综合考虑这些因素，一个英德同盟远非是异想天开的事情。

还有需要记住的很重要的一点就是，英国和德国的利益可以互补的地方不仅只是在中国。在与葡萄牙就它的非洲殖民地（而且特别是德拉瓜湾）进行了旷日持久的讨价还价后，三方最终在1898年达成了一份协议，其中规定英国和德国以其殖民地财产为担保联合借钱给葡萄牙，但是根据一份秘密协议，划分了葡萄牙领地的势力范围。罗斯柴尔德家族也没有不现实地敦促伦敦就有关德国对西非所提出的要求进行妥协，因为在那里并没有出现真正的利益冲突。1899年4月后不断扩大的萨摩亚危机在年底的时候得以解决，由阿尔弗雷德和施瓦巴赫出任非官方的调解人。两国甚至还在1902年联手处理了委内瑞拉的外债问题。

另一个适合英德合作的、更具有战略意义的地区是土耳其帝国。甚至在1889年之前，德国已经开始对土耳其的金融表示出了兴趣，当时，恺撒首次访问了君士坦丁堡。而1年之前，居斯塔夫就听到了一种传言，说德国政府希望建立一个土耳其的公债管理机构，“与埃及的一样，只是换成由德国主导”。只要俄国似乎还在威胁着海峡——起码在罗斯柴尔德家族看来是这么一回事——那么在这个区域内的某种形式的英国—德国合作就是一个好的选择。因此，两个国家于1897年土耳其在军事上击败希腊之后就密切合作，提出了一份新的对雅典进行经济控制的详细计划。在已经披露的条件中，纳蒂敦促麦克唐纳：

> 英国目前的正确做法是与德国就希腊问题达成一致；我们必须透过现象看本质，我们面临一个公开的法俄同盟，而且尽管埃及问题目前可能还不会被提及，但是我们必须尊重那些对这个国家在感情甚至是行动上有敌意的人。我无论从哪方面讲都不是一个偏爱德国的人，我也不是相信国王们的天赋神权，但是我确信现在最正确的事情就是尽可能快地解决希腊问题，而且与老哈茨菲尔德达成一致。

一个更加为人所知的合作机会在1899年到来了——在恺撒第二次访问了博斯普鲁斯后一年——当时苏丹同意了修建一条连接帝国与巴格达的铁路的建议，这个建议由得意志银行的乔治·冯·西门子提出（因而也叫“柏林—巴格达铁路”）。西门子和他的继任者阿瑟·冯·格温纳一直都希望在这个项目中能有英国和法国的参与；现在面临的问题是金融城里对这个事情没有多少兴趣，主要是因为他们对土耳其政权的未来基本上已经完全失去了信心。纳蒂想到了苏伊士运河的例子，他建议政府自己在这个企业里“持有一部分普通股”，但是外交大臣兰斯多恩爵士太过于谨慎，他倾向于给私人资本进行补贴。在1903年3月，把铁路延伸到巴士拉的协议起草完毕，给了银团内的英国成员25%的股份，银团由厄内斯特·卡塞尔爵士和雷弗尔斯托克领导；但是，德国投资人可以拥有35%的规定在英国右翼报刊上——比如《观察家》和《国民评论》——遭到了劈头盖脸的批评，而且贝尔福——时任首相——选择退出。对于那些还能回想起19世纪70年代的事情的人来说，这是一个古怪的决定：在当时的情况下，迪斯雷利购买埃及总督的苏伊士运河股份之所以担心会被否决，是因为当时法国股东占了大多数。

应该强调的是，罗斯柴尔德家族对所有这一切所表现出来的是令人奇怪的漠然。他们无论是在萨摩亚、委内瑞拉，还是西非，根本就没有做任何生意。他们在中国的参与也非常有限，而且在中国1911年辛亥革命之后就全部停止了（尽管迈耶·卡尔在汇丰银行董事会仍然是一个有作用的联系人）。这一段时间里，甚至连土耳其帝国都很少引起他们的兴趣，他们对巴勒斯坦的殖民化的关切是个例外。爱德华·汉密尔顿认为纳蒂没有进入拟议中的巴格达银团是由于“胆小”；但是纳蒂在他与巴黎的函件中所提到的“可怕的土耳其”和“土耳其乱象”反映了他对土耳其政权稳定性的一种天才的（而且是合理的）疑虑。“我总是担心又重提起什么东方问题来”，他在1906年5月声称，而且，只要有出现这种情况的任何苗头，他和大多数金融城里的银行家一样，基本上都与君士坦丁堡保持着足够安全的距离。纳蒂在一年之后给他的兄弟们解释道：“如果（英国）政府有明确的目标来召唤我们，我们会时刻准备着考察那些带到我们面前来的业务，而且会尽我们最大的努力在可能的情况下圆满地完成它，但是，如果无论什么情况，我们的名字都得与遍布土耳其帝国的那些各种鸡肋业务联系在一起的话，我会觉得非常遗憾……没有任何谨慎的人会期待领受这些土耳其鸡肋业务。”尽管纳蒂很热情地欢迎1908年的土耳其革命，但是他的热情在还没有达到借钱给它的地步的时候就消失了：厄内斯特·卡塞尔通过金融方式“引导土耳其帝国政策”的努力在新亭是遭严厉批评的对象。或许这个计划中英德协定最根本的弱点就是其拟议中的基础在罗斯柴尔德家族看来，本身就非常不可靠。

然而，英国与德国之间非常可能发生冲突，而且很肯定地与罗斯柴尔德家族利益攸关的地区确实存在：南非。除了对矿业股票的危害效果，在罗斯柴尔德家族的眼里，让詹姆森突袭行动显得特别糟糕的是它对英国—德国关系的破坏：威廉二世电贺克鲁格“没有向友好国家请求帮助”就击退了侵略者，这确实对英德关系造成了致命的破坏，而且，很重要的是罗斯柴尔德家族依靠沃伯格作为中间人，试图与克鲁格和解。当阿尔弗雷德在1897年试图参与到关于外国侨民公民权的辩论中的时候，他提议邀请德国加入到与克鲁格的谈判中——这个建议旋即被张伯伦所否决。德国在英国与德兰士瓦共和国的战争期间所表达的对布尔人的同情，是伦敦和柏林之间关系紧张更为重要的原因。那么，这是否就是说在南非问题上，英德联盟的想法注定无法实现了呢？

或许是这样。罗斯柴尔德反对战争的理由中关键的部分是，如果布尔人被攻击，“柏林城中的某个人”——指恺撒——可能会非常乖戾。1898年与德国就关于葡萄牙莫桑比克所达成的协议的目的，部分原因就是认为这样做可以不让德国人与克鲁格站到一起，但是全面战争的可能性似乎为这个安排投下了阴影。阿尔弗雷德在整个危机期间与哈茨菲尔德保持着紧密的接触，这让他在9月份的时候相信，尽管金融城里的人都预料可能会有战争，然而，“对这个恐慌并没有非常肯定的理由”；但是，这只是空洞保证。德国在1899年底重新开启的反对英国的“大陆联盟”，以及英国1900年1月在南非海域对德国邮轮的拦截，毫无疑问地叫停了面向英国—德国谅解的进程。事实上，德国报纸对英国政策的攻击变得如此激烈，以至于阿尔弗雷德觉得必须站出来对伊卡斯坦所谓的“针刺政策”进行反击——“而且，尽管一枚针并不是非常起眼的武器，但是重复的刺戳也会出现伤口……”与此同时，阿尔弗雷德试图对《时报》施加压力，因为它的柏林通讯员桑德斯仇视德国的情绪越演越烈。阿尔弗雷德邀请报纸的经理查尔斯·莫伯利·贝尔在1902年6月与他一起吃饭，而且明确告诉他，国王本人对桑德斯报道的立场非常关切。当贝尔把这次谈话的内容转告他的通讯员的时候，桑德斯一下发作起来，指责罗斯柴尔德的亲德行为完全可以说是不爱国——甚至更为严重：

> 我知道德国的影响力可以深入各王朝、各人种，等等，包括罗斯柴尔德家族。但它不是生意，它是吃饭、打猎、敬酒、金融、荣誉、婚姻、王朝间的友谊。它并不是坚硬如铁，像约瑟夫·张伯伦，或者甚至像兰斯多恩。它根本就不是英国式的……我很遗憾你告诉阿尔弗雷德·罗斯柴尔德，你会把你的决定书面告诉他……你所写下的东西将会被呈递给皇帝。他想探究你的想法……英

国和你他们都想支配。

然而，布尔战争对英德关系的伤害并没有阿尔弗雷德所担心的那么严重。像M·M·沃伯格这样的德国银行对申请1903年德兰士瓦贷款的份额并没有感到任何不安。或许更为重要的是，在破坏英国的自信方面，战争更加加强了结束外交孤立建议一方的力量。事实上，确实是在战争期间——1901年初期的那几个月里——阿尔弗雷德参与了一个重新建立张伯伦和新的外交部长兰斯多恩与德国代表在以（张伯伦所说的）“与德国合作并且坚持三国同盟”的基础上建立联系的又一次尝试之中。

现在拿出来进行坦诚讨论的土地——最初由张伯伦在1899年提出——是摩洛哥。由于后来所发生的事情，人们很容易想到，在英国和德国之间，就摩洛哥来说，有些问题注定无法达成一致；但是，1901年时的情况却远非如此。事实上，法国对于整个西北非洲地区的规划（通过1900年与意大利的一个秘密交易得到加强）似乎肯定会支持某一类的联合行动。英国已经对阿尔赫西拉斯的西班牙防御工事开始关注，因为这似乎对直布罗陀海峡构成了威胁，而这里是地中海的重要门户。事实上，贝尔福在1898年的时候就要求过罗斯柴尔德家族拒绝西班牙的任何贷款申请。一个法国—西班牙联合的对摩洛哥的“清算”是一个真实存在的可能性。最明显的解决方法之一是将摩洛哥划分成英国和德国的势力范围，由英国控制丹吉尔，而德国控制大西洋沿岸。这是在5月份，后来又在12月份进行讨论的一个协议草案的基本要点。谈判断断续续地一直持续到了1902年，由霍尔施泰因再一次使用了“安全而且实用的……施瓦巴赫—罗斯柴尔德渠道”。事实上，德国对摩洛哥兴趣不大——因为布罗和恺撒两人都在1903年初做了明确的表示——这就使得这样一种计划根本无法实现。

那么，为什么英德协定的想法最终流产了？为什么与英国在1904年达成广泛的殖民协议的居然会是法国，而不是德国？这里牵涉到了一个与世事无关而与人格有关的答案。爱德华七世的亲法情绪偶尔会被人提及，而伊卡斯坦却在对伦敦进行国事访问的时候有些令人难以置信地指责“由于阿尔弗雷德·罗斯柴尔德遭到了陛下（恺撒）失礼的对待，‘金融精英’拉近了法国和俄国之间的这种距离”。关键的羁绊或许是索尔兹伯里根本上缺乏热情，甚至是怀有疑虑，而且得到了他的私人秘书麦克唐纳的回应。当阿尔弗雷德和纳蒂亲自开始致力于英国—德国联合反对俄国的时候，麦克唐纳有着深深的怀疑，并告诉索尔兹伯里说因为恺撒给了阿尔弗雷德一枚勋章，以表彰他对推进英德友好所作的贡献，阿尔弗雷德“患上了狂妄症”。阿尔弗雷德接受了这个荣誉（皇冠勋章，一级），尽管他觉得有必要给索尔兹伯里写一封长信，为自己解释（有些多余）说“所做的任何事情……都是来自于我唯一的，而且我认为是为了我的祖国的利益而做的愿望，因此我尽了我最大的努力，在英国和德国之间的关系出现严重的紧张状况时，在很多种场合下，促进两国之间更好地相互了解。”到了7月份，麦克唐纳用舞台幽默剧的形式来报告了阿尔弗雷德的动机：

《德国皇帝》

通常的幽默喜剧即将上演。

第一幕

伊卡斯坦这位英国的老朋友，准备告诉阿尔弗雷德·罗斯柴尔德，说皇帝已经相信我们与德兰士瓦的战争不可避免……两天之后，伊卡斯坦重新出现在舞台上，而且告诉罗斯柴尔德说皇帝非常愤怒，因为女王没有邀请他去温莎是藐视他：皇帝陛下迫切希望与我们做朋友；但是，除非我们能够马上向他证明我们的良好愿望，而且需要的是行动而不是语言，否则他将会与俄国和法国结盟，对于这样一个行动，所有前期的工作都已经做好了安排。

当伊卡斯坦在10月份重复这个威胁的时候，索尔兹伯里平淡地说：“我想这些话以前我都听过了。”德国人显然已经知道了首相的疑虑。阿尔弗雷德要求他们提供“一份简短的备忘录，来解释他能够提供给贝尔福的有关这个问题（萨摩亚、摩洛哥）的说法。”哈茨菲尔德告诉柏林，他怀疑“他是否能够影响外交问题，或者是否能做得如此成功。我的感觉是索尔兹伯里爵士已经下定了决心，目前不会与我们达成什么特别的安排。”一直到索尔兹伯里下台之后，霍尔施泰因才又感觉到能够“在政治事务中再一次起用阿尔弗雷德”，他在1902年7月告诉布罗：“他（阿尔弗雷德）与贝尔福和张伯伦的关系都很好；索尔兹伯里过去在压制他。”

张伯伦也对调和政策产生了暂时性的不适。在公开场合，他大谈建立一个“在日耳曼人和两个盎格鲁-撒克逊人的伟大分支之间的新三国同盟”；但是他似乎很明显地受制于布罗在回应时能够说的话。德国总理在他12月11日的国会讲话中，表示他已经准备好，而且很愿意“在完全互惠而且相互理解的基础上与英国和平、和谐地共存”。然而，令人费解的是，张伯伦认为这个讲话没有诚意，而且用伊卡斯坦的话说，尽管“广大人民已经看到了讲话里并没有针对英国的重话和冷言冷语，我还是不得不在好多天里面对报社老板、内阁部长、罗斯柴尔德家族，还有皇室的攻击。”在陷入困境之后，张伯伦失去了耐心，他有些使性子地说：“如果他们如此短视，看不到这是一个有关世界上出现新的格局问题的话，那么根本不值得给予他们任何帮助。”结果因此比较遗憾，一个可以达成某种类型的能与1904年和法国达成的协定相媲美的英国—德国协定的机会就这样被白白地放弃了。然而，造成这个结果的还有其他的因素，这些因素远不只是单纯的个人问题。

协定的背景

对于为什么英国与法国的协定最终能得以达成，而且似乎比与德国的更受重视，存在着很多的说法。首先是，法国可以给英国提供更大和更好的让步，而德国在这方面总是稍逊一筹：特别是对于英国在埃及地位的最终承认。经过 20 多年反反复复的风风雨雨之后，这成了德尔卡塞主要的外交让步，而且我们也很容易理解为什么兰斯多恩会急于将它落到纸上。从金融的观点看，卡塞现在在埃及已经是一支比罗斯柴尔德家族更为重要的力量了——是他在 1897 年之后为阿斯旺大坝以及其他基础设施建设筹集了资金，因此获得了克罗默爵士的信任。不过，罗斯柴尔德家族仍然还在为英国—法国对埃及的争议发表着自己的意见，纳蒂的儿子沃尔特有一次告诉克罗默说，“我们在巴黎的兄弟”只有“得到了法国政府的同意”，才可能准备支持他们计划承揽一部分埃及的债务。这份协议的代价是法国获得了“在摩洛哥维护秩序以及为所有可能需要的行政、经济、金融和军事方面的改革提供帮助”的权利——这种让步在法国人看来实际上给了他们在摩洛哥与英国人在埃及自 1882 年以来所享有的同样的权利。在随后与摩洛哥有关的争议中，德国人通常都是占理的一方；但事实上是由于英国已经选择了法国，因此甚至在法国已经突破了正式的现状，英国也注定要支持它。

然而，英国与法国的协定能够达成的第二个（而且也许是更重要的）理由，是亚洲地区的力量平衡出现了急剧的变化。如果英国在远东地区一直感觉到来自俄国的威胁——比如说俄国在 1904 年击败了日本——那么对英德协定的支持者或许最终会取得胜利。但是日本作为一个牵制俄国对中国东北野心的一个强有力的竞争对手出现，为这个方程式带入了新的变量。德国政府对于与英国一起所做安排的前景总是觉得不舒服，因为它让人觉得德国在欧洲反对俄国的战争是为了英国在中国的利益。这就解释了布罗和恺撒在 1901 年所做出的保证，即如果在远东地区出现了英国—俄国的冲突，德国将保持中立。相反，日本可以为寻求欧洲的盟友找到任何的理由。当俄国政府拒绝在中国东北做出妥协的时候，东京早已做好了转向伦敦的准备，而且在 1902 年 1 月达成了防御同盟。这确实是一个真正的标志着英国孤立主义结束的分水岭：因为在这个阶段，法国政策的假设依然是建立在亚洲对俄国进行经济和军事支持的基础上，并且在必要的时候对抗英国。

历史学家有时候会惊异于为什么罗斯柴尔德家族会在抓住给日本这个最有经济活力，而且在所有亚洲国家中自我西化意识最强烈的国家的借款机会问题上反应如此迟缓。确实，N · M · 罗斯柴尔德和帕尔联合为1872年在东京与横滨之间建设日本的首条铁路承担了贷款，但是联系随后终止，而且当日本在1898年回到金融城里的时候，领头的是巴林银行。在英国—日本联盟结成之后，当日本政府寻求510万英镑贷款的时候，有人向纳蒂强调说兰斯多恩把这“看成是一个具有重要政治意愿的事件，日本应该在这个国家而不是其他任何国家筹集它所需要的资金……而且是基于合理的条件”。但是，他不愿意领这个头，因此这个任务就交回给了巴林银行及汇丰银行。这一次筹款很成功。就算考虑罗斯柴尔德一直对俄国很反感这个事实，纳蒂错过这个机会也是很让人感到奇怪的事情：无论如何，1903年在基什尼奥夫（靠近罗马尼亚边境）发生了大屠杀，有45名犹太人丧命，而且德国人的判断非常正确，他们认为这次事件会增强罗斯柴尔德的反俄国情绪。1905年俄国出现的新一轮反犹浪潮促使纳蒂以俄国犹太人委员会四名成员之一的身份，在给《时报》的一封公开信中宣称：

> 一场难以言表的惨剧已经降临到了俄国犹太人的头上。他们再一次成为了暴行的受害人，而且这一次的暴行是空前的。在很多地方他们被惨无人道地打翻在地，而且被残忍地屠杀。恶魔般的野蛮行径成了这些凶残暴徒的标志性特征，这些暴徒得到了那些本应该是生命和财产保护人的默许，从事他们的谋杀、破坏和掠夺的工作。

为了启动为受害者举行的筹款程序，新亭为由库恩洛布公司的雅各布 · 希夫在纽约已经募集到的1万英镑的捐款添加了同等的金额。另外，纳蒂向贝尔福——他此时继任了索尔兹伯里的首相职位——施压，要求贝尔福代表“在俄国的那些合法和不合法的犹太受害者”提出抗议，并且敦促俄国政府“结束对犹太人凶残的攻击”。

对于罗斯柴尔德家族对日本事务在开始时的犹豫不决似乎可以从3个方面进行解释。首先，英日同盟对于与德国友好的战略来说是一个打击，事实上，甚至可以说使得这个战略显得多余了。其次，罗斯柴尔德家族不认为日本自己就可以与俄国较量：在1903年12月，里奥与德文郡公爵打了一个赌，他认为俄国和日本之间不会发生战争——这让日本大使感到好笑，他告诉伊卡斯坦说，公爵会赢得这次赌局。甚至当日本大使在冲突爆发不到一个月的时候找到了阿尔弗雷德时，罗斯柴尔德家族仍然不愿意做出肯定的金融承诺。再次，当战争爆发的时候，巴黎罗斯柴尔德家族发现他们面临着支撑俄国债券价格的压力，因为在战争出现的时候，谁都可以预计到债券价格的下跌，而且随着俄国在战役中丢盔卸甲，债券价格也是一泻千里。因此，只是在战争爆发后，罗斯柴尔德家族才开始对日本表示出兴趣，参与了由库恩洛布公司和

M · M · 沃伯格领导的银团新发行的500万英镑的贷款。这正好符合了沃尔特告诉赫伯特 · 格拉德斯通的“对任何与俄国贷款有关事情的绝对”拒绝。甚至法国的罗斯柴尔德家族当时也拒绝了对圣彼得堡的帮助，尽管他们已经很难挽回。正如阿方斯于1904年8月在巴黎告诉德国大使的：

> 罗斯柴尔德巴黎银行不再对俄国友好，而且在目前的情况下远离俄国的任何行动……俄国就以后对待他的同教兄弟姊妹方面做出了很好的承诺，条件是钱要马上到账，但是……他认为这些都是空洞的承诺。然而，由于他觉得自己作为一个很好的法国人应该多多少少都要支持俄国联盟（这也是我推断的），他的态度很可能最后会软化，并打开他的钱包。然而以目前的情况看，他会持一个不予支持的态度。

日本在旅顺港、沈阳以及于1905年5月在对马岛的决定性胜利证明了同时在经济以及宗教的基础上支持日本反对俄国的决定是正确的。在战后出现的一系列后果中，英国、美国和日本的新联系不仅仅是外交上的，同时也是经济上的。在1906年，罗斯柴尔德伦敦和巴黎的两家银行都参与了另一笔2 500万英镑的贷款，这次贷款同时也在法国和德国接受认购；而且在第二年他们还联手承担了另外1 150万英镑的贷款。纳蒂现在很有信心地认可“日本未来的繁荣，无论是金融还是经济”。他说服还在迟疑的巴黎亲戚：“他们稠密而聪明的人口，他们那种狂热的忠诚和才智，不久就会把他们带入一线的商业和制造的行列。”从另一方面说，他几乎无法否认“日本在融资方面的成功应归功于那些为此进行安排的中介公司”。现在“在东京最受欢迎而且最有面子的客人是雅各布 · 希夫”，而且他受到了“顶礼膜拜”；另外，“他心爱的在汉堡的侄子沃伯格”的日本贷款在汉堡取得成功之后，沃伯格“变成了寓言里的那只青蛙，在虚荣中膨胀，相信他自己的力量就可以控制欧洲市场，以及所有辛迪加中的全部大银行的利率”。这些人与雷弗尔斯托克一样，在对日本潜力的认识上，远远早于罗斯柴尔德家族。像纳蒂在1907年5月的时候所宣称的：“我们对日本一直抱有很大的信心，对他们的军事和海军的威猛抱有很大的信心，这在以后的战争中将会得到充分的体现。另外，还对这个国家的资源抱有信心，而且对日本统治者，更是充满了信心。”

日本的胜利所带来的更为广泛的外交意义也不完全是罗斯柴尔德家族想要的。战争通过取消了俄国作为帝国主义大国的资格——而且把这个国家引入了革命之中——一下子就排除了英德友好的一个最大的理由。但是它却没有（按照德国曾经希望的那样）强迫法国“在俄国、德国和英国之间做出选择”。纳蒂自己把1907年给日本的贷款看成是在法国和日本之间打造殖民协定的一种途径。“我压根儿就不认为日本人会对法国的殖民地有任何的企图，也不会对由这些殖民地所引发的那些野心勃勃的企图有什么想法”，他在两封说明性的信件中对他的兄弟们解释：

> 但是同样是为了达到这个目的，法国政府的意见是有必要给日本政府提供一份等价交换物，你可以自鸣得意，而且最能够自鸣得意的方式是给法国的资本家介绍两笔贷款，为他们带来这个最为期待的成就……毋庸置疑，政治家和金融家通常都是一个鼻孔出气，而且如果资本家对某一个国家的股票产生了直接的兴趣，他自然非常希望这个国家繁荣昌盛，而这样的局面只会出现在和平安宁的时期。

法国和日本之间产生于英日同盟之后的这样一种亲善，预示着英国和法国的兴趣在慢慢聚合；而且这种情况基本上不可能与罗斯柴尔德家族早先所追求的英德友好进行调和。

事实上，这个矛盾显现得最为突出的并不是在远东地区，而是在摩洛哥，而在这里对于英德的和谐友好曾经出现过很好的苗头。“昨天罗斯柴尔德勋爵告诉我说，我们相信英国有战争打算是很愚蠢的，”德国大使梅特涅公爵在1905年1月对布罗说，“这种情况这里从来就没有出现过，而且这个政府特别希望与我们维持好关系。贝尔福先生就在几天前曾经对他这样说过。”但是不得不做出这样一种保证的事实本身就是这两个国家正在快速地渐行渐远的明证。当恺撒3月31日在丹吉尔登陆，而且要求召开一次国际会议来确认摩洛哥的独立的时候，英国政策中新出现的挺法倾向得到了确认。兰斯多恩不仅不对德国对摩洛哥开放门户的要求给以任何支持，而且他担心的问题是这次危机可能导致德尔卡塞的下台，以法国出现倒退而结束。英国现在所关心的似乎是支持法国在摩洛哥的地位，以便断绝德国对大西洋港口的念头。在自由党取得了大选的胜利，于1906年1月把亨利·坎贝尔·班纳曼推上台后，亲法的倾向就更是越来越多了。对于纳蒂来说，这等于是宣布了德国在摩洛哥的计划彻底终结：他1月3日在巴黎告诉他的侄子，“没有任何一个神志清醒的人，会相信德国的皇帝希望否决这些有关一个属于德国的团结的欧洲的想法和感受，而且既然英国的自由党政府完全同意了英国—法国协定，他所能希望的成功也就要小很多了。”纳蒂有些暧昧地希望“一个可以取悦双方而且又不伤害任何一方的面子的妥协”，而且力图打破弥漫在拉非特大街的对布罗或许在谋划一次军事解决的疑虑。而对于那些实质性的问题，比如摩洛哥管辖的国际化，以及一家拟议中的摩洛哥银行，他认为德国采用的是一种孤立政策：正如他在1906年2月底告诉爱德华的：

> 我们的政府在与摩洛哥有关联的不同问题上都支持你们的立场，而且事实上我走得如此远，居然会说他们都以为法国的建议不仅是合理的，而且也是适度的……你们的政府会得到我们的政府的坚决支持……鲁维尔先生在爱德华·格雷特爵士的心中找到了热情的共鸣。毫无疑问，对于这份完美协定的感受将会对最终的决议提供很大的帮助，而且对这份协定的感受，对于那些在德国进行政策指导的人来说或许是最大的痛苦。

纳蒂宣称，他认为德国的政策提议是“最危险的，而且注定是要失败的”，因为他们“不会得到英国的赞成”。然而，当梅特涅把这个消息转告柏林的时候，恺撒很直接地批示说“已然决定”，换句话说，就是“坚持这个管辖权问题”。这样一种强硬的态度打破了纳蒂对德国政府的耐心，而且尤其是对“这位日耳曼（或者说是残暴）君主”的耐心。“如果你们的政府现在所采取的这种调和态度不能产生所需要的效果，”他告诉他的法国兄弟，“他们对斯普雷河地区的银行所做出的决定只有一个唯一的理由，那就是不应该向汹涌的波涛中倒油。”“柏林所采取的路线，或者说是德国官方的调子，”在14天之后写道，“就是一种官腔——他们是说德国做出了很多的牺牲，而且表示了如此多的善意，给法国伸出了橄榄枝，并且做出了一些让步，但是最后也没有说清楚德国到底做了哪些牺牲。”他又补充说，如果一定要找出一种“暂时的妥协方式”，那么可能得是“既能满足日耳曼人的傲慢自大，又不妨碍高卢人的权利”。最后，纳蒂热情地为阿尔赫西拉斯大会的成果欢呼，他认为“既满足了法国的政治利益，同时也满足了你们国家的经济利益”。他的结论是，这个成果除了避免了战争，同时还“证明了英法协定的价值，而且……表明了法国俄国同盟成员之间的团结；而且我个人认为德国皇帝对法国发动战争根本找不出任何理由。”这些语言与10年前在新亭所通行的说法完全不同。

然而，法国外交地位的改进并不仅仅是外交现象。正如纳蒂所多次重复的，它是牢牢地植根于经济实力的。上面所述的与日本的协定，并不是绝无仅有的通过在法国资本市场发行债券才得以巩固的法国外交举动。在日俄战争之后，曾经有那么一小段短暂的时间，似乎君主制国家联盟式的外交将毁掉法国外交政策10年以来的成就。这就是在威廉二世与尼古拉二世1905年7月在比约克岛的会晤中达成的一个欧洲防务联盟——这个提议一旦得到正式的批准，将会彻底改变国际格局。但是，正如A·J·P·泰勒所指出的：“巴黎的交易所表现出了比君主制国家的团结更有吸引力的诉求。”俄国在对马岛争端之后陷入了可怕的金融困境之中，非常急迫地需要获得新的贷款来帮助重建它的军事实力，而且巴黎市场仍然有能力为外国的债券发行提供比柏林更为深厚的资源基础，因为在柏林，满足德国工业以及德国政府的巨大需求是至高无上的首要义务。

意大利也会被这种方式所吸引。1906 年夏天的意大利债券的变换是由一个法国罗斯柴尔德家族所领导的银团负责，而且尽管有 7 家柏林银行也是这个辛迪加的成员，但是德国在 10 亿法郎中所占的份额要比法国小，而巴黎和柏林两地的外交人士都认为这代表着法国的成功。这份协议于 6 月 26 日签署，是在阿尔赫西拉斯大会结束之后；在整个债券变换的过程中，意大利一直与法国站在一边，这代表着三国同盟中的它所承担的对德国和奥地利的义务对它的束缚的事实上的终结。

战前金融外交的这些情况是众所周知的。不太为人所知的是金融在英法协定中所起基础性的作用。罗斯柴尔德家族的档案表明了在 1905 年期间伦敦和巴黎之间的合作是多么紧密，特别是在货币政策方面。与过去一样，罗斯柴尔德家族扮演了英格兰银行和法兰西银行的非官方合作者的角色，推动着这两大金融中心之间的合作，这对战前的金本位体系的稳定是至关重要的。有些时候，他们的作用有着直接的政治意义，比如当罗斯柴尔德家族作为中间人在 1906~1907 年帮助英格兰银行购买君士坦丁堡码头公司的股份（这是英国—法国联合获取对所关切的地区进行势力控制的一部分）。对于纳蒂来说，不言而喻的是，就算是在他们看来，这在开始的时候就是属于外交方面的事务，如此复杂的交易也不可能留给外交部的那些官僚去处理。“尽管他们也许是外交官，”他有些不太高兴地评论道，“但他们肯定不是商业界的人士。”

然而，罗斯柴尔德家族更为常见的横跨海峡的作用是平衡这两大中央银行的黄金储备，确保英国和法国的货币政策不会发生冲突。比如在 1906 年 11 月，当银行的利率站上 6%，而且大量的黄金被巴西、印度和其他持有大量英镑的国家从伦敦提走的时候，纳蒂和爱德华从法兰西银行安排了大量价值 60 万英镑的黄金短期借款。这个“善意而且是施以援手的政策”在伦敦得到了热烈的欢迎，而且正如纳蒂评论的：“尤为重要的是知道了以后无论任何时候，只要认为是必要的而且是紧急的情况，海峡对岸总是准备好施以援手来拯救英格兰银行。”这封信发出后不久，纳蒂就接到了银行的要求，需要再提供 40 万英镑的金币。这笔资金也马上被备好，而且在当月之内又增加了另外的 60 万英镑。这些用黄金对票据进行的交换——总数达到了 140 万英镑——很好地控制了银行利率的进一步上涨，而且事实上让银行逐步地把利率调回了 1907 年 4 月份的 4% 的水平。需要强调的重点是，在罗斯柴尔德家族丧失了在中央银行之间直接协调的作用很长时间之后，他们又开始插手这项事务。

英国—法国货币政策合作的伟大试验出现在 1907 的下半年，当时美国的资金短缺终于酿成了一场危机，并波及到整个国际经济体系。早在 3 月份的时候，纳蒂与爱德华在法国决定提高自己的贴现率的时候发生了争执：直接的起因是爱德华对他的亲戚要求再提供“200 万或者 300 万”法国的黄金给英格兰银行的请求没有响应。“我非常遗憾，”纳蒂急切地写信回复，“你居然把我们当成了这样的傻瓜，认为法兰西银行能够挺身而出，阻止美国过分投机而引发的大萧条。”纳蒂知道什么时候他会面临困境：在 4 月和 5 月间，他默默地向法国的要求低头，把上一年 12 月份借的金币归还了巴黎。但是在 8 月份，伦敦的局面又开始恶化。纳蒂提前得到了警告（而且因而也可以警告他的兄弟们），英格兰银行决定将利率调回到 4.5%，但是他随后抱怨说他的紧缩政策的建议仍然没有得到重视。到了 10 月份，随着美国危机的全面爆发，银行的利率不得不再一次提高，纳蒂也再一次接到了向法国借入黄金来补充英镑储备的委托。这一次，他再也没有心情去做那种兄弟之间的推诿：罗伯特重复了上一年的借款行动的反对，于是纳蒂很不耐烦地写道，这是“非常让人失望的”。法国罗斯柴尔德家族觉得这场危机的根源在于罗斯福总统所误导的对华尔街攻击，这对于法兰西银行来说没有任何关系。“这就是一种狡辩，”纳蒂反驳道，“就像是制定一种规则说，消防队只扑救那些不是纵火犯所引发的火灾一样。”

在 11 月 4 日，威廉斯 · 坎贝尔行长将银行的利率提高到了 6%，并且通报了纳蒂——这也是罗斯柴尔德家族仍然在货币市场起着举足轻重作用的证明。纳蒂告诉他的兄弟们说，他们“一致同意请求我给你们发电报，请求你们尽你们的所有努力，重新启动去年法兰西银行的支持行动，而且你们的支持在当时取得了很大的成功。”这次的请求很快就有了结果，法国提供了 300 万英镑，其中罗斯柴尔德家族提供了 40 万英镑。尽管英格兰银行的利率在 11 月 7 日又调高了 1 个百分点——并且这个水平一直保持到了元旦——但是这次救援行动对稳定伦敦的市场仍然贡献良多：按照坎贝尔写给巴黎罗斯柴尔德银行的信中所说，他们的帮助“避免了我采取更为紧缩的方式来保护我们的黄金储备”。这进一步证明了罗斯柴尔德家族跨海峡联系所具备的经久不衰的价值，而同样在这个时候，J · P · 摩根直接向法兰西银行请求对美国市场进行帮助的要求被拒绝——这是对纳蒂观点的一种支持，因为纳蒂在一封于 11 月 6 日给摩根的一份电报中很直接地说到，美国人应该先把自己的银行秩序整理清楚。作为对比的是，坎贝尔却可以指望能够通过罗斯柴尔德家族从巴黎借到更多的黄金来应对可能出现的黄金储备的进一步下降。相反地，他在巴黎的同行正在谨慎地暗示，一旦 1908 年 1 月危机能够结束，英国利率的下调是很受欢迎的；而他可以在出现这种下调之前依靠罗斯柴尔德家族预先给他提供警告。

1907 年的危机是 1914 年危机之前出现的最为严重的经济危机，而且它显示出了与英法协定相对应的经济规模。这样的合作也没有随市场问题的结束而终止。比如在

1908年7月，法兰西银行通过新亭购买了价值100万英镑的统一公债。同年的晚些时候，英格兰银行咨询了纳蒂关于由法兰西银行从伦敦大规模撤回黄金的可能性。这只是一种例行公事，当伦敦的资金市场在1909年末再一次吃紧的时候，罗斯柴尔德家族再一次讨论了用票据兑换法国黄金的可能性。

在1907年危机最为严重的时候，纳蒂异乎寻常地写了一封很长而且很有见地的信给他的巴黎亲戚，在信中很清楚地阐明了他所理解的金本位的功能，以及英法关系所扮演的关键作用。他认为，关键是“整个世界的贸易都是通过伦敦的票据在运行”。通常都有“3亿~4亿的本票在伦敦流通，其中大约一半以上都是外国户头的”。按照经典理论，“当英格兰银行必须提高它的贴现率来应对黄金的流出的时候……汇率就会自动上涨，而且黄金就流回到英格兰银行”。但是这对于其他国家有着深远的影响——尤其是法兰西银行。纳蒂得出的结论是现代金本位历史学家都会赞同的——也就是中央银行之间的合作对于货币体系的稳定是最基本的原则：

> 我们优秀的姐夫阿方斯过去多次就这个问题与我进行过交流……他总是担心，除非法兰西银行以及其他银行在这些时候能够表现得足够大度，伦敦的汇率才可能上升到这样一个高度，才能让大量流通中的黄金找到其流回伦敦的通路，也才能避免产生出比在危机出现的那一刻法兰西银行或者其他的大型机构认为应该采取的举措所能造成的更大不便，甚至更糟的情况。我曾经用这些琐事麻烦过你，因为我希望能尽我的一切所能让你们了解，让所有的国家都捆绑在一起是多么的必要。

换句话说，世界主要的债权经济体法国和英国是被稳定货币的共同利益“捆绑在一起的”。罗斯柴尔德家族对这个体系的贡献是最大的，如果按照纳蒂所深信的，由于英格兰银行没有能够将其黄金储备建立到与其全球作用相称的水平上，他以及他的法国兄弟们因而继续将自己看成是他们相应的中央银行的附属机构，尽管他们自己已不再像过去那样是放债人的债权人。

英俄对抗

然而，得出1914年英法协定的最终政治和军事的圆满成就是由某种经济问题决定的结论是十分错误的。这些金融考虑毫无疑问在英国人看来确实是帮助把英法关系提升到超过英德关系的层面之上；但是，这还远远没有达到一个确保英国在出现大陆战争的时候必须进行干预的防务联盟的水平。事实上，在1914年8月2日之前，英国在战争爆发的时候没有任何理由去支持法国（尽管外交部长爱德华·格雷爵士个人做过保证，使法国人对这样的支持充满了期待）。1908 年 6 月，纳蒂自己觉得有义务给巴黎的兄弟们指出“同盟没有任何的问题，无论是进攻还是防御……使用这个词并没有任何不明智。”可以肯定，他“同样确定，一场德国对法国的没有任何理由的攻击激起的同情和感情没有任何政府可以压制”；但是他坚持认为“德国没有任何无理攻击的企图”。

这里提出了一个重要的问题。历史学家总是认为德国在 1914 年之前相对快速的经济增长也意味着德国国际实力的同等增长。那些了解情况的同时代的人应该知道得更为清楚。一个分权的联邦体系与一个相对民主的帝国议会的混合意味着德意志帝国在 1897 年之后很难通过提高税收来增加其军备支出。这就帮助解释了德国政府在战前那段时期相对较高水平的举债，尽管事实上这些举债的大部分是由其联邦的各个政府所为，而且地方政府资助的是非军事支出。公共行业自身高水平的借款使德国的资本市场更加吃紧；而这碰巧与非常高水平的私营行业投资（主要是投向了快速增长的电器和化工行业）遭遇，更是使得资本市场雪上加霜。这种情况所导致的对德国利率水平上涨的压力——最明显的是德国债券不断增加的收益——被当时的人们看成是德国金融衰弱的迹象。

到了这个时候，纳蒂不再对德国心存同情。他在 1907 年 4 月告诉他的兄弟们，他“不是德国政治才能的仰慕者，而且我从来没有喜欢过他们的政策，我也没有相信过他们所选择的所谓的世界政策。”他对德国海军上将提尔皮茨缩小英国和德国海军之间差距的努力特别反感。然而，他很快就洞悉德国实力的限制。他评论说：“毫无疑问，德国的外交政策导致了它的孤立，而且通过一种被委婉地称之为商业企业或者产业企业政治方式的保障也遭遇了相对的失败，也许用金融特许权（海外）的说法应该能说得更清楚些。”另外，他非常清楚，德国无法支撑一场旷日持久的海军竞赛，而且这种金融方面的劣势使得那种危言耸听的德国对英国产生安全威胁的说法似乎根本上就是难以想象的事情。“德国政府非常缺钱”，纳蒂在 1906 年 4 月的时候注意到，当时德意志的又一笔贷款正在准备推出。他当然也没有忽视德意志银行在 1907 年间所经历的困难，这些在很多方面都远比伦敦所遭遇的要更严重。“德国在所有事情上都追求科学和对称，”他写道（这远远不只是一种讥讽的暗示），“而且他们银行的所作所为被那些投机者所唾弃，他们抱怨他们这里的高利率就像是科学的简洁和弹性一样让人惊叹。”但是尽管“弹性条件使他们的货币可以进入通胀……但是其空间却在德国政府发行国库券和财政债券的时候就用完了”。纳蒂最为吃惊的是德国居然需要在国外市场出售债券，这种情况在和平时期的英国和法国是难以想象的。

当然，罗斯柴尔德家族看到了金融条件的限制可能会鼓励德国政府采取一种强硬的外交政策，因为“剑在鞘中不安分地跳动”，恺撒和布罗希望“推迟很多社会主义的梦想的实现”。然而，这种炫耀武力的做法只会“导致新增大量的军事和海军开支”，而且因此使内部的局势更加恶化。这就解释了为什么阿尔弗雷德在恺撒于 1907 年访问英国的时候，重启了他与德国朝廷间业已存在的联系。正如纳蒂所精明地看到的：“当他得全力以赴应付社会主义者的时候，人们很难相信德国皇帝会想找麻烦……”一个过度扩张的德意志的印象马上在 1908 年 4 月大规模的普鲁士债券发行时得到了证实；另一个证据来自于德意志帝国的预算，这个预算出现了“巨额的赤字……原因是雄心勃勃的海军计划，以及需要增加所有公务员的工资，还有就是他们声称‘计算错误’的养老金计划”。就像在汉堡的沃伯格 一样，罗斯柴尔德家族期望德国政府找到某种方式来接受对海军建设的节制。1911 年的第二次摩洛哥危机——当时德国政府派出了豹号战舰到摩洛哥的港口阿加迪尔——充分说明了柏林市场对外国资本撤出的敏感。对于银行家来说，德国似乎是虚弱的，根本说不上强大。

这也不能说一个自由党政府就会在一场战争中将自己摆在俄国一方。罗斯柴尔德家族在这里也试图以通过反对英国—俄国同盟的名义，抵制将欧洲分裂成各种“武装集团”的趋势。或许，如果 1905 年的革命导致了俄国出现持久的自由主义化，他们的态度会有所不同。法国社会主义领导人饶勒斯希望罗斯柴尔德家族应用他们的金融实力迫使俄国走向议会制，这使人不由想到了“在 1848 年，罗斯柴尔德家族作为普鲁士国王的债权人，控制了议会的预算，为了保证他们的贷款的命运通过了一部宪法”的做法。纳蒂确实在 1906 年 1 月表达了他的愿望，期望着“明智的想法能够在圣彼得堡占得上风，而且自由党的政权能够被创立”。但是在革命后的俄国，政府找到法国罗斯柴尔德家族，希望得到他们的金融支持，作为交换，他们承诺进行改革的时候，罗斯柴尔德家族仍然是满腹的疑虑。怀着打消英国合伙人敌意的想法，一个名叫布兰特博士的人非正式地拜访了他们。这位布兰特博士是伦敦俄国大使馆的一名小人物（纳蒂把他描述为“一个长相丑陋的驼背俄国犹太人，看上去满脸的自以为是”），他“来这里的目的是为了向我们解释俄国犹太人的境况，而且他们的命运可能会得到什么样的改善”：

> 布兰特博士说，犹太人对于每一个俄国人来说都是恐怖的，而且是令人厌恶的目标。皇帝和朝廷憎恨他们，这种憎恶也得到了威特以及部长们的支持，俄国民众也厌恶他们，而且即将选举出的杜马也将会反映朝廷以及俄国民众的意见。你无法把所有 500 百万人口的俄国犹太人全部移民，而且如果你不做点

> 儿什么事情，你或许，而且将有很大的可能在周六的时候收到一封“红信”，这会是第二次圣巴托洛缪大屠杀，而且几乎全部俄国犹太人都会成为神圣的俄国人民的愤怒以及东正教的牺牲品。根据我对他们的了解，需要做的补救其实很简单。只需要给俄国提供一笔巨额的贷款，那么就有可能为犹太人做些事情。

但是，纳蒂在以前已经太多次地听到过这个故事，“我告诉他的不是我在这里对你使用的完完全全的词汇，但是其效果是一致的：他本末倒置了，具体说来就是当俄国犹太人得到了自由和平等的权利时，俄国的金融就会改善，而且财政困难就会明显地减少。”

当另一位某种程度上说更为重要一点的人士阿瑟·拉夫洛维奇在此月拜访阿尔弗雷德的时候，发生的是同样的故事：

> 他说在6个月之前，他的老板德·威特先生以及沙皇都很急切，而最为紧急的是改善俄国犹太人的命运，但是现在俄国的公众舆论很激烈，而且沙皇以及皇室，也包括部长们都很伤心，而且很悲痛地面对这个事实，即俄国犹太人曾经试图挑战一个公正的而且慈父般的政府；另外，希伯来人群是社会主义和革命运动的温床，当俄国的所有问题都平静下来以后，他们的各种主观思想使他们无法向朝廷表达他们的忠诚和奉献，而且也无法表达他们对这个待他们如此之好的国家的热爱之情！他很自然地提出如果我们希望改善我们同教兄弟姐妹的命运，那么只有一种方式可以达到目的，也就是我们领头组织一个国际辛迪加，目的是为帮助沙皇发行未定数量（据说在6 000万英镑至1.2亿英镑之间）的债权做准备。如果我们同意这个提议，他向我们保证，那些已经深藏我们心里多时的改革马上就会推行，我们同教兄弟姐妹的命运取决于我们的回答，责任在我们一边，而不是在圣彼得堡统治政权的那一边。

纳蒂再一次表现得很坚决。当罗斯柴尔德巴黎银行为维希内格拉德斯基安排巨额贷款的时候，俄国也曾经做出了类似的承诺，但是根本没有兑现。而且威特在最后一次在巴黎见到埃德蒙和爱德华的时候，也没有给他们任何的理由，使他们相信圣彼得堡的政策会有什么真正的改变。“综合考虑所有的这些问题，”纳蒂回复道，“我们不能也不会帮助俄国满足他们的需要，除非它能做些让我们的同教兄弟姐妹们高兴的事情，而且心甘情愿地成为沙皇臣民，以及俄国帝国富足的公民。”他补充说“认为犹太人仇恨沙皇是荒谬的。大量的外国移民只是期望能回家，并在他们自己的国家里安居乐业……而且我也告诉过他，当沙皇的长子出生的时候，说起来很奇怪，在伦敦和纽约的犹太人社区，大家为沙皇的健康干杯，而且都给新生的婴儿送去了祝福。”这是拉夫洛维奇暗示向俄国发回的口信，说纳蒂“有一点改变，正如我所希望的那样，他只是强调犹太人问题”。一次俄国人提出的为“我们的同教兄弟姐妹”说话的最后尝试，终于以失败而告终：

> 在我们的同教兄弟姐妹们在那个国家的命运得到保障之前，我们自己不应该考虑与他们有任何的牵连。我们从我们自己非常可信的渠道了解到他们目前的境况与过去一直以来同样的糟糕，而且也许还更糟。犹太人生活在面对着随时都可能出现的迫害之中，而且特别是在我们的逾越节节日期间。俄国的自由党人很迫切地期望在巴黎或者柏林筹措一笔巨额贷款的想法也落空了。他们认为这些通常被称为“战争的力量之源”的钱在这种情况下将会是压迫的崭新象征。

“我们可以不在俄国贷款中有直接的或者经济上的利益”是纳蒂的结束语。

或许纳蒂是在拉斐特大街为他的做法提供更加有力的依据，他同时还补充了一条经济方面的反对理由：他怀疑俄国正在走向一场金融危机，而且可能甚至会放弃卢布的可兑换性。这方面存在的困难是，正如他自己所承认的：“世界上有相当多的人在看待俄国金融的时候，是站在与我们完全不同的角度。我们的一位朋友周日的时候跟我在一起，他在这个国家是一位有名的激进分子……他在周日告诉我说，俄国政府正在快速地滑向更为严重的麻烦与混乱之中。他确认说他们目前的金融状况非常糟糕；但是，他笑了笑又说，时间和这个国家的资源将会带他们渡过这个难关。”雷弗尔斯托克和摩根两家银行在1905年革命爆发之前就已经在圣彼得堡经营多年，而且可以想见的是，一旦秩序恢复了，他们就会重新开始与俄国的贷款谈判。在阿斯奎斯和格雷两人的支持下，他们安排了在伦敦市场投放巨额的8 900万英镑俄国债券中的1 300万英镑。当然，对俄国最主要的金融支持还是来自法国：正如纳蒂可能已经意识到的，法国的银行以及债券持有人已经向俄国投入得太多，他们面临着这个货币体系的崩溃以及自己投资的缩水。但是在柏林也有迫不及待的买家，他们由门德尔松领头。让情况更为糟糕的是，金融报纸大量报道说，罗斯柴尔德家族也悄悄地认购了这些贷款。

纳蒂有时候会坚称说他反对给俄国贷款是基于“单纯的金融”原因，根本不是因为信仰方面的原因。他非常坚定地相信新的俄国贷款会遭到彻底的失败，或者那些认购这些贷款的人很快就会输得一败涂地，原因是“在不同的地方零星再次出现的不满（和）骚乱将会变得非常地普遍。”他警告说，俄国的政治局势仍然“处于非常危急和险峻的状态”，并且预言了“暴乱、爆炸以及暗杀的间隙性的爆发”。他甚至将第一次杜马的选举与法国1789年对三级会议的呼唤相提并论。尽管从中期看，纳蒂的预言兑现了，出现了另一次更大规模的俄国革命，但是也有人会认为，至少从短期看，在所有的这些问题中尚存一缕希望的曙光；尽管他提出了最为悲观的说法，纳蒂也无法掩盖他对他认为的巴林银行将会获取的“非常丰厚的利润”的嫉妒。然而，局势不久就变得明朗了，罗斯柴尔德家族拒绝参与对俄国的贷款仅从经济的角度看也是正确的：尽管开头表现得相对还比较稳固，到7月份，新债券的价格开始滑坡，而且雷弗尔斯托克手上留下了大量的亏损债券。“由于我们足够明智，在相当的时间内没有碰俄国的金融，”纳蒂可以感到幸灾乐祸，“而且足够幸运地没有受到那些谎言的诱惑而参与到任何的俄国贷款中，俄国债券的覆灭对我们的影响只是间接的，而且目前看来只是它可能对其他的债券价格产生一定程度的影响。我们自然更关切我们那些不幸的俄国同教兄弟姐妹的命运，以及那些再次施行的暴行。”

然而，俄国持续的政治动荡并不意味着纳蒂所热切地盼望着的“所有这些报纸上的美丽辞藻，赞美着英国和俄国之间的相互了解的说法都是神化和捏造出来的”。在1906年6月，当对俄国犹太人更加“骇人听闻的屠杀”的消息传到伦敦的时候，纳蒂去拜访外交大臣，“询问他是否可以采取国际行动，而且在这个基础上，如果这个残暴的政策持续下去，将会给其他并不愿意接受的国家带来成千上万的难民，而那些先期抵达的人都已经很难找到一份工作了”。但是格雷显然没有被这个说法所打动；他认为如果在德国的野心需要谨慎对待的情况下，加强英国、法国和俄国的外交联系更具战略意义。他准备提供给纳蒂的最多是“非官方的而且是口头的交流，告诉对方这些暴行的再次出现将会疏远公众的舆论，而且影响两国间业已存在的友好感情”。尽管纳蒂很高兴看到“我的朋友”似乎“对俄国的未来非常担忧”，但是这只是一种自欺欺人的表象。格雷已经非常坚定地坚持英国—俄国同盟的政策，不可能被俄国犹太人的遭遇所干扰。

随着政府对俄国的承诺逐渐浮上水面，纳蒂和他的兄弟们不时地爆发出他们的反俄国情绪。但他们依然给雷弗尔斯托克在1907年建立的拯救俄国基金会捐献了大量的资金，并没有限定他们的捐献只能用于犹太人；他们也没有做任何让俄国的金融局势更加恶化的事情。因为，按照里奥的说法：“无论我们对这个北方大国有多么不喜欢，没有人愿意看到灾难降临在涅瓦河畔的这些银行头上。”有几次，纳蒂甚至开始发话，就仿佛他认为革命后的改革是可以持久的。当英国—俄国协定在1907年9月正式宣布的时候，他表现得很冷淡，但是他担心在激进派的报纸上出现的过度的批评或许会让俄国人更加深信报纸都掌握在犹太人的手里，因此可能“对我们的俄国同教兄弟姐妹非常不利”。他在几周之后承认，“我们同教兄弟姐妹中有些人对这种亲善关系不会非常高兴，但是我总是告诉他们，如果犹太人被认为是在英国和俄国之间煽动敌意的人的话，我们在俄国的同教兄弟姐妹的命运不可能得到改善”。他甚至似乎准备支持在伦敦市场发行俄国贷款的想法（尽管最后1907年和1909年的贷款留给了雷弗尔斯托克和卡塞尔）。

然而，这只是暂时的摇摆。充分利用在1908年6月的埃普瑟姆赛马会上会面的便利，里奥在英国国王访问圣彼得堡的前夕硬是跟他进行了交流。他们会面的结果是一封长长的，而且是精心措词的由罗斯柴尔德家族所有的三名英国兄弟签署的信。罗斯柴尔德家族在信中对十月党人和俄国人民联盟这些组织就最近的屠犹行动进行谴责——尽管没有否认“某一些犹太人参与了无政府主义运动”——抱怨对那些罪犯放任自流，而且自然地：

> 还会再次发生掩藏在法律设计后面的人为的对犹太人人的迫害情况。犹太人将会再次遭受到威胁，而且很自然地担心不论是在俄国还是在其他地方，会出现规模远远超出人们想象的移民浪潮，这种情况会产生严重的后果，使俄国失去勤劳而且朴实的工人，而且这个特别的移民潮肯定会扰乱世界上很多地方的那些工人的地位和条件。

国王通过他的私人秘书弗朗西斯·诺利斯爵士“承诺认真考虑这个问题，而且征询查尔斯·哈丁爵士的意见，看看能采取的最好的解决办法是什么，而查尔斯·哈丁爵士将会与英国大使一起陪同他访问圣彼得堡。”最后，大家决定由大使（阿瑟·尼科尔森爵士）向新任的俄国首相斯托雷平提出这个问题；但是纳蒂认为后者的反应“让人非常不满意”：

> 确实，他承诺在一到两年之内进行立法，但是这种立法肯定是无关痛痒的，而且事实上斯托雷平先生不仅就已经发生的所有事情责怪犹太人，而且他很肯定地宣称——这让人觉得非常可笑——如果犹太人获得了平等的权利，他们将会马上掌握俄国所有的土地，进而上升成为国家的问题。另外就是他认为所谓的屠犹事件事实上是不幸的债务人起来反对现代的夏洛克。

国王（或者是“美拉客”，纳蒂喜欢这样称呼他，这令人想起希伯来古老的密码字）对这个回应做了更多的肯定性注释，他坚持认为“在不久的将来会为犹太人做些事情，而且肯定地认为今年不会有俄国贷款，他认为这是一个好的迹象”。但是，当宗教谋杀的指控于1912年在基辅的一场审判中被再次启用时，对“犹太人问题”有任何进展的希望完全破灭了。纳蒂只好重新发起他的运动，他在与红衣主教梅里·德·瓦尔的通信中公开讨论了这个问题，并且起草了一封正式的抗议信，还得到了很多政治领域的大人物的联署，这些人中包括罗斯伯里和克罗默。纳蒂继续希望英俄协定可以达成——只要在对待犹太人上不存在问题，那么就可以建立在一些传统议题的框架之内，比如海峡问题——但是他低估了格雷想要安抚沙皇政权的意愿，以及金融城想要吸收新的俄国债券的急迫心情。从这些债券价格在1906年最低的71.5开始，俄国的4%票面利率的债券在1910年12月涨到了最高时候的96.25，以可观的利润补偿了雷弗尔斯托克以及其他的亲俄分子在首批革命后的贷款中所遭受的损失。

奥匈帝国

当时，人们得出的结论似乎是1914年之前的资本流动方向使三国同盟与法国、俄国成为最有可能在外交上联合起来一致对付英国的局面。从这个方面说，罗斯柴尔德家族一直在逆历史潮流而动，试图帮助达成某种类型的英德间的谅解，或者试图分开英国和俄国。然而，他们并不气馁。这里一直存在着一种可能，而且自从19世纪50年代以来一直在尝试——具体说来，就是重新建立伦敦和奥匈帝国之间的经济联系。当然，罗斯柴尔德伦敦银行在19世纪70年代和19世纪80年代大力参与了匈牙利的金融活动，所以，曾经是伦敦资本市场与哈布斯堡王朝之间的那种生命攸关的联系的记忆并没有完全地褪去。但是到了世纪之交的时候，奥匈帝国金融开始闭关自守，这反映了1867年之后哈布斯堡经济的独裁特性——本质上说是保护主义性质的中欧海关以及货币联盟。正如我们已经看到过的，罗斯柴尔德维也纳银行与其他罗斯柴尔德银行之间的联系在安塞尔姆去世之后趋于衰落：事实上，奥地利银行流传下来的记录中有证据表明，到1900年的时候，这样的联系基本上已经不存在了。另外，高度分权化的奥匈帝国金融系统意味着军费开支与其他大国相比仍然相对较低，以至于从理论上说，他们对国外贷款的需求远低于俄国。无论如何，税源收入的萧条、海军建设所增加的军费成本以及吞并波斯尼亚—塞尔维亚，以及统治一个有分裂倾向的多民族联合体，都成为导致当时奥匈帝国出现赤字的原因。“虽然新增了很多的税种，”在19世纪80年代晚期报送给霍尔施泰因的一份报告中说，“但是预算的平衡大家都知道只是一个美好的愿望。因而他们很高兴地继续从罗斯柴尔德家族借钱。”

在整个19世纪90年代以及到20世纪的初期，新发行的奥地利和匈牙利国债基本上都由以罗斯柴尔德家族为首的银团所垄断，银团成员包括商工银行、地产信贷银行以及昂加利希信贷银行。事实上，甚至就在1900年之后，这个集团也还以独自或者合作的方式参与了奥匈帝国价值28亿克朗（相当于1.2亿英镑）的债券发行。这个所谓的“罗斯柴尔德集团”提供了奥匈帝国进入外国资本市场的途径，就算他们并不总是能够确保自己的地位。欧洲政治的多极化进程难道不会被英国和法国所持有的奥匈帝国国债的不断增长所阻碍吗？这个问题并不完全是臆测。在1907年和1910年，在巴黎筹集一份大型的匈牙利贷款的想法被很严肃地提了出来，尽管最后由于面临政治上的反对而铩羽。1914年，伦敦罗斯柴尔德家族与施罗德合作，成功地安排了两笔由奥地利和匈牙利分别发行的贷款，总价值达1 950万英镑。

为什么1914年的贷款对把奥匈帝国从与德国的双重联盟中解脱出来所起的作用甚小，而且来的也太晚？原因有四个方面。第一，尽管反复努力为奥匈帝国的国债扩展国际市场，巴黎和伦敦的投资人明显地比柏林的那些投资人对这些债券的兴趣要小。在这个时期的大多数时间里，对这种外部融资需求的满足主要来自于德国，特别是门德尔松、达姆施塔特以及德意志银行。事实上，维也纳罗斯柴尔德家族与这些柏林银行的联系是如此紧密，以至于在1910年，英国驻布达佩斯总领事把罗斯柴尔德集团看成是“一条把这个双重君主制国家……不论是否情愿都与德国捆绑在一起的锁链”。第二，罗斯柴尔德集团开始解体。早前的时候，阿尔伯特的主宰地位基本上是没有任何挑战的：根据商工银行的亚历山大史皮茨穆勒的回忆，尽管他有“不曾明确定义的绝对影响力”，但是在做出重大决策的时候，他的意见很难被忽略。这反映了这种互相兼任董事的独特体制的特性，而这种体制是奥匈帝国商业中非常重要的特点。史皮茨穆勒后来回忆到，阿尔伯特“在董事会里代表了很多跟他很熟悉的商业界的名人……他通常让他的影响力通过在董事会里所占有的席位而变成了某种专制……而且在我看来总是一位绅士与残暴的暴君的奇异混合体”。在地产信贷银行的情况也很类似，在这里阿尔伯特“没有扮演决定性的角色，但是他的话很有分量”。在朱利叶斯·布卢姆的眼里，阿尔伯特总是罗斯柴尔德集团里的主人。但是在西奥多·冯·陶西格以及他的继任者的领导下，地产信贷银行追求着一条越来越独立的路线，而商工银行在史皮茨穆勒在1910年掌权之后也是一样。到阿尔伯特于1911年去世的时候，这个集团也就不复存在了。

第三，部分原因也是因为这样的不团结，奥匈帝国政府通过引入新的国内金融资源而成功地将自己从罗斯柴尔德集团的控制之下解放了出来。在1897年之后，所有新的国债发行都必须分配给邮政储蓄银行一定的份额。6年之后，奥地利财政部长博姆·巴维克允许大型的非罗斯柴尔德银行，比如维也纳银行参与到主要的债券转换工作中；而且在1908年，奥地利和匈牙利两国最终都对新发行的债券采取了公开申购的体系，这种做法在这个时候已经成为大多数西欧国家的标准做法。罗斯柴尔德集团垄断的最后一点残迹在1910年1月份被彻底清除干净，当时新的奥地利国债只独家出售给邮政储蓄银行，这直接产生了新的而且基础更为广泛的银团。尽管阿尔伯特试图制裁这个新的体系，但是地产信贷银行却自乱了阵脚；而且尽管他的儿子以及继承人路易斯能够建立起一个新的、由罗斯柴尔德主导的，包括了商工银行、维也纳银行和土地银行的集团，但是再也不可能重新恢复集团以前在公共金融领域里所起到的作用。

第四，为什么不会再有重新恢复过去的那种以金融为基础的英国与奥地利之间的伙伴关系的可能原因纯粹是政治上的。“不用说，”纳蒂在1906年4月在给巴黎的信中说，“我们不知道我们亲爱的兄弟萨尔伯特（阿尔伯特）与新的匈牙利政府是否只是泛泛之交。”这是在一个走向分裂而且不稳定的像奥匈帝国这样的政治体系中进行运作所面临的极端困难的一种体现。纳蒂在1907年访问了维也纳，但是访问所取得的成果十分有限；而且在危机四伏的这一年里，阿尔伯特随后的通信也是无关痛痒——有时甚至会漏报了重要的金融消息。尽管奥地利驻伦敦大使希望罗斯柴尔德对《时报》和《每日电讯》的影响能够缓和英国对其1908年10月吞并波斯尼亚的反映，但是他也过分地高估了纳蒂对激发支持奥地利的情绪的影响力以及影响范围。事实是，不论是在伦敦还是在维也纳，罗斯柴尔德家族的政治影响力正在衰落。“我公开承认，”阿尔伯特在1910年告诉西格哈特，“我高估了弗朗茨·费迪南德大公的影响力。”这是一个明确的承认，说明阿尔伯特赞同弗朗茨·费迪南德在巴尔干政策上对俄国做出妥协让步的敌视，而这个政策是奥地利外交部长埃伦塔尔大公在1906~1912年所支持的。事实上，对维也纳来说这是正确的选择：政策越是敌视俄国而对德国有益，奥匈帝国就越接近大国针对巴尔干的大战的危险边缘。罗斯柴尔德家族从来没有关心过这个喧闹的地区，也无力防止这样的事情发生。

因此，在最后的分析中，有一些在起作用的经济力量至少看起来比其他的那些因素更加有效地造成了某些大国间的联合。简单来说，在那些净债权国家（英国和法国）、那些金融自给但是没有资本输出的国家（奥匈帝国，以及某种程度上的德国），以及那些不得不从国外借入大量资金的国家（俄国和意大利）之间存在一个非常重要的差异。这些金融因素影响到了外交政策。在所有的大国中，俄国在1914年之前非常严重地依赖于外国的借款；而法国作为俄国主要的外部金融来源的优势必然导致这两个大国之间的外交亲善，尽管事实上从他们的内部政治来看，他们之间的共同点要少于所有的其他两强联合组合，尽管事实上在19世纪的大多数时间里他们的外交政策一直纷争不断。这个法国—俄国协定是19世纪90年代公认的外交成果之一；而罗斯柴尔德家族在其间起到了中心作用——尽管他们对沙皇政府的反犹太人政策怀有强烈的憎恶。类似的金融引力把意大利和土耳其吸引向了德国（尽管这种引力在1914年还没有大到足以保证意大利的忠诚）。

然而，没有类似的金融关系能把英国和德国吸引到一起，尽管阿尔弗雷德特别强烈地想要建立某种程度的英国—德国协定。也没有任何迹象表明有可能在英国和奥地利之间恢复过去的金融联系。事实上，无论是德国，还是奥匈帝国，都不太需要国外的资本。他们可以共同努力，而且他们也这样做了。相反，尽管英国和法国在殖民地问题上有争执，伦敦和巴黎在1900年之后还是逐渐走到了一起，这并不仅仅是由于共同拥有了对德国的厌恶，也由于它们作为国际金融中心对货币稳定方面的共同利益：这里也看到了罗斯柴尔德家族作为中间人在英格兰银行与法兰西银行之间进行调和与支撑所扮演的关键作用。在这里仍然没有确定的只是英国对法国在军事方面承诺的程度，另外就是它对俄国所做的外交方面承诺的程度。

用现在的眼光来看，站在罗斯柴尔德家族的立场，有可能看到的一个理想化的外交格局应该是英国和法国共同反对俄国的克里米亚联盟，而奥地利和普鲁士相对中立，但是倾向于西方；但这种局面在克里米亚战争之后的一个世纪中基本上都不可能出现，因为世界处于完全不同的冷战局势之下。最终，1914年最终出现的格局，几乎是所有可能的情况中最坏的那一种。

民主政府有一个很不幸的特征，就是每年要多花很多钱，因此需要找到新的财政收入的源泉，一直到，或者是除非地球上的各个民族都厌倦了他们所必须承担的重负，一致同意共享太平，因而进行全面的裁军。然而，这样的前景非常渺茫，而在目前这样的形势下，人们必须要通过更加努力地工作才能满足不断增加的税负负担。

纳蒂·罗斯柴尔德勋爵

1906年

千真万确，在所有的这些事情当中，我们将会看到太多纳蒂·罗斯柴尔德勋爵式的人物。

劳合·乔治

1909年

第八章

军事—经济的复杂交错（1906~1914年）

THE HOUSE OF ROTHSCHILD

霍布森在写于1902年的一篇文章中曾经信心满满地宣称："如果罗斯柴尔德银行以及它所有关联的银行都反对的话，任何欧洲国家都不可能发动一场大战。"这种认为罗斯柴尔德家族以及其他的银行家拥有足够的金融实力，来阻止一场可能伤害到他们物质利益的战争的说法并不新鲜。但是这在第一次世界大战爆发前的15年之间，一度是一个时髦的话题。在1899年，波兰作家伊万·布洛赫——他自己本身也是个银行家——曾经预计在欧洲大陆主要国家之间爆发的战争成本大约是每天400万英镑；而且他认为，战争成本以及武器破坏力的上升使得一场大战变得几乎"不可能发生"。英国记者诺曼·安吉尔也持类似的观点：那种认为战争可以作为理性外交政策的一种手段的看法已经成为了一种"天方夜谭"，这是他在他以此命名的书中（1912年出版）提出的一种说法，原因是"国际金融脆弱的相互依赖关系"。这也不仅只是用来反对战争的经济理由，更是针对政治左翼的。在1914年7月战争爆发前的最危急的关头，《泰晤士报》的国外编辑亨利·威克姆·斯蒂德是这样描绘纳蒂在避免德国和英国之间爆发战争时所做出的努力的："一个肮脏的德国犹太人国际金融家妄想恐吓我们严守中立。"

那么，如果罗斯柴尔德家族果真具有如此强大的实力，而且又如此强烈地追求和平，为什么一场威力如此前所未有而且破坏力如此之大的世界大战还是爆发了呢？一个残忍的说法来自于霍布森，他认为这场战争与先前的布尔战争一样，能以某种方式使他们以及其他的银行家获益。按照列宁的说法，这里并没有什么矛盾：第一次世界大战的爆发是帝国主义内部矛盾的必然结果。大国之间由于国内经济的增长率下降而触发的抢占海外市场的竞争，只可能以一场自杀性的战争来收尾；随之而来的战乱的社会后果——德国社会民主党领袖奥古斯特 · 贝贝尔所预言的“资本主义世界的众神之光”——就会促成已经长期蛰伏的无产阶级革命。这样的观点在战争期间大行其道，并不仅只是在极左派之间盛行。纳蒂于1915年死后不久，美国《民族》杂志上发表了一篇文章，该文在回顾了战前的帝国主义纷争之后，哀叹“资本的民族性”：

> 广泛的事实是，无论在政治臣服于贸易的任何地方，资本都被迫发展一种民族的特质。金融或许本质上具有普遍性，但是现代的世界却强迫它具备民族性……在一个贸易保护主义盛行的世界，而且在为了在太阳底下寻找一个安身立命的地方，金融家们不得不把自己融入到具体的民族族群里的情况下，这种经济竞争导致帝国主义大行其道是显而易见的事情，而帝国主义本身成为寻求势力均衡的整个过程的全部基础。金融家所属的民族族群或许不期望战争；但是他们肯定而且也必须期望他们未来扩张所依赖的外交实力足够强大，以足以获取他们获得所期望的特权或者可以进行渗透的势力范围。这样的竞争有助于维持世界的军事和平，然而在适当的时候，这种军事和平就会引发世界大战。

现实基本证明了这样的判断。从很多方面看，在爱德华时期的罗斯柴尔德家族确实屈从于“资产阶级的军事化”，而“资产阶级的军事化”一直以来被历史学家看成是战争的根本起因。在第四代之前，罗斯柴尔德家族根本与军队无关。然而，纳蒂在1863年曾经在巴克斯义勇骑兵队服役，任旗手，并在随后升任中尉（1871年）和上尉（1884年）。他的儿子紧随他的脚步，在1903年升任少校。在作为白金汉郡治安长官的任内，纳蒂仍然表现出了对军队的浓厚兴趣，他以热情洋溢的讲话和免费的烟草隆重欢迎那些参加过布尔战争的返乡的牛津郡轻装步兵。在基奇纳领导下于埃及作战的第二内近卫骑兵团的士兵也是“罗斯柴尔德慰问烟草”的愉快的受益者。更为重要的是，纳蒂是一位军队改革的支持者，而且还是一位增加皇家海军实力的热情的倡导者。“增强海军的实力在各个阶层都是一致的看法，”他在1908年对他的法国亲戚们这样说道；一年之后，他在市政厅举行的一次大会上公开发言支持建造8艘无畏级战列舰，这次会议上发言的还有亚瑟 · 贝尔福[①]。

毫无疑问，罗斯柴尔德家族在军备中有他们自己的经济利益。在1888年，罗斯柴尔德伦敦银行为海军建造与装备公司发行了价值22.5万英镑的股票，而且随后又在马克西姆枪械公司和诺登菲尔德枪械与军火公司的合并项目中发行了190万英镑

① 亚瑟 · 贝尔福，英国保守党政治家，1902~1905年出任首相。——译者注

的股票和债券。这是罗斯柴尔德家族与厄内斯特·卡塞尔所做交易中的一项，而且标志着他们长期直接合作的开始；纳蒂持有了新马克西姆—诺登菲尔德公司的大量股份，并对公司的经营产生着直接的影响。这件事情中最为广泛的意义在于这样一个事实，就是马克沁-诺登菲尔德公司的主要产品是致命的马克沁机关枪，用于让英国在从苏丹到马塔贝莱兰的帝国主义扩张过程中对那些反对者给予毁灭性的打击，这样一个过程被希莱尔·贝洛克称为是破解欧洲霸权的钥匙。类似地，当卡塞尔和罗斯柴尔德家族也为维克斯公司（与海军建造与装备公司联手）在1897年的并购提供融资服务的时候，他们的目的也是为了加强英国海军的建设，其根源也在于其帝国主义政策。纳蒂很早就领悟了加强海军建设的重要意义：在1888年，他就试图说服未来的海军大臣约翰·费舍尔——当时还只是一名上校，但是领导着军械与鱼雷处——脱离海军加入怀特沃斯公司。即使在很明确地知道海军建设的费用很可能导致增加税收的时候，他也仍然是狂热的支持者。

奥地利的罗斯柴尔德家族也在军事工业中拥有自己的利益。在铁路事务之外，他们还持有大量的维特科威兹钢铁厂的股份，这个钢铁厂成为了奥地利海军重要的钢铁供应商，之后不久也成为了奥地利军队的弹药供应商——尽管后来的资料表明，钢铁厂的董事保罗·库佩尔威泽尔觉得阿尔伯特·罗斯柴尔德对“他的银行所拥有的工业装备没有一丝一毫的兴趣。他似乎把它们看成是一种很不情愿的义务”。当库佩尔威泽尔要求为工厂提供40万古尔登的投资，用于生产装甲板的时候，阿尔伯特回答说：“拿40万古尔登，我更愿意为自己购买一份不动产。”在与马克斯·冯·吉特曼合伙对此以及其他的产业合作进行投资，罗斯柴尔德维也纳银行也拥有了股份后，阿尔伯特显然很希望委派代表来为这些投资的责任负责。无论如何，他对这些项目持续参与的事实是值得关注的，因为他本人对这个行业毫无兴趣可言。如果说19世纪晚期的帝国主义有其“军事工业联合体”的话，罗斯柴尔德家族毫无疑问是其组成部分之一。

然而，这里存在着一个矛盾：具体说来就是军事开支的增长有其政治方面的后果，而这种后果与罗斯柴尔德家族作为财富精英俱乐部成员的地位并不相称。

大约在1890年之前，领土扩张的成本相对较低，像格拉德斯通在1882年派到埃及的远征军所需的费用几乎微不足道。几个最大的大国在19世纪90年代的军事预算并不比19世纪70年代高多少。表8–1表明，这种情况在1914年前的20年间出现了变化。把英国、法国和俄国一起来看，总的军事开支（按英镑计）增加了57%。对于德国和奥地利来说，其增加的幅度更高——大约在160%。

就算考虑到这个时期大多数经济体所经历的巨大的经济增长因素，这也还是说明了一个对所有大国来说显而易见的“军事负担”的增长。按照表 8–2 所显示的，英国、法国、俄国、德国及意大利等国的防务支出占国民生产净值的比率也都有所增长，从 1893 年之前那段时期内的 2%~3% 之间上升到了 1913 年时的 3%~5% 之间。奥匈帝国是个例外，因为二元君主国高度的分权体系使“共同的”奥匈帝国防务预算保持在了一个相对较低的水平。

表 8–1　大国的军事支出，1890~1913 年（单位：百万英镑）

	英国	法国	俄国	法俄协约	三国协约	德国	奥匈帝国	意大利	德奥同盟	三国同盟
1894 年	33.4	37.6	85.8	123.4	156.8	36.2	9.6	14.0	45.8	59.8
1913 年	72.5	72.0	101.7	173.7	246.2	93.4	25.0	39.6	118.4	158.0
增加金额	39.1	34.4	15.9	50.3	89.4	57.2	15.4	25.6	72.6	98.2
百分比	117.1	91.5	18.5	40.8	57.0	158.0	160.4	182.9	158.5	164.2

资料来源：霍布森，《机警的巨人》（Wary Titan），第 464 页

表 8–2　防务支出占国民生产净值的百分比，1873~1913 年（%）

	英国	法国	俄国	德国	奥匈帝国	意大利
1873 年	2.0	3.1		2.4	4.8	1.9
1883 年	2.6	4.0		2.7	3.6	3.6
1893 年	2.5	4.2	4.4	3.4	3.1	3.6
1903 年	5.9	4.0	4.1	3.2	2.8	2.9
1913 年	3.2	4.8	5.1	3.9	3.2	5.1
1870~1913 年	3.1	4.0	~	3.2	3.1	3.3

资料来源：霍布森，《机警的巨人》（Wary Titan），第 464 页

为这些增加的支出提供资助是这一时期最为中心的政治问题之一。具有象征意义的是，就是军费支出的增加导致了伦道夫 · 丘吉尔在 1886 年辞去了财政部长的职务，而格莱德斯通在 1894 年辞去了首相的职务。他们只是这个新的军事—金融联合体中很多政治牺牲品中的第一批。

不断上涨的军费开支问题又伴随有政府总体支出的上涨，这使得资金筹措更加困难。在国家层面以及地方层面——如在德国和奥地利的联邦体系中的地区层面——19 世纪 90 年代见证了“守夜人国家”时期的结束，这是在大多数欧洲国家中很典型的根据经济状况收缩国家规模的情况。不管是为了安抚各种政治势力（或者是潜在的危险），还是为了增加“国家效率”，各国政府都开始为广袤的农村地区增加基

础设施、教育的投入，为病患者、穷人和老年人提供救助。尽管按照现在的标准看，其所涉及的金额仍然很小，但是总体来看增加的金额还是超过了经济增长的累积数。有两种方法可以解决这些增加的支出，但是每一种方法都有重大的政治倾向。

自然，筹集公共收入的方法之一是增加税收：最大的问题是这些税收应该是间接税（主要以关税的方式，对从面包到啤酒的消费品都征收关税），还是直接税（比如对高收入者或者继承人征收的税）。在英国，由于对保护主义的斗争先于世界上任何其他地方并取得了决定性的胜利，因而对进口食品的征税被选民所拒绝，尽管张伯伦以及其他人对关税给到了帝国主义式的合理解释。这就不可避免地把负担推给了富人，而且毋庸讳言，其中就包括特别富有的罗斯柴尔德家族。了解纳蒂在1905年之后这段时间内的政治边缘化的关键就在这里。从一方面来看，他是增加海军军费的热情支持者；从另一方面看，他又不是很心甘情愿地为它埋单。在1909年3月，他在对伦敦商会管理者学会以及海军与军事防务委员会的一次发言中，清楚地表明了这种根本站不住脚的立场：

> 目前的情况是我们面临着税收急剧增长的威胁。他（纳蒂）不知道政府收入能否达到预期，但是巨大的支出已经发生了，而且他认为还需要增加更多，因为大家都会同意舰队必须保持在最高效率的状态（欢呼声）。这就是问题所在，更为沉重的负担将会抛给整个社会，而像我们这种类型的学会应该有能力出来对财政大臣说几句话，目的是防止无谓的税收增加阻碍国家的商业发展（欢呼声）。

1个月之后，他在市政厅告诉一群金融界的听众，“请求他们对政府为保持我们的海军优势所需的任何经济安排提供支持”；然而，他没有能说出他心目中认为应该有什么样的安排。纳蒂很清楚地知道，“这两个吸收性的问题……具体来说就是预算以及对海军的预估，”是“紧密关联的”，但是他低估了这个关联的政治和宪法含义。

在德国，情况恰恰相反，在通常情况下德意志帝国自己（而且也包括了德国陆军和海军）的资金来源被限制在只能从间接税中筹集，因而趋势是增加关税；但是工人阶级对把“亲爱的面包”与“军国主义”搅和在一起的不满被社会民主党成功地利用了，政府因此很快就被迫计划在整个帝国的层面上引入财产税。在这里，纳蒂也误读了不断增加的“军国主义”的暗示。在1907年，他对冯·比洛在选举中击败社会民主党的解读是那种战略学家们所宣称的“社会帝国主义”：

> 德国上周末举行的选举是一个鲜明的例子，它告诉我们国家的感情和帝国

主义倾向在击退社会主义思潮的贡献方面是怎样超越其他任何手段的。在所有的可能性中，德国皇帝和他最喜欢的追随者冯·比洛将继续推进他们的世界政治政策，将把他们的剑磨得光亮，并将大规模地增加新的军费和海军费用。这些军费毫无疑问将会使英国和法国有所感觉，而且必定会从欧洲金融的角度延缓很多社会主义梦想的实现。

事实是，1907 年的选举结果是在西南非洲镇压赫雷罗人起义取得胜利之后，通过团结所谓的“资产阶级”政党而赢得的暂时胜利。到了 1912 年下一次大选的时候，这种团结因为对军费支出无法达成一致而完全破裂了。与绝大多数人对德国右翼的预测相反，增加军费和海军的支出似乎加强了社会民主党的地位，因为它将选民的注意力集中到了国防开支的资金来源越来越困难这一问题上。

为对内和对外政策所增加的费用埋单的另外方法，当然是通过借款来解决。正如表 8–3 所示，这种方式在某些国家远比在另外的国家更受欢迎。德国和俄国两国在 1890 年以后的时期都有大量的借款，粗略计算大约是其当期至 1913 年间国家债务的两倍；然而，当卢布对英镑的汇率进行贬值调整之后，俄国的债务负担只是上升了 2/3，很显然只是很小的增长。绝对地说，法国也借入大量的债务，尽管其起点是从比德国更高的无债水平开始（因而，其增长的百分比较低）。英国 1887~1913 年对国家债务的削减在几个大国间表现得异乎寻常。当我们想想其布尔战争的开销曾促使政府在 1900~1903 年借入了总额为 1.32 亿英镑的外债时，这个成果就显得尤为令人难忘。

表 8–3　以本国货币与英镑表示国家债务，1887~1913 年（单位：百万）

	法国（法郎）	英国（英镑）	德国*（马克）	俄国（卢布）
1887 年	23 723（英镑 941）	655	8 566（英镑 419）	4 418（英镑 395）
1890 年	–	618	10 540（英镑 516）	4 905（英镑 572）
1913 年	32 976（英镑 1 308）	625	21 679（英镑 1 061）	8 858（英镑 973）
增加百分比+	39	–5	153	137

*　德国＝德意志帝国加联邦各州

+　增加数按英镑计

资料来源：Schremmer, “Public finance,” p.398;Mitchell,British historical statistics,pp.402f.;Horrmann et al.,Wachstum,pp.789f.;Apostol,Bernarzky and Michelson,Russian public finances,pp.234,239.

在前所未见的经济增长时期，这些不算是难以为继的负担。事实上，在所有这四个国家中，总债务占国民生产净值的比率都出现了下降的趋势，如表 8–4 所示。按现在的标准来看，只有法国的债务占国民生产净值的比率偏高，而各国总的趋势是债务在逐渐消失。

表 8–4　国家债务占国民生产净值的百分比，1887~1913 年（%）

	法国	英国	德国 *	俄国
1887 年	119.3	55.3	50.0	65.0
1890 年	—	44.6	51.2	77.1
1913 年	86.5	27.6	44.4	47.3

*　德国=德意志帝国加联邦各州
资料来源：同表 8–3；Hobson,"Wary Tiran", pp.505f.

无论如何，当时的人们都对政府借款的绝对增长感到疑惑。这是因为当时债券的价格在下降——或者说是收益在增加（参见表 8–5）——而这种情况在大约 1890 年前后就已经出现了。

表 8–5　欧洲主要债券价格，1896~1914 年

	最高价	日期	最低价	日期	百分比
英国 2.75%票面利率永续债券	113.50	1896 年 7 月	78.96	1913 年 12 月	–30.4
法国 3%票面利率国债	105.00	1897 年 8 月	80.00	1914 年 7 月	–23.8
俄罗斯 4%票面利率国债	105.00	1898 年 8 月	71.50	1906 年 8 月	–31.9
德国 3%票面利率国债	99.38	1893 年 9 月	73.00	1913 年 7 月	–26.5

注：对于 1936 年 2.5%债券的价格按 2.75%利率重新计算
资料来源：《经济学人》（每周收盘价）

导致这种下降的根本原因是事实上的通货膨胀加速，通货膨胀是一种由黄金产量增加所引发的货币现象，而使这种现象更为严重的是银行中间业务的快速发展，它导致了纸币的大量使用以及非现金交易方式（特别是银行间的清算业务）的增加。然而，当时的人将债券收益的增加解释为针对宽松的财政政策的市场保护形式。这种情况事实上只在公共领域的债券发行通过“挤出效应”，或者与私营领域在资本市场上筹资的要求进行竞争，进而推高借款的成本时才会真正出现。不管怎么说，在大多数国家里——甚至也包括英国——对财政支出没有节制的批评声不绝于耳，而批评者中则左翼人士和右翼人士都有。表 8–6 表明债券收益增加是一种普遍现象；而其中最有意思的现象，是在不同国家的债券收益中具有显著的差异，或者说是“差价”这一情况。这些收益差价真正说明了市场的估值不只是反映财政政策，更为普遍的是反映政治稳定情况以及对外政策，而这些都基于那些传统上紧密相关的革命、战争和破产等风险之间的关系之上。或许正是因为如此，俄国才被看成是所有大国中信贷风险最大

的国家，原因在于1904~1905年的日俄战争以及俄国更为常见的经济以及政治“倒退”的问题。更为让人吃惊的是德国的收益与英国及法国的债券收益之间存在的较大的差异，而这些差异又有显著的类似性。这种情况无法用德国私营部门对柏林资本市场的需求更大来解释，因为这些比较使用的都是伦敦价格（而且在每个国家的情况中，投资人通常是在不同的政府债券中进行选择，而不是在不同产业的证券或者债券中进行选择）。实际的情况似乎是投资者认同当时的那些学识渊博的政治观察家们的观点，即德国在经济上远没有它的西方竞争对手强大。

表8–6　主要大国的债券收益，1911~1914年

	英国统一公债	法国年金	德国3%利率的公债	俄国4%利率的公债	德国—英国收益价差	俄国—英国收益价差
1911年3月	3.08	3.13	3.56	4.21	0.48	1.13
1914年7月	3.34	3.81	4.06	4.66	0.72	1.32
平均	3.29	3.36	3.84	4.36	0.55	1.07

资料来源：《经济学人》（伦敦月平均价）

影响经济的政治

在世纪之交的时刻，纳蒂·罗斯柴尔德对保守党的认同基本上完结了。多萝西·平托（她后来嫁给了埃德蒙的儿子詹姆斯）回忆道：“当我还是个孩子的时候，我以为罗斯柴尔德勋爵生活在外交部，因为从我教室的窗子里，我们老是看到他的马车每个下午都停在外面——而事实上他当然只是来与亚瑟·贝尔福进行秘密会谈。”这两个人各有风格，但是可以确定的是：例如在1901年，纳蒂写信抱怨贝尔福在下院所做的一次讲话中对德比尔斯公司做了一次并不准确的批评，而他们俩似乎对移民控制这个问题也有不同的看法。但是在贝尔福三年首相任期的大部分时间中，他们都是关系亲密、团结共事。

这种亲密关系存在一个风险。正如爱德华·汉密尔顿所评论的，甚至在索尔兹伯里[①]于1902年7月退休之前，纳蒂已经“成为了一名实力很强大的党棍，无论是哪一派主政，他都是‘雷打不动’”。这是一件很不容易的事情。在过去，罗斯柴尔德家族确实一直擅长于维持政府与反对党之间的热线联系。然而，到了20世纪初期，

① 索尔兹伯里，英国保守党领袖，先后于1885~1886年，1886~1892年，1895~1902年担任英国首相。——译者注

新一代的自由党人忽然冒了出来，纳蒂和他的兄弟们与他们没有任何实质上的社会或者政治方面的联系。要是罗斯伯里维持着自由党的领袖地位的话，这方面不应该存在问题，但是在他于1895年辞去了首相职务，并在次年辞去自由党领袖职务之后，他的影响力衰落了。在作为自由党党魁的时候，他与更加激进的党内的“新”自由派隔阂颇深，而后者在自由党于1906年重掌国家大权的时候占有了绝大多数的部长席位。到了这个时候，罗斯伯里彻底退出了自由党，并在退党前一年公开抨击了《英法协定》以及《爱尔自治法案》。作为汉纳的女儿佩吉的丈夫，罗斯伯里的义子克鲁伯爵是定义更为宽泛的罗斯柴尔德家族圈的成员，但是几乎没有证据表明他在政治上接近纳蒂。确实，注定要发生的事情是，新任财政大臣赫伯特·阿斯奎斯应邀与罗斯柴尔德勋爵以及雷弗尔斯托克在市长大人的年度晚宴上共进晚餐。但无论是阿斯奎斯还是金融界的大人物们，都对他们之间很深的意见差异不抱有任何的幻想。正如纳蒂所说的：“出席的这些金融界的大鳄很容易地就可以下结论说阿斯奎斯先生并不太了解生意上的事。我认为他的讲话所表现出来的这种冷淡，给他的某些草率而又热情洋溢的顾问迎面泼了一瓢冷水。”纳蒂和他的兄弟们并没有被全部挡在权力之门的外面；但是，他们的意见，无论是以什么方式提出的，已经基本不起任何作用。曾经，罗斯柴尔德家族与政治家们融合在一起，不考虑对党的忠诚，只是为了获得最有可能的政治情报，并且对经济以及对外政策施加影响。现在，纳蒂自己成为了政治家，经常发表令人瞩目的公开讲话，而且为保守党捐出了巨额的资金。他成为了一个名副其实的党徒，无论从智慧上还是影响力上，都与自由党的政府彻底地断绝了关系。

1906年自由党在选举中压倒多数的胜利通常被认为是由于保守党出现全线溃败再加上内部不和，同时当然也是由于胜利者的组织有方。导致保守党失去政权的中心问题是其自1899年之后由于实施帝国主义政策使支出不断增加，而之后他们又没有能力达成一种一致同意的支付这些费用的方法。这并不仅仅是打败布尔人以及建造新的战舰的问题。政府在布尔战争中所暴露出来的行政管理，甚至是物质上的不足受到了广泛的批评——甚至是全国性信任的危机——这种批评既来自左翼，又来自右翼。而在这个过程中，保守党缺乏一致性的反应。典型的情况是，当张伯伦要求成立一个财政委员会去分项讨论改进老年人退休金制度的时候，纳蒂几乎没有掩饰他对建立某种类型的效仿德国模式的政府扣缴体系可能性的怀疑，但是他对那种无扣缴的对老年人进行无偿救助的任何想法甚至更加敌视。随着张伯伦逐渐转向把不断提高保护性关税作为对英国国内以及帝国问题的解决方案的立场，罗斯柴尔德家族的反应与整个党的反应一样也是矛盾百出。

因为在19世纪的后半叶，整个家族曾经坚定地支持自由贸易。阿方斯在19世纪 90 年代对美国和法国关税政策的刻薄评论表明，就算是在世纪之交他们仍然持有这样的态度。他在 1896 年警告说：“法国将死于保护主义的窒息之下。社会主义理念中最好的部分是国际生产的互相交换，因而如果饶勒斯先生（社会主义领袖）不鼓吹其他东西的话，我们会毫无保留地支持他的意见。”但是到 1903 年，他的伦敦兄弟们对“自由贸易的神圣原则”的信念开始动摇。7 月 3 日，纳蒂对爱德华 · 汉密尔顿承认，他“已经被张伯伦的计划所折服”。这对于一个曾经指责这位殖民大臣为“披着保守党人羊皮的激进的狼……典型的民主党人——一个败家子和沙文主义者”的人来说，是一个非常大的转变。当张伯伦由于这个问题于 9 月 17 日从内阁辞职的时候，纳蒂面对德文郡公爵抱怨他和贝尔福“在内阁应该听取张伯伦到底打算做什么的时候，他们……却是要么在昏睡，要么就是心不在焉”，以为他自己和贝尔福两人开脱。在 10 月 7 日，也就是张伯伦在格拉斯哥提出“帝国特惠制”关税壁垒政策的大幕拉启后的第二天，他的忠实的追随者哈里 · 查普林与阿尔弗雷德以及其他的两名“金融界人士”共进晚餐：

> 我以一种很天真的方式问他们金融界对格拉斯哥讲话有什么反应，他们马上都异口同声地叫了起来。只有一种意见！有些非常著名的而且是重量级的自由贸易人士，以及另外一些一直持反对态度的人士——完全站到了一起，大家都很满意，而且市场出现了上涨——统一公债涨了一个点或者 3/4——金融界的准确的细节我记不住，但是这没关系。我后来私下询问了阿尔弗雷德 · 罗斯柴尔德，他非常肯定地确认了这种说法。他今天整天都在城里，而且也是完全同意那种认为您毫无疑问已经在这些领域留下积极印象的说法，而且总体来说，金融界是非常重要的。

事实上，张伯伦的建议分裂了金融界的精英。站到张伯伦与罗斯柴尔德兄弟后面的是卡塞尔、J · S · 摩根的克林顿 · 道金斯、埃弗拉德 · 汉布罗（他后来成为关税改革协会名誉财务总管）、吉布斯家族、罗伯特 · 本森、爱德华 · 斯特恩以及菲利普 · 沙逊。这些名字都很抢眼，这没有一点疑问。但是反对者中不仅仅包括费利克斯 · 舒斯特，这位威望正日益上升的伦敦联合银行的行长及金融城里最坚定的自由党人，还有保守党中的自由贸易者，比如埃夫伯里勋爵和詹姆斯 · 麦凯爵士（后来的英奇凯普勋爵）。这些都是令人生畏的反对者，而且或许正是他们对张伯伦的反对才说服了纳蒂回到了他最初的立足点上。在这个时候，约瑟夫在市政厅于 1904 年 1 月举行的一次公共聚会上发表演说，形势越来越明朗，正如道金斯在张伯伦讲话以后所说的，“银行界的意见总体上来看（是）反对他的”——或许这很容易理解，当时他口无遮拦地告诉他的听众说："银行业不是我们的繁荣的创造者，它的产生……不是我们的财富的因，而是果。"很重要的是，当德文郡公爵两周以后在同一个地点举行的自由贸易聚会上发表讲话的时候，纳蒂坐在台上。这似乎驳斥了汉密尔顿的不怀好意的说法（与另一个财政问题有关），他说纳蒂现在认为"有必要咨询所有的经纪人"，而且"他自己也没有了任何的主意"。

或许纳蒂并没有疑惑；更可能的是，像贝尔福自己一样，他出于战术方面的考虑正两边讨好，目的是希望维护党内的团结。无论是哪种方式，他都无法控制张伯伦发起的运动所产生的破坏性影响。纳蒂"毫不怀疑"，甚至在 1906 年 1 月投票开始之前，"亨利 · 坎贝尔 · 班纳曼[①]爵士将会获得大多数的支持"。只是罗斯柴尔德家族没有想到的是保守党失败的规模居然会如此之大：自由党人不仅把他们得票的份额从 45%提高到了 49%，而且更为重要的是在下院赢得了压倒性的多数，在 670 席中赢得了 400 席，而保守党人只得到了 157 席。考虑到自由党人在重大问题上的立场接近工党以及爱尔兰国民党的事实，工党与爱尔兰国民党的下院议员（数量相应为 30 名和 83 名）也应该算做是支持政府的。与里奥的期望相反，甚至贝尔福都失去了自己的席位（尽管后来大家很快同意安排他替代奥尔本 · 吉布斯以两名金融界成员之一的身份进入下院）。就像纳蒂在最终结果出来之前就哀叹的，这是一个"灾难性的"结果——"想象不到的坏"。

为什么会有这样的情况发生？除了认为"这个国家已经由保守党和统一党联合统治了 20 年，因而自然想要一种改变" 这种显而易见的看法外，纳蒂提出了一长串的原因清单：

> 教育问题，相关的宗教问题，极端保护主义，在某些情况下来自天主教僧侣阶层的对其信众的指令（要求他们投给激进分子，并且支持社会主义者），中国劳工问题（在南非），禁酒问题，犹太人选民对外国移民法案的不满，最后，但不是最不重要的，对塔夫河谷罢工案的判决……判定决议……工会应该因为罢工所造成的损失而遭到起诉，而且他们的基金不应该被认为是不可侵犯的。

但是关键肯定是保守党在关税问题上出现了分裂。甚至在罗斯柴尔德家族内部，也存在分歧，纳蒂的儿子沃尔特以统一党自由贸易者的身份赢得了米德 · 巴克斯的席位，而且甚至与自由党政府一起在 1906 年 3 月投票反对张伯伦倾向，与此同时，在伦敦的金融界的选民中，保守党的选票几乎在关税改革者吉布斯与自由贸易者爱德

---

① 亨利 · 坎贝尔 · 班纳曼，自由党人，1905 年担任英国首相，1908 年辞去首相职务。——译者注

华·克拉克之间平均分配。在对结果进行分析的过程中，纳蒂有时会试图贬低关税问题的重要性。他坚持认为，沃尔特所赢得的压倒性多数只是当地人对他的家族“忠诚”的象征，而不是投票给自由贸易，而金融城的结果“根本不代表……对关税改革的感情，因而当然也不是支持张伯伦主义。”但是，私下里他不得不承认这种分裂是致命的，而且他对这个问题的评论也表明了他真正支持的是什么。“然而，我觉得有一点是非常肯定的，”他苦涩地评论，“那就是绝大多数吃白食的人，以及自由贸易者，比如像德文郡公爵，是不可能对他们自己帮助建立起来的这种环境感到满意的。”纳蒂也间接地批评了张伯伦，将他“建立一个新党以及新的政策”的野心与贝尔福简单的“即刻提高反对派实力”的现实期望进行了对照。他和里奥都认为“前首相”[①]应该继续留任保守党的领袖，“因为他关于财政问题的观点比张伯伦先生的观点更加切合这个国家的实际”。但是他们觉得在原则问题上，与德文郡公爵相比，他们则更加接近张伯伦。纳蒂对“坐观其变”而不忙于“提出政策”这一战略的支持则更多地出于战术考虑，而与意识形态基本无关；他显然是希望在贝尔福的领导之下，在关税问题上表现出的团结最终能够实现。因此，在1910年——此时贝尔福已经脱离了支持保护主义的藩篱——纳蒂可以更为公开地谈论“关税改革的好处”。他告诉他的法国兄弟们“现在这个问题是最受关注的话题，而且可能会改变选举的结果”。

这样的政治误判成为了纳蒂在自由党执政时期的信件中最为常见的特征。大家应该记住，他不再是一个年轻人：他写下这些字句的时候，已经是一位70岁的老人了。但是相信保守党可以在保护主义的平台上赢得选举并不是他最大的政治误判。在很多问题上，的确可以很有信心地期待自由党人出现内讧。在南非的中国劳工问题上，让他幸灾乐祸的是这个期待几乎马上就应验了。对于教育问题，正如纳蒂所说的，想找出“一种能让反对者、教会以及国教徒都能接受的方式”事实上非常困难。有些自由党人中的商业人士，注定要反对将工会“置于与社会其他组织不同的法律之下”的工会法案。总的来说，几乎找不出理由来期待《爱尔兰自治条例》的问题对于坎贝尔·班纳曼来说会比格拉德斯通所面临的困境要容易。然而，纳蒂过分乐观地认为这样的分裂可能会使政府变成“一个非常短命的政府，而且统一党会再次恢复元气与实力，速度远远快于预期”。当然，保守党只可能通过合理地获得地方以及辅选的成功来鼓舞士气，才有可能从1906年的低谷中真正地恢复过来。但是也有一些问题可以团结自由党人，其中之一就是税收问题。

纳蒂没有意识到这个问题的重要性。他甚至在1906年投票开始前就预言：“除

① 此处指贝尔福。——译者注

了教育问题之外，争论的另一个关键问题是预算，这将会具有非常激进的特点。”从早期开始，他就注意到部分喧闹的劳工下院议员——“这些戴着红领结的绅士们，因为不能废除高顶礼帽而感觉非常遗憾”——将会对政府施压，要求制订诸如“大规模的综合性养老金计划，以及为学校的所有孩子提供每天一次的营养餐”。他认为政府“不应该做任何草率而激进的事情”，因为他很清楚地意识到任何意味着增加政府支出的方法都意味着直接税收负担的增加：总的来说，自由党是以一个毫不含糊的自由贸易者的身份上台的，因此很难期望它会大规模增加间接税的规模。

开始的时候，财政问题显得更为重要，因为政府继承了一份盈余，而且纳蒂并不期待“任何在金融方面的草率实验……与一个累进所得税有关的麻烦是它可能意味着对正在讨论的地产价值征税，但是或许所有的问题都将按同样单调的方式继续推进”。他很轻描淡写地告诉他在巴黎的兄弟：“毫无疑问，对于征税或者征用的形式会有很多原始的想法。我不敢说政府不希望采用这些方法，如果他们认为这些方法是可行的，或者认为能给他们带来好处的话。”但是他们确实不会，因为这些方法“除了会造成大量的伤害之外，还可能击毁他们自己的目标，因而只能算是虚幻的收入来源”。纳蒂对阿斯奎斯的第一份预算基本上很不以为然，同时也让很多评论家大跌眼镜，因为他们曾经希望有更多激进的开支削减计划。起先，舒斯特和霍尔登这样的人曾经寄希望于“阿斯奎斯先生能推出特别税收，以便能够结清国家债务；而现在他们把烧得通红的木炭堆到了财政大臣的头上”，因为他的预算减少了税收。纳蒂把这种情况归咎于储蓄银行大量持有了统一公债，后者希望看到债券价格上涨的情况；站在他自己的角度，使他更为吃惊的是阿斯奎斯关于成立下院委员会“讨论所得税的税负标准，以及累进税制的各分级计税依据”。但是，甚至这种累进税制以及对高收入进行特别征税所预示的前景，在这个阶段也没有让他觉得有多么害怕，“因为百万富翁的数量相当少，他们已经支付了很重的遗产税，而且他们中的很多人有可能把他们的财富送到美国，或者其他不会对他们征税的任何地方。”

考虑到政府在下院中所拥有席位的规模，纳蒂所表现出来的这种镇定让人觉得很奇怪。对此，有两个解释。首先，他秉持着罗斯柴尔德家族的古老信念，相信一个过分激进的财政政策将会受到金融市场的惩罚：资本将逃往海外以避开高额税负，而统一公债的价格就会下跌，从而迫使一个激进的财政大臣做必要的妥协。在自由党人入阁以来已经低迷的统一公债价格似乎也支持了这个说法；这个说法在当年夏季公债价格又跌了 2 个百分点的时候得到了进一步的强化。纳蒂在他给巴黎的一系列有关这个问题的信件中对这个观点进行了归纳：

英国的证券市场很沉闷，我希望这能够为财政大臣提供反省的契机，而且使他确信政府激进计划中的很大部分是愚蠢的……现在的87.2（是）自从战争以来最低的统一债券价格。这……对劳合·乔治头一天在曼彻斯特大言不惭地所说的债券价格的上涨，证明了国家对女王陛下的政府所拥有的信心是一个莫大的讽刺……现在的这种局面对于财政以及地方政府当局应该都有警示的作用。因为，无论他们是否喜欢，县级以及各城市的政府根本不可能借到钱，而如果没有钱，他们就没有办法实施他们的社会主义计划来摧毁私有企业。我认为，财政大臣也会明白，他曾经大谈特谈的社会主义式的税收对于公共的信贷来说，是没有可操作性的……再也找不出有什么比国内的证券贬值更好的办法来打破这种社会主义立法了。

纳蒂也没有把这种情况看成是英国政治生活的特异现象。他在这个时期给巴黎的信中，或明或暗地把英国出现的事件与中间偏左的法国政府引入所得税或者提高国家对铁路的控制程度的企图进行相提并论。他把这看成是民主政治在资本主义经济中的普遍规律：金融“由于现代立法机构的社会主义倾向而出现的神经过敏……是令人非常难受的，但是这或许是对社会主义倾向最好的治疗手段。”他又说道：“对社会主义立法的担心是两个半球出现衰退的真正原因。”纳蒂一直希望“那些真正持有英国证券的中小户……正是他们中的很多人帮助把一个激进的政府捧上台”，能够转过身来一致反对政府的财政政策。事实上，他是如此投入，甚至把他的观点通过一次与偏左的《每日新闻》的访谈总结性地发表在该报1907年10月的一期报纸上。这是他首次接受记者采访，而且文章经过了精心的安排期望能够拥有一个更多的受众。这篇文章采用的是直切主题的方式：“‘股票走低’，纳蒂·罗斯柴尔德说，‘因为全世界的政府都在打击资本。’”

这标志着一场不断升级的公众反对政府的财政政策运动的开始。当政府提议对许可法进行大刀阔斧地改革——对禁酒游说团的抚慰性表示——的时候，纳蒂主持了一场由酿酒行业债券持有人参与的会议，抗议其将产生的负面的经济后果。当劳合·乔治当上了财政大臣，并且暗示需要“清扫鸡窝”，为新推出的无扣缴养老金埋单的时候，他又老调重弹。他发起的运动的高峰出现在劳合·乔治1909年的所谓“人民预算”曝光的时候，这份预算的关键点是对“非劳动所得的收入”的所得税增加到每英镑收1先令2便士；引入特别税，对收入超过5 000英镑的部分征收超额附加税；增加继承税；并按土地价值纳捐。除了最后一条（这意味着几个世纪以来将首次对土地的价值进行系统地评估），这些所有的变革中并没有什么真正是前所未有的：差别税已经于1907年由阿斯奎斯引入，分级的原则在现有的所得税门槛规定中一直都是明确的，而戈申——一名保守党财政大臣——早在1889年的时候就已经开始征收继承税。然而，这份预算总体来看，其显而易见的激进目的刺激了纳蒂进入一种高度亢奋的政治热情之中，其程度甚至远远超出了他父亲当年为争取犹太人能够进入下院所投身的运动。

很快，在预算案提出后不久，他策划了一封提交给阿斯奎斯的联名信，上面签名的人有金融城里21个顶级人物（代表了家金融城内的14个家族，包括巴林、吉布斯、汉布罗以及J·S·摩根）。这封信警告说，新的税收——特别是“急剧增加以及实行累进制的继承税”——不仅会通过蚕食资本金“对国家的商业和工业造成严重的伤害”，而且还会“阻碍私有企业的发展，并且不鼓励节俭的生活方式，因此，从长远来看，会减少雇用率，降低工资”。随后，他于6月23日在坎农街宾馆召集并主持了一场由“金融城所有利益方代表以及独立的政治协会代表出席的”抗议集会。会议通过了一项决议，一致认为“预算里主要的提案内容打压了所有的私营资产的证券价格，阻碍企业的发展，并且不鼓励节俭的生活方式，将会对国家的商业和工业造成严重的伤害”。他自己在这次集会上的讲话则选择了另外的角度，认为财政大臣没有被赋予这种历史权利去为不确定的目的提高盈余，而且对土地征税是用一种卑鄙的手段来“构建社会主义和集体主义的原则”。但是，在他稍后于上院的讲话中，纳蒂又回到了他最初的经济批评的立场上，对他的贵族同僚们保证说，在建筑业出现的抽逃资本以及失业率上升都是源于劳合·乔治对“信用”和“信心”所造成的破坏。当保守党在1910年的选举中未能保住多数席位的事实得到确认的时候，他还在喋喋不休地说着这些同样的话语。

正如他深信金融城里的银行业精英们的力量一样，纳蒂也确信上院能够对任何过分激进的方法“进行必要的改变，或者予以否决”。早在1906年1月，他就以“下院发生什么问题都不要紧，因为上院将会把它矫正过来”这样的想法来安慰自己。“参议员们所玩的是灌铅的骰子”，里奥在1907年初自由党的第二次大会召开不久之前宣称，因此如果“太过分的提案被提出来的时候……提案能否按其原本的面目通过，很令人怀疑”。就算这些提案中包括了首相所期待的“废除上院，《爱尔兰自治条例》，许可法案，带有其他很多社会主义方式的加税等内容”，首相也不得不“在他的酒里加上大量的水”。而纳蒂他们也没有对参议员的否决权会被挑战的可能性进行过认真对待。“我根本不认为，”纳蒂在那年的夏天快结束的时候很轻松地宣称，“上院会面临任何的危险。”在议会下院谈论“从现实中消灭参议院的权力以及影响”完全“就像是一场闹剧，而且大概在几天之后就会被人遗忘”；他这样对他的兄弟们说，“如果我们的政府严肃认真地提出一个根本不可能最终成功的计划，只会向人们展示他们是多么的无能，而且这将把他们暴露在所有人讥笑的目光中，唯一的例外只会是那些他们最紧密的追随者”。纳蒂因此在 1908 年 11 月与其他保守党贵族们一道投票否决政府的许可法案时没有任何的担心；而且他和他的兄弟们在他们的亲戚和朋友罗斯伯里加入到反对人民预算的运动中时觉得非常高兴，罗斯伯里抨击这个预算案是“一切的终结，对信念、家庭、财产、君主制、帝国的否定”——一句话，就是一场“革命”。金融城的反对与上院的反对之间的联系在纳蒂出席预算案抗议联盟在 11 月 22 日向上院的请愿活动——带着 14 000 人的签名——的时候，被有意地赋予了象征性的意义。

然而，纳蒂高估了金融界和上院的实力。一个问题就是，责怪政府的“社会主义教条”造成了“英国债券的低价格”这根本没有足够的说服力。李普曼通过对照 1859~1914 年这个时期的债券情况发现，在保守党政府治下统一公债的平均收益与自由党治下的平均收益确实存在差异，但是差异很小（不足 10 个基点），而这种差异采用通胀的变化以及国际局势来进行解释似乎更能够说明问题。统一公债的价格在坎贝尔 · 班纳曼和阿斯奎斯的领导下确实下跌了，从 1906 年 2 月高峰时候的 90.4 跌到了战前 1913 年底 71.8 的低点。但是很难把这个下滑归咎为自由党的财政政策，而且这个下滑也没有对限制阿斯奎斯或者是他的更为激进的继任者劳合 · 乔治产生任何的效果。“政治，”正如纳蒂不得不偶尔承认的，“对我们股票交易所的影响其实很小。”很可能的情况是，市场上部分的“熊”是“出于对立法预期以及各种不同的谈论中与老年退休金相关联的狂热方案的担心”；但是，“金融城与股票交易所最为关切的总是资金市场”，而且这个市场更多的是受到黄金储备状态、英格兰银行的贴现利率政策以及以全球经济为整体的新债务的累积的影响。

反反复复地，市场拒绝通过按照所预期的下跌来支持纳蒂对自由党财政政策的指责。对于阿斯奎斯的 1907 年预算案，市场并没有出现任何的负面反应，尽管纳蒂抨击它是“不道德的”，而且准备走向“逐渐消灭所有的私有财产”的方向。事实上，他后来不得不承认：“市场是否从根本上即时地受到政治新闻的影响，是很令人生疑的事情。价格的上涨和下跌是受到来自当天的财经新闻，资金市场的状况以及来自于其他金融中心的新闻的影响。”在 1908 年初市场再一次拒绝了来自于许可法案的影响时，他承认：“从长期来看，资本讲出来的话总是非常简单。”1908 年的预算案也遭到了纳蒂的迎头痛击，但是在预算来提出以后，“所有的市场（都）表现良好”，而且股票交易似乎根本没有理会新任财政大臣明确的“对他称之为游手好闲的富人更进一步而且更为沉重地增加税负”的警告。那年夏天，统一债券价格出现了微小的下跌，而且在当年的下半年出现了持续的下探，这为纳蒂的说法提供了一些支持，但是这

图 8.1 《装进罐子里的贵族：罗斯柴尔德勋爵》，"预测革命的结果使全英国的资本输出到南极，罗斯柴尔德勋爵从圣斯威辛大街逃离，并装扮成企鹅成功逃到了大西洋地区。"《威斯敏斯特公报》(1909 年)

资料来源：罗斯柴尔德，《亲爱的罗斯柴尔德勋爵》，插图 21

也不是仅仅由劳合·乔治的"清扫鸡窝"的说法所引发。事实上，劳合·乔治的想法越明确，债券市场受到的影响就小：1909 年的头 5 个月，价格实实在在地涨起来了。这种情况最能说明的问题是金融城在"人民预算"公布前的 6 个月对它采取了漠视的态度，而且甚至就在那个时候，预算案的影响也是和缓而且短暂的。《威斯敏斯特公报》以漫画的形式毫不留情地总结了纳蒂的荒谬处境，这幅漫画描绘他"化装成企鹅逃到了大西洋里"以躲避乔治征税（见图 8.1）。

只有在税收措施对金融交易产生直接的悲观预期这一威胁的时候，这个说法才有一定的可能性，即财政政策会打压股票市场。因此，纳蒂在与很多金融城的代表一起接受乔治咨询的时候，表示反对增加国内及外国的交换票据的印花税，认为这有可能导致"业务总体规模的大量萎缩"以及随之而来的国家收入的萎缩。他的这一立场是有坚实的基础支撑的。他的这个意见最终被财政大臣所接受，而且对原先的关税规模进行了调整以减少"平均量级的交易"（定义为超过 1 000 英镑）应缴纳的费用。在这里，银行家有真正的杠杆作用。但是乔治更为重要的建议显然引起了"公众（意思是把投资者作为一个整体）心理的动摇"：尽管纳蒂不遗余力地发起了这个运动，整体的市场在 1909 年的预算案出来之后还是"很稳固"。事实上，由伦敦郡议会在预算案公布后马上发行的一笔贷款出现了严重的超买。而纳蒂声称市场将在得到上院否决预算案的消息后上涨的说法也没有引起别人认真对待。正如《经济学人》所指出的，股票交易所"现在已经说服了自己相信其本身的利益不会受到太大的影响。价格因而已经在很大程度上仅受到市场的影响。"只要市场表现得还比较中性，政府支出者就有理由认为上院的否决会引发金融危机。

纳蒂反对自由党金融政策最终遭遇失败的关键在这里：尽管自由党的税收政策是前所未有地激进，但是它增税的目的是平衡预算和事实上减少国债，从这方面看其性质是保守的。乔治在成为财政大臣的时候继承了前任的财政赤字，主要的原因是 1907 年的经济低迷、新的养老金计划以及增加防务支出。"人民预算"根本的目标是减少赤字；而且由于绝大多数的投资者感兴趣的是统一公债，减少赤字也是最至关紧要的事情。怎样筹集资金并不是最重要的问题，而纳蒂声称所有的盈余都会被浪费在“可能迎合下层阶级的社会主义式支出”方面的说法更是荒谬可笑。在同一封信中写到“资本的毁灭”以及“稳固而且光明的市场”是对同一个论据概括矛盾的表现。

纳蒂也过分高估了上院对财政问题的处理能力。正如他自己本人承认的：“上院不能修改（一份金融提案），只可以全部否决，而这么做是一件非常严肃的事情。”如果一份预算由于对某一在上院有过多的代表的社会集团——财富精英——增加税收而被原则性否决的话，那么一个最好的办法可能就是提出修改宪法。早在1906年12月，兰斯多恩指出他不希望在辩论《贸易争端法案》是“在上一次选举中的测试性问题”的时候，出现与政府面对面的对抗场面。当“上院与下院之间的纷争”在贵族对《教育提案》提出的修正案上真正开始显现的时候，纳蒂很正确地感觉到惶恐，但是又很错误地认为所导致的“骚动”可能“给政府造成很大的破坏”。正如他在1907年2月所预计的，如果政府希望激怒上院否决“非常常见的方法”，以便在宪法问题上打一场新的选战的话，赌注可能会很大。过去，人们可以嘲笑“过分纵欲而且并没有过度工作的英国工人”；但是现在有足够多的低收入选举人有权利把“那些既得利益者”——这是纳蒂对那些非常富有的人士的非常典型的委婉说法——放到一个在政治上非常脆弱的位置上。

还应该补充的一点是纳蒂反对高额所得税以及继承税的论点根本经不起推敲。他辩解说：“减少了的收入意味着用于支付的金钱的减少以及雇用率的减少；增加了的继承税意味着资本的减少，因而是所得税的减少；增加的所得税意味着用于存款的金钱的减少，因而就是用于计算继承税的资本减少。”作为一个让这些富人可以无忧无虑地享受他们巨额的非劳动所得及继承财富变得合理合法的理由，这个辩解显得有些勉强。在一个民主程度不断提高的体系中，一项“让资本家和富人感觉更加难受的……所得税”政策无疑具有不太容易被驳倒的魅力。就算纳蒂认为继承税相对适度的提高也是一种昭然若揭的狼子野心的看法，也并不是完全错误的，他也注定要在这场论战中失败，特别是当他采用了“税收的重担应该落到那些最有能力承担这些重担的人的肩上”这样的论据的时候。也是用同样的方式，罗斯柴尔德家族反对通过土地改革在英伦三岛上增加小业主数量的论点从经济方面看是合理的，但是在当时的环境下听起来，这就像完全是在为大地主说话。这是过度延伸实质代表权这种残缺不全的原则来使上院寄希望于通过以反对派的身份发起辅选，并通过辅选的成功来使否决政府提案的做法合理化。可以肯定的是，自由党人发现在1910年选举之后，他们在下院的绝对多数的席位减少了。但是最终却是上院失去了否决经济提案的权力。自然地，劳合 · 乔治的税收提案最终获得了通过。“我无法想象，”纳蒂在1910年1月在思索，“……广大的群众……对于那些要被征税的富人会有丁点儿的同情。”就好像他此时刚刚想到这个问题。

似乎为了让自由党人过得更惬意一些，纳蒂还很不明智地递给了政府一根十分完美的棍子，让政府甚至在“人民预算”公布之前就可以用来鞭挞他自己。毫无疑问，如果在自由党当政的头两年中出现的盈余一直持续，政府就很难给新的税收找到正当的理由。而且，如果预算由于“老年补助金以及政府的民主支持者吵嚷着要求的其他各种福利”而无法平衡，那么就有理由反对提高直接税。但是，事实上劳合 · 乔治想要填补的那些窟窿是因为不断增长的防务开支而造成的；而且这是纳蒂以及他在金融城里的下属们一直狂热地支持的。纳蒂曾经公开支持理查德 · 霍尔丹的军队改革计划（尽管他私下里反对将以前的民兵转变成特别预备军）。他和里奥曾经为增加海军军费的决定激动了好一阵子（不仅只是因为这打乱了激进分子的计划）。但是纳蒂在1909年初参与了8艘而不是4艘无畏级战列舰的方案推介是一个令人遗憾的战术错误。当他明确地承认“大量的支出已经发生，而且他认为还需要继续大量地投入”，以让海军保持“在一个最高效率的状态下”的时候，他就给劳合 · 乔治留下了一个完美的突破口。而且当财政大臣在霍尔本饭店的一次讲话中——紧接着纳蒂指责他是“社会主义与集体主义者”的那次反对预算集会的第二天——把球踢回给“无法回避的罗斯柴尔德勋爵”的时候，乔治也没有放掉这个机会：

> 确实，在所有的这些事情中，我们面对着太多的罗斯柴尔德勋爵式的人物。在这个国家我们无法进行温和的改革。为什么呢？因为罗斯柴尔德勋爵已经给上院发去了一份这样说的函件了。（笑声）我们必须拥有更多无畏级战列舰。为什么呢？因为罗斯柴尔德勋爵在金融界的一次集会上这样说了。（笑声）我们要拥有它们，就必须为它们埋单。为什么呢？因为罗斯柴尔德勋爵在另一次集会上这样说了。（笑声和欢呼声）。你们不应该征地产税以及超额税。为什么呢？因为罗斯柴尔德勋爵代表银行家们签署了一份抗议信，说他不同意。（笑声）你们不应该对继承征税。为什么呢？因为罗斯柴尔德勋爵以一家保险公司董事长的身份说不能这样做。（笑声）你们不应该对没有开发的土地征税。为什么呢？因为罗斯柴尔德勋爵是一家住宅产业化公司的董事长。（笑声）你们不应该有老年人津贴。为什么呢？因为罗斯柴尔德勋爵是一个据说可以做这个事情的理事会的理事。（笑声）现在的问题是，我真的非常想知道，罗斯柴尔德勋爵是不是这个国家的董事？（欢呼声）难道我们改革的所有道路真的被一块写着“禁止通

行，除非有内桑尼尔·罗斯柴尔德的指令”的告示牌挡住了？（笑声与欢呼声）有这样的国度，在那里他们非常明确地规定，他们不会让他们的国家政策只是由那些金融巨鳄来解读，如果这样的事情也能出现在我们这个国家，那么其他的国家也会效仿。（欢呼）除了纯粹的政党理由……根本不会有什么其他的真正理由来反对我们的预算案。

这是一份十分强有力的驳斥，更不用提其煽动性的因素（特别是如果所谓的其他国家中包括了俄国）；而且它击中了罗斯柴尔德所发起的运动的软肋。纳蒂曾经想要更多的无畏级战列舰。如果不是部分地掏他自己的腰包，那么他认为应该怎么来筹措这笔钱呢？

劳合·乔治心里非常清楚什么时候他会遇上对手。12月18日在伦敦的沃尔沃斯厅的一次讲话中，他很热心地谈到了这个主题：

是谁吵着要更多的无畏级战列舰？他（劳合·乔治）记得在金融城里曾经开过一次大会，这次大会由罗斯柴尔德勋爵主持，他要求8艘无畏级战列舰的事情必须马上敲定。然而，政府已经订购了4艘，而罗斯柴尔德勋爵却不愿意付款。（笑声）在很久以前曾经有一个残暴的国王，他命令罗斯柴尔德勋爵的祖先制作土坯，但是不准用草。（狂笑）与没有钱又要造无畏级战列舰的事情比起来，这个工作简单多了。

正如曾经经常被指责的一样，在最后的这个嘲讽中蕴藏着比较明确的歧视犹太人的内容（让人回想起托马斯·卡莱尔很多年之前借用约翰国王对待犹太人以及格拉德斯通在保加利亚骚乱期间对迪斯雷利的攻击所表达出的暗喻）。在这种情况下，缺乏品味不大会减少攻击的有效性。当政府中的一名犹太成员——兰开斯特公国的大赫伯特·塞缪尔——提醒纳蒂在上院反对他自己的父亲进入国会的过程中所扮演的不光彩的角色的时候，纳蒂也找不出太好的答案来。纳蒂在东区一次选举集会上所做出的不太站得住脚的回应是他反对政府希望引入到这个国家的那种新的官僚体制——一种类似于俄国的那种官僚体制！随着他们在各地从一个集会发言转到下一个集会发言宣扬自己的理论，他与劳合·乔治相互间的谩骂也越来越粗野；唯一的差别只是劳合·乔治在论战中越来越占上风。在罗斯柴尔德家族的历史上，还从来没有哪位合伙人将自己摆在了一个政治曝光度如此之高的位置上。

然而，在5年之内，风水转回来了。劳合·乔治的“破坏性的金融政策”或许给市场造成的恐惧远没有对罗斯柴尔德家族的资助多；但是到了1914年夏天，自由党政府在下院的多数党地位在辅选中遭到了很大的削弱，以至于财政大臣遭遇到了耻辱性的失败：他的金融议案被否决了。纳蒂在7月10日颇感自得地说："劳合·乔治先生……甚至在他自己的支持者眼中也是一个没有诚信的人。"另外，这位财政大臣也即将面临一场即将到来的铺天盖地的金融风暴，风暴的强度如此之大，使得他不得不向曾经遭他鄙视的罗斯柴尔德勋爵寻求帮助。

这场风暴的原因出乎了所有人的预料，甚至在萨拉热窝也根本没有引起任何的重视。

一场"恐怖的战争"

在1914年的时候，战争能否爆发也还不能完全确定；无论是帝国主义，还是联盟体系，抑或是其他非人为的力量，都不能使战争必然发生。但是当时确实有可能爆发战争。问题是这场战争会是一场什么样的战争。另外一场巴尔干战争吗？还是一场囊括了俄国和奥匈帝国，因而很可能也囊括了法国和德国的大陆战争？很重要的一点是要记住第三种可能性——一场卷入了大英帝国的世界大战——是所有可能出现的局面中最不大可能出现的情况。对于在伦敦的大多数观察家来说，包括罗斯柴尔德家族，一场发生在爱尔兰的内政似乎都显得要比这个问题更加危险。

甚至在1909年和1910年在上院与下院之间出现经济争议与宪制冲突的时候，纳蒂也没有减少对爱尔兰的土地改革和自治条例的关注。通过把爱尔兰下院议员放到威斯敏斯特的敏感位置——两大党几乎完全达成了一致——1910年的选举又再次提出了爱尔兰问题。部分也是由于这个原因，纳蒂对宪政问题的态度立即变得认真起来。他非常愿意为让保守党返回权力中心做出巨大的努力，甚至提出如果自由党在下院拒绝提供财政资助，他愿意给贝尔福领导的少数党政府提供贷款——这是一个非同寻常的提议。但是与兰斯多恩和贝尔福一样，他也担心自由党上院议员的狗急跳墙。议会辩论的大门一开启，上一年关于预算的争论就被作为一个注定失败的议题而摆到了一边；而更为久远而且更难解决的爱尔兰问题相反似乎与过去一样可以轻松取胜——原因是统一党在上院里的多数党地位得以保持。因此，需要控制好"那些头脑发热的年轻人，也包括老年人，他们不考虑自己行为可能造成的影响"。

一个经常被问及的问题是，纳蒂是否自己在阿尔斯特问题上也头脑发热。他是否与在保守党内的那些鼓励阿尔斯特保守党员谋划对自治条例进行武装抵抗的人士有什么牵连？按照其中的一种说法，他"个人为支持阿尔斯特志愿军的抵抗活动贡献了至少1万英镑"。这个推断主要是基于米尔纳的各家报纸上的资料，然而，这些报纸所提供的证据是有问题的：并不难想象，在一份给阿尔斯特保卫基金捐款的名单中，纳蒂是以字母“D”为代名的个人捐款人。使这个推测变得似乎不太可能的是，他给他的巴黎兄弟的信表明，纳蒂根本就不是一个好战分子。“让人觉得非常不开心、非常难受，我甚至可以说是很痛苦”，他在1914年3月19日告诉他的兄弟们：

> 听到了双方正在进行战争准备，而且水手以及炮兵战士所谈论的似乎是英格兰正准备展开一场真正的而且重大的军事行动。现在看来，在这个危急的关头，双方所释出的常识性的判断以及善意已经证明是非常重要的，危险已经避开，而问题已经得到了解决。历史是否将会在这里重复自己？我真诚地希望是这样。

几个月之后，他坚持认为“大多数的统一党员用几句话就可以召唤起来——‘尽我们所能防止内战是我们应尽的义务’”。到了7月初，他变得乐观了，“‘和平的曙光’已经决定性地出现了”，他可以这样满怀喜悦地报告巴黎；现在的“金融界开始相信阿尔斯特的内战可以避免”，而且“阿尔斯特问题将会得到解决，暂时性地解决所有的问题”。纳蒂“诚挚地希望”情况真的一如所愿，而且“笼罩在这个国家上空这么多月的（内战）乌云”能够散去。

真实的情况是，到了1914年，保守党的领导层不再与纳蒂保持紧密的联系，更不用说他已经对他自己与自由党的关系造成了伤害。贝尔福曾经是一名亲密的朋友；他的继任者格拉斯哥人博纳 · 劳却不是——因此纳蒂在贝尔福于1911年11月决定辞去领导职务的时候觉得很“痛苦”。纳蒂与劳只是泛泛之交，而1911年和1912年所举行的一系列会议也没有能够改变这种情况。另外，他们之间也能够找出不少个人以及政治上的差异。按照保守党主席阿瑟 · 斯蒂尔 · 梅特兰爵士的说法，这个家族的捐助是“每年12 000英镑，以及巨额的选举经费，而且也给自由统一党捐助不小的数目”，同时还控制至少一个海斯的议会席位。但是罗斯柴尔德家族所喜欢的这个席位的最佳人选——菲利普 · 沙逊——却不再能够获得领导层的认可。当赫伯特 · 吉布斯找到纳蒂想要在金融城里为1911年10月的中央办公室筹措额外的经费的时候，纳蒂甚至都没有任何的回应；当吉布斯建议邀请博纳 · 劳到金融城里来向金融界解释他的金融政策的时候，纳蒂否决了这个建议。

这种冷漠不仅是个人性质的。在博纳 · 劳的领导下，保守党不仅在阿尔斯特问题上变得很强硬，而且在外交事务上也变得更有侵略性，特别是与德国有关联的时候——这种情绪更是得到了反德情绪更加高涨的保守党人支持的报纸的推波助澜。人们也许会觉得奇怪，一位在1909年的时候还鼓吹扩大无畏级战列舰项目的人会对在英国和德国之间维持和平所存在的一线希望而高兴；但纳蒂明显是这样的。（他曾经非常强调“在提倡建设强大的海军的时候他并没有打算推行侵略性政策。”）在1912年，纳蒂以一本名为《英国与德国》（*England and Germany*）的文集发表了一篇情真意切的文章，披露了他长期以来的亲德情节：“我们未能与德国保持一致的方面有哪些？”他问道，“或许除了他们的陆军和我们的海军之外，找不出什么不同。而一个拥有最强大陆军的国家与一个拥有最强大的海军的国家联合确实是应该的，以赢得全世界的尊重，以及确保世界的和平与安宁。”用我们今天的观点看，这似乎非常可悲的。然而，1912年——这一年德国完全地放弃了海军的竞赛——却出现了由保罗·施瓦巴赫所推动的英德合作新的尝试，保罗·施瓦巴赫一直与罗斯柴尔德家族保持着定期的通信，并一直持续到1914年8月。

甚至在1914年的时候，似乎都还很难找到理由期待在英国和德国之间爆发灾难性的战争。爱德华·霍尔德爵士或许会为位于柏林施潘道的朱丽叶大厦里的德国“战争基金”的规模而苦恼，而且敦促金融城里的银行汇集他们手里的黄金，让英格兰银行掌握足够的储备以应对战争；但是纳蒂斥责这些说法是“非常可笑的想法”。当他3月份在都灵见到德国大使的时候，“他以最不容置疑的口吻说，据他所见以及据他所知，根本没有害怕战争的理由，而且前面的道路上也没有什么复杂的问题”。对阿尔斯特问题的担心以及巴西贷款的谈判，是罗斯柴尔德家族在1914年的6月和7月间的两件大事。当时英国和德国之间出现友好经济关系的另一个表象是麦克斯·沃伯格在伦敦三个不同的场合最终确立了其公司在整个行动中的作用。

人们一直认为罗斯柴尔德家族没有能领会7月危机的意义——也就是说坐视它8月演变成了第一次世界大战。正如卡西斯所发现的，在6月29日~7月23日期间纳蒂与法国的兄弟们之间互通的25封信中，只有5封提到了在萨拉热窝刺杀弗朗茨·斐迪南大公引发的外交后果——“一个可悲的例子，”纳蒂有些不很当回事地这样说道，“借以说明塞尔维亚人的残暴，希腊教会对那些天主教信仰的仇视，再加上无政府主义政党的道德信条。”然而，早在7月6日，纳蒂有些紧张地思索：“奥匈帝国朝廷以及其他的人会否保持克制？或者会爆发一场战争，而战争的后果有没有人能够预见？”8天之后，他报告了“在某些圈子里充斥着对奥匈帝国—塞尔维亚关系相当程度的忧虑”。确实，甚至在7月22日，纳蒂仍然信心满满：“十分看好那些非常有影响力的组织表现出来的信心，他们认为除非俄国支持塞尔维亚，否则后者只能忍气吞声，而俄国更加倾向于保持克制，因而，那里的局势并不会继续恶化下去。”在当时的情况下，这个假设并不是毫无根据。他在第二天转达的“所有有争议的问题都将会采用非武力的手段得到很好的解决”这一“总体思路”也不毫无根据的。在奥匈帝国给塞尔维亚的最后通牒的细节披露之前，似乎大家都更倾向于相信塞尔维亚人会“答应任何的要求”。纳蒂并没有自鸣得意。正如他在 7 月 27 日告诉他的兄弟们的：“没有人会考虑或者谈论其他的任何事情，大家都关注于如果不采取严肃认真的步骤防止欧洲陷入灾难之中的话，欧洲会出现什么样的局势以及什么样的后果这一问题。”但是，“通常的看法是奥匈帝国应当对塞尔维亚提出要求，而且如果草率地、有欠周详地采取任何行动做出来的任何事情，都可能被看成是对残忍谋杀的宽恕，并会影响一个大国的声誉”，尽管“自从有记忆以来”奥匈帝国“都没有表现出任何的外交技巧”。他坚信阿斯奎斯的政府会“不遗余力地保护欧洲的和平，而且在这个政策指导之下，尽管两个在国内竞争的政党出现了前所未有的势不两立局面，阿斯奎斯先生仍然会得到整个国家的支持”。

在从 6 月 28 日~8 月 3 日的这段非常危急的日子里，纳蒂一直希望这场危机能够找到一种外交解决的途径。他理所当然地应该因为天真地相信德国政府不希望战争而遭到责备。“很难表达出任何肯定的意见”，他 6 月 29 日告诉他的法国亲戚，“但是我认为，我可以说我们认为你们错了，并不是指你们个人，而是说法国的意见，你们把凶手的动机以及秘密交易归咎于德国皇帝；的确，他受到了特定协定以及约定的约束，在奥匈帝国遭到俄国攻击的时候要提供援手，但是这对他来说是万不得已时才会做的事情。”确实，“沙皇和恺撒就有关和平的问题通过电报进行了直接的沟通”；纳蒂犯错误的地方是认为恺撒的部长们（更具体地说应该是他的将军们）都真诚地希望战争是“局部的”。“大国间仍然在讨论谈判问题，而且正努力将流血冲突和不幸控制在局部地区”，他在 7 月 30 日充满希望地这样报告。“奥匈帝国一直都是这么笨拙，如果为了推崇这种血债血偿——塞尔维亚人已经犯下的残忍的谋杀——的理论而搭上几百万人的生命的话，这应该是超级罪行。”从这些信件的语气当中，不难推断出来他在用这种观点说服巴黎人的过程当中遇到了很大的麻烦。在次日最后的努力中，他暗示法国应该限制俄国，同时也表明他内心深处还是一名亲德分子；同时，这也注定要被作为对罗斯柴尔德经济杠杆影响力大势已去的最后表述来引用：

> 金融城的流言满天飞。有说法是德国皇帝正在动用他对圣彼得堡和维也纳的影响力想找出一种奥匈帝国和俄国都能接受的解决方案。有人向我保证这种值得赞赏的范例也正在这里被热情地追随着。现在我斗胆借问，目前的这个时候法国政府正在做什么，他们的政策又是什么？我希望而且也相信庞加莱先生对于沙皇来说无疑是受欢迎的人，他不仅可以向俄国政府指出，甚至可以让他们深切地记住：1）无论一个国家的盟友有多么强悍，战争的结果仍然是无法预先

确定的，但是无论结果怎样，它对参战者造成的伤亡和痛苦将是巨大的，而且也是难以言表的。从这个角度说，这场灾难的后果将比以往所见、所知的任何灾难都要大。2）法国是俄国最大的债权国，事实上，这两个国家的金融和经济条件是紧密相连的，而且我们希望你们能尽你们所能地利用你们可能拥有的所有影响力，对你们的那些政治家施加影响，就算只剩最后的一点希望，也要防止这场骇人听闻的战争发生，而且向俄国明确指出，这是她应该报答法国的时候了。

然而，在当时，这封信的含义似乎并没有现在看起来那样显而易见。起码因为有这么一个因素，即类似的调解尝试在过去（比如对摩洛哥）通常都有足够的影响力来改变战争的进程。与此同时，纳蒂的评论表明，起码可以找出一个例子，说明他对这场战争可能延续的时间和强度并没有任何幻想。而在历史学家中广为留存的认识是，在 1914 年 8 月人们所期待的是一场短暂的战争，这一点很重要。而更为重要的是，纳蒂在金融城里并不是唯一持有这种看法的人。再找不出什么例子比 7 月危机引发了金融危机这一事实更能清楚地证明金融界所持悲观情绪的程度了。

维也纳股票交易所早在 7 月 13 日就开始出现下滑，但是一直到 7 月 27 日——奥匈帝国向塞尔维亚宣战头一天——伦敦才有危机的迹象出现。“所有的外国银行，特别是德国的银行在今天开始将大量的资金从股票交易所内抽走，”纳蒂这样告诉罗斯柴尔德巴黎银行，“而且尽管经纪人已经拿到他们需要的大部分的钱——如果不能说全部的话，市场还是同时陷入了十分恐慌的局面，很多实力不强的投机者不惜血本大甩卖，所有的外国投机者也都抛售统一公债……”到了第二天，所有一切就清楚地表明，这仅是一个开始，因为此时——事件的发展让纳蒂都目瞪口呆——罗斯柴尔德巴黎银行发来了一封加密电报，要求“为法国政府和储蓄银行出售巨量的当地统一公债”。纳蒂拒绝了，他首先提到的理由是基于单纯的技术考虑，“在我们市场现在的这种状态下根本不可能做任何事情，因为价格已经非常接近面值，而且几乎也没有任何较大的交易发生”，然后又补充了更多的政治方面的理由，认为这可能产生“非常严重的后果……因为我们得在每个人都口口声声谈论战争的时候，向欧洲大陆上的大国运送黄金，而目的是为了扩军备战”。尽管他向法国罗斯柴尔德家族保证说他们的电报将会被严格保密，纳蒂还是就这件事情给阿斯奎斯马上发出了警告。在经过虚张声势的掩饰后，阿斯奎斯把这种情况称做“不祥的预兆”。现在，这种可能性已经开始露头了，即发端于承兑银行的流动性危机有可能威胁英国经济的整个体系。

在 7 月 29 日——法国罗斯柴尔德家族要求黄金后的第二天——统一公债的价格

从74跳水到69.5，而且在市场重启后，跌势仍然在继续。到了30日，英格兰银行给贴现市场支付了1 400万英镑，又向银行提供了类似的金额，但是为了保证其储备，它被迫把利率从3%提高到4%。正如纳蒂报告中所说的，已经有关闭股票交易的“说法在广为流传”。那些承接了大量欧洲大陆贴现业务的公司——比如像克莱沃特和施罗德——已经陷入了绝境，有大约3.5亿英镑的应付汇票，而且无法清楚地知道其中有多大比例无法兑现。当银行利率在7月31日翻倍至8%——次日又再增加了2%的时候，局势一下变得很明朗，像布洛克、安吉尔和霍布森这些作家说的都错了：银行根本不可能制止战争，而战争可以击溃银行。为了避免全军覆没的惨剧，31日英国停止了股票交易，这样的做法在过去的100多年里最严峻的危机之中都没有采取过。第二天（就像在1847年、1857年和1866年一样），劳合·乔治给英格兰银行行长写了一封信，允许他在必要的时候超出银行章程法案所设定的限制发行货币。很幸运的是，8月1日恰好是星期六，而在接下来的星期一又是银行休息日；通过将银行的休息日延长到周末，又赢得了一些喘息的时间。而股票交易依然关闭，“重启的时间待另行通知”。

金融危机是无法避免的；一直到8月3日之前还不能确定是英国是否会实际地参战。我们可以推断，如果英国作壁上观的话，金融城希望发生的会是什么。在7月18日和8月1日（公开报价的最后一日）之间所有主要大国的债券价格都下跌了，但是跌幅不一。俄国4%票面利率的债券跌了8.7%，法国3%利率债券跌了7.8%——但是德国3%票面利率债券仅跌了4%。在英国没有干预的时候，金融城把他们的钱放到莫尔特克，这种情况与1870年的时候是一样的。巴黎人也不会忘记1870年。在8月份，由于担心巴黎遭到第二次洗劫，爱德华·罗尔柴尔德把他的家眷送到了英国。（尽管他们很快就又回来了，他在第二次马恩河战役中还是非常担心，又再次把他们送走，这次是送到他的拉斐酒庄。）与此同时，他把银行的办公室暂时搬到了波尔多。

但是英国通过对法国有利的干预来打破平衡的决定——这个决定是经过长时间辩论后由一个严重分裂的内阁做出的——也不是一个罗斯柴尔德家族或者任何其他银行家所能左右的。在7月31日，纳蒂恳求《时报》缓和其头版头条文章的语气，因为这篇文章“力主英国参战”；但是，威克姆·斯蒂德和他的老板诺思克利夫勋爵两人都认为这是“一个国际金融界肮脏的德国犹太人试图威逼我们奉守中立”，并得出结论，认为“最好的回答就是第二天再上更加强硬的头条文章”。“我们不敢旁观，”《周六》的领导人也及时地吼叫道，“我们最强烈的兴趣是采取自保的原则，”正如施瓦巴赫在8月1日对阿尔弗雷德所抱怨的，英国的干预现在似乎已经箭在弦上，“尽管在目前的这个时候，似乎还找不出任何的理由……但是你和我都清楚地知道我们都已经尽力试过改善我们国家之间的关系。”纳蒂甚至还以个人的名义向恺撒发出过和平的请求，他很不恰当地写道，他是“我的一位年长而且非常受人尊重的熟人。大概有 75~80 岁高龄。”这最终也没有效果：在回复有可能发出之前，联系就中断了。在 8 月 3 日，格雷对下院发表讲话时称面对这种情况英国不会“坐视不管”；正如纳蒂对他的兄弟们所说的，德国对比利时的入侵是“英国根本不可能忍受的举动”。当然，对于政府的决定还有其他更加堂而皇之的理由：相信如果德国击败法国，英国自己的安全就面临危险；而且，或许也还有想把统一党排除在权力大门之外的考虑。当然，也还有这种显而易见的可能，即罗斯柴尔德家族由于在 1839 年缔结协定的那些事件中卷入的程度很深，也会强调把保持比利时的中立作为英国干预的理由。

在英国罗斯柴尔德家族内部，并没有出现欣喜若狂的场面。他们已经很正确地预见到，用纳蒂的话说，“世界上前所未有的最为惨烈的军事行动”，一场“恐怖的战争”，而且战争持续的时间没有人能够预计。“没有任何政府在此之前曾经经历过比这更严重而且更痛苦的考验”，阿尔弗雷德这样给巴黎写到。他无法想象到“我们面临的这种军事和道德的景象，满目是或隐或现的痛苦场景……而不浑身战栗”。曾经有一次，他与他的自由党人堂妹安妮达成了一致意见：“欧洲战争的可怕悲剧”让他感觉“几乎无法想象”。“人们禁不住担忧，”她惊叹道，“如果战争是唯一的裁判的话，那么外交、仲裁以及历经时日的判决等所谓的‘文明之源’还有什么用！”这是一种象征性的方式，战争将要切断罗斯柴尔德家族传统的与欧洲大陆的家族联系，因为 7 月底的时候，安妮和她的丈夫正在卑尔根度假，而纳蒂的儿子查尔斯陪着自己的妻子住在匈牙利——因为她就是在匈牙利出生的。

能有点什么安慰吗？在所有的罗斯柴尔德家族成员中，安妮的姐姐康斯坦丝异乎寻常地抓住了正确的宣泄方式，那种在宣战后席卷全国的反德国情绪。她也欢迎这场战争成为解决阿尔斯特危机最显而易见的方式：

> 8 月 5 日：……爱德华 · 格雷干得不错，雷德蒙做了一场非常好的演讲。就目前的局势看，爱尔兰的危险已经结束。北方和南方都联合起来支援我们。多么好的人民啊！我们希望基奇纳勋爵能出任陆军的总指挥，负责军队的所有活动。
>
> 8 月 7 日：基奇纳出任作战部长，感谢上帝。
>
> 8 月 13 日：仇恨在蔓延。比利时好样的。德国人的残暴。
>
> 9 月 9 日：……昨天晚上的消息更加鼓舞人心。但愿俄国人能够早点攻入柏林。

9月30日：地方自治条例进入了法令全书。卡森和博纳·罗真让人恶心，但是下院的情况令人佩服也很引人瞩目！希望而且祈祷提案方与国家主义者能并肩战斗。

然而，没有任何迹象表明纳蒂或者他的兄弟们有任何这种如释重负的感觉：无论如何，他们对爱尔兰的看法与他们那些热情洋溢的格拉德斯通派的兄弟们的观点截然相反。对于英国罗斯柴尔德家族唯一可能的慰藉是，继转移灾难的努力失败后，他们至少可以重新扮演为战争融资的罗斯柴尔德家族的传统角色。

但是他们还有能力这样做吗？当然，他们很快就被政治家们召唤去协助处理战争的金融问题，跟以前危机中的情况别无二致。比如在《战争回忆录》中，劳合·乔治用很诗意的语言回忆了战争是怎样将他与他从前的敌人拉在了一起：

他们给我提出的人选之一是内桑尼尔·罗斯柴尔德勋爵。我上一次与他的接触不是很和谐……然而，现在不是让政治的纷争扰乱我们的协商机制的时候。国际社会处于危险之中。我邀请他到财政部面谈。他很快就来了。我们握了握手。我说："罗斯柴尔德勋爵，我们在政治上有过一些不愉快。"他打断我说："劳合·乔治先生，现在没有时间去扯那些陈年旧账。我能帮你做点什么？"我告诉了他。他马上就明白要做的事情。这个事情搞定了。

劳合·乔治在8月份的第一周会见了很多金融城里的银行家，但是给他留下印象的不多。爱德华·霍尔登爵士是其中之一；纳蒂似乎是另一位。"只有那些老犹太人才有这个意识，"有人听到乔治这样在给他的私人秘书说——尽管"老犹太人"在他的回忆录中变成了"伟大的以色列王子"。在1915年发表在《雷诺新闻周报》上的一篇文章里，他详细记述了纳蒂的贡献：

罗斯柴尔德勋爵有着高度的国家责任感，而且尽管他对怎么做才是对国家最好的贡献的理解并不总是与我们的理解一样，但当战争降临到我们的头上的时候，他早已做好了准备，而且很高兴地忘掉了过去所有的异议与冲突……他时刻准备着为他确信不疑的信念做出牺牲。因此，当人们知道他是那些建议应对战争开支加倍征收所得税，提高特别税的人中的一位的时候，没有人会感到吃惊。

多年以后，劳合·乔治的儿子要他提名他心目中的"理想内阁"的时候，他提了纳蒂出任财政大臣，同时一起被提名的还有温斯顿·丘吉尔和简·斯马茨。霍尔丹在乔治的记忆中也留下了一个十分相似的印象。当霍尔丹听说（当时在1915年的外交部为格雷工作）“有一艘汽船已经从南美出发，而且，尽管属于中立国的，但是有理由怀疑船上装有打算给德国人的补给”的时候，他：

> 驱车前往罗斯柴尔德勋爵在伦敦皮卡迪利的寓所，发现他正在床上躺着，而且明显病得不轻。但是他在我开口之前伸出了他的手，而且说道：“霍尔丹，我不知道你来这里除了看我之外，是不是还有其他事，但是我已经对自己说过，如果霍尔丹要我给他写一张25 000英镑的支票，而且不提任何问题，我会当场就办。”我告诉他我不是为支票而来，我来的目的只是想要拦截一条船。他马上发出了阻拦那条船的指令。

所有这一切似乎听起来都太过于理想化，不太真实——而且特别是劳合 · 乔治印象中很奇怪的，是他放弃对特别税的反对的说法——其实线索出现在霍尔丹对纳蒂的身体状况的说明上。事实上，劳合 · 乔治和霍尔丹两人都采用讣告写手的某些手法，在他们的回忆中添加了某些瑰丽的色彩。真实的情况是，战争把罗斯柴尔德家族——而且事实上是整个的金融城抛入了深重的危机当中。凯恩斯对当时情况的分析是很简洁的：“(清算）银行……依赖于承兑银行，而且也依赖于贴现银行；贴现银行又依赖于承兑银行；而承兑银行依赖于那些没有能力付款的外国客户。”表8–7表明了问题的程度，并揭示了克莱因沃特和施罗德所暴露出来的问题特别的严重；即使是罗斯柴尔德银行也受到了影响。当纳蒂在8月6日向劳合 · 乔治保证说，他对发生在财政大臣、英格兰银行行长以及清算银行之间的争论他“完全站在公正的立场”的时候，并不具有完全的说服力。

表8–7　伦敦承兑汇票市场：承兑汇票业务的年底负债情况，1912~1914年（百万英镑）

	巴林	克莱因沃特	施罗德	汉布罗	罗斯柴尔德	吉布斯	布兰特斯	以上7家合计	全部合计
1912年	6.58	13.36	11.95	3.45	3.49	1.38	3.19	43.4	133
1913年	6.64	14.21	11.66	4.57	3.19	2.04	3.33	45.64	140
1914年	3.72	8.54	5.82	1.34	1.31	1.17	0.72	22.62	69

资料来源：查普曼，《商业银行》(Merchant Banking)，第209页

导致劳合 · 乔治求教于纳蒂的那场争论是一个技术方面的问题：大的清算银行想像1797年时的英国一样完全停止黄金兑换，而且1914年时俄国、德国以及法国已经正式或者是事实上实施。这使得他们可以在与客户清算的时候，以一个低于英格兰

银行利率（在8月6日已经回到了6%）的利率进行结算。英国财政部和英格兰银行更希望遵照1844年之后的惯例，并尽一切可能避免暂停兑换。纳蒂帮助达成的妥协是仍然保持汇率，但是英格兰银行的利率再下调1个百分点。一周之后，承兑汇票市场通过一个更进一步的决定而使形势得以缓解，这个决定是英格兰银行将对8月4日之前承兑过的所有票据按新的、更低的利率贴现。这个做法很成功；在阿尔弗雷德和里奥在8月13日给劳合·乔治发去贺电之后没再出现过新的失误。他们的“非常欣赏这种最为成功的方式，你用这种方式解决了这个国家的金融史上无与伦比的困难”的说法是很好理解的，尽管他们对财政大臣的“精准的眼睛”与“灵巧的手”的暗喻在1909~1910年的谴责之后很短的时间内就改口这样说，似乎显得有一点过。纳蒂的语气更实在一些，因为这是在劳合·乔治不留情面地拒绝了他结束延期偿付、重开股票交易的建议（在8月27日）两周多一点的时候。

然而，纳蒂所发挥的作用的真正意义所在——与他在程度稍轻的1890年危机的时候相比——是它揭示了金融城里势力均衡的变化。“他们会跟你开一个令人作呕的玩笑，”他在劳合·乔治的办公室里某一次谈判中这样告诉英格兰银行行长，“他们的能耐非常大。”以前这应该是说罗斯柴尔德家族自己的话。但是现在纳蒂用这话形容清算银行。同时让人印象深刻的是，尽管已经采取了那些稳定承兑汇票市场的措施，罗斯柴尔德公司在1914年损失了大约150万英镑——这个金额相当于其资本的23%。考虑到他们的资本，金融城内任何一家其他的大银行受战争爆发的影响也没有他们那么大。

可以肯定，自从英国财政部开始补贴法国的战争支出以来，跨海峡的业务肯定没有断过，尽管战争开始第一周的时候联系上会有困难。事实上，一直到1915年初，定期而且是可靠的通信才通过外交电报服务开始建立。无论如何，首批英国给法国的170万英镑贷款通过罗斯柴尔德家族很快就达成了，而且之后是在1914年10月~1917年10月之间通过了财政票据总额为800万英镑的借款。然而，在泛盟国的大型金融计划中，这只是很小的部分。总计来看，法国在战争期间从英国总共借了6.1亿英镑；但是就算这个数字，也比不过从美国借来的7.38亿英镑，而且从英国借出来的钱的大部分事实上也是从英国自己向美国借来的9.36亿英镑中循环出来的。资助战争的关键节点很快就变得清晰起来，不是在伦敦，也不是在巴黎，而是在纽约：首次在布尔战争期间被提出来的横跨大西洋的金融重心的转移现在成了现实。从这个方面看，具有重要意义的应该说是，当爱德华在8月1日电告J·P·摩根，要求给法国政府提供1亿美元贷款的时候，他一无所获。摩根还没有忘记12年前他的伦敦分行在南非贷款的过程中要求得到一定份额而惨遭拒绝的情形。由于罗斯柴尔德家族在华尔街的地位很可怜，现在他们遭受到了紧缩的痛苦，而这种痛苦要远甚于劳合·乔治的继承税和其他的税收所带给他们的麻烦。“在这个非常痛苦的时期，”纳蒂在战争爆发的时候写给巴黎的信中这样说，“最令人欣慰的就是知道你们和我们是并肩战斗的。”“在战场上团结，在金融领域我们也团结！”爱德华在次年发给英国罗斯柴尔德家族的电报中这样说。但是，这些战斗口号的回荡非常有限；那些在1914年以后能够团结罗斯柴尔德家族的东西正在衰落——而且这个衰落的过程至少持续了半个世纪。

第九章

战争与家族危机
(1915~1945 年)

THE HOUSE OF
ROTHSCHILD

这确实是一个充满恐怖和磨难的时代。

巴特西夫人康斯坦丝致其妹妹安妮 · 约克

1916 年

丘吉尔称之为“世界危机”的第一次世界大战，加重了罗斯柴尔德家族内部的严重危机。在从1905年阿方斯去世到1918年阿尔弗雷德去世的这十几年里，从大约1875年以来一直主导着罗斯柴尔德家族金融事务的那一代人消失了。在巴黎，居斯塔夫在他的哥哥去世后仅6年也走了，只留下埃德蒙这位詹姆斯的几个儿子里最小的，而且也是最没有生意头脑的儿子；而且尽管他一直活到了1934年，但是其实在1914年的时候，他就已经是69岁高龄了。在维也纳，安塞尔姆最小的儿子阿尔伯特死于1911年。列昂内尔的三个儿子纳蒂、里奥和阿尔弗雷德在1915年、1917年和1918年短短的几年间相继去世。对于很多的观察家来说，这些人的离去标志着一个时代的结束。

“纳蒂·罗斯柴尔德勋爵之死是一件甚至连战争都无法抢去其风头的大事件，”《西方早报》这样宣称——

> 这位金融界的亲王、爱德华国王的朋友所知道的欧洲战争和外交的幕后历史从总体上说或许远远超过我们曾经有过的最伟大的政治家。在过去的半个世纪，这个国家的每一项重大政策的出台都以一个简单但又意义非凡的通告“昨天，罗斯柴尔德勋爵拜会了首相”开始。这是重大决策正在酝酿的幕后活动的众多迹象之一。

套用《金融家与金银通货主义者》(*Financier and Bullionist*)上的话来说：“一个公开的秘密……他是众多国王与大臣的心腹密友，而且他的无价的建议永远都被趋之若鹜，永远都被奉为圣旨。”在伦敦威尔斯登举行的葬礼上出现了众多的资深政治家，这也从侧面证实了对纳蒂影响力的这种说法。有三名内阁大臣出席了葬礼，他们分别为：财政大臣劳合·乔治、地方政府委员会主席赫伯特·塞缪尔以及高等法院王座庭庭长雷丁勋爵，此外还有前保守党领袖（以及未来的外交部长）阿瑟·贝尔福。“对我来说，”贝尔福对威姆斯夫人说道，“纳蒂的死对人们来说是巨大的打击，这种打击的程度超出了大多数人的想象，我真的喜欢他，而且真的钦佩他那种沉默寡言，甚至某种程度上不苟言笑的性格。他对公共责任有一种崇高的理想，而且对于世俗的浮华与虚荣完完全全无动于衷。”总拉比于几周之后在他的追思弥撒上说得更直接：纳蒂是“世界上最重要的犹太人”。

然而，所有这些对纳蒂赞美有加的人都不会说他是个伟大的银行家。《新见证》的金融城编辑几乎是在用一种虚幻的赞誉谴责纳蒂：

> 他与年纪和他相仿的金融家比起来，所犯的错误是最少的。他的本能反应总是正确的。他对荣誉的感觉是敏锐的，他不会做任何他不愿意的事，而不愿意的原因只是他的公司好像能够赚钱……他是世界上最大的业务圈里最大公司的领导人；是经常为很多国王以及统治者出谋划策，并控制着帝国政策的人，且做到了无敌而终。这难道不是一个伟大的成就？

这是可能的；但是下面这个事实是无可辩驳的，即罗斯柴尔德公司在纳蒂的领导下，与其在金融城里的竞争对手相比，运作情况开始差强人意——或许，这是他自己过分专注于政治事务，以及他与他的兄弟们所共同具有的对待生意的那种自满态度导致的结果。事实上，对于某些观察家来说，纳蒂之死使人们对罗斯柴尔德家族作为金融势力的未来产生了悲观的看法。“在英国，”《每日新闻》（*Daily News*）这样认为：

> 股份合作制银行已经渐入佳境，不再有罗斯柴尔德占主导地位的任何问题存在，而罗斯柴尔德垄断就更不可能。更加值得关注的是，公债占全部业务的比重开始下降。现代金融机构在赚取最大利润的同时，也发挥它们对金融产业以及商业的最大的影响力。罗斯柴尔德银行也没有忽视这样的企业形式，但是它未能像美国和德国的那些大的金融企业或者公司那样充满激情地投身其中。这种情况再加上其他的趋势所导致的结果就相应地减少了罗斯柴尔德家族在金融界的作用。

自由党人的《国家》（*Nation*）说得就更加生硬。它用侮辱性的语气评论到，纳蒂的品位“很大程度上跟那些英国乡村绅士一样……这位后来习惯上的保守主义者难道与世界上出现的新业务没有进入罗斯柴尔德家族的手里没有任何关系吗？当然了，人们不可能从英国的分行成员里挑出伟大的金融家。他们里面多的是伟大的农场主、伟大的收藏家、伟大的社交生活的组织者，但是基本上没有现代金融之王。”

第五代

如果是打算与纳蒂的祖父做一个比较的话，这个评价说得很对。纳蒂的祖父在上一次几乎正好一个世纪前的世界大战中使出了最为人称道（而且被神化了）的妙招。纳蒂不可能是内森。在纳蒂去世的时候，银行也出现了更加僵化的症状，其表现是银行的一名资深职员约瑟夫·诺海姆在银行引入由一个委员会推荐的复式计账法的时候站出来表示反对。这个委员会的建立是为了“深入到会计系统进行考察……必要时考虑可以采用什么样办法来加快资产负债表的编制以及是否可以以更加高效并与时俱进的标准来改进账务监管体系。”因为令人十分诧异的是一个拥有N·M·罗斯柴尔德这样资源的企业居然在1915年的时候仍然采用单式计账系统。然而，诺海姆对委员会的建议——范围相当广泛，从会计科目系统的合理化设置到小刀橡皮的弃用以及账簿尺寸的标准化——反对的理由是变革需要花费太多的时间。从另一个方面看，委员会的建议是异乎寻常的：这份建议是罗斯柴尔德家族文件中最早的采用打印而不是手写的文件之一。事实上，在1915年的时候，英国罗斯柴尔德家族内只有一台打字机。

然而，真正的问题留给了下一代。沃尔特·白芝浩写于19世纪70年代的文章已经预见到了这个问题，当时他提出了“大型的私营银行”在应对股份合作制银行的挑战时能够坚持多长时间的问题：

> 我很确定，我得很遗憾地说他们肯定坚持不了多久，但是与此同时，我也不能对他们必须要克服的那些巨大障碍视而不见。首先一点，大规模的业务采用这种世袭的模式是很危险的。对于这类业务的管理，只靠一般的勤勉以及一般的能力是远远不够的。而这一点并不是在每一代人里面都能够得到切实的保障……（如果）打算扩展银行的规模，对人的能力要求就会更高，那么就会出现世袭的政府所面临的同样的困难。“父亲拥有不凡的大脑，并且开创了这个事业：但是儿子的脑袋不如父亲好使，就失掉部分或者全部的事业。”这是所有君王统治的伟大历史，这也会成为大型私营银行的历史。

这在表面看起来当然也是罗斯柴尔德家族第五代的历史。在1901年，克林

顿 · 道金斯很直接地说道："罗斯柴尔德家族即将走到历史舞台的下一代，令人相当沮丧。"

纳蒂的大儿子沃尔特在 6 岁的时候就已经开始收集动物了，无论是标本还是活体，而且当他去波恩大学开始学习自然科学的时候，就已经是一位知名的动物学家，随后他又转学去了剑桥。从这点来看，他并没有受到父母的限制；他的父亲在他 21 岁生日的时候，作为生日礼物，在都灵为他建了一座博物馆以存放他的收藏。但是人们对他仍然心存希望，希望他能步他祖父的后尘进入银行工作，这种念头在 1908 年终于打消了，因为当时有人发现"可怜的胖子沃尔特"曾经在股票交易上进行了非常放任而且灾难性的投机。当人们发现他徒劳地想给过去的一位情人支付她敲诈他的款项——这还只是几个与他笨拙的性格以及与熊一样的外表不太相符的私通丑闻之一——对他金融无能的认知也就更加肯定了。尽管是一位孜孜不倦的科学家，他在超过 1 000 本的出版物上描绘了 5 000 多种过去还没有被人提到过的物种，沃尔特也是最后一名有能力领导家族企业走出前方道路上越来越逼近的狂风暴雨的人，但是他在银行里的感觉与他的那些斑马被用来拉着他的四轮马车来到皮卡迪利时的感觉一样怪异。甚至当上国会议员之后，他还做出了在一次讲话中同时惹恼亚瑟 · 贝尔福和赫伯特 · 格拉德斯通的事情。

他的兄弟查尔斯在接受金融城的生活重担方面表现得更加出色，而且尽职尽责地准备着继承英国罗斯柴尔德家族的合伙人身份；而且是他领导了一个对银行会计系统进行现代化改造的委员会。但是查尔斯从内心来看，他也是一名科学家。他以一名非常投入的业余植物学家和昆虫学家的身份发表了 150 篇论文，而且描述了 500 种新的跳蚤种类；他还是英国第一位现代环保主义者，在阿什顿周围的林地里感觉非常开心，并在那里为他自己建起了一座风景优美的休养所。在纳蒂死后，家族做出了一个决定，由查尔斯继承他的父亲出任高级合伙人；但是仅仅两年之后，他得了西班牙流感，这场流感在 1917~1919 年肆虐了整个欧洲，随后又感染了流行性甲型脑炎（一种由病毒引起的神经疾病），在经过长期卧床之后，病魔终于在 1923 年夺去了他的生命。

这种将聪明才智从生意上移开而重新转向科学（或者艺术，比如阿比 · 瓦尔巴格的例子）是"世纪末"的商业家族中常见的现象，特别是在犹太人家庭，这说明了那个阶层的那一代犹太人的受教育机会大大地增加了。在沃尔特和查尔斯的情况里，似乎还有遗传方面的解释。在整个 19 世纪中，罗斯柴尔德家族的很多成员身上就表现出了对收藏和园艺的痴迷。到了沃尔特和查尔斯的身上，这种倾向产生出了对动物和植物分类学的异常的天资。他们的堂兄弟小列昂内尔——里奥的大儿子也有类似的倾向，他将他一生中的大多数时间奉献给了园艺（尽管他对飙车和快艇也非常感兴趣)。小列昂内尔的弟弟安东尼也表现出了对学术方面的爱好，但是朝向一个完全不同的方向：在剑桥，他在历史科目上获得了双优（尽管据说他在7天当中有5天在打猎），而且在后来的时间里经常看到这样的说法，说如果他做大学老师而不是做银行家的话，应该会感觉更加幸福。

罗斯柴尔德法兰西银行在老一辈给新一代让位后也遭遇了类似的问题。埃德蒙的儿子吉米在第一次世界大战前定居英国并在英国结了婚；他对银行业务没有表现出任何的兴趣，他将他的时间分配在帮助他父亲的巴勒斯坦计划、后座自由党国会议员的免税权以及赛马上。另一个人似乎甚至更没有希望——按照当时的情况看——他是埃德蒙的二儿子莫里斯，他在26岁的时候就已经从他的二堂姐朱莉（阿道夫的寡妻）处继承了巨额的财富，包括在瑞士佩尼的酒庄。他表现出很满足于将他的财富投入到收集现代艺术品上，比如像毕加索、布拉克和夏加尔的作品——这在当时是一个非常被看不起的投资战略。因而在1913年吉米决定（为他的伦敦餐厅）委托佳吉列夫的布景师利昂·巴克斯特以《睡美人》为主题布置一系列油画的时候，受到了很多尖刻的嘲讽。家族成员中成为了这些画作的模特的，包括吉米的妻子多萝西、他的妹妹米里亚姆、爱德华的妻子杰曼、罗伯特的妻子内利和埃德蒙的妻子阿德尔莱德——甚至还包括克鲁侯爵以及他的妻子，汉纳·罗斯伯里的女儿佩吉。这个主题的选择只是怪异的念头吗？很多情况表明这是一个合适的主题；因为，在当时的很多人的眼里，罗斯柴尔德家族自己似乎正在进入一个沉沉的梦乡里。

这个家族居住在法国的其他分支——英国出生的内特的后人——全部都停止了在银行中的任何的工作。尽管仍然是一名正式的合伙人，内特的孙子亨利还是第五代中的另一名科学家。作为一名合格但是有点愤世嫉俗的医生，他拥有自己的私人实验室，在婴儿营养方面发表了大量的文章，而且还对居里夫人对镭在医疗上的应用工作表现出了极大的兴趣。他还涉足戏剧舞台，成为佳吉列夫的俄罗斯芭蕾舞团1909年著名巡演的发起人，还以“安德烈·帕斯卡尔”的笔名客串戏剧写作。从他拥有的巴黎木埃特酒庄、在多维尔的仿都铎别墅以及暗示性地叫爱神厄洛斯的游艇这些情况看，亨利生活的目的并不是去赚钱，而是去花钱。他办企业的很多次尝试（他在不同的时期尝试过生产汽车、芥末、肥皂和野鸡罐头）从商业的角度看都是失败的。

这就意味着1905年之后管理罗斯柴尔德公司的大部分责任只能交给阿方斯唯一的儿子爱德华。然而他在通向商业之路上很少有虚张声势之举。在苛刻而夸张的老传统下——他在北线铁路的年度大会上仍然穿着长礼服——他为反对给客户提供投资建议进行辩解：“如果他们赚了钱，他们会认为那是他们应得的；如果他们亏了钱，他们就会说被罗斯柴尔德家族给害惨了。”爱德华也有他自己特别的消遣方式，尽管与亨利比起来要传统得多：在城里的时候打桥牌，在法国费里耶尔的时候打猎，而在珑骧则是赛马。

在维也纳，罗斯柴尔德家族的第五代同样也出现了忽视“账房”而追求高级文化或者高级生活的倾向。在阿尔伯特于1911年去世后，对银行的控制几乎全部传给了他的二儿子路易斯，尽管当时路易斯还不到30岁；与先前安塞尔姆向阿尔伯特移交权力时候的情况很类似，阿尔伯特移交权力时把另外两个儿子彻底排除了。一直有这样的说法，认为路易斯将现代化的精神带进了罗斯柴尔德维也纳银行，使它参与到了像纽约跨区快速地铁公司这样完全不熟悉的领域中。但是他并不是工作的奴隶：他是一位典型的花花公子类型的“钻石王老五”（他在60多岁的时候才结婚），是一名技艺娴熟的骑手以及登山家，而且还能挤出时间涉足解剖、植物和艺术。由于几乎完全解脱了生意责任的束缚，他的其他兄弟有条件更深地沉迷于他们的兴趣当中。哥哥小阿方斯成了一名律师，但是在战后过起了绅士型学者的生活，主要研究古典文学；弟弟尤金最大的成就是写出了关于提香的专论。

战争的影响

欧洲大陆的家族中有没被第一次世界大战影响的吗？这很令人怀疑。在那些年的大屠杀中，欧洲大陆上甚至那些最富有的家族也无法避免牺牲生命、时间和金钱。

从表面上看，罗斯柴尔德家族也感染了爱国热情，历史学家通常把这种情况看成是1914年的典型“表情”。尽管战争爆发的时候，里奥的三个儿子都是30多岁，但他们（作为巴克斯义勇骑兵队的军官）摩拳擦掌地盼望着去为他们的国家战斗。老二伊文利参加了西线早期的行动，而且在1915年11月因病退伍回家。经过几个月的调养后，他又回到了战壕，而且在1916年3月出现在派遣军的名单里。之后他被派到巴勒斯坦，并在那里遇到了弟弟安东尼；安东尼在战争初期的加利波利战斗中负伤，战争结束的时候是总参谋部的少校。让小列昂内尔很难过的是，他必须留在新亭，但是在这里，他也为他的战斗激情找到了一个发泄的窗口，那就是负责组织金融城里犹太人士兵的招募工作。在法国，至少有4名法国罗斯柴尔德家族的成员在战争结束的时候还身穿军装。吉米被抽调到英军第三军做翻译，而且像他的英国亲戚一样，一直在巴勒斯坦服役到战争结束；亨利隐瞒了他的慢性蛋白尿的病情，因而成为了野战医院的一名军官，但是由于感染斑疹伤寒而病退；他的哥哥詹姆斯在巴尔干的后方当飞行员，而居斯塔夫的儿子罗伯特在西线当翻译。小阿方斯和尤金在意大利前线的龙骑兵中做军官。因此，在实际的情况中，罗斯柴尔德人并没有与罗斯柴尔德人作战：在英国和法国罗斯柴尔德家族中，他们参与的只是西线和中东的战役，尽管詹姆斯有可能在他的奥地利兄弟们向更靠西的地方布防的时候，让人很有理由相信他会从他们的头上飞过。只有一名罗斯柴尔德家族的人战死——里奥的儿子伊文利在1917年11月，死于一次对位于埃尔玛加的土耳其据点的骑兵突袭所负的伤——尽管战争还夺去了两名近亲的生命：汉纳·罗斯伯里的儿子尼尔·普里姆罗斯，他也是战死在巴勒斯坦，以及查尔斯的匈牙利小姑子的儿子。

甚至对那些远离战场的家族成员来说，这场战争也是一次伤痛的经历。阿尔弗雷德和他的堂姐妹康斯坦丝及安妮——内森最小的孙子——生活在德国空袭的恐怖阴影之下。在他的坚持之下，新亭的股息办公室的走廊堆满了沙包，以保护下面的金库，而且还在债券发行部的角落处修建了专用的掩体，还专门设计了一套特殊的系统，将官方的空袭警报从皇家铸币精炼厂（临时转为军需品生产厂）转到新亭；而且阿尔弗雷德甚至还在他自己房子的房顶上支起了一张线网，希望能阻拦落下来的炸弹。康斯坦丝在战争期间给她的姐妹的信中也充满了对同样危险的忧虑。她在1915年1月时写道："我在想附近是不是有柏林飞艇在游弋，空军可能（被大雪）造成雪盲或者冻僵……地铁已经为我们开放……我的珠宝总是不离我的左右（因为我不想在动乱中丢失），到了夜里，我会在床脚摆一袭皮披风、一条围巾和暖和的拖鞋，在我的身旁会摆上蜡烛和火柴。"甚至当她离开伦敦之后，也总是"沉浸在担惊受怕的不祥之中……有人会认为在整个下午和夜晚的时间内都听到了飞艇的声音，而且海面上永远都在传来爆炸声和枪声。"这些担忧当然有某种程度的夸张成分，因为空袭在当时还只是刚刚出现。阿尔弗雷德是病逝的——当时战争已经结束了一个多月了。康斯坦丝则一直活到了1931年。

当然，那些留在家里的人也在尽自己的能力履行着战争义务。早在1914年9月，康斯坦丝就将她在阿斯顿·克林顿的房子提供给比利时难民（她认为他们是德国邪恶战争目标的牺牲品，而且还代表了克制的美德），同时帮助红十字会管理一所小型医院。"仆人全部都符合这个一切从简时期的特别要求"，她有些自夸地说，显然对外界说她将牺牲转嫁到佣人头上的讥讽充耳不闻。"莱斯特没有男仆服侍他。由一名聪明伶俐、整洁可爱的小女仆取代了他们的位置……我的熨衣室变成了小卖部……板球棚派上了很大的用场，用做台球室和阅览室——网球室用做供村民使用的图书馆。"在模糊的自我意识的影响下，她甚至在1917年欢迎引入食物定量配给制。"我想在那些大型的机构以及公众的地方比如餐馆等地，可能会有困难，"她回应道，"但是在像我这样的小家庭，这种实验可能会非常有趣。啊，天哪！我们将经历多么奇异的事情啊！"

查尔斯继续在银行工作的同时，还为志愿军需队工作，而且以金融专家的身份为劳合·乔治新成立的军需部服务。怀着同样的热情，阿尔弗雷德向劳合·乔治提交了一份请愿书，敦促对棉花实行禁运，以防落入德国人之手。他在霍尔顿的房产成了军营，而且在1917年，在他的建议下，其树林被砍伐来提供所需的木材。在所有这些中，一种对劳合·乔治所发布的战争动员所表现出来的热情历历在目。在1915年10月——在他当上首相的前一年——康斯坦丝已经指责他的前任阿斯奎斯“轻易地失败了，局势一丁点儿都没有改善……我认为对政府不满的情绪在增长。如果A先生考虑辞职的话，只有一个人可以接替他的位置，他就是劳合·乔治”。“噢，天哪！”她在两个月后惊呼道，“我们想要一名完全不一样的首相。”阿尔弗雷德也似乎成为了她的一名追随者。相反，吉米仍然是一名忠诚的阿斯奎斯信徒，而且也是在他下台一年之后仍然还给他提供帮助的朋友之一。

然而，家族成员现在在对立的阵营里战斗的事实，不可避免地将过去首次在德国统一战争中引发的关于忠诚和身份认同的老问题再次提了出来。迈耶·卡尔的7个女儿——她们全都在法兰克福长大——有5个嫁给了法国或者是英国公民：阿德勒嫁给了詹姆斯的儿子萨洛蒙、埃玛嫁给了纳蒂、劳拉·特里斯嫁给内特的儿子詹姆斯·爱德华、玛格丽塔嫁给了格拉蒙特公爵，而伯莎嫁给了瓦格拉姆王子。威廉·卡尔的女儿阿德尔莱德嫁给了她的法国二堂兄埃德蒙；而维也纳的阿尔伯特娶的是阿方斯的女儿贝蒂纳。在所有上述的这些婚姻中，夫妇双方的国家忠诚——至少是他们的出生地——在战争中是完全对立的。这个问题在这些婚姻所产生的三个孩子中的情况就更加复杂。在1907年，纳蒂的儿子查尔斯娶了匈牙利人罗西卡·冯沃特海姆斯坦；三年后，埃德蒙的女儿米里亚姆嫁给了一个德国亲戚阿尔伯特·冯·戈德施密特·罗斯柴尔德；而且在1912年，阿尔伯特的儿子阿方斯娶了一名英国女士（也是远亲）克拉丽斯·西巴格·蒙蒂菲奥里。当时，所有的这些婚姻都有一种欧洲犹太人的“表姻亲情谊”概念——事实上，米里亚姆和阿尔伯特是表亲（他的母亲是明娜·冯·罗斯柴尔德）。然而，在1914年，祖国的召唤战胜了这种表亲情谊。战争爆发后，阿尔伯特离开了他在巴黎的妻子，返回了德国。

另外，由于公众对“敌国”的敌视情绪，连德国的姓氏和口音在伦敦和巴黎都会招致怀疑（而英国和法国的姓名在柏林和维也纳同样也招致怀疑）。但是罗斯柴尔德家族并没有追随英国皇族对他们完全德国化的姓氏进行英国化处理，他们的雇员之一——一个名叫舍恩费尔德尔的人——选择把名字改成“费尔菲尔德”，这可能是迫于其他的那些“爱国的”雇员们压力。在一幅标注有“把他们全部拘留”的宣传画公布之后（发表在《每日邮报》上），他们也不再可能在新亭午休时候再用德语交谈。

沃尔特辞去了他在都灵议会的职务，因为在他未到场的情况下，议员们通过了一个具有类似精神的决议。在法国的情况也是大同小异，罗斯柴尔德家族在下院遭到了谴责，被指责他们从法国军队的失利中赚钱，而且还通过走私苏格兰的镍来帮助德国。

信仰问题使局面进一步复杂化。伦敦的罗斯柴尔德家族信奉社会同化论已经有三代了，他们加快推进在英国犹太人社区强化爱国主义的宣传，并在这个活动中起到了带头的作用。一张由英国犹太人征兵委员会制作的海报内容给当时的形势增添了很多的乐趣：

> 来自所有阶层的犹太人都自豪地响应着国家对勇士的召唤。你还在犹豫吗？盟国的胜利取决于对自由与宽容的追求，而这正是英国的追求。请到设立在新亭大街斯威辛道罗斯柴尔德先生家里的征兵办公室向罗斯柴尔德先生申请，国会议员小列昂内尔·德·罗斯柴尔德少校将会招募你。这里不要犹太懒虫。犹太青年们，为了你的信仰和你的国家尽你的职责吧。所有出生在英国的犹太人现在都来参加吧。不要忘了——向犹太征兵委员会的国会议员小列昂内尔·德·罗斯柴尔德少校咨询。

然而，正像我们可以从这种语调中推断出的，总有那么一些人倾向于质疑犹太人对战争的贡献。因此，战争中很多苦涩的自嘲之一是：那些居住在英国或者美国的德国出生的犹太人由于他们的出生地而被怀疑；而那些仍然留在德国的也被怀疑，但是，是因为他们的信仰。

对于像小列昂内尔和他的父亲这样的社会同化论者所面临的尴尬，显而易见的原因是自由党领导的英国与沙皇俄国并肩战斗，而俄国是罗斯柴尔德领导的对其虐待犹太人政策做了很多次批评的目标。当犹太作家伊斯雷尔·赞格威尔在给《时报》的一封信中批判英国与俄国的协定的时候，纳蒂公开将自己和理事会拉开了距离。他甚至否认了美国犹太人领袖奥斯卡·S·斯特劳斯提出的建议，斯特劳斯认为英国应该强迫它的盟国授予犹太人公民和政治权利，理由是他们的命运在战后应该得到不可置疑的改善，因为（用《犹太纪事报》的话来说）“俄国隔壁邻居的穷兵黩武……应该为俄国出现的反动精神负主要的责任”。但是这种说法并不被新近来自俄国隔离区的犹太移民所认同，而且也不为罗斯柴尔德家族中的所有人认同。在1915年初，里奥是那些在俄国财政大臣P·L·巴克来访前就俄国犹太人问题游说基奇纳和其他部长的说客之一。那些说法适时地传到了彼得格勒那里：

在巴克给内阁的报告里，他把基奇纳“老是反复强调取得战争胜利的最重要的条件，是犹太人的命运在俄国得到改善”这件事的原因归结为“强大的利奥波德·德·罗斯柴尔德”。在巴黎，埃德蒙似乎对沙皇政府的上一任内政大臣普罗托波波夫做出了类似的交涉。

这种努力与其他的措施对于俄国的罗曼诺夫政府对自身改革的压力事实上没有任何的作用；但是一个新的共和议会在俄国的出现也不可能解决这个问题。首先，在新亭存在着一种乐观的想法，他们认为俄国临时政府的财政大臣，一名名不见经传的名叫米哈伊尔·特勒西琴科（他曾经有一次写信“要求我们继续……并发展……我们的商业关系”）的乌克兰商人，可能会是“犹太人的朋友”。后来，罗斯柴尔德家族认购了由克伦斯基为保证俄国继续留在战场上而发行的“自由贷款”中的100万卢布。布尔什维克发动的十月革命打破了这些希望。由于列宁拒付帝国主义外债，法国的债券持有人被完全剥夺了债权，与此同时，俄国的犹太人发现他们的境况更加恶化，因为这个国家陷入了残暴的内战中。一直到1924年的新经济政策期间，罗斯柴尔德家族对苏维埃俄国的看法仍然相当敌视，以至于对来自新成立的苏维埃国家银行的存款都不予接受。

对于很多评论家来说，无法自圆其说的是，在1917~1919年从彼得格勒向西蔓延的革命似乎很大部分是犹太人的杰作，尽管犹太人出身的布尔什维克领导人的数量有被夸大的倾向。罗斯柴尔德家族里确实有一些成员事实上对那些中欧地区以及欧洲其他地区的君主政治的倒台持欢迎的态度。在1918年11月7日写给她姐妹的信中，随着德国和奥地利的革命在积蓄力量，骨子里就是乐天派的自由党人康斯坦丝坦诚：

当我阅读早报上那些捷报的时候，真的是眼花缭乱。所有的事情都翻了个个儿，简直就是翻天覆地，而不是“爱丽丝漫游仙境”或者是看哈哈镜的效果。我似乎总是能看到皇帝们和国王们以及他们的后妃们正拼命逃命，而他们的王座被推翻在地。这难道不精彩吗！

但是对于那些仍然紧紧与家族公司联系在一起的罗斯柴尔德家族成员来说，这样的乐观是不可能的，因为他们面对着这样一种明白无误的反对资本主义的革命。甚至康斯坦丝也不得不承认，“从金融的角度看”革命对罗斯柴尔德维也纳银行来说“可能会是一场灾难”。而且也存在模糊但是可以看出来的可能性，就是“这个国家革命的元素”可能会从大陆汲取灵感。沃尔特很恐怖地警告他的8岁大的侄子（未来的继承人）维克多说，当战争结束以后，他可能会被迫“举手靠墙站着，并被枪杀”。少数法兰克福罗斯柴尔德家族成员对被推翻的霍亨索伦王朝的认同感远远超过对新的魏玛共和国的认同感，这可以从汉纳·马蒂尔德与被废黜的德国皇室成员之间一直维持着友谊得到证明。

《贝尔福宣言》

然而，战争所激化的最严重的认同冲突或许与巴勒斯坦的未来，具体来说，与犹太复国主义者在那里建立犹太民族国家的冲动有关。正如我们已经看到的，罗斯柴尔德家族中并没有谁完全认同赫泽尔和魏兹曼的计划，尽管埃德蒙的殖民计划在某种方式上与犹太复国主义是相容的。通过使英国、法国和俄国反对土耳其帝国——一个在现代根本无法想象的巨大的混合体战争似乎削弱了埃德蒙有关犹太复国主义在巴勒斯坦建立一个犹太国家的梦想。正如他在1917年的时候说过的，他曾经一直期待着：

> 巴勒斯坦的命运进入均衡状态的时候能够来临，而且我期待着在这样的时候，世界会认真对待那里的犹太人。在过去的10~15年，我们做了大量的工作；我们想在即将到来的这些年里能够做得更多；目前的这场危机把我们的这些活动给卡在了中间，但是，人们仍然必须认真考虑这些问题，而且现在我们得利用好这些很可能是转瞬即逝的机会。

同样，战争使英国罗斯柴尔德家族更加走向犹太复国主义，尽管这种转换的程度通常都会因为沃尔特在1917年贝尔福发表宣言的过程中所起的作用而被过分夸大。在伦敦的积极分子是吉米和查尔斯的妻子罗希卡，她经吉米介绍在1915年7月认识了魏兹曼。通过她，魏兹曼则认识了很多有影响的人物，包括克鲁夫人、罗伯特塞西尔勋爵（外交部的副部长）以及艾伦比将军，后者是耶路撒冷的解放者。查尔斯自己在外交部长格雷于1916年3月建议在巴勒斯坦成立犹太人社团后就直接参与了进来。然而，坦白地说，（用魏兹曼的话说）“通过授予犹太人解放的基本宪法把犹太人中间那些最大的企业的名字”联系起来的最好方法是获得沃尔特的支持；因为作为“罗斯柴尔德勋爵”，他是纳蒂那种在英国犹太人中准君主地位的继承人。正是怀有这种目的，犹太人在巴勒斯坦的目标宣言在11月15日至1月26日间历经千辛万苦起草出来，并且数易其稿。

沃尔特参与的原因是多方面的。他的父亲在临死之前进一步改变了他在这个问题上的看法，这可以从赫伯特·塞缪尔关于“巴勒斯坦的未来”的内阁备忘录

（1915 年 1 月）看出来。赫伯特在这份文件中认为，巴勒斯坦应该变成英国的保护国，“散落各地的犹太人可以随时地从地球的各个角落蜂拥而回，并按照一定的手续获得住宅管制权”。这与英国帝国主义的关系跟与犹太复国主义的关系牵涉的同样多；而且，总体来说，沃尔特遵从他的父亲的意见，认为这两者现在是互为补充的。在与马克 · 赛克斯在外交部的一次重要会面马上就要开始之前，沃尔特给魏兹曼写了一封信，反对那种认为巴勒斯坦的权利可以在英国和法国之间分享的想法。“英国必须独家控制，”他认为，而且他所谋划的经营管理巴勒斯坦经济的开发公司将被牢牢地“置于英国行政机构的监管和控制之下”。这种想法与《曼彻斯特卫报》的编辑 C · P · 斯科特所设想的不谋而合：他认为，那种对战后由英国和法国对巴勒斯坦进行双重控制的讨论必须被坚决抵制，否则又会重蹈在埃及进行双重控制的不愉快经历的覆辙。我们可以推测，这些辩论吸引了沃尔特的堂兄弟小列昂内尔。按照康斯坦丝的说法，那年的 3 月，他甚至“相信我们将向耶路撒冷进发，去寻找我们在那里的保护国。当时我认为犹太复国主义即将到头，主要原因是考虑到俄国的新的而且精彩的运动（革命），他却说当然不会……”至少，小列昂内尔意识到革命不大可能给在俄国的犹太人带来实际的利益，尽管布尔什维克有反宗教的说法。

然而，伦敦和巴黎的犹太人组织的其他成员都更加小心翼翼；而小列昂内尔自己不久也改变了语气。在伦敦，对犹太复国主义的反对运动由卢西恩 · 沃尔夫领导，他是英国犹太人协会联合外侨委员会（1918 年后改为外侨联合委员会）的秘书长，以及理事会“特别支部”的领导人，他认为，犹太复国主义会对反犹太主义火上浇油，而且会危及在西欧已经归化了的犹太人的地位。沃尔夫拥有非常有影响的支持者，包括自由党大臣埃德温 · 蒙塔古（他在 1917 年重返内阁）以及联合委员会总裁克劳德 · 蒙蒂菲奥里和戴维 · 亚历山大，亚历山大在 1917 年 5 月 24 日给《时报》写了一封措辞强烈反对犹太复国主义的信，声称表达“英国犹太人的观点”。里奥临死之前，公开宣称他同意蒙蒂菲奥里和亚历山大的观点，认为“在保持我们自己立场的基本观点，也就是我们不同时提出任何暗示，为犹太人在巴勒斯坦提供国籍或者授予可能会对其他居民产生危害的特区的同时，对犹太复国主义采用抚慰的手段是明智的做法”。在里奥死后，他的寡妻玛丽继续着这样的观点，小列昂内尔对此也越来越多地认同。在巴黎，以色列联盟秘书长雅克 · 比加特也持类似的观点。

最后，正如米里亚姆 · 罗斯柴尔德曾经说明的，沃尔特成功了——而且通过这件事情，证明他并不像当初被大家认为的那样不谙世事。沃尔特在 1917 年 5 月为回应蒙蒂菲奥里和亚历山大给《时报》写了一封回信，否认犹太国家的建立会破坏犹太人对他们出生地和居住地国家的忠诚。他还在理事会中赢得了一次反对蒙蒂菲奥里和亚历山大的投票（以微弱优势），这次投票结果致使后者辞职，而使他自己在7月20日当选为理事会的副理事长。

最后的结果自然取决于国会内部势力的平衡，但是沃尔特也可以对此发生影响。反对犹太复国主义的有蒙塔古，当时已经升职到印度办公室；而另一位是老印度事务主管，前总督寇仁伯爵，他的观点是巴勒斯坦的经济资源太有限，无法支撑一个犹太国家，而且朝这个方向迈出的任何一步都会激怒该地区的阿拉伯国家。因此，关键的问题是获得更多强有力的支持，因而，沃尔特就一直向劳合·乔治——当时的首相——以及外交部长贝尔福不停地灌输，其中后者建议他们提交一份声明给内阁进行考虑。在认真斟酌并几易其稿后，这份声明在7月18日完成了。事情的进展很慢：紧急的军事问题不可避免地在战后的计划里总是占有优先的位置，而且，也是在这个时候，英国意识到了有必要试探一下华盛顿的态度。甚至在1917年10月的关键会议上，巴勒斯坦的未来也还排在内阁庞杂的日程最后面。然而，最后劳合·乔治的态度改变成了英国控制的巴勒斯坦这一想法上；他和两名战争办公室的内阁成员——南非的简·斯玛茨和米尔纳开始担心（正如沃尔特曾经很有说服力地警告的）德国可能会率先推出他们自己的支持犹太复国主义的宣言，目的是为了赢得美国和俄国的犹太人的支持。沃尔特在得到了贝尔福关于蒙塔古仍然在负隅顽抗的告诫后，沃尔特在10月3日给外交部发去了另一份备忘录，而贝尔福第二天在内阁进行了追踪。

三周之后，国会最终授权贝尔福“寻找合适的机会宣布对犹太复国热情表示同情的宣言”：

> 英国政府支持在巴勒斯坦为犹太人民建立一个民族家园，而且将尽其所能帮助实现这个目标。所有人都非常明确，不得做任何可能对已经居住在巴勒斯坦地区的非犹太社区人民的公民与宗教权利造成损害的事情，也不得做任何有损犹太人在其他任何国家所享有的权利以及政治地位的事情。

这些内容——由内阁战争办公室副秘书长里奥·艾默里起草——由贝尔福在11月2日送交给沃尔特。因此，以色列国家的起源事实上可以追溯到致罗斯柴尔德勋爵的信。为了强调罗斯柴尔德家族对这个重大历史突破的贡献，12月2日在科文特花园歌剧院举行了大型的庆祝会，会上沃尔特和吉米都发表了讲话。沃尔特告诉群情激昂的与会者，这是“最近1 800年以来犹太历史上出现的最大的事件”。“英国政府，”吉米宣布，“已经批准了犹太复国计划”：

现在需要来自犹太人民的不再是计划，而是行动，而且他希望在不久的将来，现代化军队就可以沿朱迪亚的崇山峻岭打出一条前进的道路。犹太人的诉求是寻求公正，而这也是阿拉伯人和亚美尼亚人诉求的基础，对于阿拉伯人和亚美尼亚人的诉求犹太人完全赞同，而且希望得到支持。英国就像一位慈爱的母亲一样培养新生的犹太国家，而且她期待着那一天，一个久遭磨难的磨砺，但是一直以希望为傲的民族，能够凭借自己不懈的努力证明自己是不辜负母望的好女儿。

然而，这些预示性的说辞对于家族的其他成员来说并不受用。里奥的寡妻玛丽愤怒地谴责沃尔特是家族所信奉的社会同化论的叛徒。在宣言发表后的一周之内，小列昂内尔则领导建立了一个英国犹太人联盟，“支持信仰犹太教的个人的社会地位；反对犹太人组建独立的政治国家的主张”，并反对“这种潮流……让犹太人决定承认一种国籍，而不是，或者是作为补充的，我们出生的国家或者我们生活和工作着的国家”。在这样的精神感召下，菲利普 · 马格努斯爵士和斯韦斯林勋爵加入进来，他们分别是犹太联合公会、改革公会以及公会联合会的会长和当选会长，另外还有另一个颇具影响的反犹太复国主义者罗伯特 · 韦利 · 科恩。正如韦利 · 科恩在一次针对犹太复主义所进行的激烈辩论中所说的，他们的目标是促使“英国公民中的犹太人，那些居住在这个国家的家里而且为自己的英国国籍而自豪的犹太人，能够独立地发表他们对那些出生在外国而现在居住在这个国家，但是对他们的英国国籍没有太强烈感觉的人的看法。”

在同样的精神下，联合外侨委员会也只是在明确保留“该信的任何表述不得暗示犹太人在全世界的范围内组建了一个独立的政治国家，或者巴勒斯坦以外国家中的犹太公民必须在政治上效忠那个国家的政府”这样的表述条件下，才接受《贝尔福宣言》。有证据表明，在这个时期，韦利 · 科恩和斯韦斯林写信给小列昂内尔，建议建立一所犹太大学，作为“永久的战争纪念……纪念那些陷入战争中的大英帝国的犹太人”，以便“坚持并阐释犹太人与英国的传统，而且在今后大英帝国的犹太公民的生命中，给他们保留永恒的崇高力量”。甚至埃德蒙都出现了暂时的疑虑，担心让犹太复国主义者控制巴勒斯坦可能会“把民族家园的控制权交给了欧洲的布尔什维克”。

这些纷争在1919年的巴黎和会期间变得越来越激烈。当沃尔特试图把蒙蒂菲奥里排除在犹太人代表团之外的时候，魏兹曼坚决反对社会同化论者的说法，他警告如果犹太复国主义遭到了阻碍，“在犹太人聚居区的颠覆分子和反社会的势力”将会赢得上风。在巴黎，社会同化论者的立场则稳固得多。在沃尔特没有在场的情况下——因为他被看成是支持犹太复国主义的英籍犹太人的代表——沃尔夫成功地对到场的各种犹太人团体发挥了主导性的协调影响力，特别是针对犹太人的权力和在新政府上台后的中欧及东欧的各个国家中的少数民族地位问题。

事实上，《贝尔福宣言》的革命成分比犹太复国主义者所追求的以及社会同化论者所担心的都要少。倒是贝尔福自己“希望犹太人在巴勒斯坦取得成功，并最终建立起一个犹太人国家”。与罗伯特·塞西尔勋爵一样，他对犹太人的同情几乎具有与迪斯雷利一样的性质：正如他在1917年时所说的，犹太人是“自15世纪的希腊人以来人类出现的最聪明的民族。”但是他把这份宣言看成是规划“某种类型的英国、美国或者其他国家的保护国”；“并没有必要涉及草建一个独立的犹太国家，这应该是按照政治进化演变的一般规律逐渐发展的一个问题。”他在1919年1月时向寇仁保证，任何关于“巴勒斯坦犹太人政府”的想法，都是“肯定无法同意的”。另外，寇仁对犹太人与阿拉伯人之间摩擦的担忧最终证明并不是杞人忧天。尽管1918年12月在沃尔特为埃米尔·费萨尔举行的宴会（同时出席的还有魏兹曼、米尔纳、塞西尔、克鲁以及T·E·劳伦斯）上表达了期望，并且随后的一个月里在魏兹曼与费萨尔间达成并签署了协议，麻烦还是接踵而至。犹太人和阿拉伯人早在1921年开始就发生了剧烈的冲突（这导致英国政府开始限制移民），1929年又再次大规模爆发。沃尔特倾向于把这些问题归咎于高级专员赫伯特·塞缪尔，因为他对塞缪尔任命哈吉·阿明·艾尔·胡塞尼为耶路撒冷大法官的决定特别耿耿于怀。从另一方面说，他协调犹太复国主义与社会同化论冲突的努力在激进分子于1921年7月举行的世界犹太复国大会上提出对巴勒斯坦的所有土地进行国有化之后，大大地削弱了。

到1924年，沃尔特开始厌倦这些一团乱麻一样的问题。尽管他是1920年巴勒斯坦基金会基金的第一个签字人，但是他在1925年拒绝了主持希伯来大学开学典礼的邀请。吉米仍然表现得很活跃，向劳合·乔治和他的保守党继任领导人博纳·劳汇报的问题不仅是关于巴勒斯坦的，也有关于叙利亚的。比如在1919年的时候，他敦促劳合·乔治不要让财政部削减海法经济发展所需的资金，因为他担心这可能会疏远阿拉伯人。他在1922年10月一听到劳合·乔治下台的消息，马上将自己在巴勒斯坦问题上的专长贡献给博纳·劳。吉米的父亲埃德蒙也继续参与到巴勒斯坦事务中，将过去的巴勒斯坦犹太殖民协会委员会重组为巴勒斯坦犹太人殖民联合会——一个由他领导（后来由吉米领导）的自治组织。然而，埃德蒙担心英国的政策会遭遇“疏远法国的公共舆论的风险，因为英国用法国的牺牲来就有关叙利亚的问题支持阿拉伯……而他唯一的期望是保持英法同盟联系，因为非常强势的天主教影响力正竭尽所能想要破坏它”。甚至在这个问题上，他们父子之间也存在不和：这对巴勒斯坦的未来将对罗斯柴尔德家族造成分裂这一问题是一个很好的说明。

影响力的衰退

然而，如果对于1914年之后罗斯柴尔德家族的经济问题只是——如果是完全地——用由战争引发的忠诚冲突来解释，也是错误的。罗斯柴尔德家族影响力渐失的原因与战争的经济后果、1905~1918年的时代变迁以及忠义思想的分崩离析都有着十分重要的关系。

尽管说罗斯柴尔德家族毫无疑问地从战争的一两个方面有所获利——对维克斯公司的枪、新苏格兰出产的镍以及德比尔斯公司的钻石的需求增加——但是其净影响无疑是负面的。尽管罗斯柴尔德家族曾经兴旺发达的世界在1914年走到了尽头的说法有些夸张，但这种夸张其实也不算过分。起码有一点，战争最终摧毁了罗斯柴尔德维也纳银行与其在伦敦和巴黎的银行之间残存的最后一点联系。更为严重的是，它斩断了罗斯柴尔德家族与德国银行，比如布雷希罗德银行、沃伯格以及贴现公司之间的联系。由它们与其他承兑银行共同资助的，而且在一个世纪以来很少出现问题的海外贸易忽然中断了，首先是因为主要金融市场上出现的突发性恐慌，随后是由于封锁和潜艇战。建立在金本位基础上的货币体系——罗斯柴尔德家族的业务基本上都是围绕着这个体系在运行——停止了运作，因为大多数主要的参战国暂停了它们的货币对金币的兑换，并且实行了汇率控制。罗斯柴尔德家族帮助建造的穿越西欧的铁路被用来向战场运送士兵。另外，四年杀戮的成本使欧洲的税务体系变得更加完备，这在战前的10年中可以清楚地看出来。第一次，罗斯柴尔德家族发现自己为自己的收入和继承缴纳了高额的税金。

表9–1显示了罗斯柴尔德伦敦银行在战争年代所经历的异常剧烈的紧缩。在1915年，N·M·罗斯柴尔德公司终于在资本金上被米德兰银行超过，而在之前的几乎整整一个世纪，一直以遥遥领先第二名的成绩位列这个国家的银行之首。到1918年，克莱沃特也冲到了N·M·罗斯柴尔德公司的前面，而施罗德则紧随其后。现有的资产负债表反映出巴林的资产在1915~1918年超过了N·M·罗斯柴尔德公司，而且，尽管施罗德也在战争中遭受重创，但是它的资产负债表不像罗斯柴尔德公司收缩得那样厉害。通过对罗斯柴尔德公司的资产负债表仔细研究，可以发现银行对英国政府债券的持有出现了非常剧烈的减少。

表 9–1　六家主要英格兰银行的资本，1913~1918 年（单位：英镑）

	罗斯柴尔德	巴林	施罗德	克莱沃特	摩根	米德兰
1913 年	7 844 642	1 025 000	3 544 000	4 406 160	1 053 201	4 349 000
1914 年	6 367 906	1 025 000	3 535 000	4 423 149	924 490	4 781 000
1915 年	4 618 511	1 025 000	3 095 000	4 399 534	1 127 367	4 781 000
1916 年	4 521 846	1 025 000	3 054 000	4 332 986	1 185 942	4 781 000
1917 年	4 720 609	1 025 000	3 104 000	4 507 339	1 413 702	5 189 000
1918 年	3 614 602	1 025 000	3 159 000	4 669 483	1 454 205	7 173 000

资料来源：RAL, RFamFD/13F; RFamFD/13E; Ziegler, Sixth great power, pp. 372-8; Roberts, Schroders, pp. 527-35; Wake,Kleinwort Benson, pp. 472f.; Burk, Morgan Grenfell,pp. 260-70,278-81; Holmes and Green, Midland, pp.331-3

表 9–2 证实了对这种紧缩的解释主要——但不是全部——在于罗斯柴尔德家族在 1913~1915 年遭遇的重大损失。巴林和米德兰银行做得要好很多。如果用利润所占资本的百分比来表示的话，差距就更大了（尽管总的来看施罗德做得更糟糕）。银行在资本方面缩水的其他解释应该是 3 个合伙人去世所带来的影响；具体来说，阿尔弗雷德决定将其资产中的大部分在家族以外传承解释了 1918 年的资本减值超过 100 万英镑的原因，尽管第三年的经营产生了相当不错的利润。

表 9–2　五家英国最大银行的利润，1913~1918 年（单位：英镑）

	罗斯柴尔德	巴林	施罗德	摩根	米德兰
1913 年	–92 962	359 673	428 000	–108 917	1 311 000
1914 年	–1 476 737	78 813	379 000	–229 742	1 192 000
1915 年	–117 195	1 094 436	69 000	438 782	1 211 000
1916 年	213 320	764 192	77 000	185 942	1 637 000
1917 年	230 123	589 913	35 000	177 508	1 968 000
1918 年	208 673	413 008	36 000	191 748	3 314 000

资料来源：同表 9–1

然而，仍然存在着让人不解的问题。因为在很多方面，第一次世界大战的资金来源方式与 19 世纪的那些战争的筹资方式并没有太大的区别。事实上，从严格的金融意义上说，与可用经济资源相关的战争规模并不比拿破仑时期的战争成本大，尽管后者的激烈程度稍轻，而持续时间更长。各国政府通过开设新的税种来筹集部分资金，但是大多还是要靠借。例如，德国国家债务在 1914~1919 年增长了大约 190 亿美元，法国是 250 亿美元，英国是 320 亿美元，以至于到战争结束的时候每个国家的债务都接近GNP的200%。当债券收益变得惊人的高的时候，所有参战国的政府都要求它们的中央银行大量印制钞票换回国库券。大规模地这样做是可能的，因为这与拿破仑时代一样，为防止银行危机，纸币对黄金的兑换暂停；因此，结果就是通货膨胀，价格翻番甚至翻两番。那么，为什么罗斯柴尔德家族会在第一次世界大战期间丧失了这次金融投资的机会呢？不论怎么说，是一个世纪前的拿破仑战争给了迈耶·A·罗斯柴尔德以及他的儿子们极其重要的商业机会。

答案其实非常简单明了。法国在拿破仑战争中的失败在很大程度上是因为英国向奥地利、俄国和普鲁士提供贷款和补贴来进行资助。罗斯柴尔德家族通过他们设在法兰克福、伦敦和巴黎的机构在这些款项的汇兑中占据了得天独厚的优势。在第一次世界大战中被击败的那些中央集权国家也有从英国到她的盟国之间的汇兑（金额达到97亿美元）；但只是在法国的转款中罗斯柴尔德家族才真正有优势，起到了部分作用，而且也只是很小的一点儿。曾经，他们是盟国间进行国际汇兑的首要代理；但随着英国的战争作用非常依赖于美国的信贷，J·P·摩根取代了N·M·罗斯柴尔德公司成为了战争金融的核心——这证明没有在大西洋彼岸设立一家罗斯柴尔德银行是一个多么大的战略性错误。

1815年与1918年战后的时间段内也有很多相似之处。在两段时间之内，战胜国都试图让战败国支付部分的战争开销；而且战时的通货膨胀都极大地减少了战败国的内债，使得这些赔款的支付比通常情况下所想象的要容易很多。在1815年之后，资本充裕的英国可以为欧洲大陆政权的恢复提供资助；1918年之后，变成美国为中部欧洲的各“继任国家”——不仅是德国，还包括奥地利、匈牙利和捷克斯洛伐克——提供资金。然而，在这两段时间里，战败国内的新政权也都很不稳定，如魏玛共和国像当时的波旁法兰西一样，仅仅存在了15年。因为英国像19世纪20年代的奥地利一样，缺乏金融资源来“监管”战后的欧洲；而美国像19世纪20年代的英国一样，渐渐从欧洲大陆的义务中脱身，尽管这种义务对它来说并不是什么难事。在19世纪20年代和20世纪20年代间存在的巨大差别是，英国在19世纪20年代免除了她的盟友所欠的战争债务的大部分，而美国在1918年后却并没有这样做；1815年强加在法国头上的战争赔款从所占国民收入总值的比例看（大约7%），远少于1921年对德国提出的要求（大约300%）；最后，20世纪20年代那些面临很多需要解决的问题的政府是民主政权。这就意味着银行家、债券持有人和直接的纳税人不会再像19世纪20年代时那样出现政治上的过度代表现象。部分也就是因为这个原因，摩根家族在20世纪30年代不可能扮演罗斯柴尔德家族在19世纪30年代时所扮演的角色，应用金融影响力通过债券市场来劝阻侵略性的外交政策。20世纪30年代的经济和政治危机暴露出了经济势力所遭遇的局限，这种情况与19世纪时候的情况根本无法相比。

所有这些为罗斯柴尔德家族在两次战争之间所遭遇的麻烦提供了说辞。然而，即使这段时间对于罗斯柴尔德家族银行来说是很顺利的一段经营时间，它可能会取得多大的成功也是很难确定的。罗纳德·佩林在1925年以年轻职员的身份加入的罗斯柴尔德银行似乎与狄更斯小说中的董贝父子公司基本上属于同一时代。只有在午餐时间，当绿色屏风被拉离玻璃门时，人们才可以看到合伙人坐在配置完备、装饰豪华的“议事室”里他们自己的桌子旁。但是对佩林来说，他们似乎是“造物主更高级的作品”，与他们沟通的机会真的微乎其微。他们有自己的专用入口，有他们自己的餐厅，而且他们的办公桌上配有一排按钮，可以用来召唤员工中的任何人。在顶层甚至还设有一间特别的办公室，叫做私人会计部（员工们称之为“假账室”），用来处理合伙人之间的私人事务。用列昂内尔的儿子埃德蒙——他在1939年加入银行——的话说，“坐在议事室的家族成员占据了大办公室，与坐在前厅里的雇员是完全不相干的两个人种”。

职员里的最高级别是总经理，这个位置在两次大战之间的大多数时间里由匈牙利出生的塞缪尔·斯蒂芬尼占据，另外就是各个部门的领导以及像诺海姆兄弟这样的高级职员。新亭办公室的布置是一种随心所欲的风格：议事室上面是人事经理和总会计师的办公室，同时还有管控部以及私人会计部。“大办公室”事实上是一些狭窄的公共柜台，一直联到了一个狭窄的后厅，里面还包括了出纳和贵金属部。股票部，尽管名字是这样叫，实际上处理的是票据交换业务，并且分成了应收票据部和应付票据部。在那些高高的有坡度的办公桌上，员工们勤奋地记入或者贷出票据，然后交给“传票人”进行承兑。更加繁复的是红利办公室的运作方式，这里处理外国债券发行及利息支付的事务，同时还有持有银行的小规模不记名股票的法人客户，比如皇家土耳其银行的红利事务。用佩林的话说，这是“工作效率研究者的噩梦”，这里采用老式的机器在息票部进行息票打孔，还用到了布伦斯维加手摇式计算器以及它的精算表。于是，工作速度大打折扣。按照一个流行的说法，当某一位合伙人让未来的红利办公室主任列昂内尔·斯图尔特告诉他1个亿的1%是多少的时候，列昂内尔马上回答说：“100万。”合伙人打断他说，“不要猜，孩子，回去把它算出来。”总经理斯蒂芬尼的格言也打算倡导同样的精神。“任何人都会犯错误，”他总会这样说，“一个从不犯错误的人也从来不做任何的事情。但是老天帮助那些在检查中发现错漏的人。”斯蒂芬尼给年轻雇员的另一条忠告是：“从来都不要照抄一个汇总的数据，一定要每次都把它算出来。”

这种对细节的强调如果不是与人们所能想象得到的最散漫的工作方式混在一起的话，应该是很容易理解的。比如，息票部主任乔治·利特黑尔斯住在默西，而且从来没有在中午之前到达过办公室。下午1点，他去吃中午饭；2：30他又离开办公室回家。作为一名初级职员，佩林“很少在早上10：30之前到达办公室，而且周末总会放两天假”。新亭优先顺序的特点是，合伙人的候客室里有三部电传机：一部用于股票交易价格，一部用于一般新闻，另外一部用于体育新闻。与大学老师一样，高级职员有他们自己的餐厅和服务员，而他们的下级员工永远都是一种小型公立学校的氛围，每个人都有诨名（利特黑尔斯被叫做“鸡蛋”），开着一些与现实有关的玩笑，而且总是期待着午餐休息时间的到来。长期服务于罗斯柴尔德家族的雇员，像乔治·泰特以及雪莉·斯内尔生活得就像佩勒姆·格伦维尔·沃德豪斯小说里的人物，他们受到了所继承的财产无法支持他们在金融城里所享受的舒适生活的困扰。泰特在跟佩林谈话的时候，无意中很全面地总结了两次战争期间的氛围：“孩子，这是伦敦最好的俱乐部。我们真的应该交年费，而不应该来领工资。”事实上，佩林和他的同事们所领到的还不仅仅是工资。在他基本收入按季度支付的每年100英镑之外，佩林还领到了每年48英镑的“午餐费”；“税贴”（顾名思义，税务局对征收国外红利的所得税这一工作的报酬）；生日和周年纪念时来自老板的“红包”；介绍客户购买债券和股票所得中介费的1/8；另外，还有过节费。

这种相对很慷慨的薪水或许解释了罗斯柴尔德家族一直能够招到像迈克尔·巴克斯（后来的总经理）以及彼特·霍布斯（后来的投资经理）这样有天赋的人才的原因。这两人都在与佩林相近的时期进入公司。然而，总的说来，招募体系在形式上是封建的。如一名高级雇员开始是以守门人的身份进入公司，而其后来的高升却是得益于其母亲为罗斯伯里家族做了多年的家庭服务员。佩林自己也是因为他的父亲认识英格兰银行的一名董事而被介绍进入公司的。他面试的内容包括由人事部经理要求他拼写“parallel”和“acknowledgement”这样的单词。很多雇员也都是来自已经为新亭工作了几代人的家庭：比如威廉斯家族和默瑟家族（很典型的是厄内斯特·默瑟被称为是“默瑟的儿子的兄弟的儿子”），罗斯柴尔德家族的信使则是雇用福克斯通家族的人，而这个家族曾经为内森工作。第一批进入新亭的女员工是两名拉比的未婚女儿。她们被安排在公司顶层单独隔开的办公室里，并在地下室单独的房间吃饭（这种做法与在星期六不营业一样，一直持续到了20世纪60年代）。佩林的判断似乎并不过分尖锐：罗斯柴尔德家族变成了“一个组织……主要是由一群和蔼可亲的怪人管理，他们自己做的工作很少，也并不认真，而且采用的是过时的方式”，并且似乎开始陷入到“上流社会的慵懒中”。

暮气沉沉的气氛也不是专门针对罗斯柴尔德伦敦银行。当爱德华的儿子盖伊在1931年加入到罗斯柴尔德巴黎银行的时候，他被“每件事和每个人都墨守成规”的方式所深深震动。他参加的培训是学习用分数而不是小数来报利率，并有一名职员来专门教他，这名职员的另外一项任务就是在早上给他读选自报纸上的新闻。盖伊在后来回忆道，“这些员工被‘罗斯柴尔德’这个名字的荣耀以及名字所赋予的责任所感染。上一个世纪的遗迹每时每刻在每个角落都会碰见，甚至那些根本没有任何理由继续存在的遗迹也有，”如那些为梵蒂冈保留的可以追溯到詹姆斯男爵时代的微不足道的账户。跟伦敦合伙人在议事室里把自己与日常的业务管理完全隔离的做法几乎一样，爱德华和罗伯特在巨大的“大办公室”里度过自己的工作时间，采用同样的按钮呼叫系统来保持与他们雇员的联系。员工们那“光光的墙壁……昏暗的灯光……沉闷而单调的”办公室让人不难想到他们过去随心所欲的布置，以及空气中陈腐的烟草味和霉味。在被雇用了几十年之后，每个人工作起来都是慢吞吞的，没有监督也没有纪律。盖伊马上就意识到“罗斯柴尔德巴黎银行更像是一个家族的秘书处，而不是一家正在运行的银行”，它的主要活动是“轻轻地延续19世纪”。

然而，这种表面之词低估了20世纪20年代和30年代罗斯柴尔德活动的范围。把这种“静止”的记忆看成是两次大战之间那段时期出现的两次大规模经济损失的后果，而不是针对罗斯柴尔德家族的那些问题的原因，可能更符合历史的原貌。

在某些方面，20世纪20年代和30年代罗斯柴尔德公司与在之前的20年一样活跃。如果我们把这个银行所承销的债券和股票的面值相加起来看，1920~1939年的总量只比1900~1919年低了5%。差别来自两个方面。首先，两次大战之间的业务大量地是与金融城里的其他企业，主要是作为罗斯柴尔德家族过去的竞争者的巴林银行和施罗德合伙银行，而不是与罗斯柴尔德巴黎和维也纳银行联手。另外的合作例子还包括罗斯柴尔德家族在1919年参与了对华贷款银团（这个领域由香港汇丰银行主导）以及它们与施罗德、劳埃德、威斯敏斯特银行以及国民地区银行一起参与了购买德国拥有的土耳其铁路公司（通过瑞士作为中介）的活动。由于现在还不完全清楚的原因，战后恢复三家罗斯柴尔德银行之间的传统合作关系似乎存在相当大的难度；这也就帮助我们解释了为什么仍然存在的与巴黎和维也纳之间的联系最终被证明存在着这么多的问题的原因。第二个区别是20世纪20年代的债券发行最终被证明是当代最具灾难性的投资，因为随后发生了很多折磨着借款国的经济和政治危机。表9–3给出了罗斯柴尔德家族在两次大战之间主要的贷款和股票发行的地区分解，这份表格显示，在英国和欧洲大陆的发行占了主要的部分，紧随其后的是拉丁美洲和亚洲——主要是日本（由于在亚洲罗斯柴尔德家族是一个由威斯敏斯特银行领导的大型集团的成员之一，因此这个表里的数据极大地夸大了他们的作用）。

表 9–3 N · M · 罗斯柴尔德公司参与的主要的债券和股票发行，1921~1937 年

地区	发行证券总值（英镑）	所占总额的百分比（%）
英国	38 112 921	21.3
欧洲大陆	38 607 700	21.5
拉丁美洲	55 438 251	30.9
日本	43 500 000	24.3
其他	3 500 000	2.0
总计	179 158 872	100

资料来源：RAL

然而，仔细研究后可以看出，罗斯柴尔德家族在两次大战之间的时期参与了一些向最不稳定的地区贷款的活动。这是他们不加区别地恢复战前业务活动模式无意间造成的后果。

当然，这对于一个与中部欧洲在历史上有着紧密联系的公司来说，在对哈布斯堡和霍亨索伦帝国覆灭之后的废墟上建立起来的新国家提供金融支持方面起带头作用是再符合逻辑不过的事了。遗憾的是，甚至在这些国家中最稳定的地方，做起生意来也非常的困难。在 1922 年和 1923 年，一个由巴林领头，包括N · M · 罗斯柴尔德、施罗德和一家叫基德尔 · 皮博迪的纽约企业组成的银团发行了价值大约 1 000 万英镑的捷克斯洛伐克债券；但是第一批债券的价格就低于发行价，原因是布拉格市不合时宜地发行了自己的纸币。罗斯柴尔德家族似乎避开了 20 世纪 20 年代初的灾难性的德国债券发行，当时因为 1922 年和 1923 年的高通胀，这些债券几乎变得没有任何价值，但是他们又被拉回到德国市场（部分原因是马克斯 · 沃伯格的影响力，当时他正处于权利的巅峰），为普鲁士的威斯特伐利亚省筹集了 83.5 万英镑，而且还与巴林和施罗德一起在 1926 年和 1927 年为汉堡市和柏林市发行了大规模的债券。另外，罗斯柴尔德伦敦银行也参与了罗斯柴尔德维也纳银行在沃伯格雄心勃勃的国际承兑银行中的持股计划，这个银行成立于 1921 年，目的是解决战后德国巨大的贸易赤字缺口；之后还参与了另一个沃伯格项目，一家以伦敦为基地的工业融资与投资有限公司。匈牙利或许是这个时期中欧国家中最重要的客户：在那里是由新亭领导了债券的发行，在 1924 年发行了 790 万英镑，1925~1926 年发行了 225 万英镑，1936 年是 160 万英镑。

最后，还有奥地利。除了 1930 年 300 万英镑的政府贷款——这笔贷款与巴林、施罗德和摩根·格伦费尔合作办理——之外，罗斯柴尔德伦敦银行还通过其在维也纳的兄弟银行表现出了对奥地利经济的间接兴趣——程度上或许远远超过他们自己在1931年之前所意识到的。路易斯或许在他对于20世纪20年代中欧经济过度乐观的评价中更多地持有与马克斯·沃伯格类似的观点。他在维特科威兹钢铁厂成为独立的捷克斯洛伐克的一部分之后（而如果这个厂归波兰，他可能会有完全不同的动作），马上选择继续持有。更为重要的是，他提高了罗斯柴尔德家族对由他的祖父在60年前建立的信贷银行的参与程度。在1921年7月，他同意成为信贷银行董事会主席，而且正是与信贷银行携手，罗斯柴尔德维也纳银行才参与了像国际承兑银行和以荷兰为基地的阿姆斯特尔银行这样的事务中。正是一位前信贷银行的董事及监督委员会委员威廉·雷根丹茨说服了伦敦罗斯柴尔德银行为一家位于布雷根茨名叫沃拉尔伯格·伊尔威克的奥地利公司发行了200万英镑的债券，而这次发行的失败是对于中欧经济前景不容乐观的早期警示。

当地产信贷银行在1929年10月陷入困境的时候，奥地利政府找到了路易斯。他同意将两家银行进行合并。在10月18日星期三，罗斯柴尔德巴黎银行对他的做法发来了贺信。“感谢你毅然决然的无畏态度，”爱德华写道，“你拯救了维也纳的金融，避免了可能对你的国家带来极大伤害的事件的发生，而且在其他金融资本市场肯定也会引起反响。”如果爱德华知道下一个星期二可能会发生什么事情，他就不会发来什么祝贺了。路易斯和他两人都不知道，历史将会重复自己：正如路易斯的曾祖父萨洛蒙在1848年危机前夕对阿恩斯坦与艾斯克勒斯进行救助时的情况一样，路易斯对救助地产信贷银行的决策只会把罗斯柴尔德维也纳银行带到破产的边缘。

对于罗斯柴尔德伦敦银行继续其与拉丁美洲，特别是与巴西和智利的传统亲密关系似乎也是很合逻辑的。在战争期间，美国驻巴西大使曾经评论说：“罗斯柴尔德家族在巴西经济的未来上已经押上了如此大的赌注……他们将会对巴西与任何其他非罗斯柴尔德银行以及任何非英国的国家建立银行联系的道路上设置一切可能的障碍。”这是一个可以理解的夸张。罗斯柴尔德伦敦银行在两次大战之间的时间段内为巴西联邦政府发行了面值超过2 800万英镑的债券，还有额外的1 750万英镑巴西国家级铁路债券(为智利发行的总额大约在1 000万英镑)。在巴西的问题上，金融（和政治）的稳定性很大部分与国际市场对咖啡的需求相关联；1922年900万英镑的贷款——再次与巴林和施罗德合作——就是特别为资助政府的咖啡价格支持计划而设计，并将对咖啡出口的控制权交到了金融城的一个银行委员会手上（尽管罗斯柴尔德持保留意见，再次重复了1908年曾经做过的尝试）。

然而，对巴西银行可靠性的怀疑还在持续，而且当巴西政府在1923年找到新亭申请新的2 500万英镑贷款“以清算流动债务，恢复巴西的金融秩序”的时候，小列昂内尔派遣埃德温·蒙塔古到巴西去了一趟，希望对巴西银行施加“一些形式上令人愉快的外国金融控制”。遗憾的是，蒙塔古以及他的同事能够提出的最好建议，是伦敦的银行可以考虑购买巴西政府在巴西银行的股份，这个提议遭到了小列昂内尔的反对，理由是这个“国家银行由外国人所拥有的想法在巴西是最不受欢迎的”。无论如何，英格兰银行临时禁止对外贷款的政策使这次贷款计划夭折，而且3年之后——在关于是否允许德国进入国际联盟的问题上，巴西和英国产生了一次争吵之后——巴西政府把眼光转向了华尔街。罗斯柴尔德伦敦银行还是继续执行对咖啡支持计划的控制，这个计划在1924年由巴西联邦政府转给了圣保罗州政府，并且当巴西在1927年回到了金本位体制上后，罗斯柴尔德伦敦银行又恢复了它在巴西联邦债券发行中的统治地位。罗斯柴尔德伦敦银行在巴西的代理人亨利·林奇（当地人称“林奇爵士”，主要因为他的骑士身份），在整个这个时期之中都是这个国家的经济生活中的关键人物。在智利，政府的经济稳定性也与稳定的出口紧密相关，它的主要出口产品是芒硝，主要用于肥料和炸药的生产。

除了这种传统的债券市场业务外，罗斯柴尔德家族继续保持着他们在战前对矿业的兴趣。他们作为力拓公司主要股东的影响力随着公司的业务从铜、黄铁矿扩展到包括硫黄回收、炉渣处理以及硅胶的生产，而且其地理范围也从西班牙扩展到比利时、罗得西亚和美洲。主要的董事会成员像米尔纳勋爵、阿瑟·斯蒂尔·梅特兰爵士（1920年时公司的执行董事）以及奥克兰·格迪斯爵士（他在1925年继任米尔纳的董事长职务）都与新亭保持着紧密联系，因为公司正努力应对着两次大战之间那段时期原材料市场的剧烈波动。在南非，罗斯柴尔德的伦敦和巴黎银行仍然是德比尔斯公司主要的股东，尽管其经营方向越来越多地由厄内斯特·奥本海姆的英美公司（成立于1917年）所决定，因为该公司所持有的德比尔斯公司的股份比罗斯柴尔德家族的还多。唯一出现问题的地方是西班牙，在那里阿尔马登矿在1929年被国有化了；但是西班牙甚至在战争爆发之前就已经不再是罗斯柴尔德家族主要的收入来源了。

所以这些业务几乎都是一成不变的。公司所熟悉的股票经纪人圈子——卡赞诺夫、梅塞尔斯、潘缪尔·戈登和塞巴格斯——都非常忙，律师也一样。麻烦的是这些工作并不一定都是赚钱的。因为当全球经济陷入1929~1932年的大衰退的时候，价格、产量和就业率水平出现了前所未有的下降，罗斯柴尔德家族参与最深的领域也都受到了最严重的影响。

当然，下面这种是有疑义的，即导致这次资本主义体系大危机的是“结构性”因素，这种情况远非银行家和政治家所能控制。第一次世界大战的遗产就是一个大量大宗农产品和工业产品过剩和扭曲的市场。但是毫无疑问的是，错误的财政和货币政策——加上无法理清国际战争债务以及军备义务——激化而且延续了这次暴跌。在20世纪20年代初期，有太多的国家试图通过过度的公共部门赤字来逃避那些困难的政治选择，用大量加印钞票来帮助解决赤字问题。结果就是通货膨胀和恶性通货膨胀，而且随之而来的是金融不稳定，因为投资人（特别是债券持有人）要求更高的收益来补偿他们可能面临的更严重通货膨胀的风险。奥地利是那些经历了战后高通货膨胀的国家之一。其结果是，罗斯柴尔德维也纳银行在稳定新先令方面提供了帮助，阻击了像金融实业家卡米洛 · 卡斯蒂廖内这样的通胀狂热分子的阴谋；但是，本质上与20世纪20年代所有的中欧银行一样，其通胀后的资产负债表上存款是盈，而资本储备是亏。从20世纪20年代中期以来，较为普遍的政策性错误是用不可持续的汇率来进行定值计算，因为政府未能成功仿效1914年之前的金本位体制，忽略了缺乏其先前之所以能够取得成功所具备的很多根本性的先决条件这一现实。结果是，特别是在1929年之后，各国政治家试图平衡预算，而不顾衰退的现实，因此采取紧缩的货币政策，将所有的其他政策目标都放到了维持黄金等值的目标下面。

毫无疑问，罗斯柴尔德家族在这里插了一手，尽管这个错误流传得如此之广，几乎到了成为一种接近普遍真理的“常规知识”的地步。或许，罗斯柴尔德伦敦银行一直在国际黄金市场上占据重要地位的事实是一个因素。当战时禁止黄金从伦敦出口的禁令一开闸，N · M · 罗斯柴尔德公司便在贵金属市场和英格兰银行之间扮演了中间人的角色，南非的矿业公司同意将他们所有的黄金（大约全球产量的一半）运交给英格兰银行。所采用的交易方式是，N · M · 罗斯柴尔德公司在收到交来的精炼黄金后，按每标准盎司3英镑17先令9便士的价格付款给厂家，然后“按最好的价格，给伦敦市场和贵金属经纪人一个进行竞价的机会”出售，共享所有的升值，并按每六个月一次的方法把矿山应得的部分汇回矿山。这就诞生了一个所谓的“固定价，”由此，从1919年9月12日开始，在新亭进行的拍卖后，每天上午的11点确定国际市场的黄金价格。因此，这种方式在战后为稳定印度和英国的货币体系起到了关键性的作用。

然而，人们很难相信这就是罗斯柴尔德家族坚持重建黄金汇率标准的唯一理由。从根本上说，他们喜欢黄金的理由与金融城内其他银行喜欢黄金的理由别无二致：他们担心，如果允许英镑自由流动，伦敦将会无奈地看着自己的所扮演的世界金融资本中心的地位不可避免地旁落纽约。他们对金本位的信心也不是没有经过深思熟虑：在1931年，沃尔特辩称——其实他是对的——在大萧条中崩溃的体系“与资本主义还是社会主义的对或错根本没有丝毫关系，而是……由于（某些）国家对黄金的贪得无厌。他们已经成功地做到通过从世界其他地方的易货贸易方式中撤出而损害他们自己的贸易。”这是一个中肯的评论：1914 年前的金本位与 20 世纪 20 年代的黄金交易体系中最大的不同，就在于最重要的两个玩家——美国和法国倾向于采用“封存”额外的黄金的规定，目的是为了避免国内的通货膨胀。如果没有各国中央银行之间的合作，这种体系是无法持续的。

与英国相比，法国妥协了。只要法国的纳税人还在相信他们的预算可以与德国并不打算支付的战争赔款进行平衡，他们就没有机会把法郎重新恢复到战前的汇率水平。事实上，只是在经过了旷日持久的辩论后，法郎汇率才在 1928 年被固定在其过去对外价格的 20%的水平上。这是一个妥协，对此，爱德华以他作为 12 名法兰西银行的董事之一的权限进行了激烈然而却是徒劳的反对。在 1924 年的夏天，他成为了由爱德华 · 赫里欧领导的左翼联盟政府的公开批评者，因为他看到了政府在处理铁路工人罢工方面表现出来的软弱，而对于罗斯柴尔德家族来说，由于他们的北方铁路主要股东的身份，这是他们当务之急需要解决的问题。次年初，随着法郎的快速贬值，他带领法兰西银行的一个代表团去找赫里欧讨论货币问题。尽管爱德华很巧妙地把法郎疲软的部分责任归到“教会中的右翼人士与社会主义的极端分子”身上，他还是同时也批评了过度的公共部门支出，而且呼吁左翼联盟与被他们取代的右翼的国家集团合作，共同实现平衡预算的目标。然而，随着 1926 年 6 月埃米尔 · 莫罗出任法兰西银行总裁，罗斯柴尔德家族的影响力下降了，因为尽管爱德华继续梦想着返回到战前的汇率水平，莫罗则更为现实，他为在接近现有汇率的水平稳定货币进行着辩解。这种分歧在 1927 年的春天几乎全面升级为冲突。爱德华获得了实业家弗朗索瓦 · 德 · 温德尔的有力支持，而且在法国政府于 1927 年寻求在伦敦筹集资金的时候，又获得了更多的支持，但是他所追求的这些目标在政治上是不可行的。甚至由庞加莱领导的新政府在获得平衡预算的授权后所做的，也只是把法郎兑美元的汇率固定在 25.52。在庞加莱的领导下，3%利率的国债的价格从 48.25 上涨到了 67.6；但是与此相反，罗斯柴尔德家族的影响力下降了。

爱德华的地位也没有因为他的堂兄弟莫里斯（埃德蒙的二儿子）多姿多彩的政治生涯而得到加强。在 1919 年，莫里斯以克里孟梭领导的国家集团在上比利牛斯省的代表这一身份被选入下院。从一开始，莫里斯就充分利用了他的家庭背景，在宣传画上使用了“我的名字就是我的纲领”的口号。为了确保教会的选票，他甚至不顾廉耻在卢尔德向教会保证他会“为朝圣者组织专列，而且在政治和宗教问题上强烈要求在教会学校布道的自由，恢复教职修女”。一位教士被告知：“没有他的家族的支持，政府将一事无成。罗斯柴尔德家族因为他们的银行，是事实上的财政部，没有它，我们将会抓瞎。”这些伎俩在1919年显然是奏效了，但是5年之后，他们无法摆脱被赫里欧的左翼联盟击败的命运。莫里斯以大无畏的精神改变了他的政治诉求，接受了来自社会主义报纸拥有人路易斯·克鲁泽的邀请，在一次辅选中参加了上阿尔卑斯省的选举。他成功了；但是这一次，他的竞选方式受到了挑战。在给国会的一份报告中，他被指控为确保选举胜利花了160万法郎（大约15 000英镑），给一个小镇5 000法郎，以为镇上的消防队购买制服，甚至发出了200封信，每封信里有给每个投票人的20法郎。一个要求取消选举结果的动议有惊无险地以180票对178票被否决，但是当调查委员会认定莫里斯的捐赠具有慈善性质时，该报告的合法性以高票被否决（209票对86票）。选举不得不重新进行，而且尽管莫里斯获胜（与他在1928年4月再次做的几乎如出一辙），但他的名声——同时也累及他的家族——几乎不可能有什么改善。腐败的国会以及进行黄金投机倒把的中央银行的说法至少在1929~1932年的世界危机中不绝于耳；而法国罗斯柴尔德家族在两项指责中都有份儿。

大崩溃

把华尔街的“黑色星期二”——1929年10月24日作为大萧条开始的时间尽管有些牵强，但是大家通常都这样做。事实上，在这之前的整整一年中，欧洲就出现了很多经济活动下滑的迹象。从另一方面说，对美国股票市场前所未有的崩盘所带来的冲击效应怎么说都不为过，这次崩盘在短短的一个月之内将总值800亿美元的市值蒸发掉了300亿美元，而且使道琼斯工业指数从其1929年9月最高时的381点掉到了1932年5月底部的50点。这种资产价格的紧缩导致美国资本大量流出欧洲。这又导致了普遍性的货币紧缩，而各国中央银行和政府试图坚持黄金汇率的努力又让紧缩更趋恶化。解决的办法之一是提高利率；第二种办法缩减公共开支或者加税；第三种是提高关税以减少进口。这些政策的主要结果是使失业率增加到一个无法想象的高度，因为公司解雇工人，投资人加速撤资清算，消费者捂紧钱袋，而国际贸易枯竭。随之，这又产生出一个政治反应——有时候非常强烈——反对整个制度体系，似乎所有责任都在它。

对于罗斯柴尔德家族来说，大萧条的第一个大危机出现在巴西。由于商品价格在全球紧缩中下滑得更加厉害，巴西政府再次向罗斯柴尔德伦敦银行求助。拿着现在已经很熟悉的条件清单，斯蒂芬尼和佩林在1930年3月被派往里约，但是他们的谈判由于热图利奥·瓦加斯的政变而夭折——这个政变是很多由大萧条引发的向独裁统治转变事例中的第一个。在1931年，英国财政部派遣奥托·尼迈耶爵士，期望能对新政权施加某种类型影响，使它采取一些稳定的措施，但是到9月，瓦加斯循1898年和1914年的先例，停止了外债的偿付。现在能做的最多是谈判达成某种新的偿付计划协议。在与外资债券持有人委员会举行了冗长的会议之后，1932年3月瓦加斯与他们达成了一个协议，确保对历史最久而且担保条件最好的贷款优先对待。然而，一直到了1934年，巴西债务完整的重组计划才与主要的外国银行（罗斯柴尔德银行、法国巴黎银行和狄龙·里德）安排完毕。通过发行新的债券，政府有能力在1932~1937年每年偿付大约600万~800万英镑，然而一直到1962年，所有的英镑债券才最终结清。在智利，情况也基本类似，那里在1931年新成立了智利芒硝公司，在由N·M·罗斯柴尔德、巴林、施罗德和摩根·格伦费尔联合发行价值200万英镑的债券基础上对芒硝产业进行合理化改造。这个计划注定不可能成功，因为出口持续下滑。1933年，智利芒硝公司破产清算，并宣布对债务进行延期偿付。债券持有人与新的智利芒硝与碘销售公司经过了20年的谈判，才最终达成了协议。

然而，最大的打击出现在欧洲。1931年5月11日，奥地利的信贷银行的官员向奥地利政府提交了银行1930年的年度资产负债表，按计划这份资料将在几天之后公布。该表显示银行亏损1.4亿先令（大约400万英镑），而其实收资本是1.25亿先令。就算这份资产负债表与中央政府全部支出一样大，这些也都是非常可怕的数字；而且，由于这些数据已经是4个月前的了，实际的亏损有可能接近1.6亿先令。按照奥地利法律，一家银行的亏损超过其资本的一半就必须关闭。因此，持有信贷银行大约1 670万先令资本的罗斯柴尔德维也纳银行的前景非常黯淡。对于130家外国银行（包括法国的罗斯柴尔德兄弟银行）来说情况也很糟糕，因为信贷银行大约1/3的负债属于这些银行。然而，奥地利政府担心信贷银行的倒闭可能会摧毁60%~80%的奥地利工业（一个夸大的数字——从资本项来看，可能会受到影响的奥地利有限公司大约不超过14%）。该表同时指出的是，亏损中的大部分是由于与地产信贷银行的合并，而这是政府自己一直力主的。相应地，奥地利政府决定给信贷银行追加1亿的资本金，把所持股份相应增加33%。作为整个救助计划的组成部分，罗斯柴尔德巴黎银行再借1.36亿法郎给信贷银行，借期6年。

然而，这些措施还不足以避免一场金融恐慌，这场恐慌迅速从维也纳向匈牙利、德国以及整个欧洲经济体蔓延。奥地利的国家银行尽其最大的努力，通过票据贴现来保持奥地利银行系统的流动性，但是它没有迅速提高其贴现率，于是公众的信心呈螺旋形下降：对10年前恶性通货膨胀的记忆使奥地利人相信，先令将会步以前克朗的后尘，而且已经出现了外国货币和商品价格的普遍飞涨。由于外交的复杂性，从国际清算银行筹集300万英镑给国家银行花了3周时间，而且在这笔钱用光之后，奥地利只能依靠英格兰银行430万英镑的短期贷款。在7月份，一场类似的危机在德国袭击了达姆施塔特与国家银行。在9月，英格兰银行发生的挤兑结束了英镑对金本位的短暂回归。

信贷银行危机因而很快成为一场普遍的战后货币体系崩溃的一部分。然而，站在罗斯柴尔德家族的角度看，这代表了罗斯柴尔德维也纳银行与罗斯柴尔德伦敦银行之间联系的最后终结。当小列昂内尔成为匆忙组建的代表外国储户和股票持有者利益的奥地利信贷银行委员会主席的时候，他宣称给一家仍然在出血的银行投钱是“不适宜的”。由于信贷银行与罗斯柴尔德维也纳银行的紧密联系，这无疑是拒绝对路易斯进行救助。到了1933年，巴黎罗斯柴尔德家族也倾向于这样的观点。埃德蒙告诉爱德华甚至看一眼维也纳银行的户头都非常“危险，因为这要求罗斯柴尔德巴黎银行的参与或者支持”。他的说法表明，1848年的记忆还没有完全消退：

> 维也纳银行发生的事情与我们没有关系。我们提供借款，这对维也纳的支付来说是一个信誉的问题……这个信誉问题在我们的家族里一直都是高于一切的观点。人们只需回想一下银器的出售（在1848年）。罗斯柴尔德维也纳银行不是我们的业务，而且一句话，作为罗斯柴尔德巴黎银行的领导人之一，我不希望再给他们任何的钱，一个子儿也没有。

埃德蒙至少不希望第二次“出售银器”。因此路易斯除了再一次去找奥地利政府外，别无他法。在1933年9月，路易斯终于结束了他与信贷银行的关系，此时，信贷银行已经完全变成了国家控制的企业，吸收了维也纳银行以及聂德爱罗丝土地贴现公司的一部分。

可以完全放心大胆地说，信贷银行危机是战后那段时期对罗斯柴尔德家族最严重的一个打击，它蚕食到了所有三家银行的资本。然而值得补充的是，1929~1932年大崩溃的影响可能更加严重。但是非常幸运的是他们对瑞典金融家伊万 · 克鲁伊格——他的金融帝国事实上是建立在婚姻基础之上——的参与度并不高。在1929年，罗斯柴尔德伦敦银行联合了波士顿李氏银行和希金森公司的力量为克鲁伊格发行了总额为1 000万美元的股票。3年之后，这位瑞典人自杀，他的帝国因而轰然倒塌，拉了李氏和希金森做垫背。罗斯柴尔德银行至少幸存下来了。马克斯 · 冯 · 戈德施密特 · 罗斯柴尔德以及他的儿子阿尔伯特和埃里克在1920年购买的银行就没有那么幸运了。戈德施密特 · 罗斯柴尔德公司（即以前的A.Falkenberger）在1932年被交给了德意志信贷公司——这是德国银行危机中受损害较小的一家银行。

在这样的情况下，罗斯柴尔德伦敦银行寻求增加自己在国内企业金融活动中的参与度并不令人意外，特别是随着1931年的货币贬值之后英国经济开始出现缓慢然而实实在在的复苏。在1914年之前，N·M·罗斯柴尔德在参与国内的经济活动方面显得犹犹豫豫，一直到了1928年，这种情况才有所变化，并与巴林和施罗德联合为不同的伦敦地铁公司发行了一系列的信用债券。两年之后，伦敦国民资产公司通过罗斯柴尔德银行筹资200万英镑为购买处于困境中的壳牌—麦克斯商行提供资金，随后转借给壳牌运输贸易公司，在一年之后，伍尔沃思零售连锁店被菲利普·希尔说服，通过新亭发行了936万英镑的股份。其他的早期企业客户还包括酿酒企业查林顿公司。

对于一家一个多世纪以来几乎只专注于海外业务的银行来说，冒险进入不熟悉的领域不可避免地会遇到一些磕磕碰碰的麻烦。伦敦国民资产公司发行股票的风声走漏给了报社，在斯蒂芬尼和老奸巨猾的《财经新闻》金融城编辑之间发生了一场难堪的遭遇，前者指责后者"在铁路的厕所里收集道听途说的信息"。尽管出现了严重超买，伍尔沃思的股份上市差一点因挂牌结束前的周末在金融城发生的一点很小的恐慌而功亏一篑。在确认函还未能发出时，最后一分钟的退单开始在星期一的上午涌入。员工们不得不整夜在已经关闭的办公室里工作，以便在更多的预定人撤单之前完成并发出成交确认函。当然，与罗斯柴尔德巴黎银行那些广泛的在铁路和电力公司中的投资相比，罗斯柴尔德伦敦银行在国内企业金融界仍然只是很小的力量，但是朝着1945年后的复兴方向它已经迈出了重要的步伐。

罗斯柴尔德家族在两次大战期间相应的衰落程度不应该被夸大。并没有什么证据证明罗斯柴尔德家族中在这个时期成长起来的这一辈人在败落家族的财富：事实上，大多数财富就像在肉冻里一样被保存了起来。盖伊和他的妹妹杰奎琳每人都有一个英国保姆，尽管这两名保姆对对方都非常厌恶，甚至不愿意一起同桌吃饭。因此，两个孩子在一种奇特的孤立中成长起来，他们不仅与自己的父母隔绝——每周一起吃一次中午饭，而且还相互隔绝；他们与外面的世界也是隔绝的。在上学的时候，盖伊由他父亲的一名司机每天接送，另外还有一名男仆提供额外的保护。他大多数时间很少花在巴黎，而是家族的这栋或者那栋乡间庄园中。每年，整个家庭从费里耶尔（11到第二年1月）前往戛纳（2月或者3月），然后，前往尚蒂伊（复活节和7~9月）。类似的，埃德蒙的童年也是在他父亲租住的肯辛顿宫花园18号的宅院与他在汉普郡埃克斯伯里的2 500英亩的庄园中度过。在这里以及家族的其他地产上，他们的父母所追求的昂贵享受与他们的祖父辈在他们之前所做的相比并不逊色。在小列昂内尔沉迷于他对园艺的热情，在埃克斯伯里拥有400名园丁作为帮手的同时，爱德华在尚蒂伊拥有他心爱的赛马。莫里斯的妻子诺艾米则因在默热沃建造了阿尔卑斯体育馆而使她那个时代的人动容。由于他们所继承的巨额财富，年轻一代的罗斯柴尔德们对这种超出常人的花钱方式并没有觉得有什么不妥。对盖伊来说，20世纪30年代意味着高尔夫、美国汽车，在比亚里茨跳舞，在多维尔玩赌纸牌。菲利普在阿卡雄为自己建造了一处海滨别墅，一个招待别人老婆的更好的处所，而且通过在皮嘉尔大街建盖他自己的剧院（一个适合放荡的场所）帮助他的父亲挥霍了更多的金钱。

然而，确实有迹象表明他们正在从辉煌开始走下坡路。在1922年，吉米在费迪南德终身未婚的妹妹艾丽斯去世后非常意外地继承了沃兹登；但是当哈罗德·尼科尔森在1939年7月住在那儿的时候，却没有什么给他留下了印象（因为他抱怨）：

> 与老男爵（费迪南德）在世的时候相比，这里几乎没有任何的变化。这里有伟大的画作以及塞弗勒的瓷器，但是没有什么品位。吉米不希望改变任何事情，马桶仍然还是用往上抬的拉杆，而不是向下拉的链子。卧室里没有流水，而且尽管从食物和饮料以及花草上看非常奢华，但是住起来真的没有我们在威尔德的土坯房舒服。

这只是审美保守，还是用于豪宅的巨额管理支出已经开始捉襟见肘了？当然，罗斯柴尔德家族房子中有些需要完全地放弃。霍尔顿在战后以11.2万英镑被卖给了皇家空军，阿斯顿·克林顿变身成为了一家旅馆，而加奈斯贝里成了一处公园。要是自然历史博物馆愿意作为礼物接受，都灵也可能早就易主了。位于西区的第一处罗斯柴尔德住宅，皮卡迪利107号在1929年为了给一家旅馆的舞厅让路而被拆除；9年之后，阿尔弗雷德在希莫尔区1号的豪宅为了寇仁大街的延长也遭到了同样的命运。皮卡迪利48号的租约在1937年被放弃了，里面的藏品也进行了拍卖。法国罗斯柴尔德家族的宅院中也放弃了3处。或许，这个时期最令人震撼的标志性事件是沃尔特以22.5万美元出售几乎所有他在都灵鸟类标本收藏（除了200只鸵鸟、美洲鸵鸟和鹤鸵）给美国自然博物馆的决定（每件标本还不到1美元）。

1935年，《犹太人新闻报》大胆地提出（或许是得到了某种暗示）罗斯柴尔德家族的“巅峰时期”已经“见顶”：“理性化的时代，以及连锁店时代、化工和石油的时代已经来临……以前占统治地位的家族不再是绝对的金口玉言。”过去，人们对罗斯柴尔德家族奢靡的生活方式有某种勉强而恭顺的尊重。现在，在20世纪30年代这种困窘的局面下，这似乎显得有点荒诞——以与小列昂内尔相关的两件奇闻轶事为证。据说他有一次在对金融城园艺社发表讲话时这样说：“无论再怎么小，花园应该至少有不小于两英亩的原始树林。”看到一个装有餐具的餐具盒（作为送给一个雇员的结婚礼物）后，他觉得非常疑惑。“嗯，这个不是太好，”他说道，“你根本无法容纳超过 12 个人一起吃饭。”在阿尔伯特 · 科恩的超现实主义喜剧小说《曼吉克劳斯》（*Mangeclous*）中，也有对法国罗斯柴尔德家族奢华的沐浴习惯以及他们食用梨泥的类似笑话。甚至像塞西尔 · 罗斯这种满怀同情心的作家也发现了罗斯柴尔德家族衰败的迹象。他的作品《伟大的罗斯柴尔德家族》（*The Magnificent Rothschilds*）（1938 年）可以被看成是一篇悼文，不仅是为第三代和第四代而作(他们中的最后一人在 1937 年辞世)，也是为整个家族的辉煌成就而作：“所有的一切已经过去……那是一个不同的世界。”

在这样的情况下，或许我们就很容易理解，为什么罗斯柴尔德的下一代男人中最具聪明才智的人对家族的生意根本不予理会。部分原因是，他们看多了在 20 世纪 30 年代这个时期金融城内表现出来的众所周知的“垂死、讨厌而且十分痛苦”的一面，而对银行这个行业丧失了任何的信心。但是，这也可能是由于维克多在剑桥期间受到了那个时代的改良主义者的影响，这些改良主义者中包括安东尼 · 布伦特和盖伊 · 伯吉斯，他们的政治倾向本质上是不利于资本主义的。多年以后，曾经有过怀疑说维克多与剑桥的间谍有染，并最终他受到了不实的指控，说他是“第五人”（在英国秘密部门内部掩藏的最后一名没有暴露的苏联“鼹鼠”）。他与布仑特和伯吉斯的关系在两人被前苏联内务委员会招募后仍然保持得很亲密为这些说法也提供了物证。在战争期间，两人不仅租用了维克多在本廷克大街的房子，而且维克多在 1940 年 8 月还推荐布伦特进入军情五处（在布仑特由于马克思主义的信仰被从坎伯利的情报人员培训班辞退之后还不到一年的时间）。而且 1944 年在巴黎的时候，维克多严厉地驳斥了菲尔比认为苏维埃应该遭到“坚决”抵制的言论。然而，维克多对这个期间他的朋友们的背信弃义行为似乎一无所知。尽管毫无疑问维克多在 20 世纪 30 年代和 20 世纪 40 年代的政治立场是中间偏左翼，但是他认为社会主义“非常没有生气”，正如他对更早一些的改良主义者凯恩斯所承认的。（他也不是同性恋者，这是俄罗斯人招募布伦特和伯格斯策略的“弱点”之一。）当他最后在 1962 年发现菲尔比是一名社会主义者的时候，他没有半点犹豫，马上把这个情报告诉了他以前在军情五处的同事。

不管怎么说，维克多回避进军金融的决定都给家族留下了一个很大的鸿沟，因为他的堂兄弟们都还太小，无法替补上来。在经历了很平庸的剑桥职业生涯之后，埃德蒙，这位列昂内尔的两个儿子中的老大，在 1937 年 10 月踏上了周游世界的旅程，一直到 1939 年 5 月才结束。尽管在他的旅程表中包括了很多对罗斯柴尔德家族的重要代理商（比如在巴西和智利）的拜访，但还不能说他的旅程是金融之旅。

罗斯柴尔德法兰西银行在这个时期也失去了一位合伙人，尽管情况与英国的情况完全不一样。1934 年埃德蒙的辞世一夜之间改变了拉斐特大街权力的均衡。因为埃德蒙的大儿子吉米将他的股份转给他的岳父以及他的兄弟莫里斯，这位多姿多彩的政治家现在继承了所有资产的1/3，这还不包括埃德蒙在拉斐特酒庄的33%股份的一半。或许是因为他的政治活动，也或许是因为他卷入过声名狼藉的财产官司，他的堂兄弟爱德华和罗伯特决定收购他所有的股份。然而，莫里斯拒绝就这样忍气吞声地离开。在三个合伙人未能就罗斯柴尔德兄弟公司投资8 000万法郎的一家没有盈利的摩洛哥公司的处置达成一致之后，莫里斯提出了起诉，引用了他的祖父詹姆斯所规定的“源自于他的家族的三家分行都是相互代表的”。只是在1939年9月，经过仲裁之后，收购问题得以解决。后来的发展或许让人们对这次罗斯柴尔德法国家族资源的分裂的正确性产生了怀疑。然而，在这个时候，莫里斯似乎并不重要，特别是现在盖伊已经坐进了合伙人办公室。当时不管怎么说，罗斯柴尔德巴黎银行以及其广大的商业帝国的日常事务越来越多地委托给了外人，其中著名的是前公务员及公共工程部部长勒内·迈耶。

由辱骂到政治行动

关于罗斯柴尔德权力神话的最大的讽刺当时到达了巅峰。被大萧条的苦难推进权力中心的激进左翼和激进右翼，不论在法国、德国，还是奥地利，都在引导着前所未有的煽动性宣传来反对罗斯柴尔德家族。来自两个极端的、混合了人格侮辱的言辞，当然没有任何新鲜的东西：罗斯柴尔德家族遭受这种辱骂已经有超过100年的历史。这一次唯一的新意在于这种言辞上的辱骂变成了政治行动。

在法国，1934年的事件对重新煽起对罗斯柴尔德家族的敌意起了很大作用。一位名叫斯塔威斯基的小党派骗子在1月份的自杀暴露了已经被公认为第三共和国重要特点的那些金融丑闻中的一个。在接下来的那个月——部分原因是政府企图对事件真相欲盖弥彰所造成的后果——出现了由一个很多“党派”组成的松散联盟领导的右翼政变，这些党派包括头发已经花白的查尔斯·莫拉斯领导的法兰西行动党、非常年轻的战斗十字团，以及由弗朗索瓦·德·拉·罗克领导的退伍军人组织。尽管政变失败了，它还是迫使爱德华·达拉第的政府辞职。1934年的晚些时候，在激进党的年度大会上，达拉第发表了一份反对“200个家族”的长篇演讲，他宣称，这些家族是“法国经济的主人，因此也是法国政策的主人”。他以一种威胁性的暗示补充说：“这些都是压迫，一个民主的国家不应该忍受的压迫。”这种暗示一年之后被一份共产党的报纸《人道报》(*L'Humanité*)放大了，它指责罗斯柴尔德家族与拉·罗克有关联。确实，拉·罗克的名字出现在实业家厄内斯特·默西埃的雇员名单上，而且罗伯特·德·罗斯柴尔德对有人说在1936年6月14日的维克多犹太教堂看到过他与拉·罗克在一起，也没有否认。但是事实上，法国右翼的所有其他人物——包括像瑟林和皮埃尔·加克斯索特（《我无处不在》的编辑）这样的作家——是反犹太人的。在1939年1月，莫拉斯的杂志《法兰西行动》（*Lšaction Francaise*）指责罗斯柴尔德家族为保护德国犹太人的地位而煽动法国与德国之间的战争。

左翼得到了实施其威胁的第一次机会。在1936年，激进主义者、社会主义者和共产主义者团结在一起组成了人民阵线政府，它所宣扬的目标之一，就是实现“把国家从金融封建主义的魔掌中解放出来，具体做法是解散法兰西银行的董事会，确立国家对法兰西银行的主权”。罗伯特很准确地预见到了“艰难的日子、星期、月份，而且所有的天空——内部的、金融的，还有外部的——都是令人窒息的黑暗。”权力一旦到手，人民阵线所做的与他们那些激进的支持者们所想要的相比要少很多。确实，通过为法兰西银行建立新的委员会，新政府试图稀释“200个家族”的势力，因为法兰西银行的委员会里“专家”的数量超过了股东。但是，它并没有对法兰西银行进行全面的合理化改造。甚至在对7条主要的铁路线路上停止私人铁路公司的特许经营权时也很难被说成是征用。因为当政府拿走北线铁路的经营权的时候，北线铁路公司并没有被撤销；相反，它获得了新成立的国家铁路局27万股的股份，一份有保障的根据其收入计算的年金，以及董事会中的席位。可以证明的是，部分是由于勒内·迈耶坚持不懈的讨价还价，这些公司从这些领域退出来的时候都获得了一定益处，因为政府从它们的身上剥离了总计60亿法郎的债务，与此同时，公司还保留下来了他们的非铁路资产。

在德国，1933年的时候一个总体上更加残忍的联盟上台了，主导的是德国国家社会主义工人党。对罗斯柴尔德家族的仇视在运动萌芽时期的纳粹宣传中就是一个特征，尽管在希特勒年仅12岁的时候，罗斯柴尔德法兰克福银行就已经关闭。这种仇视很快就转化成了行动。开始时的攻击大多只是象征性的：在1933年12月，法兰克福的罗斯柴尔德大道被重新命名为卡罗琳格尔大道，而鲁伊森普拉兹和玛蒂尔登斯特拉斯失去了证明他们是家族成员的徽章。一直到1938年4月，随着《犹太人资产登记法令》的颁布，罗斯柴尔德家族的财产才受到了直接的攻击。在1939年11月份风起云涌的反犹太人大游行后，几乎所有的罗斯柴尔德家族慈善及教育机构——总数大约在20家——被解散，唯一的例外是卡罗琳娜姆牙科诊所，这家诊所已经成为了法兰克福大学的一部分。这些机构中最大的是威廉·卡尔·冯·罗斯柴尔德男爵基金会，这个基金会在市政当局的压力下进行了“雅利安化”，对其创始人的所有说明都被抹去。与此同时，德国犹太人协会被迫将马蒂尔德·冯·罗斯柴尔德儿童医院，乔金·萨拉·冯·罗斯柴尔德病残外国以色列人基金会以及位于格罗斯·沃尔本26号的罗斯柴尔德居住区的资产出售给法兰克福市政府。盖世太保还征用了位于黑森地区的A·M·冯·罗斯柴尔德肺病疗养院。至少还有4家罗斯柴尔德家族建立的机构遭受了同样的命运。

少数几位定居在德国的家族成员的私人资产通过类似的方式也被剥夺，尽管事实上到1938年的时候其中还有相对极少的一点被保留了下来。在征用的程序开始之前，马克斯·冯·戈德施密特·罗斯柴尔德的儿子阿尔伯特、鲁道夫和埃里克将位于格伦贝格和柯尼希施泰因的家族房产变卖，并选择移民（阿尔伯特去瑞士，并于1941年在面临被遣返的威胁时自杀）。但是马克西米利安此时已经是95岁高龄，已经无法离开了。他留在了位于伯克海默尔—兰德斯特拉斯的住所里，这里的花园还是他妻子的曾叔祖阿姆谢尔一个多世纪前在法兰克福的犹太人获得解放的最初年代里买下的。可是，后来他只被允许在宅院里保留一个房间，悲剧般地应验了阿姆谢尔的噩梦——追忆到1815年的那些夜晚，当阿姆谢尔初次在花园的“自由空气”中睡着的时候——马克西米利安被迫以区区61万德国马克（已扣税）将此资产卖给法兰克福市政府。反犹太人运动爆发之后，他又被迫将他的艺术品收藏以230万德国马克（已扣税）的出售给市政当局，并且将剩余资产的25%捐给德意志帝国作为“补偿款”（戈林的典型设计，让犹太人为纳粹破坏主义者造成的财产损坏埋单）。当马克西米利安在1940年去世的时候，他剩余的资产被没收了。5年之后，当盟军的炸弹摧毁了那所他渡过生命中最后时光的房子，以及位于波恩斯特劳斯古老的法尔伽斯办公楼和老的斯塔姆豪斯的时候，他们所摧毁的那些遗迹已经不再属于罗斯柴尔德家族了。那些不合法的将罗斯柴尔德家族从他们起源城市里抹去的做法在部分实施肉体上的灭绝之前很多年就已经开始。

想象纳粹主义的兴起对在维也纳的罗斯柴尔德家族意味着什么并不困难——这个城市与希特勒对犹太人引发威胁的担心紧紧地交织在一起。当温莎公爵在他为了沃利斯·辛普森而退位后在施洛斯·恩泽斯菲尔德与尤金待在一起的时候，据说他曾经与主人谈起过他写一本关于德国犹太人遭受迫害的书的想法。不久之后，尤金离开奥地利前往英国，随后，他的大哥阿方斯也步了他的后尘。路易斯选择待在银行，但是采取了防范措施，把维特科威兹钢铁工厂的所有权转给了安联保险公司（罗斯柴尔德伦敦银行仍然对该公司拥有控制性的股份）。他还把自己对所拥有的奥地利资产的处置权转给了纽约的库恩银行、洛布公司。这还不能做到足够的保险。在奥地利—德国在1938年3月11日结盟的第二天，当兴高采烈的人群欢迎希特勒的军队进入维也纳的时候，路易斯试图离开这座城市，但是他的护照被没收，而且在3月13日他被逮捕，并被带到了设在大都会饭店的盖世太保总部（他在这里发现，与自己并排而立的还有前奥地利财政大臣库尔特·冯·许垠格，因为后者迎合希特勒的努力遭到了灾难性的失败，另外还有社会主义领导人利奥波德·孔兹查克）。没收罗斯柴尔德家族资产的程序马上开始。人们看到党卫队队员几乎从路易斯被逮捕后就开始从他的宫殿里抢夺艺术品。3月30日，S·M·冯·罗斯柴尔德的企业由一个新成立的奥地利公有企业与工厂信贷局根据维也纳当局的经济顾问沃尔特·拉费尔斯伯格的命令强制接管。沃尔特·拉费尔斯伯格后来被指控有预谋地没收所有奥地利的犹太人资产。随后，接管后的企业交由一家叫默克·芬克公司的德国企业管理，并最终于1939年10月卖给了他们。

下一个目标是维特科威兹钢铁厂，这个企业早已被戈林看成是一块能给他那开始露出冰山一角的以赫尔曼·戈林国家工厂为中心的实业帝国带来丰厚利润的肥肉。当然，维特科威兹仍然还是在捷克的国土上，而且戈林派去的特使奥托·韦伯很快就发现，这个企业已经不再属于罗斯柴尔德维也纳银行，而是属于安联。另外，维特科威兹的董事会已经为防止公司在瑞典弗雷亚铁矿的股份以及20万英镑的外汇被没收进行了防范性安排。路易斯因此真正占领了一个讨价还价的有利位置。当希姆莱为了亲自讨好他，给他的监室送去一些装饰华丽的法国家具的时候，他还能够让他们拿走，并抱怨说这些家具弄得他的监室像“克拉科夫的妓院”一样。尽管路易斯不得不交出他的奥地利资产的大部分来获得自己的释放，但是家族还是能够坚持为维特科威兹开出价码（尽管是一个打过折扣的价格）。但是这样的法律细节最终注定逃脱不了被纳粹的不可抗力不予理会的命运。尤金将钢铁厂以1 000万英镑的价格出售给捷克斯洛伐克政府的希望，在希特勒1939年3月威逼布拉格政府接受被吞并的建议时，彻底破灭了。在公司已经实际上被置于德国的掌控之下之后，戈林的代表汉斯在荷兰银行董事卡尔·拉希的协助下，加大了压力。一个新的监管委员会成立了起来，包括汉斯、拉希和保罗·普莱格（国家工厂的总裁）。与此同时，弗里茨·克朗法斯——希姆莱的副官兼德累斯顿银行监管委员会委员根据掌握的情报告诉拉希，按照货币法律的规定，维特科威兹所有权在海外的转让是违法的。最后，在1939年7月，双方达成了以290万英镑出售工厂的协议。然而，随着战争的爆发，德国人找到了不付款的完美借口。结果就是在被纳粹政权没给任何补偿进行罚没的罗斯柴尔德家族资产的长长的清单上，又加上了维特科威兹的名字。在1941年1月，当43 300股维特科威兹的股票从罗斯柴尔德巴黎银行的金库被找到的时候，戈林又能够在这个过程中更进一步了（尽管这也不可能从技术上给他提供控制性的股份）。（一直到了1953年，建立于1948年的捷克斯洛伐克共产党政府才最终把工厂的补偿款付给了罗斯柴尔德家族——金额是 100 万英镑。)

然而，希特勒及其走狗真正垂涎的还不是罗斯柴尔德家族的实业投资，而是他们的艺术品投资——那些早期大师们的作品、塞弗勒瓷器、路易斯·坎泽家具——这些都是这个家族金融成就的最耀眼的果实。在逃离奥地利的时候，阿方斯在他的身后留下了一个最伟大的欧洲私人收藏馆；而且杜维恩勋爵想收购它的努力（很可能是代表原来的所有人进行出价）也终告失败。由于得到了如此众多的早期大师的作品，希特勒产生了在林茨建立一个新的德国艺术馆，为德意志帝国建立自己的卢浮宫的想法。为了这个目的，1939 年 6 月，希特勒任命汉斯·波斯着手实施这个计划，将从奥地利犹太人手中掠来的精品画作放入“元首藏品馆”。这是历史上最大的艺术品偷盗行动的开始。

一直到 1939 年战争爆发为止，剥夺犹太人财产的一个必然结果就是强迫他们从德国领土上移民（从这个角度说，在普林兹·尤金斯特劳斯的罗斯柴尔德宫殿由阿道夫·艾希曼的犹太人移民中央办公室占据具有重大的意义，这个办公室与拉费尔斯伯格的资产交易办公室紧密协作）。很自然地，很多（尽管不能说全部）德国和奥地利犹太人都想出去，而纳粹对他们的离去并不反对，只要在这个过程中能够对他们进行罚款。主要的德国犹太人银行家——最有名的是马克斯·沃伯格——发现他除了为这个过程提供便利外，别无选择。然而，对于像罗斯柴尔德家族这样的犹太人，他们一直处于德国控制的领域之外，这就产生了很多尖锐的矛盾。早在 1933 年 6 月，小列昂内尔成为一个新设立的英国救助德国犹太人中央基金请愿团（后来更名为救助德国犹太人理事会）的 5 个总裁之一，罗斯柴尔德伦敦银行捐献了首笔 1 万英镑的捐款。5 年之后，在 1938 年初，有报道说理事会募集了 100 万英镑，包括罗斯柴尔德又追加捐助的 9 万英镑；随后，在 11 月份又再追加了 5 万英镑。然而，人们并不清楚，怎样才能最好地使用这笔钱去帮助德国犹太人。管委会的代表们就抵制德国商品的想法发生了分歧，例如，这有可能导致沃尔特辞去副总裁的职务。当詹姆斯·G·麦克唐纳以及费利克丝·沃伯格在 1934 年的一次犹太商人会议上发言的时候，他们发现与会者对鼓励从德国移民的其他办法缺乏热情。在次年，麦克唐纳带着更为可行的办法回来（由马克斯·沃伯格设计），用 300 万英镑的资本建立一家新的银行，为德国犹太人向巴勒斯坦移民提供资助。尽管小列昂内尔在开始的时候“几乎热情爆棚”，但是这个计划却因为细节过早地泄露给了媒体而告失败。安东尼和小列昂内尔两人对沃伯格后来提出的一个英国—美国犹太人政治局的方案表现得更加小心谨慎，认为“如果一个人在犹太人的国际运动中表现得太抢眼，会危及到他自己的英国公民权”。

小列昂内尔的侄儿维克多也参与了英国中央基金会的工作。“只是由于一次偶然的出生，”他在 1938 年 10 月的一次犹太复国主义联盟的会议上这样说，“我也可能会成为一个难民，或者会在集中营里，或者成为维也纳大都会饭店的客人。”然而，他讲话的其他部分成为了对政府限制犹太人向巴勒斯坦移民的政策的辩护。他 12 月份在府邸举行的鲍德温侯爵难民基金会上发表的讲话也发出了类似的矛盾声音：

> 我知道儿童被枪杀。我见过从集中营里逃出来的人，而且我能告诉你们，他们的亲身经历使很多我们今天能够看到的恐怖故事完全就是小儿科。我怀着伤心的心情收到了很多孩子写给我的令人悲痛欲绝的信，很多的文献报告以及观察家的个人评论。所有发生的这一切让我再也无法像以前一样做我自己自我陶醉的、没有责任感的快乐科学家。

“这种对 60 万人的慢性谋杀，”他对听众讲到，“是历史上很少见到的恶行。”然而，他继续讲道：“尽管我们怀有人道主义的感情，但是或许我们大家都会同意，现在有些令人不太满意的事情，难民在蚕食着我们这个国家的隐私，就算是在相应较短的时间也会令人不快。”至于增加向巴勒斯坦移民，英国政府在那里的处境是“非常令人头痛的复杂”。1939 年 3 月，维克多在出访美国并与美国的难民组织进行会谈后，呼吁给理事会提供 16 万英镑用于推动德国犹太人从德国的移民。这里他再一次提出了条件。“不管我们会有什么样的疑虑，”他辩称，“如果我们能够有序地大批撤出，而且能从德国方面得到些微的经济让步，我们才能对这个巨大的问题有一些具体的想法”；他仍然对“数十万人的大规模移民”的可能性持悲观的态度。甚至在 1946 年，在参议院发表演讲的时候，维克多还在为限制向巴勒斯坦移民的政策进行辩护，尽管“他自己就有一名 75 岁高龄的叔叔在一处种族清洗的营地外被党卫队用棍棒打死”。

更为困难的局面困扰着法国的罗斯柴尔德家族，因为在纳粹政权上台的头一年，就有数千名犹太人穿过边境涌入法国。尽管罗伯特支持建立一个非正式的机构帮助这些难民——在 1936 年重组为难民援助委员会——他仍然一直担心新涌入的难民对法国已经建立起来的犹太人社区可能会产生的影响。1935 年 5 月，他在巴黎教区议会（他在两年之前当选为总裁）全体会议上发表讲话，而这篇讲话只可能被解读为对新移民的批评。“本质上，”他宣称，“外来的元素在以最快的速度聚集……移民过来的人应该像客人一样，应该学会怎样才能举止得当，不要过多地指责别人……而且，要是他们在这里过得不开心，那么他们最好离开。”这是老的社会同化论者对新的犹太移民的抱怨。

因此，唯一符合逻辑的解决方案就是找到犹太人可以容身的另外的地方。纳粹自己考虑的是马达加斯加。很有意思的是，盖伊 · 伯吉斯从军情六处D科接到的第一项任务（当时他还是一名自由职业的情报人员）是——引用他在1938年12月向莫斯科很诚实的报告中的说法——“煽动罗斯柴尔德勋爵”来“分裂犹太运动”，并且“建立反对犹太复国主义和魏兹曼博士的势力”。大约在同样的时间里，罗斯柴尔德巴黎银行向新亭提交了一份购买20万英亩巴西马托格罗索的土地“用于殖民”的建议；另一个方案是在苏丹的马拉卡勒和博尔之间的上尼罗河谷地区——据称这是“一个广大的地区……没有人烟，因此，犹太人可以自己组成一个重要的殖民区”——安置犹太人。另外，肯尼亚、北罗德尼西亚和圭亚那也都进行了考虑。一直到了最后关头，罗斯柴尔德家族似乎才意识到有必要接受难民进入英国和法国。1939年3月，爱德华的妻子吉尔曼将费里耶尔边上的一所老房子改造成了一处可以收容大约150名儿童难民的旅馆。在德国入侵之后，难民们被撤离到南部，之后解散，有的逃到了美国。另一处更为安全的庇护所建在沃兹登，供30名在战争爆发之前从法兰克福的孤儿院被救出来的儿童使用。

到了1939年，当然，罗斯柴尔德家族的很多名成员自己本身也都沦为了难民。1940年5月德国对法国的入侵极大地增加了落难者的人数。甚至在巴黎沦陷之前，罗伯特就已经抵达了蒙特利尔的安全区，并且带走了他的妻子内利和两个女儿，黛安娜和赛西莉。然而，一直到7月份，他的堂兄弟以及高级合伙人爱德华——当时已经是70多岁的高龄老人——才选择离开法国，最后在经过一番颠沛流离，通过西班牙和葡萄牙才辗转到达了美国（他也是在他的妻子吉尔曼和女儿贝萨碧的陪伴下走的，他的大女儿杰奎琳已经与她的第二任丈夫定居在美国）。他们以前的合伙人莫里斯也在加拿大停留了下来，而他的前妻诺艾米和儿子埃德蒙在瑞士佩尼的房产里避难。法国罗斯柴尔德家族那一代的人中另一位——亨利已经在葡萄牙定居。最后阿兰已经有孕在身的妻子辗转经过西班牙和巴西后到达美国，而盖伊的妻子阿丽克斯却选择了经过阿根廷的路线，但是最终还是与她的丈夫重逢了。

年青一代的男人们则留下来战斗。罗伯特的儿子阿兰和埃里双双被德国人逮捕，战争期间的大部分时间在一个位于吕贝克的战俘营度过，一直到战争结束。爱德华的儿子盖伊要幸运些。作为一名装甲兵军官，他指挥着一个快速反应机械化排，参与过法国北方的惨烈战斗（他因此获得了十字勋章），至少有两次差一点儿就被德国人俘虏。在法国被占领后，盖伊返回到法国未被占领军控制的地方，居住在拉布尔布勒的奥弗涅温泉小镇，罗斯柴尔德兄弟银行的总部也移到了这里。但是在1941年，他越来越深切地感觉到维希政府已经完成了呼应，甚至参与德国反犹太人的行动，他决定离开法国，在销毁了不必要的文件之后，他带着必要的文件通过摩洛哥逃离了。

亨利的两个儿子詹姆斯和菲利普也经历了几乎同样的经历。前者在经过西班牙逃到英国之前在空军服役（这与他在第一次世界大战中所做的一样）。菲利普因为参加战斗而负伤染病未能走成，但是经过或许是最痛苦的磨难后最终还是逃离了法国。在他的第一次尝试中，他在摩洛哥被逮捕，他最后徒步穿越了比利牛斯山，从葡萄牙乘飞机到达英国。由于这个原因，法国罗斯柴尔德家族的大多数成员选择随着戴高乐将军的自由法国返回欧洲大陆（尽管应该强调戴高乐的军队内也存在对犹太人不友好的元素）。盖伊参加戴高乐军队的决定差点让他付出了生命的代价，因为载他回来的船在横穿大西洋的时候被鱼雷击中。但是他大难不死，在戴高乐的参谋部任联络官，并在 1944 年随皮埃尔 · 凯尼格将军返回法国。詹姆斯也加入了自由法国，同时加入的还有他的兄弟菲利普、他的妻子和大女儿。

与奥地利所发生的情况一样，获胜的德国没有浪费任何时间，马上染指罗斯柴尔德家族的财产。罗斯柴尔德巴黎银行在法国遭到入侵之前曾尽量将一些资产转移到了海外（比如它所持有皇家荷兰银行的股份存放到了蒙特利尔的一家银行里，尽管这些在法国沦陷的时候被当成是敌人资产而遭到冻结）。另外，有些家族成员出逃时也随身携带了一些珠宝：根据一份报告提供的资料，爱德华到达纽约的时候随身携带的宝石价值 100 万美元。然而，家族财富中的绝大部分对于占领者来说是很容易染指的。1940 年 9 月 27 日，当德国人准备启动鉴别犹太人所拥有的公司的程序的时候，陆军元帅凯特尔签发了一份特别指令给沦陷法国的军政府，要求没收“巴黎罗斯柴尔德家族的所有财产”，包括所有已经上交给法国政府的部分。在随后的一个月，德国人的命令任命了管理犹太人公司的管理者。德国空军和后来的一名德国将军占用了位于玛雷尼大街 23 号的罗斯柴尔德宅院。

然而，德国人很快发现自己在与他们自己指定的傀儡维希政府进行着竞争。甚至在凯特尔下达命令之前，贝当政府就签发了一份法令，宣布所有在 5 月 10 日之后离开法国大陆的所有法国人已经“散失了他们自己作为国家成员的权利和义务”，相应地，他们的资产将被没收并出售，收益归维希政权所有。这显然适用于爱德华、罗伯特和亨利。不久之后，贝当提出了对罗斯柴尔德在拉斐特大街办公大楼的要求，打算作为政府的福利局，而且所有的迹象都显示他打算按同样的方式来处置属于这个家族的其他建筑，将它们全部纳入新成立的公共财产办公室的手中。

从某些方面看，对于罗斯柴尔德家族来说，这份财产是被德国人还是被维希政府所窃取并没有什么差别。后者也是受反犹太人思想的驱使，作为证据的是贝当政府 1940 年 10 月 3 日和 1941 年 6 月 2 日签发的法令，这些法令严格限制法国犹太人的权利，而且在亲德国的报纸，像《巴黎晚报》和《纪实》长篇累牍地满是对罗斯柴尔德家族的尖刻攻击。我们也无法很肯定地说维希政府的官员在对待罗斯柴尔德的财产上会比德国人做得要仁慈些。莫里斯·贾尼科担任贝当政权的公共财产办公室，比如，据说他就曾经阻止德国人扫荡拉斐特的酒窖；但是，对于未能出售伊利的讷伊马房、艾伦在瑟克大街的房子、米里亚姆在布洛涅和巴黎的房子最有可能的解释可能还是因为缺乏买主。正如我们可以从他在1941年5月给德国当局的报告中看到的——强调罗斯柴尔德兄弟公司现在属于维希政府给人留下的印象——其目的是对德国人采取先发制人的手段，而不是为了保护罗斯柴尔德家族。贝当的犹太人问题委员会企图把埃德蒙在1927年创立的生物—物理—化学研究所改造成供人种改良学家亚历克西·卡雷尔使用的实验室就充分说明维希政府与第三帝国之间的臭味相投的程度。

如果说维希政府在罗斯柴尔德巴黎银行的资产上打败了德国人的话，那么德国人在掠夺法国罗斯柴尔德家族的私人艺术品收藏的竞赛方面击败了维希。这里部分原因是藏品实在太多，很难及时地从被占领区转移出去。在1940年5月和6月的大恐慌期间，米里亚姆匆忙将他的一些藏品埋到了迪耶普的沙丘下面（埋藏在该地的油画一直没有被找到）；而爱德华的藏品被分散藏在他在鲁克斯的地产上面，这里距离诺曼底的蓬莱韦克很近，另外也藏了一部分在他位于莫特尔的种马场。来自拉维辛以及其他地方的罗伯特的藏品，被埋藏在西南部的马尔芒德，而菲利普的画作大多藏在波尔多。所有这些隐藏点很快就都被发现了。更加被虎视眈眈盯上的是在费里耶尔的大量收藏（尽管布歇的挂毯被作了很好的掩饰，使占领者根本就没有意识到它们一直在那里挂着）：亨利在木埃特酒庄的收藏；莫里斯在德阿曼维里耶的藏品；在巴黎主居的油画（莫里斯的在法布街41号，罗伯特的在玛雷尼大街23号）。

领导寻找并掠夺这些藏品的是阿尔弗雷德·罗森堡，他是纳粹种族理论家和“纳粹党总体精神及哲学发展的元首代表”。他认为，“罗斯柴尔德家族是敌对的犹太人家族，因而他们保留所有这些藏品的行为不会让我们觉得感动”。在一个非常短的时期之内，他搜集了203处私人收藏点，包括上面提到的很多地方：总件数达到了21 903件。这些当时都存放在Jeu de Paume（室内老式网球博物馆），1940年11月，戈林到达了这里，并代表希特勒作为“买家”。这位帝国元帅为自己挑选了大量的珍品，包括来自于爱德华藏品中的部分荷兰和法国作品，还给他的妻子选了一幅梅姆林的圣母像；但是最为珍贵的罗斯柴尔德藏品——维米尔的《天文学家》，布歇的《蓬帕杜夫人》以及30幅其他杰作，包括哈尔斯和伦勃朗的肖像——他全部打上记号送给了希特勒。毋庸讳言，这些根本不是以任何可以理喻的方式进行的购买行为：他为自己和自己的主子所挑选的画作的估值低得令人感觉到荒谬。

戈林在1941年2月和3月又回来进行类似的疯狂采购，在购买的物件中包括了一件属于罗斯柴尔德家族的大理石群雕（镶嵌画）《欧罗巴的梦魇》，他把这件作品运送到了他那北欧风格的猎场别墅卡琳宫。到3月20日，罗森堡报告说已经完成了他的使命，派了一列火车满载着这些偷来的奇珍异宝送到了巴伐利亚的新天鹅堡。在战后对他的档案进行详细检查的时候发现，罗斯柴尔德家族成为被掠夺品的最重要的单个来源：来自9个不同地方的总数为3 978件的物品被证实属于家族的成员。维希政府的做法比较起来就太差劲了，尽管他们确实在塔布找到了莫里斯的藏品（价值约3.5亿法郎），以及一卡车的属于罗伯特、莫里斯和尤金的油画。

在战争接近尾声的时候，大多数被盗窃的作品被盟军的先头部队发现，尽管有一些——比如华铎的作品，以及被戈林拿走的《欧罗巴的梦魇》——一直都没有能够找到。梅姆林的圣母像在戈林向活捉他的美军行贿的时候被发现。但是更多的可能已经遗失了。只有在党卫队情报主管卡尔滕·布龙纳的介入后，才阻止了狂热的多瑙河上游地区的埃格鲁伯省长炸毁阿尔陶斯盐矿（位于萨尔茨堡东南部）的企图，使他们把大量油画埋在地下不还给"国际上的犹太人"的图谋没有得逞。

如果希特勒在1940年英国处于最危急的时刻，成功实施了他的"海狮行动"，那么，类似的命运可能也将降临到英国的罗斯柴尔德家族以及他们剩下的私人藏品的头上——命运可能将更为悲惨，因为对英国的入侵将会使对德国最终的决战更加难以实现。希特勒没做到，因而他们幸免了。然而，这种幸免也是没有多少实际意义的幸免。在第五代中，只有安东尼活着看到了盟军的胜利，在国民卫队中当了一名下士；查尔斯和沃尔特在战争爆发前就去世了，而小列昂内尔在1942年1月去世。下一辈要么是忙于战争，无暇顾及考虑银行的业务，要么就是太小，比如像小列昂内尔的第二个儿子里奥（出生于1927年）以及安东尼自己的儿子伊文利（出生于1931年），他们1940~1943年在美国度过。小列昂内尔的大儿子埃德蒙拒绝像他父亲在第一次世界大战中所选择的那种放弃个人的理想服从父辈安排的做法，也就是在圣斯威辛的小巷里旁观战争。他以一名巴克斯义勇骑兵队炮兵军官的身份加入了英国在法国的远征军，在瑟堡差一点被俘，之后随第77（高地）野战团在北非和意大利作战。维克多在军情五处的商业科开始他的战争生涯，后来参与了撤弹工作（为此还获得了乔治勋章），并负责首相的个人安保工作。这项工作使他与丘吉尔和丘吉尔的私人秘书乔克·科尔维尔建立了亲密的私人联系，而且这可能也是他为什么会在1943年7月被委派参与高度敏感的对波兰流亡政府首脑弗拉迪斯劳·西科尔斯基将军之死进行调查的原因。另一个与丘吉尔有联系的罗斯柴尔德家族成员是吉米，他在1945年3月成为了供应部的副部长（尽管这是最短的部长任期）。

然而，所有这些对家族的企业来说都没有任何直接意义。因为第二次世界大战留给罗斯柴尔德家族施展他们传统作用的空间甚至比第一次世界大战还要小很多。战争的力量不再是由银行家和债券持有人来控制；一个新的凯恩斯的时代已经到来，政府可以更加直接地干预经济生活，控制生产要素的分配，操纵总需求的水平，而货币只是一种国家账务中方便的单位。在这个年代，安东尼在战争期间所主持的公司似乎完全是时空的错乱。新亭自己在那里几乎就是在唱空城计。大概一半以上的员工和所有的现金凭证都被转移，跳出了闪电战的范围之外。其他的——比如像佩林这样的年轻人——被召集起来进入部队。只是留下了一些老手，像菲利普·霍伊兰，使用地下室作为防空洞坚持工作。当 1941 年 5 月 10 日夜间，金融城遭遇了规模空前的空袭时，罗斯柴尔德办公大楼被燃烧弹击中，但仍能保持运转没有遭到严重破坏，这只能说是太走运，而紧邻的索特斯大楼却被摧毁，当时的文章描述称“大火笼罩了新亭的四周”。罗斯柴尔德的其他财产也被征用为战争服务。皇家铸币精炼厂转产大炮的部件。埃克斯伯里被海军征用（并被临时重新命名为HMS马斯托顿）。而查尔斯和罗茨卡在阿什顿-沃尔德的院子被红十字会和军械局征用。不可避免地，这些建筑也都受到了一些损伤，但并不是所有的都是敌人所为。在伊文利·沃的《重访桥头》中，这种战争的创伤似乎预示着一个老旧的天主教贵族社会的解体。当她回想在她去布莱奇利为战争工作而离开之前，阿什顿的花园里留下了些什么的时候，维克多的姐妹米里亚姆也感觉到自己的家族正在衰败：“大屠杀；战争；我父母的死亡；花园的消失。什么事情好像都不再有意义了。”

家族中有两名成员直接死于纳粹的种族清洗政策。维克多在他 1946 年参议院的发言中提到的婶婶，是他母亲的大姐阿兰卡，她死于布痕瓦尔德。另一位受害人是菲利普一直疏远的妻子莉莉。“德国人为什么要害我？”她曾经在 1940 年时问他，“我来自一个古老的法国天主教家庭。”尽管她恢复了她原来的称谓，查姆布尔伯爵夫人，她还是在 1944 年 7 月被盖世太保逮捕，并被最后一趟火车送到了拉文斯布吕克，也是在那里，有人后来告诉她的丈夫，她被残忍地杀害了。因此，这个最黑色的幽默就是，唯一被纳粹杀害的叫罗斯柴尔德名字的人不是一名犹太人，而且她早就否认了这个家族的名字。

只在几个月之后，埃德蒙·德·罗斯柴尔德少校带领他的 200 人的（犹太人）野战团——1944 年 11 月组建的犹太人步兵旅团的一部——“通过一个上面仍然还有令人厌恶的反犹太人口号的牌坊”，进入到曼海姆镇。当他们进入到这个城镇的时候，有人开始高喊：“犹太人回来了！犹太人回来了！”几个月之后，他造访了希特勒的山顶掩蔽所“鹰巢”。“看到很多打破的塞弗勒瓷碎片，”他后来回忆道，“我怀疑这些可能偷自我某个堂兄弟的家里。”这真的很有可能。

后记

家族中最重要的力量是团结。

伊维莱恩·德·罗斯柴尔德爵士
1996 年

今天到新亭的访问者走进的是一座用黑白大理石修建的现代风格的建筑。然而，入口处的大厅里挂的是威廉斯·阿姆菲尔德·霍布迪 1820 年所画的内森·罗斯柴尔德及其家人的肖像画。如果N·M·罗斯柴尔德公司不重视自己的历史，而且不对自己的历史引以为傲的话，这幅肖像就不会挂在那里。那么，这部书也就不会面世了。然而，很值得深究的一个问题是，这个银行的过去与它的现在和未来到底有着什么样切实的联系。在 19 世纪的大部分时间里，N·M·罗斯柴尔德公司是一家世界上最大的而且主宰着国际债券市场的银行的一个组成部分。用我们现在的思维来看，19 世纪罗斯柴尔德家族在稳定多个国家的金融市场方面所起的作用，相当于把美林、摩根士丹利、J·P·摩根，或许还应该加上高盛以及国际货币基金组织等机构合并在一起所能产生的作用。相反，在今天，该银行在国际金融服务的业务中只是占有了一个很小的专业领域，被那些像汇丰银行、劳埃德银行这样过度扩张的企业集团以及花旗集团这样庞大的银行远远地比了下去。那么，我们在这儿回首往事，除了抚今追昔外，还有什么其他的意义吗？这就是本篇后记想要回答的问题。从 1945 年以后的事情，我们就不应该把它当成银行的历史来看，而是应该看成是一篇关于历史在保证其战后的复生以及现在的成功中所起作用的论文。

延续性

N·M·罗斯柴尔德公司的历史或许可以在20世纪40年代画上记号。这并不是因为安东尼·德·罗斯柴尔德的原因。在他在哈罗公学和剑桥度过了他灿烂的青春年华，并在大战中留下了辉煌的记录后，他开始投身于维护自己的罗斯柴尔德继承物的事业中。与他众多的祖先一样，他是一名热心的收藏者，特别热衷于中国的陶瓷，同时还狂热地陶醉于葡萄酒的酿制中。1925年，他入选了赛马俱乐部，并继续经营着他父亲在纽马基特的马房和宅院。1926年，他娶了伊冯娜·卡恩·德安维尔丝，而新娘的家族自19世纪50年代以来就一直与罗斯柴尔德兄弟公司有业务联系（他甚至曾经在他的亲戚克鲁侯爵的家里遇见过她，当时克鲁侯爵出任驻巴黎的大使）。他在犹太人社区事务中的作用也与上几代的前辈一样：像他的叔叔纳蒂，他是百分之四住房产业化公司的董事长；像他的父亲与他的叔祖父老安东尼一样，他是犹太人免费学校的总裁。然而，安东尼面临的最大挑战是保持他的家族最根本的作用：银行家。

对于这项工作，他表现出了某种程度的近乎苛刻的勤奋。每天，他都乘火车从莱顿巴泽德（离他在阿斯科特的住所最近的车站）到尤斯顿，之后继续前往新亭。在合伙人餐厅吃过午餐后，按照哈罗德·尼科尔森的描述，在下午两点半"匆忙离开"，"因为此时工作重新开始，罗斯柴尔德企业的巨大轮子开始旋转"。然而，事实上，战争极大地缩小了N·M·罗斯柴尔德的"轮子"尺寸——而且安东尼加入到业务中时并没有想要加快轮子旋转的速度。"他们知道我们生活在哪里，"罗纳德·佩林记得他这样说过，"如果他们想与我们做生意，那就让他们过来跟我们谈。"作为战后世界的一句格言，听天由命的味道或许太浓了一点。埃德蒙从战场上回来之后，他发现新亭的生活出奇的安定：合伙人在10点至10点半之间来到办公室，认真阅读送来的邮件，"看看是否有什么可能带来生意的消息"：

> 那些日子里我们的做法是所有的信件、支票、债券、汇票和其他类似的文件要由合伙人签署……结果就是总是有一大堆的文件等着我们签字……在文件上签上我的名字之前，如果我硬着头皮对托尼说，"我对这个事情好像不是很清楚"，他的回答总是一成不变的："对，你当然不清楚。"

除了在担保信托公司以及库恩—洛布公司短暂又不太愉快的纽约学徒生涯（在

那里，他"老是有一种被看成穷亲戚的感觉"），埃德蒙在成为合伙人之前所受到的金融训练非常有限。他的弟弟利奥波德——他在1956年成为了合伙人——也在库恩—洛布，以及摩根士丹利和格林米尔斯进行过轮训；但是安东尼曾经告诉过他不要在剑桥很认真地学经济课程，原因是他应该成为一个合伙人。劳埃德银行的前财务主管戴维·科尔维尔——他当时以事实上的合伙人身份加入了新亭——也不能说成是新鲜血液：他的后祖母是克鲁侯爵夫人，汉纳·罗斯伯里的女儿。业务的日常管理工作大部分留给了休·戴维斯，他继任了塞缪尔·斯蒂芬尼的总经理的职务，以及他的助理迈克尔·巴克斯——这两人都是在N·M·罗斯柴尔德一步一步走过来的。

并不是所有这一切使得这个公司在那些年代金融城里俱乐部式的，甚至是那种令人昏昏欲睡的氛围下显得鹤立鸡群。当然，这个问题的部分原因是战后的英国仍然保持着战时经济的很多管制，其中就有对罗斯柴尔德一直以来的基础业务——资本输出的管制。在布雷顿森林体系之下，传统的国际债券的发行空间非常有限。另外，这个时期正好是英国的社会主义思潮达到巅峰的时期，而且尽管艾德礼政府对贝弗里奇和凯恩斯的推崇远甚于对马克思的推崇，他们也很难给金融城以好脸色看。参阅下面来自1948年1月采访中的一个工人党支持者的看法：

> 我不认为一个人应该有权拥有太多的财富，除非这些财富是他们自己挣来的；自己的父亲是个有钱人不是一个太好的理由……我们已经与保守党就下面的条件产生了共鸣：失业、缺乏营养、没有规划、国际形象不好、缺乏公平正义……教育和机会、未开发的资源以及没有反对法西斯主义……这些错误得到改正的唯一时机是在战争期间，局势和内阁中的工人党成员迫使国家将基础产业和商品交由政府来控制……战争无情揭示了过去托利党人思想的愚蠢性，他们认为人们只能为私人老板打工赚钱，因而私营企业比国有企业更有效率……我希望那种肆意妄为的为私人谋利的私营企业的日子从此一去不再复返……拥有大量的金钱并不能就让你自动地获得幸福……在社会主义政府里，富人不再拥有不是他们自己挣来的像他们以前所拥有的那么多钱和特权的事实，对于富人来说确实可能会感觉不方便；但是这一点并不重要，而且我认为你将会发现，很多有钱的人……将不会不合时宜地为这样的前景杞人忧天。

这些话不是出自于安奈林·贝文之口，而是出自于罗斯柴尔德勋爵三世之口的事实，可以让我们了解他为什么在整个20世纪40年代和50年代中保持着与新亭的距离的原因。当他最终在1959年离开学术界进入到私营领域的时候，他所做的是在皇家荷兰壳牌（不可否认，这是一家与罗斯柴尔德家族有历史渊源的公司）领导科学研究工作。

自1941年开始，对老的合伙关系进行重组的工作就已经开始着手准备，当时成立了一家罗斯柴尔德家族延续有限公司，作为在出现当时合伙人有一人或者两人在战争中战死的情况时的公司法定的继承人；新公司以其自有的权益成为一个合伙方。在1947年，N·M·罗斯柴尔德在它原来的基础形式上又更进了一步，推出了100万英镑无投票权的优先股以及50万英镑的有投票权普通股。安东尼持有了60%的普通股，确保他是控股的合伙人；在他之后的层级是埃德蒙和维克多，他们每人持有20%（尽管维克多获得了无投票权优先股更大的份额）。这次安排是家族内部力量均衡的一次变化，这种变化在下一辈中将会产生意义深远的影响。

然而，需要强调的是公司资本的缩水。在第一次世界大战前夕，罗斯柴尔德伦敦银行的资本接近800万英镑。缩水150万英镑——特别是考虑到英镑的购买力在调整期间损失了40%——意味着一个急剧的下降，主要是因为业务萎缩和前所未有的高税收。当列昂内尔去世的时候，他留下了50万英镑的透支，而且他的儿子也还得支付总额为20万英镑的遗产税。

安东尼的战略是重建企业传统的海外业务。这做起来并不容易，因为战后的资本流向主要是从美国到欧洲。确实，爱德华和罗伯特这个时候已经建立了阿姆斯特丹海外公司（与荷兰皮尔森公司的彼得·弗莱克联合），作为罗斯柴尔德业务的纽约基地；但是，这似乎并没有为新亭带来太多的业务。一开始的时候，大量的人力投入到了清理各种战前已经出现拖欠的债务上，比如像智利和匈牙利的情况。新的债券发行——像1951年为国际复兴开发银行（通常称世界银行）提交的500万英镑3.5%利率的债券——非常少见，而且还必须与金融城内的其他银行分享。罗斯柴尔德过去在南非黄金市场的主导作用也已经在3年之前重新开始，当时国际黄金市场重新开张：又一次，世界的黄金价格在新亭的“定价室”里正式定价。然而，由于国际黄金界的目标是把黄金的价格稳定在每盎司35美元，新亭的重要性已经大不如前了。在这种情况下，公司不得不更多地关注于信用业务和承兑业务。这些业务不能说不挣钱，只是这些业务以前只是银行第二或者第三线的业务。

战后那些年里最有野心的——而且同时也是最传统的项目在加拿大，这对于罗斯柴尔德家族来说基本上还是一块未知的大陆。约瑟夫·斯莫尔伍德开发纽芬兰资源丰富地区的规划（他是这个规划的最高负责人）或许是因为银行一直保持与温斯顿·丘吉尔的联系而出现的最重要的金融机遇——这种联系因为丘吉尔的私人秘书是戴维·科尔维尔的兄弟乔克而得到了加强。丘吉尔在1951年10月返回了唐宁街，而且马上被斯莫尔伍德的计划所吸引，他高度赞赏这个计划为“一个伟大的没有帝国主义恶名的帝国主义概念”。在这个概念下，英国纽芬兰有限公司就像是昔日辉煌的回声，N·M·罗斯柴尔德在大英帝国的鼎盛时期所扮演角色的纪念物。事实上，丘吉尔政府的运输燃料与动力部部长莱瑟斯勋爵甚至问出了这样的话：“你们做成了苏伊士，那么你们为什么不能做纽芬兰？”然而，尽管如此，安东尼还是显得很踌躇——他的这种犹豫不决甚至几乎使银团里的成员转向了德国的银行。主要得益于埃德蒙的努力，N·M·罗斯柴尔德还得以留在船上，而且在这个时候，就已经感觉到有必要引入金融城里的其他企业，包括施罗德、汉布罗和摩根·格伦费尔。最终的协议在1953年达成，租让6万平方英里的土地给布林科银团，为期20年，而且经过勘测调查后，划定了矿产和木材资源开发的区域，做出了在汉密尔顿瀑布建设一座水电站的决定。按照19世纪后期的企业通常的做法，当银团内部私下分配200万股纽芬兰有限公司的股票的时候，丘吉尔自己买了1万股。

然而，在随后的几年间，他们发现无法维持这种“帝国”联系，部分原因是英格兰银行必须通过限制海外投资来支撑战后长期存在的英镑弱势，同时，也是因为加拿大政府希望减少“外国”对布林科的控制。没有人跟罗斯柴尔德家族商议过首次公开发行“丘吉尔瀑布”股票的事宜，而且，尽管他们还是会同意认购所发股份中的700万英镑，但是遭到了来自加拿大银行的劝阻。魁北克政府的阻碍特别具有破坏力，因为他们控制着通往纽约的跨境电缆线路，因而是电站潜在的最大客户。尽管N·M·罗斯柴尔德参与了国家开发金融有限公司1963年的债券发行，而且8年后还是纽芬兰主要的贷款人，这个项目却一直没有能够从这种政治纷争中真正解脱出来。丘吉尔式的战略最终被证明在这个反殖民主义情绪高涨的时代，是一种倒行逆施。

然而，到20世纪50年代后期，新亭出现了转向的迹象。在1955年，安东尼患了一场中风，这场病痛使他丧失了工作能力，不得不提前退休；6年之后，他去世了。合伙权因此得到了双倍的加强。他的儿子伊文利在经过了剑桥、海军和力拓纽约公司、多伦多仲裁公司、R·D·史密斯公司轮训的历练后，在1957年加入了银行；另外，维克多的大儿子雅各布也在6年后经过牛津以及在库贝尔兄弟财务公司、摩根士丹利以及赫尔曼·罗宾诺与克利福德·巴克利的见习后加入了进来。“由于战争我们走过了艰难的岁月，”利奥波德想起了安东尼说过的话，“现在得靠你们年轻人去闯，去寻找新的业务。”

现在，开始迈出了缩小佩林所说的“将合伙人分隔开，甚至是产生于最高层成员之间的巨大鸿沟”的第一步。1960年7月，一个半世纪的传统结束了，这时戴维·科尔维尔成为了第一位进入合伙人行列的非家族成员（尽管此前的一段时间，他已经在合伙人办公室里拥有了一张办公桌）。1961年9月，总经理迈克尔·巴克斯也得到了类似的提升，随后在1962年4月轮到了经验丰富的税务律师菲利普·谢尔本，因为他帮助建立了新的财务部（负责公司业务）。由于雅各布的到来使合伙人的总数达到了法定限额最高的10名，其他那些服务多年的资深经理人员不得不屈就于"伙伴"的身份，一直到1967年的《公司法案》将合伙人的限制提高到了20名。这次转型在1970年9月结束，当时合伙制变成了公司制，结束了无限责任的时代。当时建立起来的董事会由4名非执行董事和20名执行董事组成，而且决策权也从合伙人转给了一个新的执行委员会。

在管理结构上出现的"新亭革命"也在物质上有了切实的反应。1962年10月，在伊文利的提议下，位于新亭的老办公室最终被放弃了。因为现在已经有必要进行扩建，穿过圣斯威辛大街直抵切特温德大厦；在当时的六层大楼建造的过程中，公司不得不在偏远的芬斯伯里广场南边的城门大厦度过将近3年的时光。新建筑业象征着新一辈想要使银行现代化的决心。外界仍然对这家银行的重要性存在一种典型的夸张，一家日本的报纸报道了建造这座六层新楼的消息。实际上，罗斯柴尔德伦敦银行相对来说还是很小的。当它进行公司改制的时候，所发行的股本仅仅只有1 000万英镑（储备大约在200万英镑），而且其资产负债表显示总资产也只是1.68亿英镑。至于存款，N·M·罗斯柴尔德也比其在金融城里的其他对手要少，而且它也不像罗斯柴尔德巴黎银行一样，有很多外面的股权投资。所有这一切帮助我们解释了雅各布在1965年时所做的声明："我们必须尽力使我们自己像过去成为金钱的银行一样成为大脑的银行。"

在第一种情况下面，这意味着向投资银行转变。在1961年7月，罗斯柴尔德投资信托（RIT）以300万英镑的资金组建，2/3的资金筹集自外面的投资人。在雅各布的领导下，这个公司茁壮成长起来：开始时的税前利润就超过了本金的20%。到1970年，又出现了4个公开认购的罗斯柴尔德投资信托基金。此后，RIT在1974年并购了3只埃勒曼拥有的投资信托基金后，开始自己独立运作，广泛投资于几乎所有行业，从石油和天然气到旅馆和拍卖行。尽管20世纪70年代出现了经济恐慌，它的毛收入在70年代末还是达到了接近700万英镑，净资产接近1亿英镑，而在1970年的时候净资产还只是600万英镑。对于雅各布来说，这是一个了不起的成就，因为在1976年的时候，他刚过了40岁。然而，很重要的一点必须强调，从它诞生之日起，RIT就与其母公司走向了相反的方向。早在1975年，N·M·罗斯柴尔德就将其所持有的股份减到了9.4%。当索尔·斯坦伯格的信托集团在1979年以1 600万英镑收购了RIT 25%的股权之后，它与新亭的联系似乎完全断绝了。

第二步是迈向了资产管理业务。在1959年，在紧随菲利普·希尔、希金森和罗伯特·弗莱明之后，银行成为全国性集团的防御型单位基金的托管人，这只基金是最早的单位信托基金之一。不久之后，银行又介入了直接的资产管理业务，所有这些业务（为满足1986年金融服务法案的要求）后来全部移交给了一家新成立的子公司，N·M·罗斯柴尔德资产管理公司。

第三个重要的增长领域是公司金融业务。除了20世纪40年代晚期发行了少量的股票，安东尼主政期间在这方面的作为很少。在考察银行后来在私有化过程中的作用时颇具讽刺意味地发现，当丘吉尔政府在1953年建议他们参与到钢铁行业的"去国有化"过程中的时候，安东尼和科尔维尔居然拒绝了，理由是认为这个想法是一种危险的政治游戏。N·M·罗斯柴尔德也没有参与1958~1959年的英国铝业公司的争夺，这次事件通常被看成是开启了企业并购新时代的重要标志。然而，这种情况在20世纪60年代出现了变化，银行推出了一系列旨在改进与企业界关系的努力，在1964年，甚至在曼彻斯特开设了一个分公司，这是自1811年以来出现在这座城市里的第一个罗斯柴尔德办公室——两年之后，在利兹又设立一个。必须得承认，银行对公司金融业务的第一次尝试严格意义上说是很令人失望的。在1961年2月，N·M·罗斯柴尔德为奥达姆斯出版社抵御来自《每日镜报》的收购竞价提供咨询服务。《镜报》方的咨询机构是S·G·沃伯格，而且《镜报》最终赢得了收购战的胜利。但是两年之后，一个新亭的团队在为一家国有的南威尔士钢铁集团理查德·托马斯与鲍德温公司做咨询顾问的竞标中，成功击败对手，拿到了怀海德钢铁公司。到1968年，N·M·罗斯柴尔德可以排在金融城内并购联盟中第八的位置，总共组织了5项交易，交易总值3.7亿英镑。两年之后，在证券发行企业名单中排在第五，在一年之间为其客户企业筹集了总额2 000万英镑的资金。

然而，这些海域是危险的，时常有鲨鱼出没。在1969年，N·M·罗斯柴尔德第一次遭遇了热情的骗子金融家罗伯特·马克斯韦尔，当时他们给索尔·斯坦伯格的利斯科在施泰因贝格以2 500万英镑竞价购买马克斯韦尔的帕加马出版社的过程中提供咨询。这次交易失败了，因为竞标人在派格蒙发现大量不规范的问题，这些问题促使贸易委员会派出了一个调查组进驻马克斯韦尔。塞姆·德比在20世纪70年代"虚幻繁荣"期间购买克莱夫控股的交易同样也是问题多多，当时，塞姆·德比的董事长丹尼斯被指控有内部交易，而且在1973年11月被逮捕。然而，当吉姆·斯莱特在1975年10月从病入膏肓的斯莱特·沃克银行辞职的时候，英格兰银行向N·M·罗斯柴尔德寻求帮助，以避免一场新的全面银行业危机——这是爱德华·希思首相对银行新任董事长维克多的肯定和赞扬，维克多终于在那年的4月深孚众望，在家族的银行扮演重要的角色，而且不久之后，对老旧的管理结构进行了大刀阔斧的合理化改造。

在这个烦乱时期的国内活动中，还有另外两个重要的领域，其中之一是N·M·罗斯柴尔德密切关注着自己的投资机会，特别是在像传媒和电信这类成长性的领域。银行投资了ATV，它是第一批独立电视台之一；另外还投资了不太成功的英国计费家庭视讯公司，这是一次失败的早期“收费电视”的探索。另外，伊文利坐镇比弗尔布鲁克报业公司、《经济学人》和后来的电报公司的董事会。与安联保险的传统联系也得到了加强，因为太阳安联购买了罗斯柴尔德家族延续公司的股份，而且1973年又以690万英镑并购了格雷斯沙姆人寿保险（6年后以1 500万英镑出售）。

到了这个时候，很显然，N·M·罗斯柴尔德的资产负债表上大部分项目都是国内的内容。无论如何，它的内心深处仍然是一家国际银行。它继续保持着在黄金方面的长期兴趣，甚至在越南战争给美元带来巨大压力并造成黄金总库的瓦解之后也乐此不疲。尽管黄金铸币精炼厂被出售，银行仍然是主要的贵金属交易商，它不仅在伦敦市场进行交易，同时也在纽约、香港和新加坡进行交易，而且为其目前在澳大利亚自然资源市场所占有的卓越地位打下了基础（在本书写作的时候，罗斯柴尔德澳大利亚公司为N·M·罗斯柴尔德集团的利润贡献了大约1/3）。与此同时，其传统的将英国资本输入海外市场投资的业务，在1963年取消利息调节税并在欧洲债券市场得到发展后，也得到了恢复。在这里，过去的关系是一种资产。比如，当葡萄牙在1964年发行价值1 500万美元的债券的时候，可以找出的葡萄牙寻求N·M·罗斯柴尔德帮助的先例最早可以追溯到19世纪20年代。在拉丁美洲，在利奥波德的领导下，银行1965年帮助泛美开发银行募集了300万英镑，帮助智利募集了300万英镑；而在3年之后，又为其老客户巴西组织了两次大规模的贷款，所募集的资金投向了大型基础设施项目，比如智利的第一座原子能反应堆以及里约—尼泰罗伊大桥。1966年，N·M·罗斯柴尔德领导了一个大型的辛迪加为在的里雅斯特与因戈尔施塔特之间铺设穿越阿尔卑斯山的管道筹措第一批款项，而这一地区过去也是罗斯柴尔德家族的地盘。当1968年匈牙利开了东方阵营经济体向西方银行借款先例的时候，他们找新亭的决定也可以找到无数的历史先例。银行1914年之前与日本的联系也由埃德蒙重新承续下来，他在1962~1969年多次访问日本，为多家日本公司，包括日立和先锋安排了“欧洲美元”债券的发行（与野村证券合作）。

总的来说——这些在决定罗斯柴尔德态度中所具有的意义的重要性怎么说都不为过——这个银行所关注的是那些发展中的欧洲经济体。也是大概在此期间，盖伊作为罗斯柴尔德巴黎银行的领导，被某些人吹捧为“欧共体银行家罗斯柴尔德”。同样的头衔可能也被授予了他的伦敦亲戚。

沿着这个方向尝试性的第一步在1960年迈出，当时N·M·罗斯柴尔德与沃伯格一起在伦敦市场投放了34万英镑的奥古斯特·蒂森钢铁公司的股票——战争以来在伦敦交易的第一支德国股票。一年之后，英国一签署了罗马协定，N·M·罗斯柴尔德银行就加入了共同市场银行辛迪加（成立于1958年的布鲁塞尔）。想法很清楚，就是这个事情宜早不宜迟。1967年9月，隧道研究集团成立（与摩根·格伦费尔、拉扎德和巴林联手），目的是重新启动在英吉利海峡之下修建一条海底隧道的维多利亚之梦。尽管这次几乎遭遇了与先辈们一样的失败，N·M·罗斯柴尔德一直保持着对这个项目的兴趣，并且成为在1981年启动现在这条隧道的欧洲隧道集团的顾问。另一个由欧洲所激发的项目是1972年成立的2 000万英镑的新亭欧洲投资信托——此时，欧洲联盟法案刚得到了议会的批准——目的是吸引英国投资人投资欧洲大陆债券。所有这一切中最有远见的当数罗斯柴尔德计划的一种称为"欧币"（欧洲复合单位）的新货币，这种设想的货币是以9种主要的欧洲货币值为计价基础。这种为后来的欧洲货币单位和欧元开路的先驱，本质上说是对于英镑兑德国马克相对贬值问题所做出的积极反应：这个想法是向投资人提供15年期的面值为3 000万欧币（大约1 500万英镑）以及年息8.5%的债券。这次试验是成功的：当为大都会地产发行了价值2 000万欧币的债券时，出现了严重的超买。在随后的争论中，有些令人啼笑皆非，如《每日电讯》赞同并认为它是"一种令人鼓舞、朝货币联盟迈进的草根举动"。

推进英国金融与欧洲大陆一体化最符合逻辑的方式是建立某种跨海峡的机构性联系。比如在1966年，N·M·罗斯柴尔德与国民地区银行联合创立了一新的欧洲银行，投入资本金100万英镑，并且在两年后与制造商汉诺威信托公司以及斯科达亚得利亚再保险公司也做了类似的尝试。然而，他们明显的战略是重建过去英国与法国之间跨海峡的罗斯柴尔德家族联系。但是，现在的问题是这个老的伙伴关系的两边是否还能够契合。

法国罗斯柴尔德家族战后的经历与他们的英国亲戚间存在着相当大的不同。而老一辈的合伙人都没有能够挨到战争结束：罗伯特在1946年去世，爱德华3年之后也走了。尽管1940年之后出现了这么多的动荡，但是新的执政三人组——盖伊和他的堂兄弟艾伦和伊利——他们自己还是继承了巨额的资产。1946年6月，罗斯柴尔德兄弟公司的资产进行了重新评估（考虑了法郎的贬值），最终为2.5亿法郎（大约100万英镑）；但是这个数字没有包括家族在北方公司的股权，以及他们在跨国公司比如力拓、庞纳罗亚和镍业中的投资。当新的法规允许盖伊和他的合伙人将他们所有的资产装入一个单独的投资基金，北方投资信托（1953年）的时候，总资本达到了

40 亿法郎（大约 400 万英镑）。他们的金融兴趣相当广泛——到 1964 年的时候，北方公司拥有了 116 家不同的企业，行业范围从冷藏到建筑都有——但是，与过去一样，采矿和资源行业仍然是他们的最爱。尽管毛里塔尼亚和阿尔及利亚的去殖民化使他们也遇到了麻烦，但是盖伊在这个地区雄心勃勃的战略在 20 世纪 60 年代末期还是结出了果实，镍业合并了庞纳罗亚以及其他多个不同的矿业公司。但是一家从事铝业的公司亨利–恺撒在规划镍业的扩张计划时被分置，盖伊出售了恺撒公司一半的股权给一家政府公司，同时又创立了一家新的综合性的罗斯柴尔德矿业机构IMETAL。不久之后，这个公司也开始扩张，（经过一番斗智斗勇）收购了一家位于匹兹堡的铜线厂 2/3 的股份，以及英国铅业集团的部分股权。

盖伊在这个时期的其他主要目标是与法国的股份合作制银行竞争，这些银行自从第一次世界大战以来通过吸收存款、增加投资人股权以及发展分行网点等手段，已经超过了罗斯柴尔德兄弟银行。尽管罗斯柴尔德巴黎银行在战后的头 20 年存款增加了 7 倍，它的资产负债表的总数在 1965 年第一次公布时还是只有 4.215 亿（新）法郎（3 100 万英镑），而里昂信贷的数字是 200 亿法郎。随着 1967 年从法律上消除了事务性银行和储蓄银行的区别，缩小这个差距成为可能。于是在经过整整 150 年之后，罗斯柴尔德兄弟公司终于变身为罗斯柴尔德银行，一个资本金大约在 350 亿英镑的有限责任制企业，而且在位于拉斐特大街的历史建筑里新设立了现代化的办公室。银行的目标，用盖伊的话说，是“从最广泛地区、最广大的潜在客户处募集越来越多的流动资金”。正式地来看，新的结构要求稀释家族的控制权：三个合伙人只持有 30% 的股份，而剩余的部分由北方公司持有（而这个公司本身有大约 2 万名股东）。但是，只要罗斯柴尔德家族还控制着北方公司，这个“民主化”就只是概念性的。在 1973 年，伊利很诚恳地对一个采访者说：“你不可能比较罗斯柴尔德家族在 1850 年和 1972 年时的实力差异。在那时……我们是第一。今天，我们不会愚蠢地认为我们是什么超出自己本身实际的东西，我们是第十五。”但是，这仍然是过分保守的说法，我们不应该忘了北方公司的规模，而现在的北方公司已经实实在在地是银行的母公司了：1966~1968 年，公司的资本金从 5 280 万迅速增加到 3.35 亿法郎（大约 2 500 万英镑）。罗斯柴尔德银行还可以借力于它与詹姆斯 · 戈德施密特的关系（詹姆斯 · 戈德施密特参与了它的董事会），以 500 万英镑获得它的贴现银行 72% 的股权，而且通过继续并购其他的三家银行后，将它的分行总数增加到 21 个，雇员大约 2 000 人。当罗斯柴尔德银行在 1978 年整体吸收了北方公司之后，它的资产总额达到了 130 亿法郎（大约 13 亿英镑）。

法国罗斯柴尔德家族如果不在 20 世纪 30 年代把莫里斯排除在外，而且一直坚持分裂的话，应该还要大很多。这位曾经被看成是害群之马的人在战争期间的纽约混得很不错，在商品投机方面非常成功——而且又继承了大量的财富——因此，当他在1957年去世的时候，他可能是所有罗斯柴尔德家族成员中最富有的。尽管他的儿子埃德蒙曾经在罗斯柴尔德兄弟公司中做过金融方面的学徒，替跨洋公司打过工，但他很快就决定建立自己的风险投资公司，并资助取得了巨大成功的地中海俱乐部假日公司（旗下也还有其他公司）。

罗斯柴尔德在法国的复活不仅是表现在金融方面。尽管（与英国的情况一样）战后很多的房产如果不是被迫出售，就是被迫捐赠给国家，盖伊和他的堂兄弟们没有花多长时间就恢复了罗斯柴尔德传统的在巴黎社交界的最高地位。盖伊与他的第二位妻子出现在花边专栏和赛马专栏的频率几乎与出现在金融版的频率一样高：是她敦促他重开了费里耶尔，并推出了奢华的主题化装晚会，比如普劳斯特舞会（1971年）和超现实主义舞会（1972年）。家族中的其他法国分支在这个时候将他们的注意力集中在了木桐的葡萄园里，这是菲利普于他的父亲亨利在1947年去世之后继承下来的，另外还有附近的阿尔梅亚酒庄（1933年购得）。更老一些的拉斐特葡萄园仍然由詹姆斯的男性继承人共同拥有，尽管主要的经营管理由伊利以及后来艾伦的儿子埃瑞克负责（家族中的木桐和拉斐特分支之间就前者产品的分级所爆发的经久不息的战争在吸引公众注意力方面与费里耶尔舞会的魅力几乎难分伯仲）。

对于罗斯柴尔德的立场分歧，还存在着政治方面的界限。1954年雇用前公务员乔治·蓬皮杜执掌状况不佳的下属企业跨洋公司在当时并没有什么特别的地方：作为旅游事务副专员，蓬皮杜只是一个低位卑微的小公务员。然而，蓬皮杜将自己总经理职务的升迁与戴高乐精心的培养结合在了一起，当时的戴高乐正处于自我放逐的政治反思之中。当阿尔及利亚的政治危机把戴高乐送回到一个新组建的第五共和国总统的权力宝座上时，蓬皮杜离开了罗斯柴尔德银行去做戴高乐政府办公厅的主任，当六个月后宪法修改完毕后，他又回到了银行。1962~1968年，他以戴高乐政府第二任总理的身份重返政治舞台。尽管或许是意义有限，蓬皮杜过去与拉斐特大街的关系为在左翼和右翼之间维系罗斯柴尔德势力的神话作出了很大的贡献。令人感觉到讽刺意味的是，他做总统——1969年戴高乐离职后继任——期间，恰巧是罗斯柴尔德银行危机深化的时候。

尽管罗斯柴尔德银行和N·M·罗斯柴尔德存在结构上的不同，恢复巴黎和伦敦罗斯柴尔德之间联系的程序早在1962年就已经开始了，当时罗斯柴尔德法国方面投资了60万英镑在由盖伊任董事长的新公司里，而且这个新公司明显是为了大力促进罗斯柴尔德的团结：罗斯柴尔德家族第二延续公司。随后出现了一系列的合资项目。为了管理英国罗斯柴尔德家族在加拿大采矿业中的权益，设立了一个名为“五箭”的控股公司，巴黎方面在其中占60%的股份。另外，罗斯柴尔德伦敦方面以法国罗斯柴尔德家族资产辛迪加成员的身份加入了沃伯格以及另外的两家公司。在次年，伦敦方面与法国方面在设立欧洲资产公司的过程中携手合作，而且在1968年盖伊·德·罗斯柴尔德成为了N·M·罗斯柴尔德的合伙人，而伊文利被任命为法国罗斯柴尔德银行的董事。在这个大背景下，另一个重要的发展是将纽约的分支机构阿姆斯特丹海外银行转型成新亭证券公司，股东中不仅只是包括了法国的罗斯柴尔德银行，还包括了埃德蒙在日内瓦创建的私立银行。当国民地方银行在1969年降低了对他们的参与程度（在被并入到国民威斯敏斯特银行后），他们又采用类似的方法建立了一个更大的实体：罗斯柴尔德泛大陆银行，在这个银行中，不仅有罗斯柴尔德伦敦银行（28%的股份）和巴黎的罗斯柴尔德银行（占6.5%），而且还有埃德蒙的私立银行（占2.5%），甚至还有皮尔森，以及两家与罗斯柴尔德家族有历史渊源的欧洲大陆企业：布鲁塞尔的兰伯特银行以及科隆的小萨尔·奥本海姆。

罗斯柴尔德泛大陆银行是更为广阔的全球战略的组成部分。在1971年，它参与了为墨西哥融资1亿的项目；同时还努力恢复罗斯柴尔德与亚洲的联系。比如，在1970年，N·M·罗斯柴尔德与美林和野村共同建立了东京资本控股公司，为菲律宾和韩国融资。然而，在1975年，罗斯柴尔德泛大陆银行被（以1 300万英镑的价格）出售给了美国的金融巨人美国运通。全球化战略出现了停摆。

对这个问题的一个可能的解释，在于20世纪70年代初期经济环境的变化，其特征是西方经济体出现了通货膨胀，而这个问题因石油输出国组织在1973年11月决定把油价提高四倍而更加恶化。石油危机对于银行来说有它的优势，因为石油出口方会把他们巨额增长的收入存放在西方的银行，这些银行可以通过把这些钱借给那些在拼命挣扎的石油进口方，让这些钱转起来。然而，罗斯柴尔德家族在这些业务中却没有任何优势。在1963年，阿拉伯联盟——其中包括为数不少的石油输出国组织主要成员——正式把所有罗斯柴尔德的银行列入了黑名单，原因是这个家族与以色列的关系。这个禁令在1975年公布。将罗斯柴尔德家族与以色列联系在一起意味着他们在运转阿拉伯“石油美元”的过程中不能扮演主要的角色（尽管他们有可能间接地参与）。

在很多方面，阿拉伯联盟的黑名单反映了罗斯柴尔德神话般的影响力还在继续。事实上——与过去一样——对犹太复国主义的同情并不是在罗斯柴尔德家族的每个分支中都是一样的强烈。吉米从来没有停止过希望英国和以色列政治家之间达成和解，因为以色列推翻了巴勒斯坦托管政府（因为后者在1955年提议吸收以色列进入联邦），他在遗嘱里留下了600万英镑资助在特拉维夫建设一座新的以色列议会大楼，以及魏兹曼科学院，而他的寡妻多萝西建立了雅德–哈纳迪夫教育基金会，雅各布和其他人对这个基金会一直都给予支持。有一名罗斯柴尔德——盖伊的姐妹贝萨碧——确实定居在以色列。与他同名的祖父一样，埃德蒙对这个新国家奉献精神特别强烈。他在1958年访问了以色列，讨论为从红海过来的输油管融资的问题，而且在1967年的"六日战争"期间甚至还飞到了耶路撒冷，对以色列政府公开表示支持。相比较而言，伦敦罗斯柴尔德家族表现得更加节制，尽管有报道说，他们在1967年的犹太人巴勒斯坦请愿活动中捐了钱。

从另一方面看，有越来越多的罗斯柴尔德——包括家族男性成员的第一次婚姻——现在开始与信仰不同的人结婚。盖伊的第一个妻子是按照罗斯柴尔德传统娶的：阿利克斯·谢尔·冯·克罗姆拉的母亲是一名戈德施密特·罗斯柴尔德（也就是表亲中的第三代），而且两人在战前的法国犹太人社区中的表现都很活跃。然而在1957年，他离婚了，再婚则娶了玛丽·海伦·冯·珠伊兰·德·尼耶维尔特，一位离得更远一点的表亲（她的祖母海伦是詹姆斯的儿子萨洛蒙的女儿），但是是一名天主教徒。他不久之后辞去了犹太人宗教法院院长的职务，尽管他一直到1982年都还是犹太人统一社会基金的总裁。家族中其他在法国和英国的成员先后学着他的榜样与非犹太人结婚，尽管当时埃德蒙娶了一名天主教徒（内丁·罗彼塔丽娅），但是她皈依了犹太教；而且在玛丽亚·比阿特里斯·卡拉乔洛·迪·弗伦诺在1983年嫁给埃里克的时候，她也皈依了犹太教。当盖伊的儿子戴维也娶了一名天主教徒奥利姆匹雅·阿尔多郎迪尼的时候，他们达成了妥协：他们的儿子亚历山大按照犹太人来培养，但是他们的三个女儿却不这样。戴维自己并不认为在娶一个非犹太教的妻子与将自己大量的时间奉献给犹太人机构，比如法国与以色列联合运动以及法国犹太教基金会之间，有什么矛盾。但是从这个方面说，至少家族传统的影响力无疑在下降。

N·M·罗斯柴尔德集团

到20世纪70年代末，N·M·罗斯柴尔德与法国罗斯柴尔德银行走到了非常不同的交叉路口。在英国，玛格丽特·撒切尔政府在选举中上台，这个政府强烈反对政府对市场的干预，因此带来了伦敦金融城的巨大变化，最著名的是在1979年放弃了汇率管制，而且在1986年结束了对股票交易的限制性规定（所谓的"大变革"）。面临的问题就是怎么样才能最好地回应这些变化。对雅各布来说，罗斯柴尔德派生机构，比如像罗斯柴尔德投资信托和罗斯柴尔德泛大陆银行的成功表现，意味着一个完全新式的银行模式，而与内森所创建的企业几乎没有任何的相似之处。在他的眼里，传统的伦敦商业银行现在都显得太小，连银行自己都维持不了。一边是像Amex这样的庞然大物，他后来辩解道，与之相比，甚至最大的英国清算银行都显得太小。而另一边，就是金融城里的商业银行：克兰沃茨·本森（市值为2.35亿英镑）、希尔·塞缪尔、汉布罗与施罗德。他应该还可以再加上——在靠近他的名单尾巴的地方——N·M·罗斯柴尔德父子有限公司。因为当雅各布在银行以660万英镑出售他的股份的时候，那意味着总市值只是6 000万英镑（年度报告显示的是一个更小的数字4 000万英镑）。到这个时候，罗斯柴尔德投资信托已经完全地超过了他的母公司：它的市值大约在8 000万英镑。

自从20世纪70年代中期以来，雅各布就开始想要将N·M·罗斯柴尔德与一个更为年轻的商业银行——S·G·沃伯格（它的创始人在20世纪20年代的时候曾经在新亭做过银行的学徒）进行合并。这个罗斯柴尔德—沃伯格的合并就有可能将所能提供的服务扩展到最大可能的范围。但是这个计划——代号“战争与和平”——不仅遭到了伊文利的反对，甚至也遭到了雅各布自己的父亲维克多的反对。另一可选的战略（内部称为“潘多拉”）是将N·M·罗斯柴尔德与罗斯柴尔德投资信托合并，以便原先的银行不再是私人的家族控制企业。这也遭到了伊文利和维克多的反对。对他们来说，维持家族的控制远比扩张更重要。

所有这一切帮助我们解释了雅各布1980年离开新亭的原因。由于罗斯柴尔德投资信托仍然持有罗斯柴尔德家族延续公司（当时的市值是5 700万英镑）11.4%的股份，与N·M·罗斯柴尔德持有的8.2%相比，这一定是一场两败俱伤的分裂；另外还需要在两个现在已经完全独立，但是都使用罗斯柴尔德冠名的实体之间进行区分。在经过漫长而艰难的讨论之后，最后同意新的业务称为J·罗斯柴尔德公司，管理罗斯柴尔德投资信托的资产（此后大家都只记住了这个名字的缩写）。这在家族的英国分支中无疑是一个严重的裂痕。

伊文利在1976年从维克多手上接过了N·M·罗斯柴尔德的大印，那么他设想的另外的战略是什么呢？有观察家甚至怀疑，是否有这样的东西存在；事实上，有人认为，雅各布的出走对N·M·罗斯柴尔德可能是致命的打击。然而，确实有这样的一个战略，一个本质上牵涉发挥银行传统力量的战略。

从一开始的时候，N·M·罗斯柴尔德就专注于满足政府的金融需求，尽管过去曾经主要是与政府贷款有关；只是在很少的情况下（比如当政府出售铁路公司的时候）他们才会参与到出售政府资产的工作中。然而，在20世纪80年代，这却成为了银行工作最重要的领域之一，因为撒切尔政府发现了这种被称为私有化的过程中的财政利益，急迫地想要“撤回”政府对经济的参与，而且用降低直接税去回报保守党的支持者。

罗斯柴尔德家族参与私有化工作最早可以追溯到玛格丽特·撒切尔出任首相之前。尽管他的贡献是间接的，但是维克多在1970~1973年出任爱德华·希思的中央政策顾问班子（或者叫"智库"）的领导人使罗斯柴尔德家族回到了那种直接与政治人物沟通的传统做法上，而这种做法与他们在19世纪所取得的成功密不可分。这或许可以部分解释为什么在1971年7月，希思政府授权N·M·罗斯柴尔德出售产业重组公司的原因。一年之后，他们又接到了一个更为艰难的任务：代表托管人出售破产的罗尔斯·罗伊斯汽车公司。由于没有获得任何超过3 500万英镑的出价，银行冒险以3 840万英镑的价格向公众出售股票。由于受到工人怠工的威胁以及工会发言人托尼·本提出的重新国有化的影响，股票的上市过程是一波三折；但是他们也学到了很多宝贵的教训。在后面的年月里，出现了大量的N·M·罗斯柴尔德与政治领域的联系。1976年8月，当能源部准备出售所持有的北海油田的股权的时候，要求银行派出迈尔斯·埃姆勒去给他提供顾问服务的不是别人，正是托尼·本，这次的股权转让，从次年英国石油公司的一批股票出售开始。不到12个月之后，前农业部长以及后来的枢密院大臣克里斯托弗·索姆斯以非执行董事的身份加入银行，而克劳斯·莫斯特爵士在1978年离开政府的统计局，出任副董事长。这些从公共部门进行招募的活动为新亭带来了很多无形的影响与关系，而且随着政府业务量的增长也发挥了作用。

业务的流向也改变了，变成了从新亭流向了公共部门和政府。在撒切尔政府于1979年开始掌权之后不久，执行董事彼得·拜罗姆被基思·约瑟夫委派到英国造船商理事会。尤为引人注目的是约翰·雷德伍德的作用，他从万灵学院加入N·M·罗斯柴尔德，而且他在发表于1980年的《危机中的公营企业》（*Public Enterprise in Crisis*）一书中，为私有化提供了理论基础。1983年8月，雷德伍德辞去了在N·M·罗斯柴尔德股权研究小组中的工作，加入了撒切尔夫人的唐宁街政策局，3年之后又回来主管海外私有化的工作。他与迈克尔·理查森——他在1981年从股票经纪公司卡赞诺夫加入N·M·罗斯柴尔德——完全有理由宣称将私有化的想法变成政治现实主要是他们的功劳，尽管说公司对这个事情的参与早在他们到来之前就已经开始了。

然而，如果就此认为在撒切尔政府的资产出售过程中是由N·M·罗斯柴尔德主导的话，那完全是一种误导。事实上，在1979年10月新政府再次出售英国石油公司股份，以及在出售电信公司股权的时候，罗斯柴尔德银行没有得到任何的事情做。然而，N·M·罗斯柴尔德确实负责了1980年7月国家电力局在弗兰尼蒂公司的股份的出售；而且，更为重要的是，它也在1982年2月负责处理了第一次真正意义上的私有化，出售高科技公司爱默森国际——第一次把一家完全由政府拥有的公司在股票市场上流通。部分也是由于这个原因，股票上市时引发了政治矛盾。作为财政大臣，杰弗里·豪的决定是以每股142便士的固定价格出售股份，但是当预订超出了23倍，将股票价格推高至193便士时，工党发动了一场失策的攻击。影子政府的财政大臣罗伊·哈特斯利要求进行公开听证，并且非常不明智地暗示"在对托利党的捐助和从政府获得业务之间的关系"远远不是用巧合可以解释的。当最终证实N·M·罗斯柴尔德并没有给保守党人捐款后，他不得不收回了这些话。类似的攻击在BNOC（英国国家石油公司）于1982年出售的时候也一直在持续，尽管这一次股票是采用招标人最低限价的方式。而且人们没有忽略这个事实，即英国石油的领导人曾经是N·M·罗斯柴尔德的董事（菲利普–谢尔本），尽管罗斯柴尔德银行只是六家承销商之一，而且给能源部长奈杰尔·劳森做顾问的是沃伯格。一年之后的1983年12月，N·M·罗斯柴尔德购买了股票交易经纪公司史密斯兄弟29.9%的股份，迈出了建立一家合资的股票经纪公司史密斯–新亭公司的第一步。看起来，能够为大变革提前做准备的罗斯柴尔德似乎并不只是雅各布一人。

尽管N·M·罗斯柴尔德在英国电信的合同中没有作为，但是却在1985~1986年取得了最大的成功，他们在为英国天然气公司60亿英镑的资产处置提供咨询的竞争中"脱颖而出"。这或许是保守党政府为推动其"持股民主化"的理想所进行的所有尝试中最有效的一次，这次行动被广告商拟人化地称为"希德"，而且这个称号无所不在。这个计划保证所有申请人都能得到最低250英镑的股票，并限制海外及机构投资者只能够买总数的35%，希望通过这种安排能避免一直困扰市场的超买问题。当上市工作在12月3日启动后，总共有400万投资人申购了价值56亿英镑的股票。这次活动中一个显著的特点，是N·M·罗斯柴尔德以及其他参与的银行对国内买家收取的认购手续费奇低，前4亿英镑也为0.25%，而对后面的25亿英镑也只收了0.075%。普遍的看法是，银行接受如此低的费率一定是为政府作奉献；尽管作为对私有化市场份额的考虑，这种做法或许是精明的。

在如此大规模的活动中，对可能涉及的风险也不应该低估。N·M·罗斯柴尔德在1985年帮助政府以1.9亿英镑出售皇家军械公司给英国宇航系统公司的咨询过程中，就遭到了国家审计署的批评，理由是贱卖了。但是英国石油公司最终销售完毕后两年的经历显示，这种估值实在是太困难了。1987年4月，N·M·罗斯柴尔德赢得了处置政府剩余31.5%的英国石油公司股份（价值大约在57亿英镑）的合同，并且发行15亿英镑的新股。计划是将新股的大部分以固定的每股120便士的固定价格出售给普通的英国投资者，剩下的部分用拍卖的方式出售给机构投资者以及海外的买家。到9月，很多人信誓旦旦地认为投资人能获得20%的收益，而付给政府的认购费将微不足道。然而，在认购前夕，出现了1987年10月19日的股票市场跳水。银行认为应该停止出售，并正确地预见到股票将会再次跳水。但是财政大臣奈杰尔·劳森坚持按原计划进行，只是在经过艰难的劝说之后，才为股价设定了一个70便士的"底线"，如果突破这个底线，英格兰银行同意出手维持股价。这种安排也意味着重大的损失：史密斯–新亭的损失超过了850万英镑。

然而，新亭的私有化支持者们并没有被吓倒。在1987年，罗斯柴尔德银行被指定为给电力部门下属的12个区域性电力局私有化提供咨询的银行之一，并且成功地否决了能源部长塞西尔–帕金森提出的"突然死亡"或者"打包"的私有化计划，认为有可能把各个电力局作为单独的单位出售。同年，银行又领取了私有化10个水务部门的任务。次年进行的是25亿英镑的英国钢铁公司的资产出售。在1991年，矛盾再次出现，当时，N·M·罗斯柴尔德受命为英国煤炭公司的私有化提供咨询服务，由于银行的报告中提出只有14座采坑符合股票市场的上市要求，这直接导致了迈克尔·赫塞尔廷在1992年宣布，剩下的采坑不得不全部关闭，这将丧失44 000个工作岗位。此后，罗斯柴尔德银行相继参与了英国铁路公司和北爱尔兰电力公司的私有化工作，还就住房贷款和学生贷款为政府提供过咨询。

要想实施好私有化这种如此敏感的计划，如果没有政府与金融城的紧密联系，是根本无法想象的。这样的合同要想躲过政府的批评家们的嘴，也同样是无法想象的。1990年玛格丽特·撒切尔任期届满之后，对保守党政府的政治支持迅速地下降；而新亭与威斯敏斯特之间的联系不可避免地成为了反对党批评的靶子。在1992年结束的大选中，保守党获得了微弱的优势，令人难以置信的是，不仅财相诺曼·拉蒙特，甚至连内阁部长托尼·纳尔逊以及环境部长约翰·雷德伍德都是前N·M·罗斯柴尔德的雇员，另外还有前N·M·罗斯柴尔德的雇员参加了候选人选举（奥利弗·莱特文和后来的罗伯特·盖伊）。但是，更加引起公众议论的是前部长们（以及高级公务员）在新亭里的职位。彼得·沃尔克，前威尔士政府秘书长，出任罗斯柴尔德银行威尔士分行以及史密斯–新亭的非执行董事。诺曼·拉蒙特在1993年从财政大臣的职位上下来之后，加入了N·M·罗斯柴尔德的董事会。前内政部常务副部长克莱夫·惠特莫尔爵士也加入了董事会，同样情况的还有前国防部常务副部长弗兰克·库珀勋爵；以及前能源部长韦克厄姆勋爵，他以前曾经委托N·M·罗斯柴尔德对英国煤炭公司的可持续性（以及私有化的可能性）进行评估。

然而，私有化在政策层面取得的无可置疑的成功为让那些对这些委任持批评态度的批评家闭嘴做了很多的工作。不仅仅是工党完全放弃了对被私有化的产业重新国有化的想法，而且很多外国政府也加紧了向英国学习的步伐。在这个过程中，很多国家都把N·M·罗斯柴尔德作为这个领域的专家。仅在1988年一年中，罗斯柴尔德银行就在8个不同的国家处理了11项私有化业务。在1996~1997年，它为巴西政府出售所持有的淡水河谷铁矿公司的股权、为赞比亚铜工业的私有化以及为德国的德意志电信60亿英镑的股票上市提供了咨询服务。从总体来看，这次从公共领域向私人领域进行的巨大的资产转移是20世纪末期世界经济最重要的发展，其意义可以与19世纪创立真正意义的政府债券国际市场相媲美，而这个市场以类似的方式销售政府的债权。N·M·罗斯柴尔德对私有化革命的贡献，让人不由得想起其作为现代债券市场主要奠基人的早期作用。

无论从什么方面说，为政府的私有化提供咨询只是罗斯柴尔德银行自1979年以来所从事的公司金融业务中的一个组成部分。或许，对于公司总体盈利更为重要的部分还在于它在私营领域的持续的成功。在1996年，N·M·罗斯柴尔德已经连续两年位列《并购月刊》并购咨询企业龙虎榜的第五位，处理了总价值超过90亿英镑的24项交易。这距离这个市场的领头羊巴林银行差距并不是很大。7年之前，它还是位列第七。

与20世纪60年代和70年代一样，20世纪80年代出现了N·M·罗斯柴尔德的新的衍生机构。当然，其中最为重要的是罗斯柴尔德资产管理公司，其主要的任务是集中管理罗斯柴尔德银行离岸的各类投资基金。到1987年的时候，罗斯柴尔德集团总体上拥有供其管理的资金总额超过103亿英镑，其中大约有43亿英镑由罗斯柴尔德资产管理公司处理。维克多的小儿子阿姆谢尔的运气非常不好，他在1990年1月接到出任首席执行官任务的时候，恰巧遇到了国际性的经济衰退的开始，这使得罗斯柴尔德资产管理公司的业绩受到了很大的影响。当把母银行与罗斯柴尔德资产管理公司的利润合并起来看的时候，N·M·罗斯柴尔德与它的竞争对手之间的距离似乎在快速拉大。从另外一方面看，史密斯–新亭已经从1987年的股票市场打击中恢复过来，其利润在20世纪90年代初期达到了历史最好水平。当1995年决定把罗斯柴尔德在史密斯–新亭的股权出售给美林的时候，得到了1.35亿英镑，而当初以1 000万英镑购得的时候距今还不到10年的时间（它现在的债券销售业务由N·M·罗斯柴尔德和德国银行合资的荷兰银行合作操作）。还必须提到的，还有生物技术投资基金，这是在维克多·罗斯柴尔德的指导下于20世纪80年代早期建立起来的专业化的风险投资基金。另一项得到他的批准的计划是在1992年参与塔特索尔领导的投标经营新成立的国家彩票公司的银团，可惜投标没有成功。作为1978年皇家博彩委员会的主席，他当时建议的正好是这样的一种彩票。

20 世纪 80 年代最后一个项目就是新亭证券——由英国和法国罗斯柴尔德在纽约成立的分支机构——转型成罗斯柴尔德股份有限公司。在其首席执行官鲍勃 · 皮里和他的继任者汉克 · 塔藤的领导下，这个公司很快就建立起了一大串公司客户名单。在 20 世纪 90 年代早期，罗斯柴尔德股份有限公司所赚得的钱与它所代理的那些经济衰退的受害者比如奥林匹亚与约克以及“垃圾债券”专家德雷克塞尔 · 伯纳姆 · 兰伯特所拿回来的钱相比，只多不少。

到 20 世纪 80 年代末期，在伊文利的领导下，经过 10 年的持续增长，N · M · 罗斯柴尔德公司给予了卡桑德拉一个响亮的耳光，后者曾经预言说罗斯柴尔德在现代的金融世界里是没有前途的。从拥有 1.52 亿英镑股票市值，一份 44 亿英镑价值的资产负债表，红利总额 1 200 万英镑以及净利润 500 万英镑的成绩单上看，这个银行不再是巨人。以 600 名员工、39 名管理人员以及 26 名非执行董事的名单看，它也不应该是。另外，这个问题仍然没有答案，就是它事实上是否有必要成为“巨人”来闯 20 世纪 80 年代的关。雅各布 · 罗斯柴尔德自与新亭分道扬镳后的经历似乎给出了否定的回答。

从一开始，雅各布就表现出了要实现他的建立新的金融庞然大物梦想的强烈愿望。在 1981 年，罗斯柴尔德投资信托与大北方投资合并，成立了 RIT & Northern。在此后 3 年的时间里，他收购了新成立的早间电视公司 9.6% 的股份，纽约的商业银行（互不相关的）L · F · 罗斯柴尔德、昂特伯格、托宾各 50% 的股份，以及金融城的证券经纪公司 Kitcat & Aitken 29.9% 的股份，而且与渣打集团合并组建 J · 罗斯柴尔德渣打公司，市值达到了 4 亿英镑——这个规模是 N · M · 罗斯柴尔德的两倍。在 1983 年——也就是他离开新亭 3 年后的一次讲话中，他预言，随着国际金融管制持续放开，“这两个类型迥异的巨大机构，世界范围的金融服务公司以及具备全球性贸易能力的国际商业银行将会自己交汇融合，形成最大限度的、全能的、多头金融企业集团”。他自己的帝国正开始走向那样的境况。

然而，它的分离几乎与它的合并一样快。拐点出现在 1984 年 4 月，当时雅各布公布了另一项并购计划——与马克 · 温伯格的保险公司汉布罗人寿保险。面对着金融界对他的公司做得太复杂的批评，他放弃了这项交易，这导致了 J · 罗斯柴尔德渣打公司的股价大幅跳水。在一个月的时间内，雅各布卖出了他在渣打公司和 Kitcat & Aitken 的股份。在 1987 年，轮到 L · F · 罗斯柴尔德（它随后申请了破产保护）；而且在一年之后，他把 RIT 资本合伙公司从核心企业 J · 罗斯柴尔德控股公司单列出来，作为投资管理机构。这个“瘦身”的过程持续到了 1990 年，将 JRH 分成两个独立公司：单位信托投资公司主教门增长基金公司以及圣詹姆斯–普莱斯资本公司。简单地说，这种流星般的业绩与经济周期有关，而且特别是1987年的股票市场暴跌（尽管雅各布与他的股东们在各种并购案中兑现了大量的利润）。但是这也同时反映了一些具体的挫折，比如他在1989年（与詹姆斯·戈德史密斯和克里·帕克一起）为烟草巨头英美烟草公司所做的130亿英镑投标的失败，极大地降低了税前的利润。尽管此后也有一些新的投资，雅各布在1990年继承了他父亲的爵位，成为了罗斯柴尔德勋爵四世后，将他的精力更多地投向了公共事务——最有名的就是在1992~1998年担任国家遗产纪念基金会主席。

一个更为显著的对比是法国罗斯柴尔德家族在20世纪80年代的经历；主旨——规模并不总是一个优势——是一样的。在盖伊1979年从银行和IMETAL主席的位置上退下来，以及艾伦从他最后的业务职位（贴现银行主席）上离开之后的次年，新一代在伊利的领导下走上了前台，特别是盖伊的儿子戴维，他与1968年在庞纳罗亚开始了他的经商生涯，而且作为北方公司的董事长，指挥了公司与罗斯柴尔德银行的合并工作。但是，这次高层的变动正好发生在危机累积的时候。法国罗斯柴尔德银行的利润从1976年的2 000万法郎急剧下跌到了1977年的850万法郎，而且随后的3年并没有看到什么起色：1980年的利润是1 830万法郎（190万英镑）。对于像N·M·罗斯柴尔德这种规模的公司，这些数据可能还说得过去。但是对于法国罗斯柴尔德银行——法国排名第十位的储蓄银行，存款大约34亿法郎（3.46亿英镑）——用失望这样的字眼都无法表达这种心情。1981年5月，社会主义党的弗朗索瓦·密特朗在法国总统选举中击败季斯卡·德斯坦——在次月，这个胜利得到了再现，他的党在国民大会的选举中取得了绝对的多数。这个时候，规模与弱势的复合就变得很致命了。

自从1973年与共产主义者们达成协议以来，社会主义者们就做出了“将银行和金融机构，特别是商业银行与金融控股公司”进行国有化的承诺。而对于这种政策，根据民意调查的结果，只有29%的投票人表示反对。现在，密特朗处在了一个很好的位置去履行这个承诺；事实上，他的政府中有4名共产主义者部长，他也不得不去做。慌乱之中而且明显时间已经来不及了，罗斯柴尔德家族试图拆分他们的产业企业和银行股权，但是遭到了政府的拒绝，政府要求将所有存款超过10亿法郎的银行变成大众持股的企业。39家银行，包括罗斯柴尔德银行被一网打尽。这家由詹姆斯·德·罗斯柴尔德创立的银行因而变成了国有的法兰西公司——欧洲银行。可以肯定的是，这不是纳粹式的公然掠夺。补偿依据1980年年底股票价值以及所分配的红利进行计算，并进行了通货膨胀调整。在罗斯柴尔德银行这个案例中，应付的金额只是4.5亿法郎（4 100万英镑），其中，按照他们在银行权益中的比例，罗斯柴尔德家族得到了1/3。事实上，有些观察家认为，国有化对于那些病入膏肓的公司来说，是一种掩藏在痛苦下的幸福。但是盖伊对于这种40年间的第二次政治打击感到特别悲痛。"贝当政府压制下的犹太人，密特朗政府统治下的贱民，"他在一篇发表在《世界报》头版的怒火中烧的文章中这样写道："我真是受够了！"

让这个故事变得更加跌宕起伏的是，政府中负责对罗斯柴尔德银行进行国有化改造的一名部长，亨利·埃玛纽埃利，是埃德蒙在瑞士创立的与他的儿子本杰明共同经营的金融公司驻巴黎办事处的主任。尽管埃德蒙对他的父亲用非常糟糕的条件留下来的这家银行现在所面临的命运是否感觉到幸灾乐祸，我们无法确定，但不容争议的一点是，在所有的罗斯柴尔德中，他是20世纪80年代在金融领域最为成功的。在1992年，他的金融公司的资产大约有11亿英镑，而他的私人银行在1995年的时候可以控制的资产预计在108亿英镑。

如果各家不同的罗斯柴尔德银行相互间一点联系都没有的话，那么巴黎的罗斯柴尔德家族要想从国有化的打击中恢复过来可能就是天方夜谭了。然而，在法国罗斯柴尔德银行被撤销3年之后，一个新的罗斯柴尔德巴黎银行就已经建立起来了。新的巴黎银行的母公司是一家叫做巴黎奥尔良管理公司的控股公司，这个公司由戴维和埃里克在国有化之前的法国罗斯柴尔德银行的机构外面设立。与戴维同父异母的兄弟爱德华一起，这两个兄弟现在决定建立一个小型的基金公司作为巴黎奥尔良（也拥有葡萄酒业务，罗斯柴尔德男爵属地）的分支机构。前后花了3年时间，他们才说服财政部长雅克·德洛斯勉强发给了一张银行的执照，而且，甚至在这个时候，政府都还坚持禁止使用家族的名字，以至于在新的企业于1984年7月开张时只能起名为"PO银行"。银行的股东情况显示，这是一个真正的跨国罗斯柴尔德实体：罗斯柴尔德家族延续控股（见后）出资总资本的12.5%，埃德蒙的金融公司10%，罗斯柴尔德银行有限公司（苏黎世）7.5%。银行的文具上使用五个箭头的标志以及"罗斯柴尔德集团"很清楚地说明了这点。这个企业是成功的：在它成立的头两年里，其股票市值翻了3倍，而且到1986年，它管理着大约2.73亿英镑的客户基金，总资本金超过400万英镑。

法国社会主义者在选举中的失败，"共同家园"思潮的出现，以及戴高乐主义者雅克·希拉克在1983年3月出任总理，接受日趋保守主义的密特朗的领导，使得罗斯柴尔德家族的全面复辟成为可能。学习英国的榜样，新的法兰西银行参与了私有化的进程，为政府对法国巴黎银行的上市提供咨询服务；并在1986年10月，重新申请使用家族的名称，变身为罗斯柴尔德联合银行（后来又改为过去的合伙制结构，称为罗斯柴尔德企业银行)。从那时起，新的罗斯柴尔德巴黎银行越来越多地参与到了法国的公司金融活动中。凭借1.5亿法郎（1 900万英镑）的资本金与大约150亿法郎（19亿英镑）可以调配的资金，罗斯柴尔德巴黎银行成为法国最大的5家从事公司金融业务的银行之一：按照伦敦金融城的标准看像个小摊贩，但是却非常具有活力。

在巴黎的这次第二次复兴只是伊文利在力主重建那种在19世纪曾经是罗斯柴尔德最大力量源泉的国际合伙人体制广泛努力的一个组成部分——用他的话说，就是"重新像一个家族一样走到一起"。从这个意义看，在瑞士建立的罗斯柴尔德家族延续控股有限公司作为扩张"罗斯柴尔德商业银行集团"的母公司具有相当重要的历史意义。这是自从第一次世界大战爆发之前以来，第一次采取正式的手段去团结四分五裂的家族权益，而之前造成这种分裂局面的原因是由于3/4个世纪以来的政治局势的动荡。我们可以这样说，伊文利的战略的关键点就在这里，即他相信罗斯柴尔德家族可以用家族企业的传统美德与一个真正的全球化编织一个传统罗斯柴尔德体系的现代图景：处于中心位置的是一个紧密交织的由家族控制的公司组成的集团，外面是扩展出去的代理商和合作伙伴组成的网络，再往外一层是各种程度不同的卫星企业。

在本文写作时，集团的结构可以简化成下面的方式。在金字塔最顶层的是罗斯柴尔德家族延续控股有限公司，一家在苏黎世成立的控股企业，其主要的投资是下面的19个企业，在这里按地理位置进行分组：

- N·M·罗斯柴尔德有限公司、罗斯柴尔德家族延续有限公司、罗斯柴尔德公司金融有限公司以及罗斯柴尔德资产管理有限公司（英国）
- N·M·罗斯柴尔德（英属群岛）有限公司以及罗斯柴尔德资产管理（英属群岛）有限公司（英属群岛）
- 罗斯柴尔德企业银行以及罗斯柴尔德公司（法国）
- 罗斯柴尔德银行有限公司（瑞士）
- 罗斯柴尔德欧洲公司与罗斯柴尔德资产管理国际控股公司（荷兰）
- 罗斯柴尔德北美有限公司以及罗斯柴尔德资产管理有限公司（美国）
- N·M·罗斯柴尔德（澳大利亚）有限公司、N·M·罗斯柴尔德澳大利亚控股私人有限公司以及罗斯柴尔德澳大利亚资产管理有限公司（澳大利亚）
- N·M·罗斯柴尔德（中国香港）有限公司以及罗斯柴尔德资产管理（中国香港）有限公司
- N·M·罗斯柴尔德（新加坡）有限公司

N·M·罗斯柴尔德集团因此是一个跨国实体（它的资产目前有一半以上在英国

以外的地区）而且地理区域跨度很大——让我们禁不住再次想起了由迈耶·阿姆谢尔的儿子在1815年之后所创建的公司体系。但是，今天的这个体系还通过另外一家瑞士公司——罗斯柴尔德协和有限公司，它拥有罗斯柴尔德家族延续有限公司的绝对控股权（52.4%），受到家族的控制。与这个结构紧密相连的是巴黎奥尔良控股公司，它控制了位于巴黎的罗斯柴尔德企业银行股份的37%、罗斯柴尔德北美公司的大约40%、罗斯柴尔德加拿大的22%、罗斯柴尔德欧洲的40%。金融公司的金融参与度不高；但是，委任埃德蒙的儿子本杰明进入罗斯柴尔德家族延续控股有限公司和罗斯柴尔德银行有限公司的董事会表明以后的参与度会提高。

除了上面所列出来的公司，还有一些较小的附属机构让人无法忘怀19世纪那些老的代理机构。另外一个具有历史意义的举动是1989年5月宣布伦敦和巴黎的罗斯柴尔德银行将会在法兰克福开设分行：罗斯柴尔德股份有限公司。两个月之后，传来了罗斯柴尔德意大利分行开业的消息。到1990年9月，类似的举动在西班牙（罗斯柴尔德西班牙有限公司）和葡萄牙相继出现了。这个网络也不仅限于欧洲。在1997年，很多办事处如雨后春笋般出现在阿根廷、百慕大、巴西、加拿大、智利、哥伦比亚、捷克共和国、印度尼西亚、马恩岛、日本、卢森堡、马来西亚、马耳他、墨西哥、新西兰、波兰、俄罗斯、南非和津巴布韦。不用说，现在的罗斯柴尔德银行集团的结构与其在19世纪中叶高峰时期由5家银行共同运作的体系肯定存在着重大的差异。但是在很多方面看，它们表现得很相近。在欧洲、美洲和亚洲的分支所起的作用与一个半世纪前罗斯柴尔德的那些代理所起的作用类似。或许，更为重要的——与大多数的大金融机构相比——是对集团的所有权和领导权都由主要的家族成员分享。在19世纪，五兄弟与他们的儿子通过偶尔更新的合伙合同把自己与银行绑在一起；今天，家族的6个成员之间在N·M·罗斯柴尔德集团的15个主要成员公司中已经有总共37个董事席位（包括董事长和副董事长）。在19世纪，家族的合伙人只是名义上的平等：在资本比例方面及领导权方面总是倾向于有一名起领导作用的合伙人；今天的情况还是这样，由伊文利出任了罗斯柴尔德协和有限公司、罗斯柴尔德延续控股有限公司、罗斯柴尔德银行有限公司、N·M·罗斯柴尔德父子有限公司以及罗斯柴尔德延续有限公司这几个关键公司的董事长，此外还有很多集团内公司的董事。而且，与过去的情况一样，由于伊文利接近退休年龄，继任者的问题又再次被提了出来。一个标志性的事件是在1992年1月任命戴维为N·M·罗斯柴尔德公司的副董事长。在这样一个当其他金融城里那些老的家族正在失去对自己所创立公司的控制权的时候，罗斯柴尔德却重新确立了他们的主导地位。5个月之后，伊文利在对《世界报》的一次讲话中，明确地说明了继任的问题："如果我有什么不测，有戴维在。如果戴维有什么不测，有阿姆谢尔在。像一个家族一样工作，一直都是我们的商标。”阿姆谢尔在1996年7月一次讨论合并罗斯柴尔德家族的国际资产管理业务的会议之后的辞世，确实是一个悲剧性的打击。但是我们似乎依然有理由相信，当伊文利决定退休的时候，戴维将会在一些关键的位置上继承他：戴维现在经常往伦敦跑——这种旅行现在做起来比当初詹姆斯不得不做的时候不知道快捷和容易了多少倍。

当然，将不同的罗斯柴尔德业务一体化并不是没有一点问题，还不仅是1991~1992年苏黎世的罗斯柴尔德银行遭遇危机打击那么简单。在对原来的法国罗斯柴尔德银行进行国有化改造之后，伊文利成为了苏黎世银行的董事长，并任命了阿尔弗雷德·哈特曼出任总经理以及后来的副董事长。麻烦的迹象最初出现在1984年，当时瑞士银行委员会正因为它卷入了一次非法的5 000万瑞士法郎的贷款活动而对它进行调查。6年之后，更加令人难堪的事出现了，当时在由罗斯柴尔德支持的一次菲利普·莫里斯对苏卡德公司竞标的前夕，苏黎世银行购买了苏卡德公司的股票。在1991年7月，为了制止腐败事件，N·M·罗斯柴尔德收购了这个公司51%的股份，而伊文利出任了这个公司的董事长。他在那里的发现引发了我们对安塞尔姆在1848年到达维也纳后的经历进行比较（或者是与小列昂内尔在遭遇信贷银行危机时的情况进行比较）。起初，宣布说6 350万瑞士法郎的银行秘密公积金可能将不得不用来偿还大约1个亿瑞士法郎（4 000万英镑）的坏账损失，这些都是令人震惊的数字。然而，这只是清扫垃圾成堆的地方所挥动的第一下扫帚。在1992年9月，人们发现银行中的一名高级经理吉格·希尔批准了不少金额很大而且是非法的贷款，贷款主要流向了两家地处德国和加拿大的金融企业。这些交易总的损失最初估计是2亿瑞士法郎（8 000万英镑），但是这个数字随后不得不调整为2.7亿瑞士法郎——超过了公司全部的资本金。要是罗斯柴尔德银行有限公司是一家完全独立的实体的话，这应该就是它的末日了。然而，作为一个广泛的罗斯柴尔德机构的一部分，可以通过给它注入1.205亿瑞士法郎来拯救它，而且，所损失的资金随后也基本都被收回了。

苏黎世危机是一个以家族企业为核心的跨国组织所遇到的危险的一个警示：小的问题可能酿成大祸。然而，与发生在1995年那场吞没了罗斯柴尔德家族历史上的老对手巴林银行灾难——一名“流氓”交易员在新加坡进行违规投机时致使公司倒闭——相比较，苏黎世危机真不值得一提。巴林随后被荷兰国际集团购买掉的命运，是对于一个传统的金融城里的商业银行可能出错的极端例子。然而，这并不是唯一被非英国买主买走的银行。如S·G·沃伯格已经属于瑞士银行有限公司，摩根·格伦费尔归到德意志银行名下，克兰沃茨·本森被德累斯顿银行纳入囊中，而汉布罗银行集团则已经是法国兴业银行的猎物。在曾经组成承兑银行委员会的那些金融城里的精英银行里，罗斯柴尔德成为成功保持着独立性的硕果仅存的四家银行中的一家。

再一次，我们又想到了历史上的类比。在整个19世纪中，对于罗斯柴尔德家族能够经受住那些吞噬了很多他们的竞争者的金融危机、革命和战争的冲击而屹立不倒的原因，单个最重要的原因就是一家银行所遭遇的危机可以在其他银行的协助下被控制住并解决掉。1830年对巴黎银行以及1848年对维也纳银行的救助，是两个经典的例子。罗斯柴尔德银行在苏黎世的重建又让人重新回忆起那些早期的故事。

因此，N·M·罗斯柴尔德集团的发展需要按照这样一种方式来理解：在一个金融巨头越来越大的世界里，保卫好罗斯柴尔德独立自主的传统，而不是采用成为这个巨人俱乐部成员的战略。在本书写作的时候，罗斯柴尔德家族延续控股公司拥有的所有者权益（资本、储备以及累积利润）为4.6亿英镑，或者如果使用一个更宽一点的定义的话，拥有的总可用资本大约是8亿英镑。此外，巴黎奥尔良控股公司拥有资本大约1亿英镑。当然，这些数字使集团的排名远逊于世界上最大的银行汇丰银行，它的合计资本大约为550亿英镑；但是这样的比较根本就没有可比性。最好是与施罗德这样一家已经为数不多的金融城内仍然独立的商业银行进行比较，结果是略有超出；或者与一家和N·M·罗斯柴尔德有限公司一样在1970年重组的公司进行比较。资本和储备从1 200万英镑增加到4.6亿英镑不能说只是平常的成绩：它代表了增长，经过通货膨胀调整后，是接近400%的增长。仍然还需要回答的一个问题，是伊文利在过去的几十年中打造的这种家族控制的"微型跨国"企业组织怎样在国际金融市场一体化水平越来越高的这种局面下求生存，谋发展。

人们通常认为，现代的金融行业与过去的金融行业之间存在着天壤之别。如有人辩解说，交易的规模远远超过过去，而且得益于电子信息技术的发展，交易的速度也是出乎人们意料之外的快。公共和私人的规则体系也赶不上创新——比如金融衍生物——发展的步伐。各国中央银行的储备与天量的国际外汇市场的交易规模相比也是望尘莫及。在全球化的时代，国家民族本身已经过时；家族公司更是如此。未来属于巨无霸式的国际企业。然而，读过本书这段历史的读者可能会倾向于对这种武断的假设提出质疑。可以肯定的是，与1914~1945年的那段时间相比——而且或许也可以与1979年之前的那段时间相比——金融行业已经面目全非了。但是与第一次世界大战前的100多年相比，20世纪80年代和90年代看起来差别并不太大。与19世纪的世界人口统计以及经济发展相关——而且当然也与民族国家非常有限的金融资源相关——的国际资本流动在19世纪相当巨大。与过去的情况相比，19世纪的通信进步极大地加速了商业活动的速度。法规的制定远远落后于债券市场和股票市场出现的创新步伐。市场的涨跌很剧烈；微小的失误就有可能给某个公司造成灾难性的后果。

在19世纪的大多数时间里，我们完全可以肯定地说，不仅能够兴旺发达，而且还能够存在十几二十年的最好的公司类型，就是像这个由迈耶·阿姆谢尔·罗斯柴尔德创立，而且由他那拿破仑式的儿子内森领导着从犹太人聚居区走出来并走向伟大的模式。这种模式植根于一种独特的理念，提倡家族团结、宗教伦理以及勤奋工作——这种理念最终证明，尽管所有的大家族都存在分离的倾向，面临社会同化的腐蚀影响以及对财富无尽的贪欲，但是却具有强大的持久性。与此同时，其跨国的结构提供了独特的灵活性，使它能够经受住甚至是最严重的经济和政治危机的打击。

一家现代的金融企业也能够复制这种灵活性。或许，通过对各种管理职能的合理化调整派生出衍生公司，我们把这个过程称之为“经营管理”，而这些公司最终甚至可能超过其原本的公司。但是，却不可能复制更早期的那种结构的理念，因为没有任何公司的理念能够将其广泛分布的大量的股东、董事、经理人以及雇员变成一个家庭。弗兰西斯·福山等人认为，现代西方机构，比如股份公司的弱点之一，是它无法得到每个雇员或者投资者的信任和忠诚。或许，家族企业在这方面做得要好得多，就算是它为此付出了规模经济的代价。

作为银行家，了解自己的历史对自己是否有益？这个问题实际上没有任何的意义。正如A·J·P·泰勒曾经说过的，我们从历史中学到的东西只能是教我们怎样去犯新的错误，而且对于一个职业投资人来说，太多金融史方面的知识可能导致过度的风险厌恶。至少，一名在N·M·罗斯柴尔德集团内部的高层人物曾经说过，他对罗斯柴尔德家族未来的兴趣，远甚于对罗斯柴尔德家族历史的兴趣。他的态度无疑是正确的。另一方面，N·M·罗斯柴尔德父子以及其他罗斯柴尔德公司的历史对于他和他的同事来说，起码在一个方面具有现实意义——事实上是实用性：在很多领域，罗斯柴尔德这个名字是一份与出现在罗斯柴尔德集团资产负债表上的任何数字同样大的资产。这是一个在国际金融市场上无可匹敌的品牌；而且如果对此还有任何疑虑的话，这本书已经做了详尽的解释。

另外，历史总是对现实产生着非常微妙的影响，这种影响远远超出了为公司的宣传册提供素材的那点价值。那是一种追求的目标，一种需要维护的名声。而且，那还是业务过程中一种通常与更为普遍但是比较短视的利润动机同样有效的动机。本研究中一个非常令人震惊的发现，是罗斯柴尔德的几家银行在19世纪的下半叶，取得的资本回报率相对较低，这个现象可以部分地由他们一直保持资本对负债的高比例来解释。他们在银行业取得长期成功的部分秘密，当然是不冒进；罗斯柴尔德家族相对来说属于风险厌恶的类型，这是他们取得了更长的金融寿命的一个原因。这个解释的本源在一个家族企业的心理层面——准确地说，是更长的时间范围——要求在考虑目前股东利益的同时，还要考虑下一代的利益。

在 1836 年，随着内森·迈耶·罗斯柴尔德的去世，他的兄弟、他的儿子以及侄子通过一份新的合伙协议将他们全部绑在一条船上。为了实现这个目的，他们回想起了大约 30 年前，他们的父亲迈耶·阿姆谢尔曾经告诉他们的："一致行动肯定是他们在工作中取得成功的途径"；以及他曾经是如何"不断向他们提出把保持男性成员之间的和谐作为获得神佑的源泉"。作为一条原则，他们总是告诫家族的后人必须谨记：

> 希望我们的子孙后代在未来的日子里遵循同样的目标，以便通过维护家族的永久团结，使罗斯柴尔德银行永远枝繁叶茂，而且进入完全成熟的境界……也希望他们能像我们一样能够谨记住我们高贵祖先的神圣箴言，并且把这种神圣的齐心合力的亲情和工作的美好愿景传承至千秋万代。

让人觉得非同寻常的是，在内森首次到达英国的两个世纪之后，这些话听起来依然是那么意味深长。

THE HOUSE OF ROTHSCHILD

致谢

书中引用温莎城堡皇家档案馆的文件，得到了女王陛下亲切的首肯。伊夫琳·德·罗斯柴尔德爵士、罗斯柴尔德公司总裁最初建议写作一部公司的历史，纪念他高祖内森·迈耶·罗斯柴尔德抵达英国200周年；我也要特别地向他表示感谢，因为他向我敞开了罗斯柴尔德档案馆。斯洛1996年不幸去世前，也对这一项目密切关注。罗斯柴尔德勋爵、埃德蒙·德·罗斯柴尔德、利奥波德·德·罗斯柴尔德和戴维·德·罗斯柴尔德男爵也都十分友好地接受了访问。他们和其他人还不厌其烦地阅读以及评价了书稿中出现的大量章节。我要感谢米丽娅姆·罗斯柴尔德修改了最初版本的书稿结尾部分，也感谢盖伊德·罗斯柴尔德男爵浏览了关于法兰西银行和家族最近历史的章节。埃玛·罗斯柴尔德阅读以及评价了第一个版本的全部书稿，这对于她自己的研究以及创作是一个相当大的干扰，我在此要谢谢她。列昂内尔·德·罗斯柴尔德通过阅读以及事无巨细的注解，把我从数不胜数的错误中拯救了出来。我也想感谢罗斯贝里伯爵夫妇，他们让我翻阅了第五代伯爵的私人文件，而且还在达尔梅尼盛情款待了我。

罗斯柴尔德公司的许多主管以及雇员也提供了协助。我尤其像感谢托尼·查普曼，拉塞尔·埃迪、格兰特·曼海姆、伯纳德·迈尔斯和戴维·沙利文，以及洛娜·林赛、黑兹尔·马修斯和奥列格·舍伊科。

诸如这本书的项目主要倚仗于档案，以及图书专家的专长和辛苦工作。我也特别感谢那些在罗斯柴尔德档案馆工作的人：维克托·格雷和梅拉妮·阿斯佩，以及他们的助手塔姆辛·布莱克和曼迪·贝尔，他们毫无怨言地忍受了我错误的工作方法以及不可预知的要求。我也要向他们的前任西蒙·马克和安·安德劳表示感谢。希拉·德·贝莱格，温莎城堡档案馆的记录员，是高效率的楷模；英格兰银行的亨利·吉勒特和萨拉·米勒德、哈特菲尔德银行的罗宾·哈考特–威廉姆斯同样如此。我同样要感谢莫斯科历史文档保护中心的莫查米德贾诺夫博士和他的助手。此外，我和我的研究助理也得到了英国犹太人档案馆、南安普敦大学、巴黎国家档案馆、慕尼黑巴伐利亚档案馆、伯明翰大学图书馆、博德利图书馆、英国图书馆、剑桥大学图书馆、柏林–达勒姆普鲁士国立秘密档案馆、马尔堡黑森国立档案馆、上院文献办公室、法兰克福城市历史研究所、法兰克福犹太人博物馆、纽约利奥·拜克研究所、苏格兰国家图书馆、牛津大学罗德学院、《泰晤士报》档案馆以及魏玛图林根国立档案馆的档案和图书专家的无价帮助。

韦登菲尔德勋爵就如月下老人，他建议我应该写这本书，为此（以及诸多其他的提携）我要一直把对他的谢意留在心里。我也要感谢奥里昂集团的安东尼·奇塔姆提供投资，他在截止时间到期以及书稿超过约定长度的情形下仍旧给予了鼓励。扬·特里温一直是一名极为出色的编辑；我的文字编辑彼得·詹姆斯同样如此。我也要感谢雷切尔·莱申、弗朗西斯·戈托和卡尔·史考特的贡献。

先后两名代理人吉尔·科尔里奇和乔治娜·卡佩尔提供了所有睿智的建议以及一个作者能够期望看到的不屈不挠的协商精神。

这本书如果没有大量的研究协助，不可能在 5 年里完成——甚至根本不可能写。我特别感谢莫迪凯·朱克，他译解第一代和第二代罗斯柴尔德家族成员所使用的古希伯来文的能力，是不可或缺的条件。他在我开始写这本书之前已经进行多年的翻译工作，以及他阅读原始犹太德语信件的录音，成了我能够阅读这本书用到的最为重要的资料。此外，如果没有无价的阿比盖尔·格林，我就不可能在法国罗斯柴尔德成员的信件中走得更远，她还搜寻到了久已失传的关于罗斯柴尔德家族的文学典故。爱德华·李普曼在金融问题上做了极为出色的工作，而雷纳·利特克在犹太人历史方面提供了至关重要的专业帮助。哈里·希金斯与格伦·奥哈拉在 19 世纪的金融统计数据中挥汗如雨。安德鲁·维里克追踪着纳蒂·罗斯柴尔德分散的政治信件。我也要感谢凯瑟琳·阿斯蒂尔、莉斯贝丝·埃莫森、伯恩哈德·富尔达、托拜厄斯·琼斯和苏珊娜·尼古拉斯。

最终的文本很大一部分归功于其他历史学家对之前文稿的关键性评价。戴维·兰德斯相当于充当了编辑主管的角色，能有一个备受推崇的现代经济史大师如此留意书稿，是一个不可多得的优势。我也必须感谢这个领域里的另一位大师巴里·苏普莱，他抽出时间阅读了书稿；另一个要感谢的人是我的老朋友乔纳森·斯滕伯格，他在最困难的时刻慷慨地阅读了前面几个章节。法兰克福犹太人博物馆的弗里茨·巴克豪斯和黑尔佳·克龙给了我极其珍贵的材料，这是他们从各种展品中搜集到的；我要向他们以及他们的助手致以衷心的感谢。另外一些阅读以及评价过独立章节的专家包括：罗伯特·埃文斯、格里·费尔德曼、约翰·格里格、希尔黑德郡詹金斯议员、雷纳·利尔、沃尔夫冈·莫姆森、苏珊娜·莫里斯、奥布里·纽曼、约翰·普拉姆、哈特穆特·波格·冯·斯特朗德曼和安德鲁·罗伯茨。我对他们出色的工作表示感激，也感谢他们对我提供的罗斯柴尔德历史方面的研讨会材料所进行的评价。我也想对阿莫斯·埃隆在莫斯科给予的学术友谊表示感谢。

牛津大学耶稣学院的院长和同仁们，忍受了我长达 5 年——写作这本书所耗费的时间——的缺席或心不在焉，牛津现代历史教研室的其他同事也是如此。我尤其要感谢我的同事费利西蒂·希尔，她经常承担本应由我们共同承担的重任，同时也要感谢达夫娜·克利福德、唐·福勒以及帕特里克·麦吉尼斯。我也得到了学院职员的间接帮助；我希望其他人能原谅我单独向薇薇恩·鲍耶和罗伯特·海恩斯表示谢意，他们一直超越了工作的要求。我也向现代语言教研室的多丽丝·克利夫顿表示感谢。当然我也不会遗漏不可或缺的阿曼达·霍尔。

我还希望借此机会感谢巴巴拉·格罗斯曼、茉莉·史丹和企鹅出版社为本书上下两卷美国版尽心尽力准备的所有人员。

最后，我要感谢苏珊、费利克斯和弗雷娅，因为他们这本书才得以问世，谨以此书献给他们。

备注：作者对“授权”的解释

或许有必要解释清楚一件事：阅读初始手稿的罗斯柴尔德家族成员并不是审查员。从一开始，我们就已经达成共识，即我可以自由地引用1915年3月（第一位罗斯柴尔德上院议员去世的日期）之前的伦敦罗斯柴尔德档案馆所有的材料；当然，也可以引用任何其他档案馆和私人收藏的文件，只要那些馆长和收藏者允许我这样做。我们同时也同意，罗斯柴尔德公司将有权对书稿发表评价。这一安排实际运行的效果远远超出了我的想象。为避免别人猜疑，我自始至终都遵循着历史写作的“兰克原则”，尽可能地“再现历史原貌”，我从罗斯柴尔德家族成员那里得到的评价进一步帮助我坚定了这一信念。他们对于历史准确性的诉求深深地打动了我。如果最终的拙作未能达到兰克的理想，我希望这只是因为缺少时间来阅读相关的文献，或者是那些文献没有留存下来甚或根本不存在，当然，其中的错漏都应由我一人承担。

尼尔·弗格森